LA CHAÎNE GRAPHIQUE

PRÉPRESSE, IMPRESSION, FINITION

« Moi, en revanche, je pourrais mesurer cette couleur : à vue de nez, elle devrait avoir une longueur d'onde de cinq cent quarante millionième de millimètres. Alors ce vert semblerait vraiment saisi, attrapé à un endroit précis ! Déjà pourtant, il m'échappe à nouveau, regarde : cette couleur du terrain a aussi sa matière, qu'on ne peut définir en termes de couleur, parce que ce vert, sur de la soie ou de la laine, serait différent. Nous voici renvoyés à cette découverte profondément éclairante que l'herbe verte est vert d'herbe ! »

Robert Musil, « L'Homme sans qualité », tome 2.

Traduction autorisée de l'ouvrage en langue suédoise intitulé Grafisk Kokbok.
ISBN : 91-7843-161-1, chez Fälth and Hässler

Traduction :	Comactiva Translations AB
	Adapté de l'anglais par Stéphane Boulenger,
	agence Communication & Arts graphiques
	Chapitre 15 : adapté du suédois par Chantal Haultecœur
	Chapitre 17 : Manuela Dournes, juriste
Texte :	Kaj Johansson, Peter Lundberg, Robert Ryberg
Conception et illustration :	Robert Ryberg
Illustrations :	Robert Ryberg
Photographies :	Photo Alto ; Tomas Ek, Fälth & Hässler ; Albert Håkansson, Ballaleica ; Joanna Hornatowska, STFI ; Andreas Lind ; Johanna Löwenhamn
Police :	Janson Text
Papier :	MultiArt Silk 130g/m^2. Cet ouvrage est imprimé sur du papier non acide.
Impression :	Fälth & Hässler, Värnamo, Suède

Z
249
.3
J6414
2005

PRÉFACE

Toutes les étapes de la chaîne graphique sont liées les unes aux autres et impliquent l'intervention de nombreux acteurs. La réussite d'une production graphique repose donc largement sur la communication et la coopération. Or, la communication est nettement simplifiée si l'on dispose de références communes.

Cet ouvrage vous aidera à comprendre la chaîne graphique dans son ensemble et à tirer le meilleur parti de vos outils. Il vous donnera également une vue d'ensemble claire pour vous permettre de communiquer de façon précise avec tous les acteurs du processus.

Ce livre est une référence incontournable pour les imprimeurs, les experts en prépresse, les graphistes, les éditeurs et les designers, mais aussi pour les acheteurs de produits imprimés et les services de marketing et de communication. Il s'agit également d'un manuel complet et d'un support de formation idéal pour les étudiants en arts graphiques ou les personnes suivant une formation sur le sujet.

Nous vous souhaitons une grande réussite dans votre communication !

Stockholm 2004

Kaj Johansson
Peter Lundberg
Robert Ryberg

Merci de nous adresser vos remarques, idées et suggestions (en anglais) sur notre site www.kapero.com.

▶ **OÙ SOMMES-NOUS DANS LA CHAÎNE GRAPHIQUE ?**
Chaque chapitre commence par une page qui indique quelles étapes du processus de production graphique sont concernées par le chapitre en question.

▶ **RENVOIS ET RÉPERTOIRE À ONGLETS**
Sur la première page de chaque chapitre figurent les renvois aux pages des différentes rubriques du chapitre. Vous trouverez également un répertoire à onglets qui facilitera la consultation du livre.

COMMENT UTILISER CET OUVRAGE

Ce livre a été conçu de façon à rapprocher le contenu des chapitres des étapes du cycle de production graphique. Chaque chapitre commence par une page où sont listées toutes les étapes de la chaîne graphique, avec une mise en relief des étapes traitées dans le chapitre en question. Ainsi, vous pouvez lire le livre de bout en bout, ou vous en servir comme d'un ouvrage de référence à consulter ponctuellement pour trouver une information précise. Sachez cependant que nous supposons dans chaque chapitre que vous avez lu les chapitres précédents, ou du moins, que vous maîtrisez les étapes de production traitées dans le début de l'ouvrage.

Nous utilisons des renvois dans le texte lorsqu'il est question d'un sujet qui est traité dans une autre partie du livre. Les références se présentent ainsi : [voir « Titre du chapitre » Numéro du paragraphe], par exemple [voir « L'impression » 13.2]. Si le renvoi porte sur le même chapitre, nous avons supprimé le titre du chapitre, par exemple : [voir 10.3.2].

Les commandes ou menus spécifiques de logiciels ou de systèmes d'exploitation sont imprimés dans la police American Typewriter. Cela donne par exemple : pour imprimer, sélectionnez Fichier –> Imprimer. La flèche indique que Imprimer est un sous-menu de Fichier.

Nous vous souhaitons une bonne lecture.

TABLE DES MATIÈRES

INTRODUCTION 1

CHAPITRE 1 INTRODUCTION Ce livre traite de la production graphique, c'est-à-dire de la série d'étapes qui conduit à la création d'un produit graphique imprimé, depuis l'élaboration du concept graphique à l'édition et à la production du produit fini. La plupart du temps, un professionnel différent intervient à chaque étape du processus de production graphique, mais tous ces intervenants doivent être capables de communiquer entre eux de façon efficace pour réaliser le meilleur produit possible.

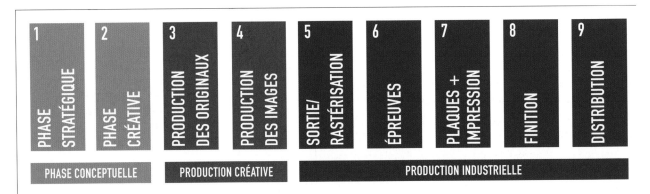

▶ **LES NEUF PHASES DE LA PRODUCTION GRAPHIQUE**
La production graphique peut être divisée en neuf phases. Les deux premières impliquent le développement du concept créatif. Les deux suivantes couvrent la mise en œuvre du concept et ses éventuelles modifications. Les cinq dernières étapes sont de nature plus technique et dépendent donc des décisions prises en amont.

Quel que soit l'aspect spécifique de la production graphique auquel vous êtes associé, vous vous devez de comprendre toutes les étapes du processus. Dans ce chapitre, nous allons présenter succinctement ces différentes étapes.

La production graphique peut être divisée en neuf phases. Les deux premières impliquent le développement du concept créatif. Les deux suivantes couvrent la mise en œuvre du concept et ses éventuelles modifications. Enfin, les cinq dernières sont de nature plus industrielle. Pour bien maîtriser la production graphique, il faut donc comprendre toutes les implications des décisions dans les phases suivantes de la production, afin de faire les choix les plus judicieux en terme de conception et de matériau dans les phases initiales : cela implique de penser le projet « à rebours ». Par exemple, le type de finition (également qualifié de traitement postpresse ou de façonnage) que vous avez choisi pour la phase 8 peut déterminer le choix du papier à utiliser lors de la conception initiale ; mais à leur tour, le choix du papier et la méthode d'impression déterminent la manière de scanner les images ou de séparer les couleurs au cours de la phase de production d'images, etc.

LE FLUX DE PRODUCTION GRAPHIQUE 1.1

Pour simplifier notre présentation de la production graphique, nous avons choisi de diviser ce processus selon les neuf phases suivantes :

1. *Phase stratégique*
2. *Phase créative*
3. *Production des originaux*
4. *Production des images*
5. *Sortie/rastérisation*
6. *Épreuves*
7. *Plaques d'impression et impression*
8. *Finition*
9. *Distribution*

PHASE STRATÉGIQUE 1.1.1

Il s'agit de l'étape où l'on envisage le projet dans son ensemble et où l'on détermine si un produit imprimé correspond vraiment à ce dont on a besoin [voir « Le suivi de projet graphique » 16.1]. C'est le moment de se poser les questions qui aideront à définir plus précisément le produit que l'on souhaite créer : quels sont les objectifs du projet ? À qui le produit est-il destiné ? À quoi le produit servira-t-il ?

PHASE CRÉATIVE 1.1.2

Pendant la phase créative, il faut mettre au point le *rough* et déterminer le message du document, ainsi que le meilleur moyen de toucher le public visé par ce message. D'autres questions concernent plus directement le projet : quel type de produit imprimé faut-il créer ? Que doit communiquer le produit ? Comment doit-il le communiquer ? À quoi le produit doit-il ressembler ?

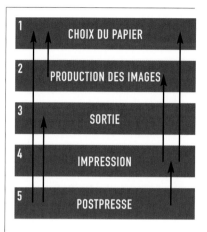

▶ **LES CHOIX SONT FAITS EN ORDRE « INVERSE »**
Le point commun à toutes les étapes de production est qu'il faut savoir ce que l'étape suivante va impliquer et adapter son travail en conséquence. La finition peut déterminer le choix du papier et la méthode d'impression, qui, à leur tour, déterminent la façon de scanner les images ou de séparer les couleurs.

▶ **INTERVENANTS : PHASE STRATÉGIQUE**
- Services marketing
- Services de communication
- Agences de publicité
- Conseils en média

▶ **INTERVENANTS : PHASE CRÉATIVE**
- Services marketing et de communication
- Agences de publicité et de relations presse
- Agences de création graphique

PRODUCTION DES ORIGINAUX 1.1.3

C'est pendant cette phase qu'il faut rédiger le texte du document, produire la maquette originale et élaborer la mise en page. C'est là également que l'on commande les photographies et que l'on scanne les images. Cette étape a souvent lieu en parallèle de la production d'images de la phase quatre. Une fois la production d'images terminée, les images numériques sont insérées dans l'original. À ce stade, il est souvent nécessaire d'envoyer une ou plusieurs épreuves aux parties concernées (les clients par exemple), pour révision et approbation, avant de passer à l'étape cinq, la sortie/rastérisation.

PRODUCTION DES IMAGES 1.1.4

Au cours de cette phase, les images sont photographiées et développées, puis scannées et stockées sur ordinateur en vue d'éventuelles modifications. Les images sont ensuite recadrées, converties en CMJN et ajustées en fonction du processus d'impression choisi. Pendant cette étape, on réalise également d'autres traitements de l'image : masquages, retouches et corrections des couleurs par exemple. Comme pour la phase précédente, on envoie habituellement une ou plusieurs épreuves pour approbation avant de passer à l'étape suivante.

SORTIE/RASTÉRISATION 1.1.5

À ce stade, la maquette, avec le texte et les images, peut être sortie sur film ou sur papier. Il peut s'agir d'impressions en couleurs, de transparents, de films graphiques ou d'originaux papier. Pour cette phase, on utilise en principe des imprimantes laser, des imprimantes à jet d'encre ou encore des imageuses.

ÉPREUVES 1.1.6

Les épreuves donnent une idée assez fidèle du résultat de l'impression finale. Cette étape du processus est particulièrement importante puisqu'il s'agit de la dernière chance de pouvoir vérifier le document et d'y apporter les modifications nécessaires. L'épreuve, analogique ou numérique, sert également à montrer à l'imprimeur à quoi est censée ressembler l'impression finale. Une épreuve numérique est réalisée à l'aide d'imprimantes couleur de qualité supérieure, avant la production des plaques et éventuellement des films. Une épreuve analogique est réalisée sur la base des films éventuellement utilisés pour fabriquer les plaques d'impression.

PLAQUES D'IMPRESSION ET IMPRESSION 1.1.7

Une fois les épreuves acceptées, vient l'heure de fabriquer les plaques d'impression qui seront utilisées pour le tirage des exemplaires finaux. Récemment encore, ces plaques étaient fabriquées à partir des films de la phase cinq. Aujourd'hui, elles sont le plus souvent produites directement par des imageuses plaques, appelées CTP (Computer To Plate) par les imprimeurs. Il existe un certain nombre de procédés d'impression différents : l'impression offset est la plus répandue, mais l'héliogravure, la flexographie, la sérigraphie ou l'impression numérique sont autant d'autres techniques possibles. Le procédé d'impression utilisé dépend du produit souhaité. Le papier est bien entendu le matériau le plus couramment employé pour l'impression, mais il est également possible d'imprimer sur des matériaux comme le plastique ou le tissu.

FINITION [1.1.8]

Après le tirage, les feuilles imprimées doivent encore être travaillées pour aboutir à un produit fini. Elles peuvent par exemple être rognées au format voulu, pliées, collées, brochées en livres ou en fascicules, pelliculées ou vernies pour se conformer au produit fini souhaité. Cette phase est également connue sous le terme de façonnage ou de traitement postpresse.

DISTRIBUTION [1.1.9]

La distribution est la dernière phase de la production graphique. Le produit fini imprimé est distribué à l'utilisateur final.

▶ **INTERVENANTS : FINITION**
- Imprimeurs
- Façonneurs

▶ **INTERVENANTS : DISTRIBUTION**
- Imprimeurs
- Façonneurs
- Routeurs

L'ORDINATEUR

2

CHAPITRE 2 L'ORDINATEUR Aujourd'hui, toute la production graphique repose sur l'utilisation d'ordinateurs et de logiciels. L'ordinateur étant au cœur du processus, vous devez en posséder une connaissance de base et maîtriser ses fonctions élémentaires.

▶ UN ORDINATEUR
L'essentiel de la production graphique se fait sur ce type d'ordinateur. Le Macintosh est le plus couramment utilisé dans l'industrie graphique.

L'ordinateur est à la base de toute production graphique : il sert à créer du texte, modifier des images et réaliser une mise en page, puis à intégrer tous ces éléments dans un document fini. Il permet aussi d'archiver et de stocker de grandes quantités d'informations. Enfin, l'ordinateur est également utilisé pour gérer le fonctionnement des presses d'imprimerie, ainsi que d'autres équipements périphériques essentiels à la production graphique, comme les scanners et les RIP (Raster Image Processor ou processeur d'image tramée). Ce chapitre est consacré à la présentation des composants de base et des fonctions de l'ordinateur.

On peut généralement distinguer deux grandes parties dans un système informatique : les logiciels et le matériel. On appelle matériel les appareils physiques qui composent l'ordinateur. Le disque dur, le processeur, la mémoire vive (appelée communément RAM) et la carte d'interface réseau constituent les éléments matériels de base, mais l'on trouve aussi sur un ordinateur des accessoires, appelés périphériques, comme le moniteur, le clavier, la souris, le modem, l'imprimante et le scanner, pour n'en citer que quelques-uns. Les logiciels sont les programmes gérés par l'ordinateur ; les plus élémentaires sont les systèmes d'exploitation, les utilitaires, les pilotes, les applications et les plug-ins.

LES LOGICIELS 2.1

Intéressons-nous pour commencer à la partie logicielle de l'ordinateur. Dans cette section, nous donnerons une définition générale des systèmes d'exploitation, des utilitaires, des pilotes, des applications et des plug-ins, mais nous présenterons également certains logiciels propres à la production graphique, comme les logiciels de traitement de texte, de retouche d'images, d'illustration, de mise en page, d'imposition, de base de données, ainsi que d'autres plus spécialisés.

SYSTÈMES D'EXPLOITATION 2.1.1
Le système d'exploitation est le logiciel le plus important d'un ordinateur. Sans lui, l'ordinateur ne peut pas même démarrer. Le système d'exploitation gère toutes les fonctions de base : affichage de l'interface utilisateur, réception et traduction des signaux émis par le clavier, enregistrement des fichiers sur le disque dur, etc. Il simplifie également la com-

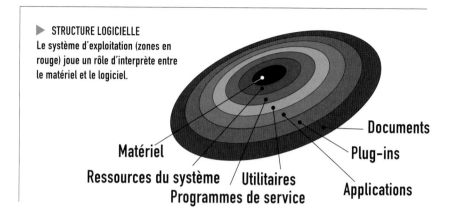

Matériel

Ressources du système

Utilitaires

Programmes de service

Documents

Plug-ins

Applications

munication entre tous les autres programmes que vous utilisez et le matériel de l'ordinateur. Mac OS, Unix, Windows XP, Linux et DOS sont autant d'exemples de systèmes d'exploitation.

UTILITAIRES 2.1.2

Un utilitaire travaille avec le système d'exploitation pour offrir des fonctions supplémentaires, qui viennent compléter et étendre la configuration de base. Par exemple, Adobe Type Manager (ATM) est un utilitaire très employé en production graphique, qui améliore les capacités de gestion des polices de caractères d'un système de base [voir « Caractères et polices » 3.5.2]. Les économiseurs d'écran et les antivirus sont d'autres exemples de programmes utilitaires.

PILOTES 2.1.3

Les pilotes sont des logiciels qui permettent à l'ordinateur de travailler avec des matériels périphériques, comme les imprimantes et les scanners. Ce périphérique est presque systématiquement livré avec son propre pilote, qui doit être installé sur le disque dur de l'ordinateur pour que le périphérique fonctionne.

APPLICATIONS 2.1.4

Une application est un logiciel qui exécute un ensemble complet de fonctions dans un domaine spécifique, comme le traitement de texte ou la retouche d'images.

Dans le domaine de la production graphique, on dénombre six grandes catégories d'applications : le traitement de texte, la retouche d'images, l'illustration, la mise en page, l'imposition et les bases de données. Il existe de plus de nombreux logiciels spécialisés pour les besoins particuliers de la production graphique, notamment les logiciels OPI, les logiciels de trapping, les logiciels de contrôle (les imprimeurs parlent aussi de logiciels de preflight) et les logiciels de commande des RIP, des imageuses et des presses d'imprimerie. Par ailleurs, on fait en général également appel à un logiciel de gestion, pour gérer les commandes et les factures par exemple. Nous examinerons plus en détail les principales applications spécialisées au cours des chapitres suivants.

▶ LOGICIEL DE TRAITEMENT DE TEXTE
Pour écrire et modifier des textes.

▶ LOGICIEL DE MISE EN PAGE
Pour composer et créer des pages en fusionnant du texte et des images.

▶ LOGICIEL D'IMPOSITION
Pour disposer numériquement les pages afin de les sortir ensemble sur film large.

▶ LOGICIEL D'ILLUSTRATION
Pour créer des images vectorielles.

▶ LOGICIEL DE RETOUCHE D'IMAGES
Pour créer et manipuler des images bitmap.

Les logiciels de traitement de texte permettent d'écrire et d'éditer du texte dans un format simple avant de lui appliquer des styles de mise en forme. Ces applications n'ont pas pour but de gérer des graphismes élaborés, la typographie ou les procédés de quadrichromie et ne sont donc pas utilisées directement dans la production de maquettes. Microsoft Word est le programme de traitement de texte le plus répandu à l'heure actuel.

Les logiciels de retouche d'images sont des outils spécialisés dans la manipulation graphique des images destinées à l'impression. L'un des programmes de retouche d'images les plus connus est Adobe Photoshop.

Les logiciels d'illustration permettent de « dessiner » ou de créer des images originales à l'aide de l'ordinateur. Adobe Illustrator et Macromedia Freehand sont des programmes souvent utilisés à cet effet. Il existe des applications distinctes pour l'illustration en 3D : 3D Studio et Strata Studio par exemple.

Les logiciels de mise en page rassemblent texte et images sur des pages complètes, qui sont ainsi mises en forme. Ils permettent de fabriquer un produit graphique professionnel. Les plus utilisés sont QuarkXPress, Adobe InDesign et Adobe PageMaker.

Les logiciels d'imposition permettent d'assembler plusieurs pages en vis-à-vis pour obtenir un montage complet, ce qui évite d'avoir à monter manuellement les films de chaque page. Parmi les programmes d'imposition, citons Preps, Ultimate Impostrip, PressWise et Quark Imposition [voir « Sortie » 9.6].

Les applications de base de données sont utilisées en premier lieu pour archiver et indexer des éléments de la production comme les fichiers texte, les fichiers image et les fichiers page. Phrasea de BaseView, Extensis Portfolio (anciennement Fetch), Cumulus de Canto et Media Manager sont les programmes de base de données les plus courants [voir « Stockage et archivage » 7.8.1].

PLUG-INS 2.1.5

Les plug-ins sont également appelés extensions ; il s'agit de petits programmes qui améliorent les applications logicielles existantes en permettant l'exploitation de fonctions supplémentaires. Les plug-ins sont parfois à l'origine des difficultés rencontrées lors du transfert de documents d'un ordinateur à un autre. Parfois, il faut impérativement posséder le plug-in ayant été utilisé pour créer un fichier précis sur un ordinateur donné, afin d'exploiter ce fichier sur votre ordinateur.

LE MATÉRIEL ²·²

Le matériel regroupe tous les composants physiques d'un ordinateur. Il existe de nombreuses marques de matériel informatique sur le marché, mais ce sont les ordinateurs de la gamme Apple Macintosh qui sont les plus répandus dans le monde des arts graphiques. Nous traiterons donc dans cet ouvrage du matériel spécifique à cette marque, sachant toutefois que le matériel d'un PC est fondamentalement identique.

PROCESSEUR ²·²·¹

Le cœur – ou plutôt devrait-on dire le cerveau – de l'ordinateur est son processeur, aussi appelé UC (Unité Centrale) ou CPU (Central Processing Unit) en anglais. Il réalise tous les calculs requis par l'ordinateur ; en d'autres termes, c'est la tête pensante de la machine. Le processeur exécute toutes les fonctions commandées par le système d'exploitation et les autres logiciels, et contrôle le fonctionnement du reste du matériel qui compose le système. Sur Macintosh, les processeurs sont nommés G3, G4 et maintenant G5. Un exemple équivalent pour les ordinateurs compatibles Windows serait le processeur Intel Pentium.

BUS DE DONNÉES ²·²·²

Le bus de données gère les flux d'informations entre tous les composants matériels de l'ordinateur. Il transporte les données entre différentes zones de la machine, comme la mémoire vive, la carte vidéo et le disque dur. Le bus de données est relié directement au

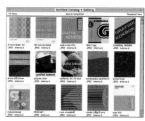

▶ **LOGICIEL DE BASE DE DONNÉES**
Ce type de logiciel comprend notamment les programmes d'archivage utilisés pour classer des documents. Il permet également de les trier par catégorie et d'effectuer des recherches.

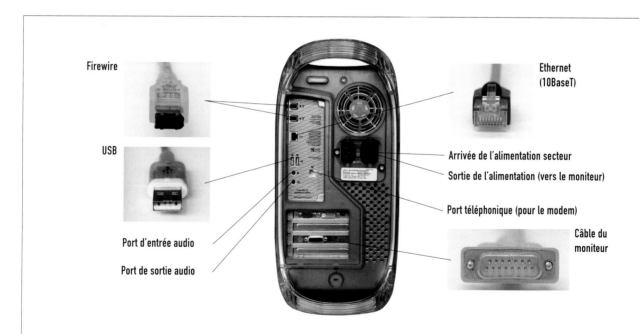

▶ **CÂBLES D'UN ORDINATEUR MACINTOSH**
Les ports d'un ordinateur Macintosh sont conçus de manière à ce que vous ne puissiez pas brancher un câble dans un port non approprié.

À L'INTÉRIEUR DE L'ORDINATEUR
Voici à quoi peut ressembler l'intérieur d'un ordinateur ! Vous voyez ici la carte mère. Tous les circuits se ressemblent, qu'il s'agisse des circuits du processeur, du bus ou de la mémoire. Il y a également de la place pour l'alimentation électrique, le disque dur, le lecteur de DVD et tous les autres dispositifs, comme la mémoire, la carte son, la carte d'interface réseau, la carte vidéo, etc.

processeur, et sa capacité ou « vitesse » détermine la rapidité avec laquelle les informations peuvent être échangées au sein de l'ordinateur ; il a donc un impact sur la vitesse de ce dernier.

RAM OU MÉMOIRE VIVE 2.2.3

La mémoire vive (RAM) est une mémoire de travail à haute vitesse qui est vidée à chaque arrêt de l'ordinateur. Imaginons que vous vouliez modifier une image à l'aide de Photoshop : les informations requises pour exécuter cette fonction particulière – dans le cas présent, le programme Photoshop lui-même, ainsi que l'image à traiter – sont transférées du disque dur vers la RAM, via le bus de données, afin de pouvoir être exploitées de manière efficace. Prenez l'habitude d'enregistrer vos documents sur le disque dur, faute de quoi ils seront perdus lorsque vous éteindrez la machine.

ROM OU MÉMOIRE MORTE 2.2.4

Certains composants du système d'exploitation d'un ordinateur sont installés et stockés dans la mémoire morte (ROM). Il s'agit des éléments les plus importants du système d'exploitation ; on y trouve notamment les informations dont l'ordinateur a besoin pour démarrer et rechercher le reste du système d'exploitation sur le disque dur.

CIRCUITS INTÉGRÉS 2.2.5

Le processeur, la RAM et la ROM sont composés de ce que l'on appelle des circuits intégrés, également connus sous le nom de puces électroniques. Ces puces sont montées sur une grande carte de circuit imprimé appelée la carte mère. Tous les circuits intégrés sont reliés les uns aux autres sur la carte mère.

DISQUE DUR – MÉMOIRE VIRTUELLE 2.2.6

Le disque dur est un support de stockage où sont enregistrées les informations comme les fichiers ou les programmes. Quand vous ouvrez ces éléments enregistrés, ils sont récupérés depuis le disque dur. Ce type d'information peut également être stocké sur des supports externes, comme les disquettes, les CD-Rom ou d'autres périphériques de stockage [voir « Stockage et archivage » 7.2].

CARTE VIDÉO 2.2.7

La carte vidéo gère l'affichage sur le moniteur. Une bonne carte vidéo permet une large gamme de couleurs, une haute résolution et un taux de rafraîchissement élevé, à condition que le moniteur soit assez performant pour prendre en charge ces caractéristiques.

CARTE D'INTERFACE RÉSEAU 2.2.8

Pour permettre la communication entre plusieurs ordinateurs et périphériques sur un même réseau, l'ordinateur est équipé d'une carte d'interface réseau. Elle prend toute son utilité par exemple pour les fonctions d'impression, ainsi que pour l'envoi et la réception de messages au sein d'un réseau informatique [voir « Réseaux et communication » 8]. La carte d'interface réseau possède des connecteurs intégrés permettant de la raccorder physiquement, via un câble réseau, à des imprimantes ou à d'autres unités du même réseau.

PORTS SÉRIE ET PORTS PARALLÈLES 2.2.9

Un port série permet de raccorder le clavier, la souris et d'autres périphériques de commande, comme les manettes de jeu et les trackballs, à l'ordinateur. On l'appelle port série, car les signaux (les uns et les zéros) sont transmis en série, c'est-à-dire l'un après l'autre, sur le même circuit.

Avec les ports parallèles, les signaux sont transmis simultanément sur plusieurs circuits parallèles.

USB 2.2.10

L'USB, ou bus série universel (Universal Serial Bus), est un nouveau type de port série. Il simplifie considérablement le branchement d'accessoires comme les souris ou les claviers sur l'ordinateur. L'ordinateur peut « deviner » le type d'unité qui a été branché ; vous pouvez de plus raccorder des périphériques quand l'ordinateur est en marche sans qu'il soit nécessaire de redémarrer le système.

L'USB est aussi suffisamment rapide (jusqu'à 12 Mbit/s) pour servir à connecter les moniteurs, les lecteurs de CD, les imprimantes, les scanners simples, etc. Il peut également alimenter en courant électrique les équipements qui en consomment peu et recevoir jusqu'à 127 périphériques. Une nouvelle version de l'USB (version 2.0) a été mise au point, avec un taux de transfert de 480 Mbit/s : elle devient suffisamment rapide pour les connexions vidéo et les autres transmissions nécessitant un débit important. La version USB 2.0 est compatible avec les équipements conçus pour la version USB 1.1.

PORTS AUDIO 2.2.11

La plupart des ordinateurs disposent d'un branchement pour un micro ou d'autres périphériques d'entrée audio, et d'un autre branchement pour les périphériques de sortie audio, comme les haut-parleurs et les casques. Si votre ordinateur possède une carte son, vous pouvez également faire passer les entrées/sorties audio de l'ordinateur par une table de mixage audio ou un dispositif de ce type. La qualité de la carte son détermine la qualité de l'enregistrement et du rendu audio de l'ordinateur.

ENTRÉE VIDÉO 2.2.12

Certains ordinateurs possèdent une connexion pour recevoir ou lire des informations vidéo. Un matériel spécial, appelé carte vidéo, est alors indispensable. De nombreux ordinateurs disposent aujourd'hui d'une carte vidéo intégrée.

SCSI 2.2.13

La connexion SCSI a été, jusqu'à ces dernières années, une fonctionnalité importante du Macintosh. SCSI est l'abréviation de Small Computer System Interface (interface pour système micro-informatique). Il s'agit d'une interface à grande vitesse qui se raccorde directement au bus de données et qui peut transporter d'énormes quantités de données. Avec une interface SCSI, vous pouvez raccorder l'ordinateur à des disques durs externes, des scanners et d'autres périphériques qui gèrent de grandes quantités d'informations.

Une chaîne SCSI peut relier jusqu'à huit unités. Le processeur et le disque dur comptent chacun pour une unité, ce qui signifie que vous pouvez y ajouter six unités externes.

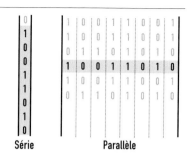

▶ SÉRIE ET PARALLÈLE
Dans un port série, tous les bits (les uns et les zéros) se suivent l'un après l'autre. Dans un port parallèle, les bits sont transmis en parallèle sur des chemins différents.

▶ CHAÎNE SCSI
Une chaîne SCSI permet de raccorder six unités externes au maximum.

▶ ATTENTION !

Si vous branchez une unité sur le port SCSI, il est important que cette unité et l'ordinateur soient tous deux hors tension, sans quoi vous risquez d'endommager votre matériel.

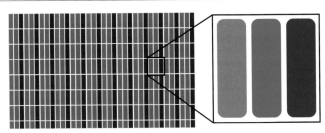

Vous voyez ici deux types de moniteur : celui du haut est un moniteur CRT (à tube cathodique) et celui du bas un moniteur LCD (à cristaux liquides).

▶ STRUCTURE D'UN ÉCRAN
Un écran est composé de plusieurs lignes faites de petits pixels. Les pixels ont trois sources lumineuses : une rouge, une verte et une bleue. Selon la puissance de la lumière, les trois sources lumineuses peuvent créer toutes les couleurs que le moniteur peut afficher.

Chaque unité externe possède un numéro SCSI unique. La plupart des ordinateurs fonctionnent avec des logiciels qui identifient les numéros SCSI des différentes unités (SCSI-Probe par exemple sur Macintosh). Chaque périphérique externe dispose en général de deux connecteurs identiques qui lui permettent de former un maillon de la chaîne. La chaîne s'interrompt avec un connecteur « terminateur » branché dans la dernière connexion libre. Aujourd'hui, la plupart des périphériques sont équipés d'un dispositif autoterminateur.

La technologie SCSI peut aussi être utilisée à l'intérieur de l'ordinateur pour échanger des données entre des éléments comme le disque dur, un CD et la RAM. Un dispositif SCSI interne est appelé bus SCSI.

IEEE 1394 FIREWIRE 2.2.14

L'IEEE 1394 est une nouvelle norme très puissante de transfert de données, communément appelée FireWire. Le taux de transfert de ce dispositif est passé à 800 Mbit/s ; il convient donc au transfert de données vidéo haute résolution. Avec une telle vitesse, le FireWire a remplacé le connecteur SCSI sur les dernières générations de Macintosh, bien que l'USB 2.0, avec son taux de transfert de 480 Mbit/s, offre une alternative sérieuse au FireWire.

ALIMENTATION ÉLECTRIQUE 2.2.15

Le dernier élément, et qui n'est pourtant pas des moindres, est l'alimentation électrique. Bien qu'elle n'assure pas de fonctions proprement informatiques de l'ordinateur, il s'agit du plus gros composant de la machine. Le bloc d'alimentation transforme le 220 volts (110 dans certains pays) de la prise électrique en tensions continues, nécessaires au fonctionnement des autres composants de l'ordinateur.

ÉCRAN 2.2.16

De nos jours, il existe deux grands types d'écran sur le marché : les écrans à tube cathodique (CRT, Cathode Ray Tube) et les écrans à cristaux liquides (LCD, Liquid Crystal Display) ou écrans TFT. Le premier est un moniteur fixe de grande taille, très répandu pour les ordinateurs de bureau ; le second est un écran plat utilisé principalement sur les modèles portables, bien qu'il voie sa popularité croître comme équipement fixe de bureau.

Quel que soit le type de moniteur, les images que vous voyez sont le résultat de l'illumination de milliers de petites sources lumineuses. Sur les écrans en couleurs, les sources lumineuses sont divisées en trois catégories : rouge, verte et bleue [voir « La couleur » 4.4]. Si vous regardez de très près un moniteur d'ordinateur ou un écran de télévision en marche, de préférence avec une loupe, vous distinguez bien ces trois couleurs, ordonnées en petits groupes, sur toute la surface de l'écran. Chaque groupe est appelé pixel, terme dérivé de l'expression anglaise *picture element*, élément d'image. Les pixels sont alignés de manière uniforme sur l'écran.

La puissance de chaque source lumineuse d'un pixel est variable. Si l'on juxtapose les trois couleurs (R, V et B) avec des intensités différentes, le cerveau perçoit une couleur particulière. La couleur exacte perçue dépend des intensités relatives des trois sources lumineuses colorées. En principe, toutes les couleurs peuvent être créées sur un écran couleur [voir « La couleur » 4.4.1]. Sur les écrans en noir et blanc, un pixel est constitué uniquement d'une source lumineuse blanche qui peut rendre toutes les teintes de gris, du noir au blanc.

ÉCRANS CRT 2.2.17

Le moniteur à tube cathodique ou CRT possède un écran qui ressemble à celui d'une télévision et fonctionne de la même manière, avec une résolution plus élevée. Cet écran possède plus de pixels et peut afficher des images plus détaillées. Les pixels sont phosphorescents et s'illuminent lorsqu'ils sont bombardés par les électrons produits par un canon à électrons. Une cathode et un tube électronique commandent le courant des électrons de manière à ce qu'ils frappent les pixels appropriés à un moment très précis pour produire l'image souhaitée. Les moniteurs CRT émettent un rayonnement magnétique, d'où les doutes émis quant à l'innocuité de ces écrans. Ces suspicions, ajoutées à la taille et au poids imposants d'un écran CRT, ont poussé les utilisateurs à se tourner vers les écrans LCD pour leurs ordinateurs de bureau.

ÉCRANS LCD 2.2.18

Les écrans à cristaux liquides, ou LCD, sont des écrans plats à basse tension. Cette technologie est basée sur des cristaux liquides polarisés qui sont illuminés par derrière. Comme ils sont polarisés, les cristaux liquides peuvent être « ouverts » ou « fermés » à la lumière en arrière-plan. Le principe est exactement le même que lorsqu'on fait pivoter deux lentilles polarisées de 90 degrés l'une par rapport à l'autre. Au début, la lumière ne passe pas. Après la rotation de 90 degrés de l'une des lentilles, toute la lumière passe. La technique LCD est utilisée aussi bien sur des écrans en noir et blanc que sur des écrans couleur.

TAUX DE RAFRAÎCHISSEMENT 2.2.19

Les pixels phosphorescents des écrans CRT ne brillent que quelques instants après avoir été percutés par un électron. Pour conserver une image à l'écran, les pixels doivent rester illuminés : ils doivent donc être rallumés en permanence. Dans l'écran CRT, un faisceau d'électrons balaie la surface de l'écran, pixel après pixel, ligne après ligne, jusqu'à ce que tous les pixels soient allumés. Puis le processus recommence immédiatement avec le premier pixel. L'écran CRT reste constamment illuminé, car le canon à électrons a le

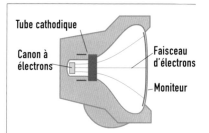

▶ **LE CRT EN QUELQUES MOTS**
Le canon à électrons propulse les électrons à travers le tube cathodique qui contrôle leur trajectoire. Quand les électrons viennent frapper l'écran, ils illuminent le phosphore contenu dans les pixels.

▶ **LE BALAYAGE CRT**
Un faisceau d'électrons balaie la surface de l'écran, pixel après pixel, ligne après ligne, jusqu'à ce que tous les pixels soient allumés. Afin de conserver l'image à l'écran, les pixels doivent être rallumés en permanence.

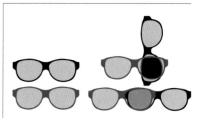

▶ **LE LCD : COMMENT ÇA MARCHE ?**
En faisant pivoter chaque cristal du moniteur LCD de 90 degrés, on empêche la lumière de le traverser. Il s'agit exactement du même principe que pour les verres polarisés, comme illustré ci-dessus.

▶ **TAILLE DE L'ÉCRAN**
La taille de l'écran est mesurée dans la diagonale et exprimée en pouces (par exemple 17 pouces sur le schéma ci-dessus). On mesure la totalité de l'écran, bien que les bords ne soient pas visibles de l'extérieur du moniteur. La résolution de l'écran est donnée en pixels, largeur par hauteur (dans l'exemple ci-dessus, 1024 × 768).

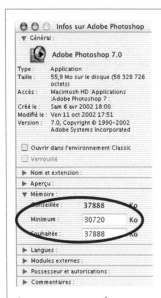

▶ **AFFECTATION DE MÉMOIRE**
Si un programme fonctionne très lentement, c'est peut-être parce qu'il ne dispose pas de suffisamment de RAM.

Dans Adobe Photoshop par exemple, la RAM recommandée est au moins cinq fois supérieure à la taille de l'image sur laquelle vous travaillez.

temps de heurter tous les pixels de l'écran avant que le premier pixel excité ne s'éteigne. La vitesse de déplacement du faisceau d'électrons à travers le moniteur détermine la rapidité avec laquelle peut être modifiée l'image de l'écran. Plus le faisceau se déplace rapidement, plus l'image est stable. La fréquence à laquelle tous les pixels sont rallumés est mesurée en Hertz (nombre de modifications d'écran par seconde). Pour éviter que l'image ne scintille, le faisceau d'électrons doit balayer l'écran au moins 50 fois par seconde, soit 50 Hz. Aujourd'hui, les moniteurs ont souvent une fréquence de 70 Hz ou plus.

Dans les écrans LCD, la nature même des cristaux liquides peut restreindre l'image. Lorsque les images changent rapidement, les cristaux ne peuvent pas toujours s'ouvrir et se fermer suffisamment vite pour contrôler le flux lumineux en conséquence ; c'est pourquoi ce type d'écran n'est pas forcément le meilleur choix pour afficher des images en mouvement, qui laissent quelquefois des « traînées », ou bien déforment l'image entière.

TAILLE DE L'ÉCRAN 2.2.20

Il existe deux manières de mesurer la taille de l'écran. Le premier mode de mesure est le même que pour la télévision : c'est la longueur de la diagonale de l'écran, mesurée en pouces. Le deuxième mode de mesure est le nombre de pixels contenus par l'écran, largeur par hauteur. Les écrans standards les plus petits mesurent aujourd'hui 14 pouces, avec 1021 × 768 pixels. Les plus grands font 23 pouces et contiennent au maximum 1920 × 1200 pixels. La densité des pixels détermine la résolution de l'écran. Plus la résolution est élevée, plus les pixels sont petits et plus il y a de détails. La résolution n'est pas seulement déterminée par la taille de l'écran, mais aussi par la carte vidéo.

LA VITESSE DE L' ORDINATEUR 2.3

Quand on parle de la « vitesse » d'un ordinateur, on parle en fait de la « vitesse d'horloge » de son processeur. La vitesse d'horloge mesure le nombre de calculs que le processeur peut effectuer à la seconde. D'autres facteurs peuvent également aider à déterminer la vitesse d'un ordinateur. Le taux de transfert des données du bus de données joue un rôle fondamental, par exemple. Plus vite il peut envoyer les informations, plus l'ordinateur est rapide. L'ordinateur possède également un élément appelé mémoire cache, ou antémémoire. La mémoire cache stocke les données fréquemment utilisées pour permettre un chargement plus rapide. Plus le cache est grand, plus il y a d'espace pour stocker des informations qui doivent être rapidement accessibles. La taille de la RAM est également importante, surtout si vous travaillez avec de gros fichiers d'images. Plus l'ordinateur dispose de RAM, moins il a besoin de stocker des informations sur le disque dur, qui est considérablement plus lent. La manipulation de grandes images ou d'images animées implique aussi que la carte vidéo dispose d'une RAM, appelée également RAM vidéo ou VRAM, relativement importante.

ENREGISTRER INTELLIGEMMENT SES FICHIERS 2.3.1

Pour travailler de façon efficace, il est important de savoir exactement où sont enregistrés les fichiers sur lesquels vous travaillez. Faites en sorte d'enregistrer régulièrement votre travail sur le disque dur de l'ordinateur que vous utilisez et non pas sur un autre ordinateur ou sur le serveur du réseau, sauf si le réseau et le serveur auquel est connecté votre ordinateur est très rapide et prévu à cet effet (voir « Réseaux et communication » 8.4.1). Le disque dur interne d'un ordinateur est également plus rapide que les disques ZIP ou Jaz [voir « Stockage et archivage » 7.2].

AFFECTER DE LA MÉMOIRE À UN LOGICIEL 2.3.2

Pour utiliser un logiciel sur l'ordinateur, il faut lui affecter de la RAM. En général, cela s'effectue automatiquement au moment de l'installation du logiciel. Toutefois, sous Mac, si vous manipulez de grandes images ou des documents volumineux, il vous faut peut-être augmenter la quantité de RAM affectée. Pour cela, cliquez sur l'icône du programme, puis sélectionnez Lire les informations dans le menu Fichier et affectez la quantité de mémoire requise. La boîte de dialogue indique une valeur recommandée. Si vous savez que vous allez travailler sur de gros documents dans une application donnée, mieux vaut prendre les devants et affecter davantage de RAM à ce programme. Avec Adobe Photoshop par exemple, il est recommandé d'affecter une quantité de RAM au moins cinq fois supérieure à la taille de l'image sur laquelle vous comptez travailler. Si l'ordinateur dispose de moins de mémoire que la recommandation minimale, il n'est pas en mesure de démarrer le logiciel ; il recommande alors généralement de libérer de la RAM en fermant d'autres applications.

LES NOMBRES BINAIRES 2.4

La plupart des utilisateurs savent qu'un ordinateur parle un langage numérique constitué uniquement de uns et de zéros. Mais que cela signifie-t-il réellement ? En clair, chaque unité de mémoire de l'ordinateur ne peut enregistrer qu'un seul un ou un seul zéro. En conséquence, chaque information que vous voulez enregistrer doit être traduite en une série de uns et de zéros.

Supposez que vous essayiez d'enregistrer un nombre sur un ordinateur. L'ordinateur ne sait pas utiliser le système décimal dont nous nous servons d'ordinaire et dans lequel chaque unité d'un nombre peut prendre une des dix valeurs comprises entre zéro à neuf. Au lieu de cela, l'ordinateur travaille avec une notation binaire où chaque unité d'un nombre doit être exprimée à l'aide de 0 et 1. Un élément binaire est appelé un bit. Chaque nouveau bit dans un nombre a une valeur double de celle du bit précédent, et s'ajoute au nombre du bit précédent. Le premier bit d'un nombre peut prendre la valeur $1 \times 2^0 = 20$ ou $0 \times 2^0 = 0$, le bit suivant $1 \times 2^1 = 2$ ou $0 \times 2^1 = 0$, et le suivant $1 \times 2^2 = 4$ ou $0 \times 2^2 = 0$, et ainsi de suite. Cela signifie qu'un bit ne peut avoir que $2^1 = 2$ valeurs, 0 et 1. Trois bits peuvent représenter $2 \times 2 \times 2^3 = 2 = 8$ valeurs, 000–111, ou l'équivalent de 0 à 7 dans le système décimal.

Dans le système binaire, il est courant de travailler par groupes de huit bits, appelés octets. Ce système offre $2^8 = 256$ niveaux de valeurs, de 0000 0000 à 1111 1111, soit l'équivalent de 0 à 255 dans le système décimal. Par exemple, les sources lumineuses rouges, vertes et bleues dans les pixels possèdent chacune 256 couleurs distinctes dans un ordinateur doté d'un système huit bits.

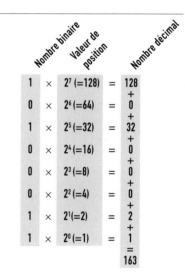

▶ COMMENT CALCULER UN NOMBRE BINAIRE ?
L'exemple ci-dessus montre comment calculer le nombre décimal équivalent au nombre binaire 1010 0011, à savoir 163.

BINAIRE ET DÉCIMAL

Binaire		Décimal
0000	=	0
0001	=	1
0010	=	2
0011	=	3
0100	=	4
0101	=	5
0110	=	6
0111	=	7
1000	=	8
1001	=	9
1010	=	10
1011	=	11
1100	=	12
1101	=	13
1110	=	14
1111	=	15

2^4 = 16 valeurs différentes.
de 0 – 15

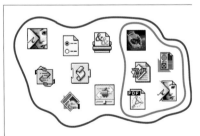

▶ **FICHIERS OU DOCUMENTS**
Les blocs numériques de données sont appelés fichiers. Il peut s'agir par exemple d'un programme, d'un fichier système ou d'un pilote (groupe rouge). Certains fichiers sont des documents. Ce sont les fichiers que vous avez créés sur ordinateur (groupe vert).

LES FICHIERS ET LES DOCUMENTS 2.5

Un fichier est un objet numérique constitué uniquement de uns et de zéros. Il peut s'agir, par exemple, d'un programme, d'un composant de programme ou d'un fichier de police. Les programmes peuvent également créer des fichiers individuels, comme des images, du texte, ou des pages complètes. Ces fichiers sont appelés des documents.

LES DIFFÉRENTS TYPES DE DOCUMENTS 2.5.1

Trois grands types de documents sont utilisés en production graphique : les documents de texte, d'image et de page. Ils sont enregistrés dans différents formats de fichiers, qui correspondent généralement au programme avec lequel ils ont été créés. Ainsi, les fichiers créés dans QuarkXPress sont enregistrés sous le format de fichier QuarkXPress. Certains types de documents, comme les images, peuvent être enregistrés sous plusieurs formats de fichier. Ces différents formats ont des propriétés différentes [voir « Les images » 5.3]. Les fichiers de différentes versions du même logiciel possèdent également des propriétés différentes. Par exemple, le format de fichier de Microsoft Word 1998 n'est pas le même que celui de Microsoft Word 2001. Les fichiers créés avec la version la plus récente d'un logiciel ne peuvent généralement pas être ouverts avec la version précédente du même logiciel.

FICHIERS TEXTE 2.5.2

Les fichiers texte peuvent être enregistrés sous deux formats : le format ouvert, qui permet d'utiliser le fichier avec d'autres logiciels et plates-formes, ou le format propriétaire, spécifique au logiciel, comme Microsoft Word. Les formats ouverts classiques sont les formats ASCII et RTF. Les fichiers texte enregistrés sous ces formats sont relativement indépendants de la plate-forme informatique, Windows ou Macintosh, avec laquelle ils ont été créés ou utilisés. Les fichiers texte au format spécifique à un programme peuvent parfois poser problème lorsqu'ils sont transférés vers une plate-forme ou un programme différent. C'est pour cette raison que les formats ouverts sont tout indiqués pour des textes qui devront être importés et édités dans une application de mise en page.

ASCII 2.5.3

L'ASCII, American Standard Code for Information Interchange, est un format standard pour les informations numériques, surtout lorsqu'il s'agit de texte. Il en existe deux versions : la première est basée sur un schéma de codage à 7 bits et peut contenir jusqu'à 128 caractères différents ; l'autre repose sur un schéma de codage à 8 bits et peut contenir jusqu'à 256 caractères. Un jeu de 128 caractères n'inclut pas tous les chiffres, lettres et caractères spéciaux requis pour un texte, ce qui explique les problèmes que pose parfois cette version. L'ASCII est souvent appelé fichier texte brut, car il ne comporte pas d'informations sur le style ou la typographie du texte. Le format ASCII peut être lu par la plupart des programmes qui gèrent du texte.

RTF 2.5.4

Le RTF, Rich Text Format (format texte enrichi), est un format texte ouvert qui contient également des codes pour des polices de caractères spécifiques et une typographie simple.

Le RTF a été créé pour faciliter le transfert de fichiers texte entre différents programmes de traitement de texte, tout en préservant les informations typographiques.

FICHIERS IMAGE 2.5.5

Il existe deux grands types de fichiers image : les images bitmap et les images vectorielles [voir « Les images » 5.1 et 5.2]. Les images vectorielles peuvent être enregistrées sous le type de fichier propre au programme dont elles sont issues ou bien comme fichier EPS, avec des programmes comme Adobe Illustrator et Macromedia Freehand. Les images bitmap sont souvent créées par des programmes de scannérisation ou dans Adobe Photoshop. Ces images peuvent être enregistrées dans le format propre à Photoshop ou dans des formats standards, comme TIFF ou EPS, qui peuvent être importés par Quark-XPress, Adobe InDesign ou Adobe PageMaker. Les fichiers image peuvent également être compressés, généralement selon les méthodes de compression JPEG ou LZW [voir « Les images » 5.8].

FICHIERS DE MISE EN PAGE 2.5.6

Les principales applications de mise en page utilisées par les professionnels des arts graphiques sont QuarkXPress, Adobe InDesign et Adobe PageMaker. Ces applications servent à fusionner des fichiers texte et des fichiers image et à concevoir des mises en page. Elles peuvent importer la plupart des formats de texte et d'image utilisés en production graphique ; en revanche, elles ne peuvent pas éditer des images, mais peuvent modifier leur taille et leur orientation. Adobe InDesign permet toutefois de modifier certains aspects des images créées avec Adobe Illustrator. Dans un logiciel de mise en page, seul le texte est enregistré directement dans le fichier de mise en page. Les images et les fichiers de police sont enregistrés séparément et sont fusionnés avec le fichier de mise en page au moment de l'impression. Les fichiers image doivent donc être rattachés aux pages correspondantes avant de lancer l'impression. On a souvent recours à ces applications pour des impressions de haute qualité sur film ou sur papier. Les logiciels comme Macromedia Freehand et Adobe Illustrator permettent également de concevoir des pages individuelles [voir « Préparation des documents » 6.1].

Les applications de mise en page exploitent leur propre format de fichier spécifique, mais elles peuvent enregistrer des pages au format EPS ou PostScript. Le transfert de fichiers entre QuarkXPress, Adobe InDesign et Adobe PageMaker est possible, mais il est relativement problématique. Par contre, l'utilisation de fichiers de même format sur différentes plate-formes informatiques est souvent beaucoup plus simple.

CARACTÈRES ET POLICES

3

CHAPITRE 3 CARACTÈRES ET POLICES Lorsque vous travaillez avec des polices sur un ordinateur, vous devez savoir quels fichiers de police utiliser et comment obtenir une sortie qui reproduise ce que vous avez créé à l'écran. Il est également important de savoir comment gérer les polices. Connaissez-vous par exemple la différence entre un type de caractères et une police ?

Dans ce livre, nous ne traiterons pas de la typographie d'un point de vue esthétique, mais il est tout de même utile de vous familiariser avec certains termes typographiques. L'objectif de ce chapitre est de vous initier à l'utilisation des types de caractères et des polices, ainsi qu'à la structure des polices. Nous passerons ensuite en revue différents types de fichiers de police et d'utilitaires conçus pour la gestion des types de caractères.

CARACTÈRES ET POLICES 3.1

Avant toute chose, il est important de bien comprendre la différence entre un type de caractères et une police. Le premier désigne la forme d'un jeu de caractères ; les types de caractères peuvent se présenter sous plusieurs styles, comme gras, étroit ou maigre. La police (également appelée fonte) fait pour sa part référence au jeu de caractères dans sa forme physique – de type métallique, ou sous forme de fichiers numériques de caractères, par exemple. Sur un ordinateur, une police est constituée d'un jeu de caractères d'un style particulier enregistré dans un fichier. Il existe de nombreux types de fichiers différents pour les polices, parmi lesquels TrueType et PostScript Type 1.

DES TYPES DE CARACTÈRES DIFFÉRENTS QUI PORTENT LE MÊME NOM 3.1.1

Certains types de caractères existent en plusieurs variantes, car leur forme diffère légèrement d'un fournisseur à l'autre. Ainsi, l'aspect du type de caractères Garamond proposé par une entreprise ne sera pas nécessairement identique à celui du Garamond d'une autre source. Il s'agit d'une distinction importante si vous voulez remplacer une police manquante dans un document, par exemple ; vous risquez en effet d'obtenir des différences indésirables si la police de remplacement ne provient pas de la même source que celle utilisée lors de la création du document, en dépit du fait qu'elle porte le même nom.

DES CARACTÈRES DANS UNE POLICE 3.1.2

Il n'existe aucune règle définie qui détermine les caractères devant être inclus dans le jeu de caractères d'une police. Ainsi, tous les jeux ne comportent pas forcément les majus-

---

▶ **TYPE ET POLICE DE CARACTÈRES**

Type de caractères : forme distinctive d'un ensemble de caractères, à distinguer de leur graisse (gras par exemple), de leur style (italique par exemple) et de leur corps (taille).

Style de caractères : graisse ou style d'une police, à distinguer du dessin, du type de caractères et de son corps.

Police de caractères : ensemble complet de lettres, signes de ponctuation, chiffres et caractères spéciaux d'un même type de caractères, et avec une graisse (normal ou gras), un style (roman ou italique) et un corps tous identifiables et cohérents.

Fichier de police : fichier informatique contenant un style de caractères particulier, par exemple Helvetica Bold.

cules et les minuscules. Certaines polices sont des ensembles de symboles qui n'ont rien à voir avec des lettres. Dans ce cas, chaque touche du clavier représente un symbole et non pas une lettre. Si vous travaillez avec des polices de symboles sur un ordinateur Macintosh, vous pouvez utiliser la fonction Clavier (Mac OS 9) ou Touches (Mac OS X) pour déterminer les symboles correspondant aux différentes touches du clavier.

POLICES D'AFFICHAGE ET POLICES D'IMPRESSION 3.1.3

Les types de caractères sont souvent constitués d'une police d'affichage et d'une police d'impression. La distinction est assez simple : les polices d'affichage sont celles que vous voyez sur l'écran de l'ordinateur et avec lesquelles vous travaillez et les polices d'impression sont celles utilisées pour produire des impressions. Les polices d'affichage et les polices d'impression d'un même type de caractères sont stockées sous forme de fichiers. Certaines polices utilisent même un fichier de police unique pour l'affichage et pour l'impression.

GESTION DES TYPES DE CARACTÈRES ET DES POLICES 3.2

Sur Macintosh, la gestion des polices est relativement simple, mais celles-ci sont parfois tellements nombreuses qu'il est pratique de faire appel à un utilitaire pour les classer.

OÙ TROUVE-T-ON LES POLICES ? 3.2.1

Il existe aujourd'hui des milliers de polices, et de nouvelles sont créées en permanence. Les principaux fournisseurs de polices sont Adobe, Agfa, Letraset et Monotype. Leur coût varie considérablement : certaines polices peuvent être téléchargées gratuitement sur Internet, mais la plupart coûtent en moyenne de 30 à quelques centaines d'euros chacune. Les types de caractères peuvent être achetés séparément ou dans une collection de types de caractères, généralement stockée sur un CD-Rom.

PEUT-ON COPIER DES POLICES ? 3.2.2

Il est facile de copier des polices, car aucun numéro de licence ou mot de passe n'est exigé à l'installation. Bien que la copie de polices soit très répandue de nos jours, elle peut donner lieu à des poursuites en cas de violation des droits d'auteur. Cela dit, de nombreuses entreprises rendent les versions d'affichage de leurs polices facilement accessibles. Cependant, quiconque souhaite faire des sorties sur imprimante ou sur imageuse a besoin de la version d'impression de ces polices ; cela concerne également les graphistes, lorsqu'ils veulent modifier l'échelle des lettres ou effectuer des crénages de précision (modification

▶ TROUVER LA BONNE TOUCHE
Grâce à la fonction Clavier du menu Pomme, vous pouvez visualiser rapidement une police de caractères et savoir avec quelle combinaison de touches (Option, Maj., etc.) vous pouvez afficher un caractère particulier. Sous Mac OS X, sélectionnez Aller –> Applications –> Utilitaires –> Touches.

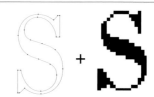

▶ POLICE D'IMPRESSION + POLICE D'AFFICHAGE
Les types de caractères sont souvent constitués d'une police d'affichage et d'une police d'impression. Les polices d'affichage sont celles que vous voyez sur l'écran de l'ordinateur et avec lesquelles vous travaillez et les polices d'impression celles utilisées pour produire des impressions.

▶ Attention !
Veillez à ce que toutes les personnes qui sortent le fichier disposent des mêmes versions de types de caractères et des bonnes polices.

▶ PETIT LEXIQUE FRANÇAIS – ANGLAIS

Anticrénelage	Antialiasing	Gras	Bold	Police, fonte	Font
Bas de casse, bdc, minuscules	Lower case	Haut de casse, majuscules, CAP	Upper case, Capitals, Caps	Type de caractères	Typeface
Caractère	Type	Italique	Italic		
Étroit	Condensed, Compressed, Narrow	Petites capitales	Small caps, Expert		

▶ POLICES VECTORIELLES

Les polices vectorielles permettent d'ajuster les caractères en largeur et en hauteur, de les tordre, de les colorer et d'ajouter des effets.

▶ POLICES EN CONTOURS BÉZIER

Les polices d'impression sont basées sur des courbes de Bézier, ce qui facilite la modification du contour de la police (en modifiant les courbes de Bézier) tout en conservant sa qualité.

de l'espacement entre chaque caractère). Au bout du compte, cela signifie que vous êtes donc toujours tenu d'acheter la version d'impression afin de profiter de la fonctionnalité complète de la police et d'obtenir les meilleurs résultats graphiques possibles.

MODIFIER OU CRÉER SES PROPRES TYPES DE CARACTÈRES 3.2.3

Il est également possible de créer ses propres types de caractères ou bien de modifier ceux que l'on possède déjà. Macromedia Fontographer est l'un des nombreux programmes qui offre cette possibilité. Ces programmes permettent également de convertir des polices d'une plate-forme à une autre (Macintosh vers Windows par exemple).

Si vous voulez modifier de temps à autre un type de caractères ou créer un logo sur le modèle d'un type de caractères, vous pouvez tirer parti du fait que les polices d'impression sont créées à partir de courbes de Bézier.

Il est possible de convertir les contours des caractères en courbes de Bézier aussi bien avec Adobe Illustrator qu'avec Macromedia Freehand. Il est néanmoins indispensable que votre ordinateur soit équipé du logiciel ATM (que nous présenterons plus loin dans ce chapitre). Vous pouvez alors modifier les contours comme vous modifieriez une illustration. Les caractères modifiés peuvent être enregistrés et importés dans une application de gestion de polices et même inclus dans une police particulière, si vous le souhaitez. Si les polices modifiées peuvent être mises en couleur dans une application de mise en page, il est impossible d'y appliquer de motif ou d'ombre. On peut également ajuster les caractères en largeur, en hauteur, et même les tordre.

COMMENT CHOISIR SES POLICES ? 3.2.4

Le moyen le plus simple de sélectionner ses polices est de les choisir sur des exemples imprimés, appelés échantillons de caractères. Il est possible de commander des catalogues d'échantillons de caractères chez la plupart des fournisseurs. Si vous n'avez pas de catalogue, vous pouvez soit sélectionner les polices directement à l'écran, soit imprimer vos propres échantillons.

Plusieurs utilitaires permettent de visualiser les polices installées sur votre ordinateur. Adobe Type Manager Deluxe (ATM Deluxe), par exemple, offre une fonction de prévisualisation des polices dans différentes tailles. Typebook est un autre programme de ce

▶ CATALOGUE D'ÉCHANTILLONS DE CARACTÈRES

Les catalogues d'échantillons de caractères sont très utiles ; ils sont publiés par la plupart des éditeurs de police.

▶ IMPRIMEZ VOS POLICES

Typebook est un programme Macintosh d'impression de pages d'échantillons des polices installées. ATM Deluxe propose également cette fonction.

▶ **PRÉVISUALISATION SOUS ATM DELUXE**
Avec ATM Deluxe, vous pouvez visualiser des polices en plusieurs tailles et imprimer différents échantillons de caractères.

▶ **ORGANISEZ LES POLICES EN GROUPES**
Avec Adobe Type Reunion, les polices sont organisées par famille de type de caractères. Les polices peuvent également être visualisées dans leur propre fonte.

▶ **CLIQUEZ SUR LA POLICE D'AFFICHAGE**
Si vous double-cliquez sur une police d'affichage, elle apparaît en grandeur nature dans une fenêtre séparée. Malheureusement, elle est généralement trop petite pour être réellement utile.

type, mais seulement pour les polices à l'impression. Certains de ces programmes peuvent être téléchargés gratuitement sur Internet, mais la plupart coûtent autour de 20 € et offrent différentes options. Il existe des utilitaires, comme Adobe Type Reunion, qui affichent les noms des polices dans leur propre fonte dans le menu Polices de l'application. Cela simplifie le choix, mais la prévisualisation prend plus de temps.

Vous pouvez toujours prévisualiser une police d'affichage en double-cliquant sur le fichier de police. Malheureusement, les polices PostScript Type 1 ne sont affichées que dans leur taille de police d'écran et sont souvent trop petites pour être correctement appréciées. Les polices TrueType sont au contraire affichées dans différentes tailles. Si vous travaillez sur un système Macintosh complet, vous pouvez utiliser la fonction `Clavier` du menu `Pomme` (fonction `Touches` sous Mac OS X) pour prévisualiser des polices à l'écran.

COMMENT INSTALLER DES POLICES ? 3.2.5

Quand vous installez de nouvelles polices, assurez-vous bien de les stocker dans le dossier Polices du dossier Système. Pour faciliter la gestion des polices d'affichage, il est conseillé de les conserver dans des valises de polices, elles-mêmes stockées dans le dossier Polices (nous reviendrons en détail sur les valises de polices dans la suite du chapitre).

Si vous n'utilisez pas ATM, vous devez souvent ouvrir plusieurs tailles de police d'affichage différentes. Les choses peuvent très vite se compliquer si vous travaillez avec plusieurs fichiers de police d'affichage pour chaque variante de type de caractères. Pour simplifier le processus, vous pouvez regrouper dans une valise de caractères tous les fichiers de police d'affichage d'un type de caractères particulier. Les fichiers de polices d'impression ne doivent pas, et dans la plupart des cas, ne peuvent pas être placés dans des valises. Seule exception, le format TrueType, qui permet de ranger à la fois les polices d'affichage et les polices d'impression dans la même valise.

Si vous utilisez ATM 4.0, des versions plus récentes d'ATM ou Suitcase, vous n'êtes pas obligé de stocker les polices dans le dossier Polices. Vous pouvez les enregistrer n'importe où sur l'ordinateur ou sur le réseau local et les charger quand vous en avez besoin. ATM et Suitcase aident le système à localiser le bon fichier de police quand il est requis.

Sabon

▶ **VALISE DE TYPES DE CARACTÈRES**
Les polices d'affichage ou les polices True-Type peuvent être réparties en groupes dans un type de dossier spécial : une valise de types de caractères. Il fonctionne comme un dossier normal, mais ne peut contenir que des fichiers de ce type.

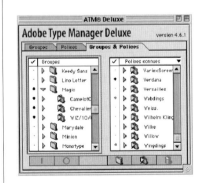

▶ **ORGANISER LES POLICES EN GROUPES**
Dans ATM Deluxe et Suitcase, vous pouvez organiser les polices en groupes spécifiques à divers projets et toutes les installer d'un seul coup.

▶ **COMMENT INSTALLER DES POLICES ?**

• Installez toutes les polices en corps 10 pour économiser de la mémoire. Installez ATM Deluxe ou ATM et Suitcase. Type Reunion peut également être utile.

• Vérifiez que vous disposez de paires complètes (polices d'impression et d'affichage) de toutes les versions de police que vous voulez utiliser.

• Placez toutes les polices d'affichage d'un type particulier dans une valise de polices.

• Organisez les polices pour faciliter la sélection du type de caractères.

• Sélectionnez toujours la version gras, italique ou majuscule d'une police directement dans la famille de type de caractères plutôt que d'utiliser la fonction correspondante dans le logiciel.

Vous obtiendrez ainsi les meilleures impressions et la meilleure typographie possibles.

• Réglez l'affectation de mémoire de ATM à 100 Ko par police active.

Certains programmes impliquent de stocker les polices dans le dossier Polices du dossier Système ou bien de les activer par un utilitaire du type Suitcase quand le programme est lancé. Avec d'autres logiciels comme QuarkXPress, vous pouvez activer ou ajouter une nouvelle police même si le programme tourne, et celle-ci peut être utilisée immédiatement sans qu'il soit nécessaire relancer le programme.

COMBIEN DE MÉMOIRE LES POLICES OCCUPENT-ELLES ? 3.2.6
Une police d'impression utilise généralement de 32 à 64 Ko de mémoire et une police d'affichage entre 5 et 15 Ko. Plus la police d'affichage est petite, moins elle occupe de mémoire. Dans une valise de polices, toutefois, il y a souvent plusieurs polices d'affichage dans différentes tailles. Les polices installées requièrent également de la mémoire dédiée sur le disque dur. ATM recommande généralement 100 Ko de mémoire allouée par police active. Si vous utilisez l'utilitaire ATM sur un Macintosh, vous n'aurez besoin que d'une seule taille de chaque police d'affichage, ce qui économise de la mémoire.

COMMENT METTRE DE L'ORDRE DANS LES POLICES ? 3.2.7
Si vous travaillez avec plusieurs polices à la fois, il est important de noter que toutes les polices actives prennent leur part de la précieuse RAM de l'ordinateur. Un bon moyen de s'assurer que l'on n'active pas plus de polices que nécessaire à un moment donné consiste à recourir à un utilitaire comme ATM Deluxe ou Suitcase. Ces utilitaires peuvent activer les polices dont vous avez besoin pendant votre travail sans qu'il soit nécessaire de redémarrer les programmes ou de conserver les polices dans le dossier Système. Vous pouvez également regrouper des polices autour de projets spécifiques, ce qui vous permet d'activer en bloc toutes les polices associées à un projet.

Avec un utilitaire, vous avez plusieurs méthodes à disposition pour trier vos polices ; à vous de choisir celle qui vous semble la plus logique. Si vous connaissez les polices par leur nom, triez-les par ordre alphabétique. Vous pouvez aussi les classer par apparence, par exemple par famille de types de caractères (types roman, grotesque, script, etc.). Enfin, vous préférez peut-être les classer par éditeur : polices Adobe, polices Agfa, etc.

Si vous travaillez en réseau et que plusieurs personnes utilisent les mêmes polices, vous pouvez les stocker sur un serveur accessible à tous. En vous servant de ATM 4.0, de ses versions plus récentes ou de Suitcase, vous pouvez utiliser, activer et désactiver les polices directement sur le serveur. Bien entendu, cela implique que vous ayez un accès constant au serveur.

STRUCTURE DES POLICES 3.3

La structure d'une police détermine, dans une grande mesure, l'usage que vous pouvez en faire. Les polices peuvent également être enregistrées dans divers types de fichier aux fonctions différentes.

COURBES DE BÉZIER 3.3.1

Tous les caractères des polices d'impression sont créés à l'aide de courbes de Bézier. Par conséquent, cela signifie que les polices d'impression ne dépendent pas de la résolution de l'imprimante et qu'elles peuvent être agrandies sans prendre un aspect irrégulier. Les polices d'impression ne sont pas enregistrées dans une taille fixe (10 points, 12 points, etc.) et peuvent être agrandies ou rétrécies autant que nécessaire [voir « Les images » 5.1].

ALGORITHMES D'OPTIMISATION POUR DE MEILLEURES IMPRESSIONS 3.3.2

Quand on imprime de petits caractères avec une imprimante basse résolution, comme une imprimante laser, la partie la plus fine de certains caractères peut être difficile à imprimer. Le nombre de points par pouce (dpi, dots per inch) permet de mesurer la résolution d'une imprimante. Certains caractères comportent des traits de 1,5 points de large seulement [voir « Sortie » 9.1.1]. Or, les imprimantes n'étant pas en mesure d'imprimer un demi-point, la question est alors de savoir à quelle largeur de point (1 ou 2) l'imprimante doit ajuster la ligne quand elle imprime ce caractère. Le résultat sera, en fonction, 50 % plus fin ou plus épais. Pour aider le RIP à prendre la meilleure décision, la police comporte un ensemble de « suggestions », qui sont en fait des algorithmes (calculs) d'optimisation. Toutes les polices PostScript Type 1 disposent d'algorithmes d'optimisation.

NUMÉROS D'IDENTIFICATION DE POLICE 3.3.3

Tous les fichiers de police reçoivent un numéro unique d'identification. Ce numéro aide l'ordinateur à distinguer les différentes polices installées. Malheureusement, il arrive parfois que deux polices reçoivent le même numéro d'identification, ce qui peut poser problème si elles sont activées en même temps. Des collisions de caractères ou des conflits d'identification sont donc susceptibles de survenir. L'utilitaire Suitcase résout ce problème automatiquement. Il est également possible d'intervenir manuellement en désactivant l'une des polices ou bien en ouvrant l'une d'elles avec un programme de création de types de caractères et en lui affectant un autre numéro d'identification.

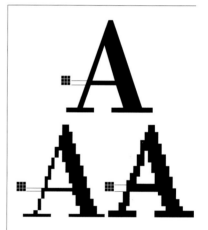

▶ ALGORITHMES D'OPTIMISATION
La ligne fine de la lettre affichée en haut fait 1,5 points de large. Un algorithme d'optimisation du caractère (hint) détermine s'il faut utiliser un point (lettre de gauche) ou deux points (lettre de droite) pour obtenir le meilleur résultat possible.

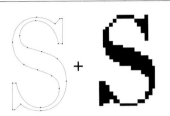

TYPES DE POLICES 3.4

Il existe plusieurs types de polices : TrueType, PostScript Type 1, Multiple Master et Open Type pour n'en citer que quelques-uns. Le plus utilisé et le plus sûr en matière de rastérisation est le format PostScript Type 1.

POSTSCRIPT TYPE 1 3.4.1

La police PostScript Type 1 pour Macintosh est constituée de deux polices : une police d'affichage et une police d'impression. La première est utilisée quand les caractères sont affichés à l'écran et la seconde quand ils sont imprimés. Les polices d'affichage ne sont d'aucune utilité pour travailler sous Windows, car la police d'impression sert à la fois pour l'impression et pour l'affichage à l'écran.

La police d'affichage est un jeu de caractères enregistré sous forme de police bitmap : de petites images définies sous forme de pixels sont utilisées pour afficher les caractères à l'écran. La police d'affichage contient également les informations nécessaires pour la relier à la police d'impression au moment de la sortie. En d'autres termes, si vous choisissez une police en gras dans le menu police d'affichage d'un programme, elle est reliée à une police d'impression en gras au moment de l'impression. Cela signifie également que si vous n'avez pas la version en gras de la police d'impression, vous n'avez pas le résultat escompté à l'impression ; c'est alors probablement la version normale de la police sélectionnée qui est utilisée.

Les polices d'affichage sont généralement mémorisées dans plusieurs petites tailles (10, 12, 14, 16, 18 et 24 points par exemple). Si vous agrandissez ces caractères bitmap à une taille supérieure à celle des polices d'affichage mémorisées, les contours ont un aspect irrégulier. Pour éviter cela, faites appel à l'utilitaire ATM [voir 3.5.2]. Les polices d'impression sont structurées en courbes de Bézier et constituées d'informations PostScript [voir « Sortie » 9.3].

TRUETYPE 3.4.2

Les polices TrueType sont composées d'un seul fichier de police entièrement basé sur des courbes de Bézier. Le format TrueType ne possède pas de polices d'affichage séparées comme le PostScript Type 1. Ce type de police est pris en charge par le système graphique Quickdraw de Macintosh et par une partie du système d'exploitation. ATM n'est donc pas nécessaire pour créer des caractères à l'écran. Malheureusement, TrueType a tendance à poser des problèmes au moment de la rastérisation. C'est la raison pour laquelle on a majoritairement recours aux polices PostScript Type 1 en production graphique. L'utilisation des polices TrueType est beaucoup plus répandue sous Windows.

MULTIPLE MASTER 3.4.3

Le Multiple Master, ou MM, est une évolution du format PostScript Type 1 lancé par Adobe. L'avantage des polices Multiple Master est que chacune d'entre elles peut prendre différentes formes, ce qui donne un nombre impressionnant de styles à partir d'une même police, de l'extra-maigre à l'extra-gras, en passant par toutes les graisses intermédiaires. Ces styles ne sont pas seulement une distorsion optique typographique (ce qui est le cas quand on sélectionne Gras dans le menu style de police d'un logiciel par exemple) ;

il s'agit de véritables modifications du style préparées par le créateur du type de caractères. Les polices Multiple Master fonctionnent uniquement si ATM est installé.

Si vous le souhaitez, vous pouvez créer vos propres variations (chasse, graisse) de caractères d'une police Multiple Master. La plupart des programmes actuels offrent la possibilité de créer directement vos propres variations de caractères à partir d'un type de caractères MM. Si un programme n'offre pas cette fonction, vous pouvez installer ATM Deluxe pour avoir accès aux mêmes avantages. Si vous disposez d'ATM, vous pouvez tout de même utiliser les polices MM, mais vous êtes limité à quelques variantes de base des caractères, présélectionnées par le créateur du type de caractères. À partir de ces variantes de base de type de caractères, vous pouvez interpoler vos propres variations.

OPEN TYPE 3.4.4

L'Open Type est un nouveau format de fichier de police né d'une collaboration entre Adobe et Microsoft. Ce format présente de nombreux avantages, le plus important étant sans doute que le même fichier de police peut être utilisé à la fois sur Macintosh et sur Windows. De plus, la police n'est constituée que d'un seul fichier, et non de deux comme c'est le cas notamment pour les polices de format PostScript Type 1. Le même fichier Open Type peut être utilisé pour l'affichage à l'écran et pour l'impression.

Il existe deux versions de polices Open Type. L'une repose sur la technique TrueType et l'autre sur la technique PostScript. Pour la production imprimée, mieux vaut s'en tenir à la version PostScript, comme d'habitude, pour éviter les problèmes avec les RIP. Les polices Open Type en format PostScript fonctionnent également sur les RIP PostScript plus anciens.

Dans les polices PostScript Type 1 classiques, chaque caractère correspond à 8 bits et une police est constituée d'un maximum de 256 caractères différents. Il est donc nécessaire de créer différents fichiers de police pour le gras, l'étroit ou les majuscules d'un même type de caractères. Les polices Open Type pour leur part, sont basées sur une norme appelée Unicode, qui comporte 16 bits par caractère et 65 000 caractères différents par police [voir « L'ordinateur » 2.4]. Il est alors possible de stocker toutes les versions de caractères imaginables dans un seul et même fichier de police. L'Open Type est donc particulièrement adapté aux textes devant être produits dans différentes langues, car la même police peut être utilisée pour toutes les langues. Si une production avec de telles exigences était réalisée en police PostScript Type 1, il faudrait plusieurs polices pour gérer les langues comportant des caractères spéciaux.

▶ **PRISE EN CHARGE DE L'OPEN TYPE**
Adobe InDesign prend en charge toutes les fonctions Open Type (voir ci-contre). QuarkXPress 5 peut utiliser les polices Open Type, mais ne prend pas en charge la plupart des fonctions possibles avec l'Open Type.

▶ **OPEN TYPE**

+ Même fichier pour Mac et Windows

+ Un seul fichier par police

+ Prise en charge de plusieurs langues pour la même police

+ Toutes les versions de types de caractères dans la même police

+ Typographie avancée possible

− Nécessité de s'assurer que l'on utilise la version PostScript de la police

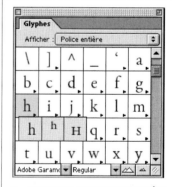

▶ **CHOISIR UNE VERSION DE CARACTÈRE**
Open Type offre plusieurs versions pour chaque caractère. Avec InDesign, on peut facilement choisir quelle version utiliser à l'aide de la palette flottante.

C'est l'éditeur de la police qui détermine les caractères spéciaux et les langues inclus dans une police Open Type. Cela dit, la plupart des polices ne contiennent qu'une seule langue.

Les polices Open Type permettent également l'élaboration de typographies complexes, car la police peut contenir plusieurs versions d'un même caractère – par exemple différentes versions de caractère pour le début ou la fin d'un mot ou des versions ajustées en fonction de la taille du caractère. En raison de la diversité des jeux de caractères des polices Open Type, on peut également avoir accès à plusieurs ligatures différentes.

UTILITAIRES ^{3.5}

Dans les paragraphes précédents, nous avons beaucoup parlé des utilitaires conçus pour la gestion des types de caractères. Les utilitaires les plus courants sous Mac OS sont Suitcase, ATM, ATM Deluxe et Type Reunion. Apple, dans sa toute dernière version de Mac OS X, 10.3, fournit également un nouvel utilitaire, le Livre de polices (Font Book). Ces applications simplifient la gestion des polices en offrant des fonctions qui facilitent leur affichage et leur organisation selon les projets.

SUITCASE ^{3.5.1}

Suitcase est un utilitaire qui permet d'utiliser des polices sans qu'il soit nécessaire de les installer dans le dossier Système. Le logiciel vous laisse choisir les types de caractères devant être automatiquement activés lorsque l'ordinateur est mis en route. Il permet également d'activer temporairement un type de caractères. Ce dernier est désactivé lorsque l'ordinateur est éteint ou redémarré. Avec Suitcase, les polices peuvent être stockées dans des répertoires différents ou sur d'autres supports de stockage, comme les disques durs, les CD ou les serveurs de réseau. Avec Suitcase, vous pouvez également compiler des groupes de types de caractères, qui peuvent être activés tous en même temps. Cette fonction est fort pratique si vous travaillez sur des projets récurrents qui utilisent les mêmes types de caractères d'une fois sur l'autre. Avec Suitcase, vous pouvez aussi ouvrir de nouveaux types de caractères dans une application sans qu'il soit nécessaire de la redémarrer.

ATM ^{3.5.2}

Adobe Type Manager, ou ATM, est un utilitaire d'Adobe utilisé en premier lieu pour améliorer l'affichage sur écran des grandes lettres. Il facilite également l'impression de types de caractères PostScript sur des unités d'impression n'intégrant pas le langage PostScript. ATM est plus ou moins incontournable pour les travaux de production graphique sur les systèmes Macintosh. Il permet à l'utilisateur de se servir des polices d'impression PostScript Type 1 comme polices d'affichage sur un Macintosh, ce qui signifie que les caractères à l'écran conservent une apparence correcte, même s'ils sont fortement agrandis. ATM permet aussi de convertir des caractères en contours de caractères pouvant être modifiés avec des programmes basés sur PostScript, comme Adobe Illustrator et Macromedia Freehand. Cependant, même avec ATM installé, vous devez utiliser des polices d'affichage. Sans ces dernières, l'ordinateur ne peut pas, par exemple, localiser les

▶ **TRIER AVEC SUITCASE**
SuitCase permet d'activer des polices avec l'ordinateur en marche sans qu'il soit nécessaire de les installer dans le dossier Système.

Il permet de trier les polices pour les rendre plus accessibles et de les utiliser à partir d'un serveur.

polices d'impression correspondantes. De plus, les caractères bitmap générés par les fichiers de police d'affichage ont meilleure apparence dans les petites tailles à l'écran que leurs homologues générés par ATM.

ATM DELUXE [3.5.3]

Les versions les plus récentes d'Adobe Type Manager (ATM) ont été complétées par une base de données de polices. Cette base de données contient des informations sur les styles, les chasses et les graisses des polices, ce qui permet, entre autres, à ATM Deluxe de remplacer une police manquante dans un document par une police similaire sans modifier l'agencement des lignes (pour que ce remplacement fonctionne, il faut que des polices Multiple Master soient déjà installées). Quand ATM découvre qu'une police manque, il crée une police de substitution basée soit sur des polices Adobe Sans, soit sur des polices Adobe Serif Multiple Master. À partir des informations sur la police originale stockées dans sa base de données de polices, ATM sélectionne la police Multiple Master la plus approchante et la met à l'échelle avec la chasse et la graisse correctes. De cette manière, l'agencement des lignes et l'apparence de la page sont conservés.

AUTRES OPTIONS UTILES AVEC ATM DELUXE

L'anticrénelage

ATM Deluxe permet « d'adoucir », grâce à des tons de gris, l'apparence des contours d'une police à l'affichage. Le fait que l'écran présente une résolution plus faible par rapport au produit imprimé est atténué par le contour adouci des caractères ; leur affichage est donc plus proche de leur apparence finale à l'impression. Étant donné que cette fonction peut rendre flous les caractères de petite taille, il est possible de désactiver l'anticrénelage pour les polices de petites tailles.

Organisation des polices en groupes

ATM permet d'organiser les polices en groupes. Ces polices groupées peuvent être activées et désactivées toutes ensembles. Cette fonction est très utile pour les projets comportant un grand nombre de polices, car elle évite ainsi à l'utilisateur d'avoir à les installer une par une.

Recherche des polices

ATM Deluxe peut rechercher n'importe quelle police stockée sur le disque dur ou des supports de stockage comme les CD, les cartouches, les disques durs externes, etc. Pour que la fonction de recherche soit exploitable, toutes les polices d'affichage doivent être activées via ATM Deluxe et stockées dans des valises de polices et non pas dans le dossier Polices du dossier Système.

Affichage et impression des échantillons de caractères

ATM peut afficher des échantillons de types de caractères à l'écran ou les imprimer.

▶ **ATM**
SuitCase permet d'activer des polices avec l'ordinateur en marche sans qu'il soit nécessaire de les installer dans le dossier Système.

Il permet de trier les polices pour les rendre plus accessibles et de les utiliser à partir d'un serveur.

▶ **L'ANTICRÉNELAGE AVEC ATM**
ATM peut supprimer le crénelage des polices d'affichage. Mieux vaut désactiver la fonction anticrénelage (lissage) dans ATM si l'on utilise des petites polices, car les caractères traités avec cette fonction peuvent être difficiles à lire.

nnee iilltt

▶ **FORMES ALÉATOIRES**
Le code PostScript permet un rendu de police différent à chaque impression. Ci-dessus un type de caractères utilisant cette fonction. FF Beowulf est un exemple de police PostScript Type 1 dont la forme peut varier.

TYPE REUNION 3.5.4

Type Reunion est un utilitaire très pratique d'Adobe. Il rassemble toutes les polices par famille, simplifiant ainsi la sélection de styles de caractère pour un document. Par exemple, toutes les polices de la famille Garamond sont rassemblées dans un menu, au lieu d'être éparpillées, parmi toutes les autres polices, dans un menu en ordre alphabétique. Dans les versions les plus récentes de Type Reunion, le nom d'une police particulière apparaît au menu dans le style de cette police.

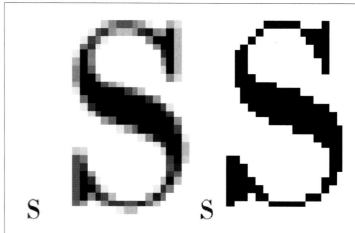

▶ **L'ANTICRÉNELAGE : COMMENT ÇA MARCHE ?**
L'anticrénelage permet de mieux reproduire les polices à l'écran. Les lignes de contour d'une police sont adoucies avec des nuances de la couleur utilisée. Si votre caractère ressemble à celui de droite (caractère avec crénelage), c'est que vous n'avez probablement pas la police d'affichage et que vous avez donc besoin d'ATM.

aaaaaaa aaaaa

▶ **MULTIPLE MASTER**
Une police en format Multiple Master peut se voir attribuer différentes graisses (épaisseur de trait) et chasses selon une progression presque continue. Les polices sont conçues de manière à pouvoir appliquer cet effet en conservant une typographie correcte.

LA COULEUR

4

CHAPITRE 4 LA COULEUR

La science de la couleur s'étend de la perception des couleurs par l'œil humain, à leur gestion et traitement à l'écran et à l'impression. Cette science concerne donc toute la chaîne de production graphique : photographie, scannérisation, affichage, épreuves et impression.

LA RADIATION ÉLECTROMAGNÉTIQUE
L'œil ne peut percevoir qu'une partie limitée des fréquences de radiation électromagnétique. Cette partie représente le spectre lumineux visible.

LA COULEUR DES SURFACES
La lumière est filtrée lorsqu'elle est réfléchie par une surface. La composition de la lumière réfléchie donne la couleur de la surface.

Dans ce chapitre, nous allons nous intéresser à la terminologie élémentaire de la théorie des couleurs et étudierons la manière dont l'œil humain perçoit les couleurs. Nous présenterons les systèmes de couleurs les plus courants et aborderons également la question des mélanges de couleurs. Nous traiterons des procédés de reproduction de la couleur choisie et des points auxquels il convient de prêter attention lors du travail avec la couleur et la lumière. Pour finir, nous passerons en revue les différents logiciels de gestion de la couleur.

QU'EST-CE QUE LA COULEUR ? 4.1

La couleur n'est en fait que le produit de notre cerveau. Celui-ci voit des couleurs différentes lorsque notre œil perçoit la lumière de diverses fréquences. La lumière est une radiation électromagnétique, tout comme les ondes radioélectriques, mais avec des fréquences (cycles par seconde) bien plus élevées et des longueurs d'ondes plus courtes. L'œil humain fonctionne de manière telle qu'il ne peut percevoir qu'une gamme limitée de fréquences, qui constitue le spectre lumineux visible. Celui-ci s'étend des tons rouges d'environ 705 nanomètres aux tons bleu violet d'environ 385 nanomètres, et couvre tous les tons situés dans cet intervalle. Les longueurs d'ondes situées au-delà des tons rouges du spectre sont les infrarouges que nous percevons comme un rayonnement de chaleur. Enfin, en deçà de l'extrémité violette du spectre se trouvent les ultraviolets, dont la peau se protège en brunissant.

Lorsqu'une lumière constituée à part égale de toutes les longueurs d'ondes situées dans la partie visible du spectre atteint l'œil, nous la percevons comme une lumière blanche. C'est le cas par exemple de la lumière du jour, qui contient toutes les longueurs d'ondes et qui est donc perçue comme blanche.

La perception des couleurs varie d'un individu à l'autre et certaines personnes ont plus de difficultés à percevoir les couleurs que d'autres. On parle souvent dans ce cas de daltonisme. Cette anomalie, qui touche plus souvent les hommes que les femmes, se manifeste par une absence de perception de certaines couleurs ou une confusion des couleurs, le rouge et le vert, par exemple.

LA COULEUR DES SURFACES 4.2

Lorsqu'une lumière blanche frappe une surface, seule une partie des couleurs du spectre est renvoyée, le reste étant absorbé par la surface. La couleur perçue est le résultat des longueurs d'ondes réfléchies. La lumière est en quelque sorte filtrée par la surface touchée. Ainsi, une pelouse est verte à la lumière du jour, car sa surface renvoie la partie verte du spectre et absorbe le reste.

L'ŒIL ET LA COULEUR 4.3

La rétine de l'œil est recouverte de cellules photosensibles appelées cônes et bâtonnets. Les bâtonnets sont sensibles à la lumière, mais pas aux couleurs. Ils réagissent à faible luminosité, et c'est la raison pour laquelle presque tout nous apparaît en noir et blanc quand il fait sombre. Les cônes pour leur part sont moins sensibles à la lumière, mais ils peuvent percevoir les couleurs. Il existe trois types de cônes, chacun sensible à différentes parties du spectre : un pour les rouges, un pour les verts et un pour les bleus. Ensemble, ils nous permettent de percevoir toutes les couleurs du spectre, soit près de 10 millions de nuances de couleurs, beaucoup plus qu'il n'est possible d'en créer en quadrichromie !

L'œil perçoit également la progression des tons. Si l'on divise l'échelle des tons allant du noir au blanc en 65 sections d'égale dimension, l'œil peut percevoir un maximum de 65 tons de gris. Si la sensibilité de l'œil était égale aux 65 changements de tonalités, cela signifierait que la perception de l'œil des tons gris suit une fonction linéaire. En réalité, la sensibilité de l'œil est différente pour les tons foncés et les tons clairs, car la perception des tons est de nature logarithmique.

L'œil est plus sensible aux variations de tons dans les zones claires que dans les zones foncées. Ainsi, nous distinguons davantage de subdivisions dans les zones claires que dans les zones foncées : nous pouvons en réalité percevoir au total près de 100 tonalités distinctes. Si l'on divisait l'échelle en plus de 100 sections, l'œil ne serait pas en mesure de discerner les transitions de tons et ne verrait qu'une gradation continue. Il faut tenir compte de ce phénomène pour le tramage, procédé technique utilisé pour imprimer les niveaux de gris [voir « Sortie » 9.1].

LE MÉLANGE DES COULEURS 4.4

Une photographie en couleurs se compose généralement de milliers de couleurs différentes. Si l'on veut imprimer cette même photo, on ne peut utiliser des milliers d'encres pour la reproduire fidèlement, tout comme il est impossible d'utiliser des milliers de sources lumineuses de couleurs différentes pour l'afficher sur un moniteur. Il faut alors recréer toutes ces couleurs en mélangeant les trois couleurs primaires, qui sont le cyan, le magenta et le jaune pour l'impression, et le rouge, le vert et le bleu sur un moniteur.

Ce dernier utilise un mélange des trois sources lumineuses (rouge, vert et bleu) pour créer les autres couleurs. Le mélange des différentes lumières colorées s'appelle la synthèse additive des couleurs. Cette méthode est utilisée dans tous les appareils comme les moniteurs, la télévision, etc. À l'impression, on mélange trois encres couleur, le cyan, le magenta et le jaune, auxquelles on ajoute une encre noire pour créer toutes les autres couleurs. Ce procédé de mélange d'encres s'appelle la synthèse soustractive des couleurs.

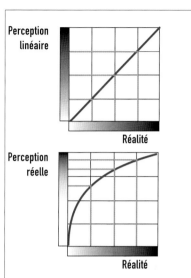

▶ **LA PERCEPTION DE L'ŒIL EST LOGARITHMIQUE**
Si la perception de l'œil était linéaire, nous percevrions de manière identique les différences de tons dans toute l'échelle des gris (diagramme supérieur). Cependant, notre perception est logarithmique et beaucoup plus sensible dans la plage des gris clairs (diagramme inférieur).

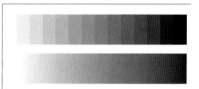

▶ **INTERPRÉTATION DU CERVEAU**
Une échelle de gris divisée en larges sections est perçue par le cerveau avec des transitions distinctes. Cependant, si on la divise en sections plus étroites, le cerveau ne discerne pas les différences entre les transitions et ne perçoit qu'une gradation continue.

▶ **ROUGE + VERT + BLEU = BLANC**
Le système additif produit des couleurs à l'aide de sources lumineuses. Les écrans d'ordinateur utilisent ce système additif.

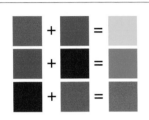

▶ **TABLE D'ADDITION**
Nous voyons ici comment combiner les différentes sources lumineuses pour créer le jaune, le cyan et le magenta.

▶ **SYNTHÈSE SOUSTRACTIVE DES COULEURS**
Les surfaces filtrent (soustraient) différentes longueurs d'ondes de lumière. La première absorbe la composante lumineuse rouge. Seules subsistent les composantes verte et bleue qui, selon la table ci-dessus, produit la couleur cyan. Les autres surfaces sont perçues comme un magenta et un jaune en raison des longueurs d'ondes filtrées.

SYNTHÈSE ADDITIVE DES COULEURS 4.4.1

Ce procédé doit son nom au fait que l'on ajoute une certaine quantité de lumière rouge, verte et bleue (RVB) pour obtenir d'autres couleurs. Si l'on mélange ces trois sources lumineuses à leur intensité maximale, l'œil perçoit le résultat obtenu comme une couleur blanche. À une plus faible intensité, un mélange à proportion égale de ces trois couleurs est perçu comme un gris neutre et si l'intensité est nulle, le résultat est un noir. Si l'on mélange deux des couleurs à leur intensité maximale sans ajouter la troisième, le résultat est : rouge + vert = jaune, bleu + vert = cyan et rouge + bleu = magenta. En mélangeant et en combinant trois sources lumineuses d'intensité variable, on peut recréer la grande majorité des couleurs perçues par l'œil.

Les moniteurs, les téléviseurs et les projecteurs vidéo utilisent la synthèse additive des couleurs. L'écran d'un moniteur se compose d'un certain nombre de pixels. Chaque pixel se compose à son tour de trois petites sources lumineuses, une rouge, une verte et une bleue. Le mélange de ces sources lumineuses donne la couleur du pixel [voir « L'ordinateur » 2.2.16].

SYNTHÈSE SOUSTRACTIVE DES COULEURS 4.4.2

En impression, les couleurs sont créées par le mélange des trois encres de couleur primaire, le cyan, le magenta et le jaune (CMJ). Celles-ci filtrent la lumière blanche atteignant la surface imprimée, avec pour conséquence la soustraction et l'absorption des couleurs du spectre, sauf le ton mélangé qui est réfléchi, d'où le nom de synthèse soustractive.

Une surface non imprimée réfléchit sa propre couleur, le blanc si la surface du support est blanche, par exemple. En théorie, un mélange d'égale proportion de cyan, de magenta et de jaune devrait donner une couleur noire, les encres absorbant toutes les longueurs d'ondes visibles de la lumière. Malheureusement, les encres utilisées pour l'impression ne peuvent pas filtrer totalement la lumière, et le mélange de ces trois encres à égale proportion donne une couleur brun foncé. Voilà pourquoi on ajoute une quatrième couleur entièrement noire (N) pour imprimer.

Le cyan, le magenta et le jaune sont les couleurs primaires du procédé soustractif. Si l'on mélange ces couleurs deux par deux, on obtient des couleurs secondaires : le rouge, le vert et le bleu violet. En mélangeant les couleurs secondaires, on obtient les couleurs tertiaires. La plupart des couleurs visibles peuvent être reproduites à l'impression en mélangeant les encres des trois couleurs primaires. La technique consiste à mélanger les points de trame de couleurs primaires de différentes tailles, la grosseur des points de trame variant selon la teinte désirée.

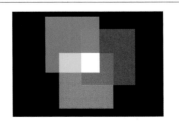

▶ **COULEURS PRIMAIRES ADDITIVES**
Les couleurs primaires du système additif et leurs combinaisons.

▶ **COULEURS PRIMAIRES SOUSTRACTIVES**
Les couleurs primaires du système soustractif et leurs combinaisons.

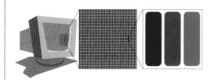

PIXEL ET ÉCRAN
Les écrans sont constitués d'une trame de pixels. Chaque pixel se compose d'une source lumineuse rouge, verte et bleue dont l'intensité peut être modifiée. La couleur légèrement gris bleu est créée par une source lumineuse rouge de faible intensité mélangée aux sources lumineuses verte et bleue.

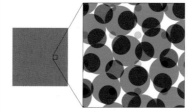

COULEUR IMPRIMÉE
À l'impression, les couleurs sont créées en mélangeant des points de trame cyan, magenta et jaune de différentes grosseurs.

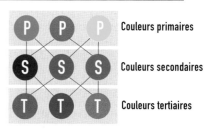

Couleurs primaires

Couleurs secondaires

Couleurs tertiaires

COULEURS PRIMAIRES, SECONDAIRES ET TERTIAIRES
Le cyan, le magenta et le jaune sont les couleurs primaires du système soustractif des couleurs. En mélangeant deux couleurs primaires, on obtient une couleur secondaire. Dans cette image, le bleu, le vert et le rouge sont des couleurs secondaires. Si l'on mélange les couleurs secondaires, on obtient les couleurs tertiaires.

LES SYSTÈMES DE COULEURS 4.5

Il existe un certain nombre de systèmes de couleurs standards garantissant la fidélité des couleurs tout au long d'un même projet. Certains sont plus utilisés et plus répandus que d'autres. Chacun présente des avantages et des inconvénients, et a donc un domaine d'application qui lui est propre. Certains systèmes sont spécialement adaptés aux mélanges d'encres d'imprimerie, tandis que d'autres correspondent plus particulièrement aux descriptions physiques des couleurs. Dans certains systèmes, le nom des couleurs est « inventé », tandis que d'autres définissent les couleurs selon la manière dont l'œil les perçoit.

Les systèmes standards possèdent différents espaces colorimétriques (aussi appelés « gamut » par les professionnels de l'imprimerie) qui déterminent le nombre de couleurs pouvant théoriquement être créées dans un système particulier. Plus l'espace colorimétrique d'un système est étendu, plus important est le nombre de couleurs qui peuvent être créées, sachant toutefois qu'aucun espace colorimétrique ne comporte toutes les couleurs du spectre. Vous trouverez ci-après une courte présentation des systèmes de couleurs les plus courants : RVB, CMJN, séparations polychromes CMJN, HSV, PANTONE, CIE et NCS.

RVB 4.5.1
Le système RVB, Rouge, Vert, Bleu, (RGB en anglais) est un système additif de couleurs utilisé pour les images numériques et pour l'affichage sur écran. Les couleurs sont clairement définies par des valeurs indiquant la combinaison des trois couleurs primaires. Par exemple, un rouge riche et chaud est désigné par la référence R-255, V-0 et B-0, qui ne définit en aucun cas la couleur perçue par l'œil. En outre, l'apparence d'un mélange de couleur dépend du moniteur ou du scanner utilisé ; une couleur donnée n'a donc pas nécessairement la même apparence selon les équipements.

C+M+J   C+M+J+N

LE NOIR EN THÉORIE ET EN PRATIQUE
On devrait en théorie obtenir un noir total en imprimant du cyan, du magenta et du jaune l'un sur l'autre. En pratique, on obtient un gris brun foncé ; c'est pourquoi on ajoute de l'encre noire. On parle alors de procédé CMJN (cyan, magenta, jaune, noir).

ESPACE COLORIMÉTRIQUE

L'espace colorimétrique correspond au nombre de couleurs pouvant être créées en théorie. Il varie selon le système de couleurs. Plus l'espace colorimétrique d'un système est étendu, plus il permet de créer de couleurs différentes.

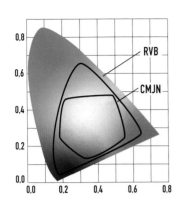

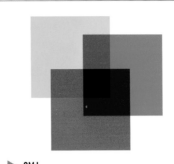

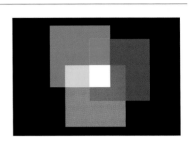

▶ **CMJ**
Le CMJ est un système soustractif de couleurs utilisé avec du noir (CMJN) pour l'impression en quadrichromie.

▶ **RVB**
Le RVB est un système additif de couleurs principalement utilisé pour les images numériques et pour l'affichage à l'écran.

▶ **ESPACES COLORIMÉTRIQUES RVB ET CMJN**
Le système RVB offre un espace colorimétrique plus étendu que le système CMJN. Le plus grand diagramme représente l'ensemble des couleurs perceptibles par l'œil. Les trois angles représentent les cellules coniques de l'œil sensibles au rouge, au vert et au bleu.

Notez bien que cette illustration n'est que schématique, car elle est imprimée en quatre couleurs et ne peut donc reproduire le spectre entier.

CMJN 4.5.2

Le système CMJN, cyan, magenta, jaune et noir, (CMYK en anglais) est un système soustractif de couleurs utilisé en imprimerie. Pour imprimer une image en quadrichromie à partir d'une image numérique, les couleurs RVB doivent être converties en couleurs CMJN [voir « Les images » 5.8]. Les couleurs résultantes sont définies par le pourcentage des encres CMJN dans le mélange. Par exemple, un rouge chaud peut être désigné par C = 0 %, M = 100 %, J = 100 %, N = 0 %. Tout comme le système RVB, ces indications ne définissent pas comment l'œil perçoit la couleur. Un mélange CMJN spécifique peut également avoir différentes apparences selon la qualité d'encre, le type de papier et la presse utilisés. L'espace colorimétrique CMJN est bien moins étendu que celui du système RVB.

SÉPARATIONS POLYCHROMES 4.5.3

De même que l'on peut convertir une image numérique RVB en CMJN, de même il est possible de séparer les images en un nombre de couleurs plus important que les quatre couleurs primaires pour obtenir un espace colorimétrique plus étendu. Il existe des systèmes de couleurs comportant de six à huit encres d'impression. L'impression utilisant ces systèmes est parfois appelée Hifi-color, car l'on obtient une plus haute fidélité de reproduction des images par rapport à l'original. L'hexachromie est le procédé le plus courant ; cette méthode consiste à ajouter un vert et un orangé aux primaires CMJN. On obtient ainsi un spectre de reproduction des couleurs beaucoup plus étendu permettant une restitution plus fidèle des images. Cependant, malgré les résultats performants de cette technique, les contraintes pratiques qu'elle impose, tant au stade des épreuves qu'à celui de l'impression proprement dite, la rendent difficile à justifier.

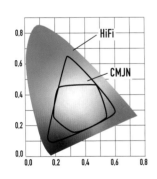

▶ **ESPACE COLORIMÉTRIQUE ÉTENDU**
L'impression couleur haute fidélité permet d'obtenir un espace colorimétrique plus étendu que le système CMJN.

HSV – TEINTE, SATURATION, VALEUR 4.5.4

Ce système de couleurs (Hue, Saturation, Value en anglais) est un système qui ressemble à la manière dont l'œil humain perçoit les couleurs et qui simplifie le traitement chromatique sur ordinateur. Il existe plusieurs versions de ce système, comme HLS (Hue, Luminance, Saturation, ou teinte, luminance, saturation) et HSB (Hue, Saturation, Brightness ou teinte, saturation, luminosité). Dans les trois cas, les termes valeur, luminance et luminosité désignent la même caractéristique.

Le principe du système HSV consiste à placer toutes les couleurs du spectre dans une configuration cylindrique. La valeur de la couleur (c'est-à-dire sa luminosité) est définie le long de l'axe central ; la distance par rapport au centre détermine la saturation et la teinte de la couleur se trouve à la périphérie. Ce système est un outil pratique pour travailler avec les couleurs sur ordinateur ; on peut par exemple modifier une couleur en changeant une seule des trois variables : la luminosité, la saturation ou la teinte.

PANTONE 4.5.5

Le système Pantone est un moyen pratique, quoique un peu imprécis, de définir les couleurs. Ce système est basé sur la combinaison de neuf couleurs sélectionnées en fonction de leur utilité. Les teintes sont référencées selon un système numérique qui simplifie leur choix. Le nuancier Pantone est principalement utilisé par les professionnels des arts graphiques pour l'impression des tons directs.

Un système de couleurs tel que Pantone, utilisant des mélanges uniques de pigments pour chaque couleur, offre plus de possibilités de restituer les couleurs saturées. Par exemple, une couleur jaune clair dans un système Pantone est réellement un pigment jaune clair et il n'est pas nécessaire de tromper l'œil avec des points de trame comme avec le système CMJN. Ainsi, le système Pantone offre un espace colorimétrique bien plus étendu que le CMJN. Il faut donc bien garder à l'esprit qu'il est impossible de recréer toutes les couleurs du système Pantone lors de sa conversion en CMJN.

CIE 4.5.6

Le système CIE a été créé par la Commission Internationale de l'Éclairage d'après les résultats d'expériences poussées obtenus au cours d'une étude menée au début des années 1930 sur la perception des couleurs par l'œil humain. Celle-ci étant différente d'un individu à l'autre, un observateur colorimétrique standard a été créé à partir de la moyenne de perception des personnes testées. L'étude a démontré que la perception des couleurs chez l'être humain pouvait être décrite à l'aide de trois courbes de sensibilité dénommées valeurs tristimulus. Ces valeurs, combinées aux caractéristiques de la lumière atteignant une surface et aux couleurs de la lumière que peut réfléchir cette surface, servent à définir avec une haute précision la couleur de la surface.

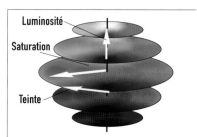

▶ HLS
L'endroit où se situe la couleur sur l'axe vertical détermine sa luminosité (également appelée luminance). La distance horizontale par rapport à l'axe détermine son degré de saturation, tandis que la teinte se trouve à la périphérie.

▶ NUANCIER PANTONE
Le nuancier Pantone permet de choisir une couleur précise.

▶ SÉPARATION DES COULEURS PANTONE

La séparation des couleurs Pantone en CMJN génère souvent des couleurs complètement différentes. Il existe des nuanciers spéciaux qui facilitent ce type de conversion.

▶ FRAISES ROUGES
Le système HLS permet, quand on déplace le curseur des teintes, de transformer les fraises rouges en fraises vertes

▶ FRAISES VERTES
Lorsqu'on déplace les nuances rouges d'un tiers de tour dans la roue chromatique jusqu'à la zone verte, tous les rouges de l'image deviennent verts.

La lumière normale diffusée est composée de longueurs d'ondes.

Une surface colorée réfléchit certaines longueurs d'ondes mieux que d'autres.

L'œil réagit différemment en fonction les longueurs d'ondes, comme illustré par les courbes tristimulus $\bar{x}$, $\bar{y}$ et $\bar{z}$. Celles-ci correspondent à la sensibilité de chacun des trois cônes de l'œil d'un observateur standard.

En multipliant $\bar{x}$, $\bar{y}$ et $\bar{z}$ par les deux autres courbes, on obtient trois valeurs X, Y et Z appelées valeurs CIE.

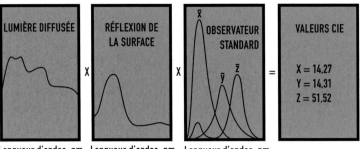

LUMIÈRE DIFFUSÉE		RÉFLEXION DE LA SURFACE		OBSERVATEUR STANDARD		VALEURS CIE
Longueur d'ondes, nm	X	Longueur d'ondes, nm	X	Longueur d'ondes, nm	=	X = 14,27 Y = 14,31 Z = 51,52

CIElab et CIExyz sont deux variantes du système CIE. La première est une extension du système CIExyz, fondé sur la perception humaine de la couleur. Le système CIE est basé sur trois valeurs différentes ; on peut donc considérer qu'il est tridimensionnel et qu'il constitue un espace colorimétrique. Les couleurs du système CIElab correspondent à des valeurs *l*, *a* et *b* ; dans le système CIExyz, elles correspondent à des valeurs *x*, *y* et *z*. La différence est que dans le système CIElab, l'œil perçoit un certain déplacement qualitatif dans l'espace colorimétrique comme un changement de couleur de la même importance quel que soit l'endroit où il se produit, étant donné que l'espace est adapté à l'œil.

La différence entre deux couleurs, c'est-à-dire le déplacement dans l'espace colorimétrique, est désignée par ΔE (delta E). Si ΔE est inférieur à 1, l'œil ne perçoit pas de différence de couleurs. Le système CIElab est principalement utilisé dans l'industrie graphique lorsqu'on recherche un système de couleurs « indépendant du matériel », puisque les couleurs sont définies à partir de la perception de l'œil et que leur définition physique est précise.

▶ SYSTÈMES DE COULEURS

SYSTÈME	RVB	CMJN	SÉPARATION POLYCHROME
DÉFINITION	Rouge, Vert, Bleu	Cyan, Magenta, Jaune, Noir	CMJN + par ex. vert, violet ou orange
UTILISATION	Scannérisation, retouche d'image, stockage	Impression en quadrichromie	Impression d'images de couleurs intenses
FONCTION	Système additif, espace colorimétrique plus étendu que CMJN	Système soustractif, espace colorimétrique déterminé par la méthode d'impression	Système soustractif, espace colorimétrique plus étendu que CMJN

SYSTÈME	HSV	Pantone	CIE
DÉFINITION	Teinte, Saturation, Valeur	Système de correspondance Pantone	Commission Internationale de l'Éclairage
UTILISATION	Traitement sur ordinateur	Impression de tons directs	Définition physique exacte, déterminée visuellement
FONCTION	Utilisé pour modifier les couleurs sur ordinateur	Échantillons de couleurs prédéfinies, espace colorimétrique plus étendu que CMJN	Stockage indépendant du matériel

NCS ^{4.5.7}

NCS (Natural Color System ou système de couleurs naturelles) est un système d'origine suédoise basé sur le degré de noir (luminosité), la teinte (couleur) et la densité de la couleur (saturation) pouvant être représenté sous forme d'un diagramme à doubles cônes. La répartition des couleurs est divisée en degrés, selon la perception de l'œil. Ce système est principalement utilisé dans la production des textiles et des peintures.

LES FACTEURS QUI INFLUENCENT LA REPRODUCTION DES COULEURS ? ^{4.6}

Restituer une couleur, c'est savoir la reproduire, soit sur un écran, soit sur un support imprimé. La gamme des tons et la palette des couleurs sont les deux facteurs qui influent le plus sur la qualité de reproduction. La gamme des tons correspond au nombre total de couleurs pouvant être composées avec une couleur primaire donnée d'un système de couleurs spécifique et à l'aide d'un procédé particulier, par exemple le nombre de couleurs possibles en utilisant de l'encre cyan dans un système CMJN sur papier couché en impression offset. La palette des couleurs est le nombre total de couleurs pouvant être créées avec un système de couleurs particulier et à l'aide d'un procédé spécifique, par exemple le nombre de couleurs possibles en utilisant un système CMJN en impression offset sur papier couché.

Ainsi, en termes d'impression, la reproduction des couleurs est principalement influencée par le système de couleurs, la qualité de papier, le procédé d'impression et les encres utilisées. Lorsqu'on réalise une maquette destinée à l'impression sur papier, il est important de considérer l'ensemble de ces facteurs et d'adapter les paramètres afin d'obtenir la meilleure restitution possible des couleurs sur le papier [voir « Les images » 5.7].

SYSTÈMES DE COULEURS POUR IMPRESSION ^{4.6.1}

Le système de couleurs utilisé influence la reproduction de la couleur, puisqu'un système spécifique ne peut produire que les couleurs de son espace. Chaque système a des espaces colorimétriques d'étendues différentes. Par exemple, si l'on imprime en HiFi color (impression six couleurs), l'espace colorimétrique obtenu est bien plus étendu que celui disponible en CMJN, étant donné que les encres supplémentaires en hexachromie élargissent l'espace colorimétrique. En bref, le système HiFi color permet de reproduire un nombre de teintes bien plus important et donc de mieux restituer l'image originale.

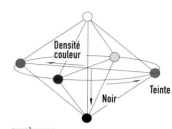

▶ **SYSTÈME NCS**
Le système NCS se base sur le degré de noir, la teinte et la densité de couleur pouvant être représentés sous forme d'un diagramme à doubles cônes.

▶ **PALETTE DES COULEURS EN IMPRESSION**

La palette des couleurs en impression correspond au nombre total des couleurs pouvant être restituées avec un système de couleurs et un procédé d'impression donnés, comme le nombre de couleurs possibles en utilisant un système CMJN en impression offset sur papier couché.

▶ **GAMME DES TONS EN IMPRESSION**

La gamme des tons en impression correspond au nombre de couleurs pouvant être restituées à partir d'une encre donnée, compte tenu de la qualité de papier et du procédé d'impression, par exemple, le nombre de couleurs possibles en utilisant de l'encre cyan dans un système CMJN sur papier couché en impression offset.

▶ **REPRODUCTION DE LA COULEUR**

Restituer une couleur, c'est savoir la reproduire, soit sur un écran, soit sur un support imprimé.

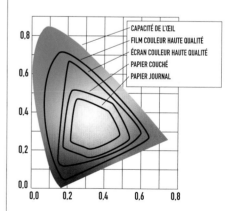

▶ **ESPACES COLORIMÉTRIQUES**
Le diagramme illustre les espaces colorimétriques (aussi appelés gamut) pouvant être obtenus avec différents supports.

PROCÉDÉ D'IMPRESSION 4.6.2

Le procédé d'impression en lui-même influence la reproduction des couleurs de plusieurs manières. Chaque procédé nécessite des encres ayant des propriétés particulières et conditionne l'épaisseur des couches d'encre appliquées sur le support. L'épaisseur des couches d'encre varie d'un procédé à l'autre et détermine la gamme des tons pouvant être imprimés. Plus on peut appliquer d'encres sur le papier, plus la gamme des tons est étendue et meilleure est la restitution des couleurs.

Autre exemple de procédé d'impression qui influence la reproduction des couleurs : en impression offset, les encres ne se mélangent pas complètement, car les couleurs sont appliquées les unes sur les autres avant d'avoir séché (on parle parfois de technique d'impression humide). Pour cette raison, il n'est pas possible de reproduire toutes les couleurs que l'on pourrait théoriquement utiliser à partir de la gamme des tons des couleurs primaires [voir « L'impression » 13.4.4].

PAPIER ET REPRODUCTION DES COULEURS 4.6.3

La couleur du papier, sa surface, sa structure et son imprimabilité ont un impact direct sur la reproduction des couleurs. Il existe peu de qualités de papier entièrement blanc. La plupart ont une légère pointe de couleur, tandis que d'autres, comme le papier saumon des pages économiques du Figaro, ont une teinte plus foncée. Il est souvent difficile d'adapter la reproduction de la couleur en fonction de la couleur du papier ; l'apparence d'un imprimé peut donc varier fortement selon le type de papier utilisé [voir « Le papier » 12.5.4].

Le brillant des papiers varie en fonction de la quantité de lumière que la structure d'un papier particulier et sa surface traitée sont censées réfléchir. Pour les ouvrages d'art, on utilise par exemple un papier réfléchissant plus de lumière que le papier d'un quotidien. Plus un papier peut réfléchir la lumière, plus importante est la gamme des tons possibles et donc meilleure est la reproduction. D'autres supports d'impression, tels que le tissu ou le plastique, possèdent tout comme le papier des caractéristiques spécifiques qui influencent la qualité de reproduction des couleurs. Afin d'obtenir les meilleurs résultats possibles, vous pouvez adapter le procédé de reproduction des couleurs pour compenser les imperfections de certains supports [voir « Les images » 5.7].

ENCRES D'IMPRESSION 4.6.4

Un système soustractif des couleurs comme le CMJN se base sur des couleurs théoriques précises. En réalité, les pigments ne peuvent jamais reproduire exactement ces couleurs. Plus les pigments se rapprochent des valeurs théoriques, plus la restitution des couleurs est précise. Les divers procédés d'impression requièrent des types d'encres présentant différentes caractéristiques, ce qui rend la comparaison difficile quant au résultat final obtenu à partir des procédés utilisés.

LA FIDÉLITÉ DES COULEURS À L'IMPRESSION 4.7

La calibration des périphériques est importante, car elle permet de vérifier le bon rendu des couleurs créées sur ordinateur. Vient alors la phase de caractérisation de l'impression, qui consiste à évaluer les caractéristiques du procédé d'impression retenu. Il faut ensuite régler tous les périphériques (moniteurs, imprimantes, scanner et tous les autres matériels prépresse, etc.) en se conformant le plus possible aux caractéristiques afin de simuler l'impression. Si ces réglages sont effectués minutieusement, on obtient une bonne conformité entre l'affichage à l'écran, les tirages couleur sur imprimante, les tirages d'épreuves et le produit imprimé. Cette opération est relativement facile si l'on réalise toujours le même produit avec les mêmes matériels, ce qui est le cas par exemple pour l'impression d'un quotidien.

Les choses se compliquent dès lors qu'il s'agit de réaliser différents produits sur une série non homogène d'équipements. Dans ce cas, la solution consiste à faire appel à un système de gestion des couleurs ou CMS (Color Management System), qui tient compte des caractéristiques des scanners, des moniteurs, des imprimantes, etc.

CHOIX D'UNE COULEUR 4.7.1

Il n'est pas recommandé de choisir les couleurs sur écran, car il est difficile d'obtenir une bonne correspondance entre les couleurs affichées sur un moniteur et l'impression finale. Mieux vaut utiliser des nuanciers imprimés avec des échantillons de couleurs prédéfinies. Il existe sur le marché des nuanciers standards imprimés sur différentes sortes de papier et certaines imprimeries proposent même leurs propres nuanciers. Les couleurs des nuanciers sont indiquées en valeurs CMJN. Pour le choix d'une couleur en quadrichromie, vous pouvez utiliser un nuancier standard, mais les conditions d'impression n'étant pas toujours les mêmes (types de papier, machine, encres, etc.), le résultat risque de ne pas correspondre fidèlement à la couleur du nuancier. Pour être tout à fait sûr d'obtenir la teinte exacte, il est préférable d'utiliser le nuancier de l'imprimerie chargée des travaux.

Pour une couleur très saturée ou très spéciale (par exemple or ou argent), il est recommandé de se servir d'un nuancier de tons directs ; dans ce cas, le système de couleurs le plus courant est Pantone, qui propose des nuanciers (à des prix relativement élevés).

STABILISATION ET CALIBRATION 4.7.2

La stabilisation consiste à s'assurer que toutes les unités d'impression produisent des sorties homogènes au fil du temps. En effet, des variations peuvent survenir en raison d'erreurs mécaniques ou de changements de conditions ambiantes, comme la température ou l'humidité. La calibration consiste à régler les équipements selon des valeurs prédéfinies, de manière à obtenir des résultats homogènes d'un équipement à l'autre. Ainsi, une valeur de 40 % de cyan doit donner le même résultat sur l'écran de l'ordinateur, sur la sortie de l'imprimante, sur l'épreuve et sur la sortie de l'imageuse. Les périphériques sont souvent fournis avec un logiciel de calibration.

SIMULATION 4.7.3

Vous pouvez également calibrer votre système d'après l'expérience acquise lors de travaux d'impressions similaires. Une telle « simulation » n'est certes pas une procédure exacte, mais elle est assez simple et fonctionne relativement bien.

Une autre méthode de calibration par simulation consiste à imprimer et à visualiser sur écran un document qui a déjà été tiré sur une presse d'imprimerie et à régler les périphériques d'après son apparence. Il faut donc régler les logiciels et les moniteurs de manière à ce que l'image sur l'écran se rapproche le plus possible de l'imprimé. De la même manière, l'imprimante couleur et le système d'épreuvage peuvent être réglés pour simuler le résultat final à l'impression. Pour une plus grande précision, vous pouvez aussi analyser le produit imprimé avec un appareil de mesure et régler les périphériques en fonction des valeurs obtenues.

SYSTÈMES DE GESTION DES COULEURS 4.7.4

Le rôle d'un système de gestion des couleurs est d'assurer un contrôle des couleurs tout au long de la chaîne de production. Un tel système permet de visualiser les couleurs à l'écran et de s'assurer que les tirages sur imprimante et les épreuves correspondront au résultat imprimé. Les couleurs sont toujours influencées par le matériel qui les affiche, les numérise et les imprime. En relevant les déviations de couleurs, il est possible de générer des profils qui assurent la compensation de ces déviations de manière à ce que le résultat soit conforme à l'original, indépendamment des périphériques utilisés. Pour qu'un système de gestion des couleurs fonctionne, il est impératif de disposer d'un système pouvant définir des couleurs et ne donnant pas différents résultats selon l'endroit et la manière dont elles sont visualisées à un moment donné. RVB et CMJN sont des systèmes de couleurs dépendants du matériel et une couleur sera différente selon le périphérique. Par exemple, dans un magasin de matériel Hi-Fi, il est facile de constater que les couleurs d'une même image sur les écrans de télévision ne sont pas identiques sur tous les téléviseurs, bien que tous les appareils émettent la même image avec les mêmes valeurs chromatiques. RVB et CMJN ne sont donc pas des espaces colorimétriques recommandés pour les systèmes de gestion des couleurs.

Il est donc indispensable de disposer d'un moyen permettant de définir les couleurs dans un système de gestion et qui ne soit pas dépendant du périphérique devant restituer les couleurs. On utilise donc un système qui n'est pas influencé par les périphériques utilisés en production. C'est le principe de l'espace CIElab, qui définit les couleurs à partir de la perception de l'œil. Une fois les couleurs bien définies en valeurs chromatiques indépendantes, il ne reste plus qu'à régler tous les périphériques en fonction de celles-ci. Pour la restitution des couleurs, chaque périphérique de la chaîne de production comporte des avantages et des imperfections, qui sont évalués et stockés dans des profils. Le système de gestion utilise ensuite ces profils pour obtenir une couleur conforme, par exemple en ajustant les signaux RVB de l'écran. Si les téléviseurs de l'exemple ci-dessus utilisaient un système de gestion des couleurs, ils se baseraient sur les couleurs CIElab et, à l'aide des profils, les couleurs seraient converties en signaux RVB spécifiques à chaque appareil. Ces valeurs seraient ajustées suivant le profil de chaque appareil et les couleurs seraient identiques sur tous les téléviseurs. Il en est de même dans une presse d'imprimerie où il se produit des variations en raison de l'engraissement des points de trame, des caractéristiques des encres (couleurs primaires), de la solution de mouillage, du papier, etc.

De nombreuses entreprises spécialisées dans la fabrication de matériel et l'édition de logiciels destinés au secteur des arts graphiques se sont regroupées pour définir des normes de gestion des couleurs. Ces normes portent le même nom que ce groupement, à savoir ICC (International Color Consortium). L'ICC définit une spécification ayant trait au fonctionnement des systèmes de gestion des couleurs et une norme pour la conception des profils de couleurs.

QUE COMPREND LE SYSTÈME ICC ? 4.7.5

Le système ICC peut se diviser en trois grandes composantes :
- l'espace colorimétrique indépendant des périphériques, CIElab, également appelé RCS, espace couleur de référence (Reference Color Space), ou PCS, espace de connexion de profil (Profile Connection Space) [voir 4.5.6] ;
- les profils ICC correspondant aux différents périphériques, comme les profils de moniteurs, scanners, imprimantes, imageuses, etc. Les profils décrivent les caractéristiques colorimétriques de chaque périphérique ;
- le module de gestion des couleurs, CMM (Color Management Module) qui, à partir des valeurs contenues dans les profils, calcule les conversions de couleurs entre les différents périphériques.

Lorsqu'on travaille avec un système de gestion des couleurs, ces trois composantes influencent le résultat final. Lors de la scannérisation d'une image par exemple, c'est le CMM qui, à l'aide du profil ICC, compense les imperfections du scanner en calculant les valeurs que les couleurs scannées doivent avoir dans l'espace indépendant des périphériques, CIElab.

PROFILS ICC 4.7.6

Un profil décrit l'espace colorimétrique, les qualités et les imperfections d'un périphérique. Le profil compare la restitution des couleurs par un périphérique à une mire de contrôle des couleurs prédéfinie (valeurs de références basées sur le système CIElab), indiquant les valeurs colorimétriques à retenir. La différence entre les deux valeurs sert de base au profil qui permet de générer les informations de compensation colorimétrique et donc d'obtenir une valeur identique à celle de la référence figurant dans la mire de contrôle. Les couleurs dont les valeurs de référence ne sont pas incluses dans la mire sont calculées et interpolées par le module CMM à l'aide d'au moins deux couleurs de référence proches de chacune de ces couleurs.

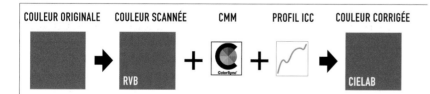

▶ **CORRECTION ICC D'UNE COULEUR SCANNÉE**
Lors de la scannérisation d'une image, le module de gestion des couleurs (CMM) corrige chaque couleur à l'aide d'un profil ICC, en tenant compte des caractéristiques techniques du scanner utilisé. Il calcule la valeur que devraient avoir les couleurs scannées dans l'espace colorimétrique indépendant du matériel afin d'ajuster les couleurs de l'image numérisée pour qu'elles correspondent bien à l'original.

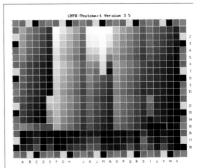

▶ **SPECTROPHOTOMÈTRE**
Un spectrophotomètre mesure la composition spectrale de chaque couleur sur les sorties d'imprimantes, les épreuves, les imprimés et sur l'écran du moniteur.

▶ **IT8 – MIRE DE CONTRÔLE DES COULEURS**
L'apparence des mires de contrôle des couleurs est définie par la norme ISO IT8. La plupart des fabricants de logiciels de génération de profils fournissent leur propre mire basée sur IT8. La mire ci-dessus est celle de Logo Profilemaker Pro.

▶ **COLORSYNC**
Apple Colorsync est le module de gestion des couleurs le plus courant ; il est fourni sur tous les systèmes d'exploitation d'Apple.

Certains produits comme les scanners et les imprimantes sont fournis avec des profils. Il s'agit de profils standards utilisés pour tous appareils du même modèle et qui ne tiennent malheureusement pas compte des qualités et des imperfections de chacun, ce qui nuit à l'homogénéité des résultats. Il est donc préférable de travailler avec des profils créés pour un périphérique spécifique dans un environnement spécifique. Ainsi, même si l'on a, au sein d'une entreprise, des moniteurs du même modèle et de la même marque, il est recommandé de créer un profil spécifique pour chaque moniteur afin d'obtenir les meilleurs résultats possibles.

Il existe un certain nombre de logiciels conçus pour la création de profils adaptés aux périphériques, entre autres Gretag Eye One Pro, X-Rite MonacoPROFILER, Logo Profilemaker Pro, Agfa Colortune, Heidelberg Printopen ou Scanopen. Certains produits ont leur propre système de création de profils, comme les moniteurs Barco et Radius.

Outre les logiciels mentionnés ci-dessus, la création de profils nécessite une mire de contrôle des couleurs normalisée présentant un certain nombre de couleurs de référence. Les logiciels utilisés pour la création de profils intègrent, pour chacune des couleurs de la mire, des valeurs de références définies avec précision dans l'espace CIElab. Pour cela, il faut imprimer, visualiser ou scanner la gamme sur un périphérique spécifique, puis comparer le résultat aux valeurs de référence. Pour la création d'un profil destiné à un scanner par exemple, il faut scanner une mire fournie sur papier photographique ou sur film transparent, puis comparer chaque couleur du résultat numérisé aux valeurs de référence correspondantes. Les différences entre les valeurs numérisées et les valeurs de référence servent de base au profil. Les profils des périphériques de sortie sont générés en reproduisant ou en imprimant la mire de contrôle des couleurs. Chaque couleur de la sortie est mesurée à l'aide d'un spectrophotomètre, ce qui permet de comparer les résultats aux valeurs colorimétriques de référence et de générer le profil. Sur un moniteur, le spectrophotomètre mesure les couleurs directement sur l'écran, le résultat des mesures permettant ici aussi de générer un profil.

L'apparence des mires de contrôle des couleurs est définie par la norme ISO IT8 et la plupart des fournisseurs de logiciels de génération de profils ont leurs propres mires basées sur IT8. Il existe des mires pour films transparents ou supports réfléchissants fournis entre autres par Agfa, Kodak ou Fuji. Ces derniers utilisent différentes émulsions pour leurs films et leurs papiers, d'où des résultats différents lorsqu'on les scanne. Par exemple, quand vous scannez des images photographiées sur un film transparent Fuji, il faut utiliser un profil généré à partir de mires fournies sur film transparent Fuji afin de déterminer précisément les valeurs de compensation exactes.

Les mires de contrôle des couleurs comprennent jusqu'à 300 échantillons de couleurs de référence, incluant les couleurs primaires, secondaires et tertiaires, ainsi que les niveaux de gris. Les mires des fabricants sont différents en ce sens qu'ils utilisent leurs propres échantillons de couleurs en plus de ceux définis par la norme IT8. Cela permet aux fournisseurs de mieux caractériser et compenser les faiblesses de leur matériel.

MODULE DE GESTION DES COULEURS (CMM) 4.7.7

Ce module est un utilitaire qui sert à calculer la conversion colorimétrique entre les périphériques utilisant les profils ICC. Apple Colorsync est le module le plus courant et il est fourni sur tous les systèmes d'exploitation d'Apple. Plusieurs fournisseurs comme Kodak,

Heidelberg ou Agfa disposent de leur propre module de gestion des couleurs. Tous les logiciels qui doivent convertir ou traiter les couleurs ont recours à ce type de module pour la conversion colorimétrique. Ainsi, un logiciel de scanner utilise un CMM pour l'acquisition numérique d'une image tout comme le fait un logiciel de retouche d'image pour la séparation en CMJN.

Les fournisseurs de ces modules de gestion établissent tous les modèles de conversion à partir des principes suivants :
- Toutes les couleurs neutres (gris) doivent être conservées lors de la conversion.
- Les contrastes doivent être aussi forts que possible après conversion.
- Lors de la conversion, tous les périphériques doivent pouvoir restituer l'ensemble des couleurs. En d'autres termes, toutes les couleurs doivent être intégrées dans l'espace colorimétrique disponible sur chaque équipement.

Certaines parties de l'espace colorimétrique sont difficiles à convertir et peuvent poser des problèmes particuliers, notamment :
- Les couleurs claires peuvent être rendues uniformes lorsque le module de gestion des couleurs tente de créer la gamme de tons la plus étendue possible. Le même problème survient pour les tons très foncés.
- Les couleurs saturées posent problème lorsqu'elles sortent de l'espace colorimétrique de l'équipement. Elles doivent être traduites dans l'espace colorimétrique de l'appareil pour pouvoir être reproduites ; ce processus modifie toujours la couleur en question et il peut, en outre, influencer les autres couleurs à l'intérieur de l'espace colorimétrique.
- Les couleurs qui se trouvent à la limite de l'espace colorimétrique d'un appareil et qui couvrent des zones importantes peuvent perdre leurs nuances à la conversion.

Les modules de gestion des couleurs utilisent quatre méthodes de conversion des couleurs. La principale différence réside dans la manière dont ils traduisent les couleurs dans l'espace colorimétrique d'un périphérique. Les quatre méthodes de conversion sont :
- la conversion perceptive ;
- la conversion absolue ;
- la conversion relative ;
- la conversion saturée.

CONVERSION PERCEPTIVE [4.7.8]

Cette méthode est principalement utilisée pour la conversion d'images photographiques. Lors de la conversion, la distance relative dans l'espace colorimétrique, ΔE, est conservée entre les différentes couleurs. Les couleurs se trouvant en dehors de l'espace colorimétrique de l'équipement y sont transférées, et les couleurs qui s'y trouvent sont également déplacées afin de conserver les différences relatives des couleurs. L'œil remarque plus facilement de légères différences entre les couleurs lorsqu'elles sont placées les unes à côté des autres, alors qu'il est difficile de faire la différence entre deux couleurs si elles sont visualisées séparément. Ainsi, comme cette méthode permet de conserver les légères différences de couleur, la conversion perceptive est recommandée pour la séparation des photographies. On qualifie cette méthode de « perceptive », car elle a trait à la manière dont le cerveau et l'œil fonctionnent pour percevoir les couleurs.

CONVERSION ABSOLUE 4.7.9

Cette méthode est principalement utilisée pour la simulation de l'impression finale sur presse d'imprimerie au moyen d'un système d'épreuves. Les couleurs se situant en dehors de l'espace colorimétrique disponible sur ce système y sont transférées ; celles qui s'y trouvent déjà restent pour leur part inchangées. Les différences de tons entre les couleurs se trouvant dans l'espace colorimétrique et celles se trouvant à la limite sont ainsi supprimées. Cette méthode est préconisée lorsqu'il est important de restituer les couleurs aussi fidèlement que possible, ce qui est le cas pour les épreuves. Afin d'éviter le problème de perte de différences de tons, il faut rechercher un système d'impression d'épreuves offrant un espace colorimétrique plus étendu que celui de la presse d'imprimerie.

CONVERSION RELATIVE 4.7.10

Parfois, une conversion perceptive peut provoquer une perte de contraste et de saturation des images. Pour éviter ce problème, une conversion relative est préférable. La distance relative, ∆E, entre les couleurs se trouvant au-delà de l'espace colorimétrique de l'équipement est conservée après leur transfert à l'intérieur de l'espace en question. Les couleurs se trouvant à l'intérieur de l'espace colorimétrique conservent leurs valeurs. Les couleurs transférées sont converties de manière à s'approcher le plus possible de l'original en conservant leur luminosité. La distance relative entre deux couleurs à la périphérie de l'espace colorimétrique est modifiée et ces deux couleurs, différentes au départ, peuvent alors présenter des valeurs similaires.

CONVERSION SATURÉE 4.7.11

Si l'on travaille sur des images vectorielles, la méthode préconisée est la conversion saturée. Avec cette méthode, on recherche une conversion qui donne la plus forte saturation possible des couleurs. Ce résultat est obtenu en changeant la distance relative entre les

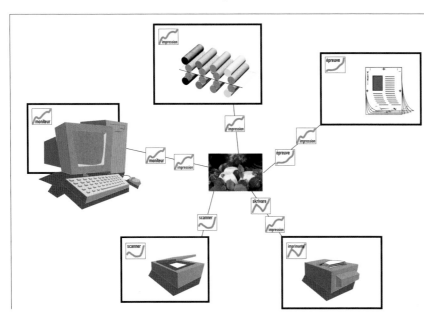

▶ SYSTÈMES DE GESTION DES COULEURS

Chaque périphérique utilisé dans la chaîne de production présente des avantages et des faiblesses au niveau de la restitution des couleurs. Ces caractéristiques peuvent être mesurées et stockées dans des profils ICC.

Pour simuler une impression sur un écran, il faut non seulement tenir compte de la manière dont l'écran affiche les couleurs à l'aide des informations contenues dans le profil de l'écran, mais aussi des caractéristiques du matériel d'impression à l'aide des informations contenues dans son profil. Il est inutile de visualiser sur écran des couleurs qui ne pourront pas être reproduites à l'impression. Toutefois, en combinant les informations des deux profils, on obtient sur l'écran une bonne simulation de l'imprimé final.

De la même manière, si l'on veut simuler le résultat de l'impression finale au moyen d'une imprimante couleur, il faut combiner le profil de l'imprimante avec celui du matériel d'imprimerie.

couleurs, ΔE, tout en conservant leur saturation. Cela permet à chaque pixel de conserver sa valeur de saturation indépendamment du fait qu'il soit à l'intérieur ou au-delà de l'espace colorimétrique de l'équipement.

ÉLÉMENTS DU MODULE DE GESTION DES COULEURS (CMM) 4.7.12

Pour prévisualiser un imprimé sur écran, il faut d'abord tenir compte de la manière dont celui-ci affiche les couleurs en utilisant les informations du profil d'écran, c'est-à-dire qu'il faut effectuer certains réglages à partir de ce profil. L'avantage est la possibilité de compenser les particularités du moniteur et de visualiser les couleurs telles qu'elles doivent être. Il faut également tenir compte de l'espace colorimétrique de la presse d'imprimerie en utilisant le profil correspondant. Il est inutile de visualiser sur écran des couleurs qui ne pourront pas être reproduites à l'impression. Lorsqu'on combine les deux profils, on obtient alors sur l'écran une bonne simulation du résultat final. Et, si l'on désire voir le résultat sur une impression en couleurs, on combine de la même façon le profil de la presse avec celui de l'imprimante.

IMAGES RVB OU CMJN 4.7.13

Aujourd'hui, la plupart des professionnels travaillent avec des images RVB ou CMJN, même lorsqu'ils utilisent les systèmes ICC. Le choix dépend de la capacité du RIP ou du serveur OPI à prendre en charge et à séparer les images RVB lors de la rastérisation en vue de leur sortie sur films ou sur plaques [voir « Sortie » 9.3.4]. Si le flux de production prend en charge le mode RVB, il sera non seulement possible de travailler avec des images RVB, mais aussi avec des images converties en mode CMJN. L'inconvénient de la conversion des images en CMJN est que le procédé se base sur les spécifications d'une technique d'impression particulière ; en revanche, le mode RVB présente l'avantage que l'ajustement des images ne se fait qu'une fois que l'on a retenu la technique d'impression. Autre avantage : les images peuvent être réutilisées pour un autre produit.

FLUX RVB 4.7.14

Lorsqu'on travaille avec des images en mode RVB, on utilise des espaces colorimétriques prédéfinis dans CIElab. Lors de la scannérisation, les valeurs RVB du scanner sont compensées et converties en valeurs CIElab en utilisant le profil du scanner et le module de gestion des couleurs. Celles-ci peuvent ensuite être interprétées en valeurs RVB dans l'espace colorimétrique CIElab choisi pour le projet. Les divers espaces colorimétriques RVB possèdent différentes caractéristiques déterminant le choix de l'espace à utiliser. Pour choisir l'espace couleurs RVB dans Adobe Photoshop, sélectionnez Édition –> Couleurs –> RVB. Depuis la version 5 d'Adobe Photoshop, les informations sur l'espace colorimétrique RVB sont incorporées dans le fichier au moment de l'enregistrement de l'image. Ce réglage peut être changé par le biais de Édition –> Couleurs –> Règles de gestion des couleurs. À ce niveau, on peut également régler la réaction du logiciel à l'ouverture d'une image ne contenant pas d'informations sur l'espace colorimétrique RVB.

Adobe Photoshop propose les espaces colorimétriques RVB standards utilisés en fonction de l'application : images destinées à l'impression, images pour visualisation vidéo ou film, sur écran de télévision, diffusion sur Internet, etc.

ColorMatch RGB est basé sur l'espace colorimétrique RVB de Radius PressView. Les moniteurs Radius sont fréquemment utilisés dans la production graphique professionnelle et ont un espace colorimétrique étendu convenant aux applications graphiques.

Adobe RGB a un espace colorimétrique plus étendu que ColorMatch RGB. Par conséquent, il contient aussi plus de couleurs à l'intérieur d'un espace colorimétrique CMJN, ce qui peut causer des problèmes lors de la conversion RVB en mode CMJN. Cet espace colorimétrique était auparavant nommé SMPTE-240M ; si vous recevez des images définies en mode SMPTE-240M, utilisez Adobe RGB.

sRGB est une norme basée sur la norme HDTV ; elle est prise en charge par Hewlett-Packard et par Microsoft. Ces derniers l'utilisent en standard pour les flux non basés sur PostScript et pour les navigateurs Web. sRGB est basé sur l'espace colorimétrique affiché par un écran PC classique, avec les limites que cela implique. L'espace sRGB étant bien moins étendu que ceux des espaces RVB habituels, il n'est donc pas approprié pour l'impression d'images, car une grande partie de l'espace colorimétrique CMJN se trouve au-delà de ses limites.

Apple RGB était précédemment utilisé comme espace colorimétrique RVB standard pour Adobe Photoshop et Adobe Illustrator. Son espace colorimétrique n'étant pas beaucoup plus étendu que celui de sRGB, il est donc peu approprié pour la production graphique.

Wide Gamut RGB possède un espace colorimétrique si étendu que la plupart des couleurs définies ne peuvent être ni affichées sur un écran normal, ni reproduites à l'impression. Tout comme Adobe RVB, il peut poser problème lors de la conversion de RVB en CMJN en raison de la quantité de couleurs qu'il contient.

RVB Moniteur est une méthode utilisant les réglages du moniteur pour définir l'espace colorimétrique RVB ; il sert principalement lorsqu'on ne travaille pas avec des flux ICC.

CIE RVB est un ancien espace colorimétrique RVB qui n'est pratiquement plus utilisé aujourd'hui, mais il figure toujours dans Adobe Photoshop au cas où il soit encore nécessaire de traiter des images définies dans cet espace.

NTSC est également un ancien espace colorimétrique RVB utilisé pour la vidéo. Il est toujours disponible dans Adobe Photoshop si l'on doit traiter des images dans cet espace. NTSC est la norme nord-américaine pour la diffusion télévisée.

PAL/SECAM est l'espace colorimétrique RVB pour la diffusion télévisée en Europe.

FLUX CMJN 4.7.15

Les flux CMJN requièrent une conversion CIElab lorsque vous souhaitez par exemple sortir une épreuve. En d'autres termes, dans un flux CMJN, l'image est déjà adaptée et séparée pour l'impression, mais elle doit être convertie du mode CMJN adapté à la presse d'imprimerie en CIElab, pour ensuite être reconvertie en un mode CMJN adapté à l'impression d'épreuves.

PROBLÈMES LIÉS À LA NORME ICC 4.7.16

Bien qu'ICC soit une norme, il s'avère que les différents logiciels utilisés pour la génération des profils, comme Logo Profilemaker Pro, Agfa Colortune ou Heidelberg Printopen et Scanopen, donnent des résultats différents bien que respectant les mêmes spécifications ICC. Le même problème se pose avec les modules de gestion des couleurs (CMM), même en utilisant des profils identiques.

Cela s'explique par le manque de précision dans les spécifications de la norme ICC. En effet, celle-ci ayant été définie par un groupement de diverses entreprises spécialisées dans des domaines différents, il n'a pas été possible de contrôler la pratique de la norme avec rigueur. Et les partenaires engagés dans ce projet ont eu tout loisir d'adapter les normes afin d'optimiser les résultats de leurs matériels propres.

La norme définit uniquement la manière de structurer les profils, et non pas la manière dont les modules de gestion des couleurs (CMM) doivent gérer les profils. Les couleurs qui ne figurent pas comme valeurs de référence sont interpolées par le CMM avec les valeurs de deux ou de plusieurs couleurs proches de la couleur de référence. Le mode de calcul utilisé au sein des CMM n'est pas spécifié dans la norme et les résultats varient selon les fabricants. Les inconvénients de la norme ICC apparaissent au cours des conversions et il est donc impossible d'être sûr des résultats à 100 %.

LA LUMIÈRE ET LES COULEURS 4.8

INFLUENCE DE LA LUMIÈRE 4.8.1

La lumière est un facteur déterminant pour la perception des couleurs. Même si notre cerveau distingue souvent mal les variations de couleurs provenant de différentes sources lumineuses, celles-ci ont pourtant une importance capitale, aussi bien au moment de la prise de vue photographique que lorsqu'on examine et que l'on retouche une image en cours de production. La lumière est donc un facteur important, car les couleurs la composant peuvent varier fortement.

Comme nous l'avons déjà expliqué, la couleur d'un objet est un mélange de couleurs correspondant à la lumière réfléchie par la surface de l'objet ; la couleur de la lumière réfléchie est influencée par la composition de la lumière qui atteint l'objet. Ainsi, un objet sera perçu différemment selon qu'il est exposé à une lumière à dominante rouge ou bleue. Par exemple, une surface qui paraît rouge sous une lumière blanche est perçue comme orange sous un éclairage jaune.

Il est donc important de regarder les photographies et les produits imprimés sous un éclairage correct. La couleur de la lumière est normalement exprimée en « température de couleur » et mesurée en Kelvins (K). La température de couleur d'un éclairage nor-

▶ **ÉCLAIRAGE CORRECT – 1**
La couleur d'une même surface peut varier selon la température de couleur de l'éclairage.

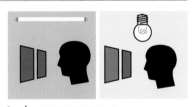

▶ **ÉCLAIRAGE CORRECT – 2**
Deux couleurs qui paraissent exactement identiques sous une certaine lumière peuvent sembler totalement différentes sous une autre. Ce phénomène porte le nom de métamérisme.

▶ **CABINE DE VISUALISATION**
Il est important de visualiser les originaux, les épreuves et les imprimés sous un éclairage adapté.

▶ EFFET DE CONSTRASTE – 1
Nous voyons ci-dessus un exemple d'effet de contraste. La couleur de l'étoile bleue est perçue différemment si elle est entourée d'un vert ou d'un orange.

▶ EFFET DE CONTRASTE – 2
Nous percevons les tons d'une manière différente selon les couleurs de fond. Les trois étoiles de la rangée supérieure ont la même tonalité, mais ne semblent pas identiques en raison du fond différent. Il en est de même pour les étoiles de la rangée inférieure.

▶ TYPE DE FILM ET LUMIÈRE
Les photographies prises sous une lumière à incandescence avec un film prévu pour lumière du jour seront teintées de jaune, alors qu'on obtiendra les bonnes couleurs avec un film prévu pour lumière à incandescence.

▶ ÉCLAIRAGE INTÉRIEUR
En intérieur, la lumière peut varier fortement, car il existe de grandes différences de température de couleur entre la lumière provenant des lampes à incandescence (visage de gauche), d'un flash (visage de droite) et celle des tubes au néon (arrière-plan).

▶ FILMS DIFFÉRENTS = RÉSULTATS DIFFÉRENTS
Le résultat diffère selon la marque et le type du film. Les variations se situent au niveau des couleurs et des contrastes.

mal et neutre est d'environ 5 000 K, ce qui correspond approximativement à la lumière du jour ; cette valeur sert de référence pour la visualisation d'images, d'épreuves et d'imprimés. Une température de couleur plus élevée donne une lumière plus froide et plus bleue, tandis qu'une température plus faible donne une lumière plus chaude et plus jaune.

Il existe différentes solutions pour traiter ce problème. Vous pouvez utiliser des tables lumineuses et des cabines de visualisation spécialement conçues pour examiner les transparents, les négatifs, les épreuves ou les imprimés. La solution idéale est de disposer d'un local entièrement éclairé avec une lumière ayant une température et une composition correctes.

PHÉNOMÈNES LIÉS À LA LUMIÈRE ET À LA COULEUR 4.8.2

L'œil peut également nous jouer des tours. En effet, nous pouvons percevoir une couleur de différentes manières selon la couleur à côté de laquelle elle se trouve. Ainsi, nous la percevrons comme une nuance différente selon la couleur qui l'entoure. Ce phénomène est appelé effet de contraste. Un autre phénomène se produit lorsque deux couleurs ayant l'air identiques sous une certaine lumière apparaissent totalement différentes sous une autre. Ce phénomène porte le nom de métamérisme et dépend de la composition de la lumière et de son filtrage par l'encre d'impression.

▶ ÉCHELLE KELVIN

Le Kelvin est l'unité de mesure de température des sources lumineuses. Lorsqu'on utilise les Kelvins pour décrire une source lumineuse, on ne se réfère pas à la température réelle de la source lumineuse. La température de la couleur signifie que la lumière d'une source lumineuse est perçue de la même manière qu'un corps totalement noir chauffé à la température correspondante mesurée en Kelvins.

L'échelle de température Kelvin a pour zéro absolu −273 degrés Celsius ou −459,4 degrés Farenheit. L'échelle Kelvin ne peut donc pas descendre au-dessous de zéro.

Ainsi, une température indiquée en degrés Celsius est égale à la température indiquée en Kelvins (K) −273 degrés. Par exemple 5 000 K = 4 727°C. Pour convertir la température en degrés Farenheit, on utilise la formule suivante : $F = 9/5 (K-273) + 32$. Ainsi, 5 000 K sont équivalents à 8 541,6 Farenheit.

LUMIÈRE ET TYPES DE FILM 4.8.3

Un film photographique est très sensible aux différences de température de couleur de la lumière. Par exemple, une photographie prise à la lumière d'une lampe à incandescence, avec un film prévu pour la lumière du jour et un flash, a une teinte jaune prononcée. D'un type et d'une marque à l'autre, les films photographiques reproduisent également les couleurs de manières différentes. Certains donnent des couleurs plus saturées, tandis que d'autres font ressortir une couleur donnée plus que les autres. Il est toujours judicieux de tester différents types de film dans les mêmes conditions de travail.

LA GESTION INFORMATISÉE DES COULEURS 4.9

Lors de l'utilisation d'un logiciel de retouche d'images, il est important de savoir traiter les couleurs de manière à ce qu'elles soient réalistes sur l'écran et qu'elles soient restituées de la manière attendue à l'impression. Certains logiciels sont performants, mais d'autres n'offrent aucune prise en charge de la gestion des couleurs. Dans ce domaine, Adobe Illustrator et Adobe Photoshop sont les deux logiciels de référence.

ADOBE ILLUSTRATOR ET ADOBE PHOTOSHOP 4.9.1

Ces deux logiciels permettent de simuler les changements de tons qui se produisent au cours du processus d'impression [voir « Les images » 5.7.4 et « L'impression » 13.4.1].

Depuis Photoshop 6.0 et Illustrator 9.0, les réglages se font exclusivement à l'aide des profils ICC. Pour plus d'informations sur ce paramétrage, reportez-vous aux illustrations ci-contre.

Dans les anciennes versions, les réglages relatifs à la simulation de l'impression sur l'écran servaient également pour le réglage de l'impression, c'est-à-dire pour la conversion de RVB en CMJN [voir « Les images » 5.8]. Depuis les versions Illustrator 9.0 et Photoshop 6.0, ces réglages se font séparément [voir page 101].

▶ SIMULATION DE L'IMPRESSION À L'ÉCRAN
Les réglages de simulation d'impression à l'écran fonctionnent de la même manière dans Adobe Illustrator et Photoshop. Commencez par choisir le profil du moniteur en cliquant sur Pomme –> Tableaux de bord –> Colorsync –> Profils.

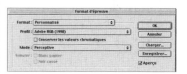

Cliquez ensuite sur Affichage –> Format d'épreuve –> Personnalisé. À ce niveau, choisissez le profil ICC pour la simulation. Si vous choisissez Conserver les valeurs chromatiques, les couleurs de l'image conserveront leurs valeurs lors de la conversion d'un espace colorimétrique à un autre. Par exemple, une image CMJN sera restituée à l'écran comme elle le sera à l'impression, sauf si l'on sépare à nouveau l'image avec le profil ICC choisi pour la séparation. On peut ainsi contrôler, et c'est fort utile, si une image peut être utilisée sans la séparer à nouveau (c'est-à-dire sans conversion CMJN/CMJN) [voir 4.7.15]. Ensuite, choisissez le mode de conversion (normalement perceptive).

Les options de Simuler existent dans Photoshop, mais pas dans Illustrator. Elles permettent la simulation du blanc-papier (point blanc) et du noir maximum (point noir) à l'impression. Si l'on ne coche pas Noir cassé, le noir sera toujours affiché aussi foncé que l'écran le permet, indépendamment de la simulation d'impression.

LES IMAGES

5

CHAPITRE 5 LES IMAGES **Les images représentent une partie importante de la production graphique et des connaissances approfondies sont nécessaires pour obtenir des images de bonne qualité à l'impression. Les images sont numérisées à l'aide de scanners ou d'appareils numériques, puis traitées et préparées pour l'impression. Pendant le processus, les images font l'objet de nombreuses décisions.**

Le travail sur les images numériques implique une bonne connaissance des couleurs et de l'impression. C'est pourquoi nous traiterons en détail dans ce chapitre de la scannérisation et du traitement des images, de la conversion des couleurs, des réglages nécessaires en vue de l'impression, ainsi que des différents types de compression. Nous présenterons également les différents types de scanners et d'appareils photo numériques.

Pour commencer, nous allons nous intéresser aux types élémentaires d'images numériques et de formats de fichiers. Il existe deux grandes sortes d'images : l'image vectorielle et l'image bitmap. La première est un assemblage de formes mathématiques définies par des tracés et des vecteurs, tandis que la seconde est constituée par des éléments appelés pixels, c'est-à-dire des petits carrés de différentes couleurs et nuances (pixel vient de l'anglais *picture element*, élément d'image).

▶ **IMAGES BITMAP**
Ce sont des images photographiques numérisées, dont la plus petite partie est formée d'un élément carré (pixel) non visible à l'œil nu, sauf si l'on agrandit fortement l'image.

▶ **IMAGE VECTORIELLE**
Ce type d'image se compose de courbes et de droites. Les images restent nettes, même lorsqu'elles sont fortement agrandies.

LES IMAGES VECTORIELLES 5.1

Les logos et les illustrations sont des exemples d'images vectorielles. L'image vectorielle se compose de simples courbes, de lignes droites, de cercles, de carrés, de caractères, etc., qui peuvent avoir des contours plus ou moins épais et des fonds de couleurs et de tons différents, unis ou dégradés. D'une manière simplifiée, un vecteur est une droite allant d'un point à un autre. Initialement, les courbes étaient créées au moyen de petites droites mises bout à bout ; mais lorsqu'on les agrandissait, les segments apparaissaient et les courbes étaient perçues comme irrégulières. Aujourd'hui, on utilise la courbe de Bézier qui, à la différence des vecteurs, utilise un tracé de courbes pouvant prendre pratiquement toutes les formes imaginables ; pour créer des formes compliquées les courbes sont tracées les unes après les autres.

Les images vectorielles se composent de surfaces remplies et de contours. En pratique, cette méthode utilise des paramètres mathématiques qui permettent à l'ordinateur de tracer une ligne d'un point à un autre. On peut aussi dire que la courbe de Bézier se compose d'objets mathématiques situés dans un système de coordonnées. En fait, l'image n'existe pas tant qu'elle ne se dessine pas sur l'écran ou qu'elle n'est pas imprimée. Cette méthode permet une grande précision des figures et des tracés, qui peuvent être agrandis

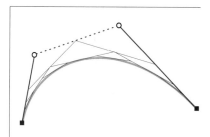

▶ **COURBE DE BÉZIER**
Voici comment est créée une courbe de Bézier. Plusieurs points d'ancrages déterminent le tracé de la courbe. Les images vectorielles sont principalement constituées de courbes de Bézier.

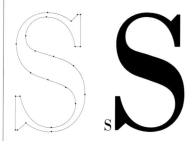

▶ **IMAGE EN COURBES DE BÉZIER**
Ce type d'image est basé sur des courbes assurant des contours réguliers même pour les arrondis.

▶ **IMAGE À BASE DE VECTEURS**
Ce type d'image est basé sur des droites donnant des contours irréguliers aux arrondis.

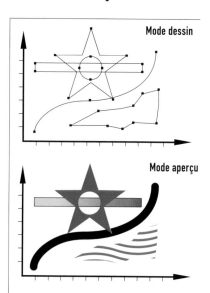

ou réduits en principe à l'infini, sans pour autant dégrader la qualité de l'image. Seule la qualité de l'écran ou de l'imprimante utilisé influe sur la qualité de l'image. Un tel fichier occupe très peu de place en mémoire, car il se limite à quelques simples valeurs ayant trait à l'emplacement de l'objet et aux informations sur la forme. Il en est de même pour ce qui est des couleurs, qui sont exprimées sous forme numérique pour chaque objet.

CONTOURS ET TRAITS 5.1.1

Les traits et les contours d'images vectorielles peuvent être de toutes les couleurs possibles. Il est également possible d'indiquer l'épaisseur du tracé, si celui-ci doit être une ligne continue ou discontinue, et si les angles doivent être arrondis, pointus ou aplatis.

REMPLISSAGES 5.1.2

Les courbes et les objets fermés peuvent être remplis de couleurs, de dégradés et de motifs. Les couleurs sont indiquées selon les valeurs d'encre d'impression désirée, tandis que les motifs et les dégradés sont choisis selon une gamme préétablie.

MOTIFS 5.1.3

Un motif se compose d'un groupe limité d'objets qui se répètent dans un quadrillage. Il est relativement simple de composer soi-même un motif pour l'utiliser ensuite dans des illustrations.

DÉGRADÉS 5.1.4

Un dégradé correspond à la transition entre plusieurs couleurs sur une distance donnée. Les dégradés peuvent être rectilignes ou circulaires.

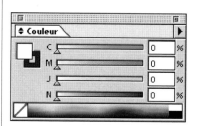

▶ **CRÉATION D'OBJETS**
Adobe Illustrator permet de créer les contours d'objets dans un système de coordonnées invisible. La palette Couleur permet de donner à l'image différents attributs comme le remplissage, l'épaisseur, le contour, la découpe, le motif et le ton.

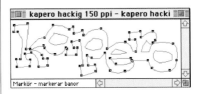

▶ Un dessin au trait a une apparence créne-lée en basse résolution. On peut l'améliorer en le convertissant en courbes de Bézier.

▶ On peut aussi convertir une photo en image vectorielle, mais avec un résultat différent.

▶ Dans un logiciel (ici Adobe Streamline), le dessin au trait est converti en image vectorielle.

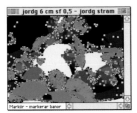

▶ Adobe Streamline permet de diviser l'image en un certain nombre de surfaces monochromes aux contours arrondis.

COURBES DE BÉZIER

Voici un exemple de lettre et de logo créés à l'aide de courbes de Bézier. Pour chaque point d'ancrage, il est possible de prendre une poi-gnée et de modifier l'image.

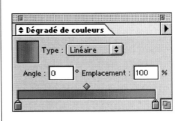

DÉGRADÉS

Adobe Illustrator permet de créer des transi-tions entre deux ou plusieurs couleurs. Une fonction similaire existe dans Macromedia Freehand.

▶ Le résultat est une image aux contours nets pouvant être agrandie autant qu'on le souhaite. Il est de plus possible de modifier l'image, par exemple dans Adobe Illustrator.

▶ L'image prend l'aspect d'un poster. Nous avons ici divisé l'image en 10 couleurs diffé-rentes, créant 171 objets courbes avec un total de 836 points d'ancrage.

DÉFONCES, MASQUES ET TRANSPARENCES [5.1.5]

Une courbe placée dans un objet fermé, par exemple un cercle à l'intérieur d'un carré, peut être « découpée ». Dans cet exemple, la défonce fait apparaître un rond transparent dans le carré qui sert alors de masque. Cela signifie que tout ce qui est placé derrière le carré sera visible à travers le trou circulaire.

LOGICIELS D'ILLUSTRATION VECTORIELLE [5.1.6]

Les images vectorielles peuvent être créées à l'aide de logiciels d'illustration comme Adobe Illustrator et Macromedia Freehand. Certains logiciels, Adobe Streamline par exemple, transforment les images bitmap en images vectorielles ; ils servent généralement à trans-former un logo bitmap en image vectorielle afin de le reproduire dans toutes les tailles possibles. En principe, les images vectorielles sont enregistrées au format EPS. On peut aussi les enregistrer dans le format propre au logiciel, mais cela peut empêcher leur incor-poration dans un logiciel de mise en page.

DÉFONCES

Une image vectorielle peut contenir des parties transparentes appelées découpes ou défonces. On remarque ici la photographie en fond à travers le cercle détouré dans le rectangle.

FICHIERS EPS POUR IMAGES VECTORIELLES 5.1.7

Les fichiers EPS peuvent contenir aussi bien des pixels que des vecteurs (nous reviendrons sur cette question). Un fichier EPS ne contenant que des images vectorielles se compose de deux parties : les objets vectoriels d'une part et une prévisualisation bitmap de l'image générale, sous forme de fichier PICT sous Macintosh ou BMP sous Windows d'autre part. L'image de prévisualisation peut être en noir et blanc ou en couleurs et possède toujours une résolution de 72 ppi (pixels par pouce), la résolution standard des écrans. C'est cette image qui est utilisée à l'écran lorsqu'on monte une image EPS dans un document.

Les objets dans un fichier EPS sont, comme nous l'avons dit plus tôt, indépendants de la taille des images ; la taille du fichier reste donc la même, quelles que soient les dimensions des images. Par contre, si l'on a réalisé une image vectorielle de grandes dimensions enregistrée au format EPS, le fichier de l'image de prévisualisation sera volumineux. Dans le cas où l'on dispose de peu d'espace de stockage pour enregistrer des images vectorielles EPS, on peut soit réduire leur format avant de les enregistrer, afin d'obtenir une image de prévisualisation réduite, soit choisir une image de prévisualisation en noir et blanc. Une image de prévisualisation en noir et blanc est moins représentative qu'en couleurs, mais la qualité de l'impression n'en sera pas altérée.

LES IMAGES BITMAP 5.2

Le scanner permet de reproduire une photographie ou une illustration sous forme d'image bitmap. Le résultat est une reproduction en petits points de différentes couleurs, comme une mosaïque. Ces points désignent la plus petite unité d'une image et sont appelés pixels (de l'anglais *picture element*).

RÉSOLUTION 5.2.1

Une image bitmap devant être imprimée à une taille précise se compose d'un certain nombre de pixels par centimètre ou pouce (ppi). La mesure du nombre de pixels par unité de longueur s'exprime en ppi ; elle se rapporte à la densité de pixels d'une image. Parfois on utilise d'une manière erronée dpi au lieu de ppi. L'unité de mesure dpi (dots per inch) correspond au nombre de points par pouce décrivant la résolution de restitution d'une imprimante ou d'une imageuse. Dans le cas d'une faible résolution (pixels de grandes dimensions), on remarque que l'image a l'apparence d'un damier. Par contre, avec une haute résolution, l'œil ne peut percevoir que l'image se compose en fait de pixels. Il existe des valeurs optimales pour obtenir des images haute résolution et une résolution trop élevée n'améliore pas la qualité de l'image, mais augmente en revanche la taille du fichier.

MODES COULEURS 5.2.2

Les images bitmap peuvent être en noir et blanc ou se composer de nombreuses couleurs. On parle alors du mode couleur. Le mode couleur le plus élémentaire est une image au trait, limitée à deux couleurs : noir et blanc. L'inverse est une image en quadrichromie se composant de 16,7 millions de couleurs différentes. Et, entre ces deux exemples, notons les images en niveaux de gris des photographies en noir et blanc, la bichromie des images en noir et blanc renforcées d'une teinte supplémentaire, les images en couleurs indexées

> ▶ **IMAGE VECTORIELLE**
> + Contient un nombre infini de couleurs.
> + Peut être redimensionnée sans perte de qualité.
> + Facile à modifier sans perte de qualité.
> + Occupe peu de place en mémoire.
> − Ne peut être utilisée pour des photographies.

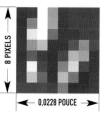

> ▶ **RÉSOLUTION DE L'IMAGE**
> Une image bitmap possède toujours une résolution, c'est-à-dire un nombre de pixels par pouce. Dans cet exemple, 8 pixels/0,0228 pouce = 350 pixels par pouce, soit 350 ppi.

IMAGE AU TRAIT (NOIR)

NIVEAUX DE GRIS (NOIR)

BICHROMIE (NOIR + JAUNE)

QUADRICHROMIE (C + M + J + N)

▶ MODES COULEURS

Voici quelques exemples de la même image dans différents modes couleurs, avec l'encre utilisée pour chaque mode.

▶ IMAGE AU TRAIT

Une image au trait se compose de pixels noirs et blancs sans demi-teintes.

▶ RÉSOLUTION DES IMAGES AU TRAIT

Plus la qualité de l'impression est haute, plus la résolution des images au trait doit être élevée.

Impression laser, journaux : 600-800 ppi

Papier de qualité non couché : 800-1 200 ppi

Papier de qualité couché : 1 200 ppi et plus

▶ IMAGES EN NIVEAUX DE GRIS

Les images en niveaux de gris se composent de pixels de différentes teintes de gris. Elles conviennent aux photographies noir et blanc.

destinées à Internet et les images en mode RVB pour la retouche d'image, Internet et les supports multimédias. Il faut savoir que chaque pixel occupe un espace plus ou moins important dans la mémoire selon le mode de couleur choisi. On parle alors du nombre de bits par pixel ; plus l'on a de bits par pixel et plus l'on dispose de tons et de couleurs par pixel et donc de nuances pour l'image. Cela s'applique non seulement aux photographies et illustrations scannées, mais également lors de la création d'images directement sur ordinateur ou à l'aide d'appareils photo numériques.

IMAGES AU TRAIT 5.2.3

Les images au trait se limitent à des pixels noirs ou blancs et peuvent être, par exemple, des logos monochromes ou des illustrations comme les estampes. De même, les polices d'écran (les images de caractères s'affichant sur l'écran) se composent aussi de petites images au trait représentant les caractères [voir « Caractères et polices » 3.1.3]. Les textes et les images transmis par télécopie sont aussi des exemples d'image au trait.

Les images au trait ne sont pas tramées pour l'impression [voir « Sortie » 9.1], aussi la règle de résolution [5.5.9] des images bitmap ne n'applique-t-elle pas et il faut donc choisir une haute résolution pour que l'image n'ait pas une apparence crénelée du fait de sa pixelisation. Le procédé d'impression détermine la résolution nécessaire. À partir d'environ 600 ppi, la qualité est satisfaisante et la perception visuelle n'est pas dérangée par les pixels lors d'un tirage sur imprimante laser ou équipement simple. Autour des 1 000 à 1 200 ppi, l'image tirée correspond bien à l'original à quelques détails près lors d'une impression sur presse offset feuilles avec du papier non couché. Si l'on veut obtenir une qualité d'impression optimale sur papier couché, il est nécessaire d'utiliser une résolution supérieure à 1 200 ppi. Lorsqu'on scanne une image au trait tramée et imprimée en noir et blanc, il est souvent nécessaire de choisir une résolution encore supérieure si l'on veut que les points de trame conservent leur forme et leur taille, soit 1 200 à 2 400 ppi selon la linéature [voir 5.5.6]. N'oubliez jamais que l'on ne peut pas obtenir une résolution d'image supérieure à celle permise par l'imprimante et par l'imageuse. Par exemple une image au trait de 1 200 ppi imprimée sur une imprimante de 600 dpi, ne sera pas meilleure qu'une image au trait de 600 ppi.

IMAGES EN NIVEAUX DE GRIS 5.2.4

Une image en niveaux de gris est constituée de pixels pouvant prendre des tons de 0 à 100 % d'une couleur. La gamme des tons allant du blanc (0 % de noir) au noir (100 % de noir) se décompose en un certain nombre de niveaux de gris, 256 lorsqu'on utilise

► BICHROMIE

Une véritable image bichrome contient des zones blanches et noires, mais les niveaux intermédiaires sont restitués avec les teintes d'une autre couleur.

► « FAUSSE » BICHROMIE

Il s'agit d'une image en niveaux de gris imprimée sur un support coloré. Les zones blanches de l'image en niveaux de gris prennent la couleur du support.

► IMAGES EN NIVEAUX DE « GRIS » D'UNE COULEUR

On peut aussi imprimer une image en niveaux de gris en remplaçant le noir par un ton direct.

PostScript. Le mode des niveaux de gris est approprié pour les photographies en noir et blanc que l'on compte tramer.

IMAGES EN BICHROMIE/TRICHROMIE – NIVEAUX DE GRIS TEINTÉS 5.2.5

Comme le terme bichromie l'indique, il s'agit de l'impression d'une image avec deux encres au lieu d'une. Cette méthode permet de mieux restituer les détails d'une image, de l'adoucir ou de la teinter dans une nuance autre que le noir. On imprime souvent en noir, plus un ton direct au choix. Pour éviter que l'image ne devienne trop noire à l'impression lorsqu'on utilise une deuxième couleur, il est judicieux d'éclaircir les tons noirs. Le logiciel de retouche d'image permet de calculer le rapport entre la première encre d'impression et la seconde. Bien entendu, il est également possible d'imprimer avec deux tons directs au lieu du noir et d'un ton direct. La trichromie est une méthode d'impression d'images en niveaux de gris avec trois couleurs et le procédé quadrichrome avec quatre couleurs.

On utilise la même image bitmap si l'on veut convertir une image en niveaux de gris en image bichrome. Au niveau technique, on part de la même image, mais à la sortie, l'image est séparée en deux couleurs : la couleur noire et le ton direct. Il suffit d'indiquer la couleur d'encre et le rapport des couleurs sur la courbe. En pratique, une image bichrome n'occupe pas beaucoup plus de place en mémoire qu'une image en niveaux de gris.

Il est important que les deux trames réalisées à partir d'une image bichrome soient orientées selon les angles appropriés afin d'éviter tout phénomène de moirage [voir « Sortie » 9.1.6]. Ce réglage peut être effectué à partir du programme utilisé pour sortir l'image. Avec QuarkXPress, il est recommandé de choisir, pour le ton direct, l'angle habituellement utilisé pour le cyan ou le magenta.

Il existe aussi les « fausses » bichromies, qui consistent à imprimer une image en noir et blanc sur un support coloré. On peut aussi choisir d'imprimer une image en niveaux de gris avec un ton direct. Il faut enregistrer les images bichromes au format EPS, le format TIFF ne prenant pas en charge ce type d'image.

► Une image noir et blanc numérique se compose de pixels de différents tons de gris. L'échelle entre le noir et le blanc est divisée en un certain nombre de niveaux.

► Une image numérique en niveaux de gris se compose en principe de 256 niveaux de gris, si bien que l'œil ne peut percevoir les différents niveaux.

► Voici les « niveaux de gris » d'une image bichrome en noir et cyan. Les parties les plus sombres sont noires et les parties les plus claires sont blanches. Entre les deux, l'échelle est teintée d'une couleur. L'image conserve ainsi son contraste comparée à une image en niveaux de gris.

► LA BICHROMIE EN QUELQUES MOTS
- Image bitmap en niveaux de gris imprimée avec deux encres
- Gestion du rapport entre les deux couleurs à l'aide de courbes
- Format EPS uniquement
- Importance de la bonne orientation des angles de trame

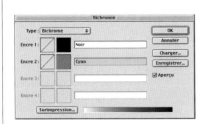

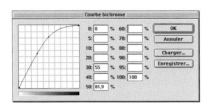

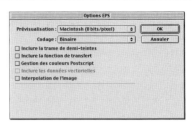

▶ **OPTIONS DE BICHROMIE**

Pour la création d'images bichromes, il faut commencer par choisir les encres d'impression. Ici, deux des quatre couleurs d'impression en quadrichromie sont sélectionnées.

▶ **COURBE BICHROME**

Deux courbes déterminent la répartition entre les deux couleurs d'impression. Le résultat de la courbe s'affiche au-dessous.

▶ **ENREGISTREMENT D'UNE IMAGE BICHROME**

L'image bichrome doit être enregistrée au format EPS. Aucun réglage particulier n'est nécessaire.

▶ **MODE RVB**

Le mode RVB correspond aux trois composantes de la synthèse additive de la lumière. La combinaison est perçue comme une image couleur.

CRÉATION D'UNE IMAGE BICHROME 5.2.6

Partez d'une image en niveaux de gris et choisissez la bichromie dans Photoshop via Image –> Mode –> Bichromie. Il existe plusieurs combinaisons bichromes présélectionnées, mais pour choisir votre propre combinaison, il suffit de cliquer sur la couleur pour spécifier son choix dans le sélecteur de couleur. Pour changer le pourcentage des tons composant la couleur, vous pouvez agir sur la forme de la courbe en cliquant sur le symbole de courbe des couleurs et en modifiant ensuite la courbe. Le résultat s'affiche dans l'échelle des tons tout en bas de la boîte de dialogue. Il est aussi possible de réaliser des images trichromes et quadrichromes en définissant des couleurs supplémentaires et leur courbe respective. N'oubliez pas que la couleur d'encre choisie dans Photoshop doit être nommée exactement de la même manière dans le document, au niveau de l'application de mise en page.

RVB 5.2.7

Rouge, vert et bleu sont les couleurs utilisées pour la scannérisation d'une image [voir 5.9.1]. Il s'agit également des couleurs que reproduit l'écran. C'est pourquoi on utilise souvent le mode RVB (RGB en anglais) lorsqu'on souhaite montrer les images sur un écran, par exemple dans un contexte multimédia. Chaque pixel d'une image possède une valeur indiquant la quantité de rouge, de vert et de bleu qu'elle contient. Ce mélange est ensuite perçu par l'œil comme une couleur spécifique [voir « La couleur » 4.4.1]. On peut dire qu'une image RVB se compose de trois images bitmap distinctes. Du point de vue technique, il s'agit de trois images en mode niveaux de gris qui représentent, respectivement, le rouge, le vert et le bleu. Cela signifie aussi qu'une image RVB est trois fois plus volumineuse qu'une image en niveaux de gris de même taille et de même résolution. Pour imprimer une image RVB, il est nécessaire de la convertir dans le mode d'impression cyan, magenta, jaune et noir, c'est-à-dire en mode quadrichromie [voir 5.8].

CMJN 5.2.8

Lorsqu'on souhaite imprimer des photographies ou tout type d'image couleur, on utilise normalement les couleurs cyan, magenta, jaune et noir, couleurs de l'impression en quadrichromie. Le passage du mode RVB en quadrichromie s'appelle une séparation. D'une

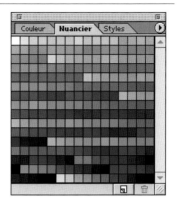

▶ MODE DE COULEURS INDEXÉES
Cette image est limitée à 256 couleurs pour être exploitée sur un écran. À droite, la palette Macintosh limitée à 256 couleurs.

manière purement technique, une image en mode quadrichromie représente quatre images en mode niveaux de gris séparées, chacune déterminant la quantité d'encre d'impression respective. Une image « quadri » utilise 33 % d'espace mémoire de plus que la même image en mode RVB étant donné qu'elle comprend quatre fichiers séparés au lieu de trois [voir 5.8].

▶ CAPACITÉ DE LA MÉMOIRE UTILISÉE SELON LES MODES

Image au trait	1 bit par pixel	$= 2^1 = 2$ tons ; noir et blanc
Niveaux de gris	8 bits par pixel	$= 2^8 = 256$ niveaux de gris
Couleur indexée	(de 3 à) 8 bits par pixel	$= 2^8 = 256$ couleurs
Bichromie	8 bits par pixel	$= 2^8 = 256$ niveaux de gris*
RVB	$8+8+8 = 24$ bits par pixel	$= 2^8 \times 2^8 \times 2^8 = 256 \times 256 \times 256$ $= 16,7$ millions de couleurs
CMJN	$8+8+8+8 = 32$ bits par pixel	$= 2^8 \times 2^8 \times 2^8 \times 2^8 = 256 \times 256 \times 256 \times 256$ $= 4,3$ milliards de couleurs**

* L'image est toujours basée sur une image bitmap en niveaux de gris.

** Étant donné que l'image provient d'un modèle RVB ayant 16,7 millions de couleurs et qu'aucune couleur n'est créée lors de la séparation, il y a toujours 16,7 millions de couleurs

PETIT PROBLÈME D'ARITHMÉTIQUE
Une image de 10×15 cm et d'une résolution de 300 ppi contient 120 pixels par centimètre (1 pouce = 2,5 cm). Cela revient à dire qu'elle contient au total $(10 \times 120) \times (15 \times 120) =$ 2 160 000 pixels. Étant donné que 8 bits = 1 octet, il est facile de calculer la taille du fichier de cette image selon les modes. Au trait = 270 ko. Niveaux de gris/indexée/bichromie = 2,16 Mo. RVB = 6,48 Mo. CMJN = 8,64 Mo.

▶ MODE CMJN
Le mode CMJN représente les quatre couleurs d'encre utilisées pour restituer l'image en quadrichromie grâce aux trames superposées.

MODE COULEURS INDEXÉES 5.2.9

Pour différentes raisons, on veut parfois limiter le nombre de couleurs dans une image numérique, par exemple pour limiter la taille du fichier ou bien si l'écran utilisé possède une plage de couleurs limitée. Pour cela, on peut passer par l'indexation des couleurs. C'est le procédé utilisé par exemple avec la compression GIF pour la reproduction d'images à l'usage d'Internet.

Une image en mode indexé limite la palette à 256 couleurs, chaque couleur y étant définie par un chiffre. Ainsi, les pixels d'une image reçoivent une valeur située entre 1 et 256. On obtient alors une image bitmap dont le fichier a la même taille qu'une image en niveaux de gris. On part souvent d'une image RVB dont les couleurs sont « rapprochées » des couleurs correspondantes disponibles parmi les 256 couleurs prédéfinies dans la palette. On peut aussi calculer avec le logiciel les couleurs qui conviennent le mieux parmi les 256 et constituer une palette correspondante. Cette palette peut aussi être réduite afin de limiter encore la taille du fichier de l'image. Cette dernière méthode est souvent utilisée pour les pages Web. Par contre, l'utilisation d'une palette de couleurs indexées convient relativement mal à la reproduction de photographies, celles-ci comprenant beaucoup plus que 256 couleurs.

LES FORMATS DE FICHIER D'IMAGES 5.3

Les images bitmap peuvent être enregistrées dans de nombreux formats de fichier et certains sont devenus des standards dans la production graphique. Ces formats se différencient principalement par les modes couleurs qu'ils prennent en charge et les fonctionnalités offertes. Photoshop, EPS, DCS, TIFF, Scitex CT, PICT, GIF et JPEG sont les formats les plus courants, certains n'étant utilisés que sur plate-forme Macintosh et d'autres sous Windows, mais les deux formats les plus utilisés pour la production graphique sont TIFF et EPS.

PHOTOSHOP 5.3.1

Ce format de fichier d'image bitmap (extension .psd) sert principalement au stade de la retouche d'image et ne peut être utilisé pour la sortie. Il offre l'avantage d'enregistrer les images en calques, ce qui offre une plus grande latitude pour la retouche d'images. De nombreux autres logiciels peuvent ouvrir ce format de fichier.

E.P.S. 5.3.2

Le format EPS (Encapsulated PostScript, PostScript encapsulé) offre l'avantage de prendre en charge les images vectorielles et bitmap. Ce format est utilisé aussi bien par Adobe Illustrator que par Adobe Photoshop. Pour les images bitmap, le format EPS offre un certain nombre de fonctions utiles. L'image peut être importée avec des couches de masque et le format peut stocker les informations sur le type de trames et leur linéature, ainsi que sur les fonctions de transfert permettant de compenser la luminosité et les tons de l'image suivant les conditions d'impression.

Le fichier EPS est constitué de deux éléments : le premier est l'image de prévisualisation en basse résolution et l'autre un ensemble PostScript pouvant contenir aussi bien des objets vectoriels que des pixels. La prévisualisation est au format PICT ; c'est ce que l'on voit lorsqu'on place une image dans un logiciel de mise en page. Il existe différents formats EPS selon que l'on travaille sous Windows ou sous Macintosh. La partie bitmap haute résolution d'une image EPS peut subir une compression JPEG sans perdre pour autant les fonctions EPS. Comme le nom l'indique, le code PostScript est intégré dans un fichier et le format est donc relativement bien protégé. Toutefois, cela signifie aussi que l'on ne peut pas retoucher une image une fois mise en page. Le format EPS prend en charge les images au trait, en niveaux de gris, RVB et CMJN, ainsi que les images vectorielles.

DCS ET DCS 2 ^{5.3.3}

Le format DCS (Desktop Color Separation, séparation de couleurs informatique) est une variante du format EPS pour les images quadri ; il possède d'ailleurs les mêmes fonctions que le format EPS. La principale différence est que le format DCS regroupe cinq fichiers : un fichier de montage de l'image en basse résolution au format PICT et quatre fichiers en haute résolution, un par couleur primaire (C, M, J et N). DCS 2 est la version améliorée du format DCS : il permet d'enregistrer une image dans un nombre défini de fichiers selon le nombre de couleurs. Si l'on a par exemple une image quadri avec deux tons directs, l'image est enregistrée dans sept fichiers distincts : un fichier de montage de l'image en basse résolution et six en haute résolution, un par couleur (C, M, J, N, Ton direct 1 et Ton direct 2). DCS 2 est donc un format spécialement adapté pour l'impression d'images avec des tons directs, technique couramment utilisée pour le packaging.

L'un des avantages du format DCS est qu'il permet à l'entreprise de prépresse ou à l'imprimeur d'envoyer l'image en basse résolution au graphiste afin qu'il la monte dans son document ; l'image en haute résolution la remplace ensuite lors de l'impression. Par contre, l'inconvénient est que l'on est obligé de gérer cinq fichiers au lieu d'un, ce qui augmente le risque de voir un fichier disparaître ou d'être endommagé : l'image devient alors inutilisable.

TIFF ^{5.3.4}

Le format TIFF (Tagged Image File Format, format de fichier d'image balisé) est un format ouvert pour les images bitmap. Le fichier possède une zone d'en-tête, avec des informations décrivant le contenu, la taille et la manière dont l'ordinateur doit lire le fichier, sorte de manuel d'instructions d'ouverture du fichier. Le format TIFF offre l'avantage de pouvoir utiliser la compression LZW de l'image directement à partir de Photoshop [voir 5.4.2]. Le format TIFF est différent pour PC et Macintosh. Le TIFF prend en charge les images au trait et les images en niveaux de gris, RVB et CMJN. Il supporte maintenant les couches alpha, les tracés vectoriels, les masques et même le multicalque avec calques de texte, le tout s'important sans problème dans XPress.

SCITEX CT ET SCITEX LW ^{5.3.5}

Scitex CT (Continuous Tone, ton continu), pour les images en couleurs et en niveaux de gris, et Scitex LW (Line Work, dessin au trait), pour les images au trait, sont deux formats moins courants. Ils sont utilisés par les scanners, les systèmes de gestion d'images et les RIP de Scitex. Ce format peut aussi être géré par Photoshop.

▶ **DCS**

Ce format possède les mêmes fonctions que l'EPS, mais regroupe 5 fichiers distincts.

+ Le fichier en basse résolution peut facilement être transmis

– Risque de perte des fichiers séparés

▶ **TIFF**

+ Changement de couleurs, contraste et luminosité possible dans le logiciel de mise en page

+ Compression LZW possible

+ Fichier légèrement moins volumineux que l'EPS

– Ne contient pas d'informations concernant les couches ou les trames

---

▶ **MODES D'IMAGE POSSIBLES SELON LES FORMATS :**

TIFF – Trait, niveaux de gris, RVB et CMJN

EPS – Trait, niveaux de gris, RVB, CMJN et vectoriel

PICT – Trait, niveaux de gris, RVB et vectoriel

GIF – Couleurs indexées, 256 maximum

Scitex CT – Niveaux de gris et CMJN

Scitex LW – Trait

JPEG – Niveaux de gris, RVB et CMJN

PICT 5.3.6

Le PICT (Picture File, fichier image) est un format purement Macintosh. Les ordinateurs Mac l'utilisent d'une manière interne pour les icônes et autres graphismes du système. Ce format sert aussi à créer des images de montage en basse résolution dans les
fichiers EPS et les systèmes OPI. Les images PICT ne conviennent pas à l'imprimerie.
Ce format est essentiellement utilisé pour les images au trait, en niveaux de gris et RVB.

GIF 5.3.7

La compression GIF (Graphic Interchange Format, format d'échange graphique) est un
format principalement destiné à l'usage d'Internet. Ce format a été initialement conçu
par le fournisseur d'accès américain CompuServe afin de réduire la taille des fichiers
d'images pour faire transiter facilement ces derniers par le réseau téléphonique. Une image
GIF est toujours en mode couleurs indexées et comprend entre 2 et 256 couleurs. L'image
peut se composer aussi bien d'un trait que de niveaux de gris avec 256 couleurs. Le nombre
de couleurs varie selon le nombre de bits appliqué à chaque pixel, soit 1 à 8 bits. Les couleurs sont choisies à partir d'une palette qui peut être adaptée par rapport au contenu actuel
des couleurs de l'image ou en utilisant les palettes fixées par les plates-formes Mac ou PC.
Il existe aujourd'hui des palettes spécialement adaptées au Web et qui sont des compromis entre les palettes du Mac et celles des PC.

JPEG 5.3.8

Le JPEG (Joint Photographic Experts Group, groupe d'experts photographiques associés) est, d'une part, une méthode de compression des images et, d'autre part, un format
de fichier d'image. L'avantage de ce format est qu'il est le même pour toutes les plates-
formes d'ordinateur. La compression JPEG fonctionne pour les niveaux de gris, les modes
RVB et CMJN [voir 5.4.4]. Aujourd'hui, le JPEG 2000, qui compresse en fonction de la
structure de l'image, tend à s'imposer.

PDF 5.3.9

Le PDF (Portable Document Format, format de document transférable) est un format
qui aujourd'hui gère aussi bien les images bitmap que les images vectorielles. Adobe Photoshop et Adobe Illustrator peuvent enregistrer et traiter les images en format PDF haute
résolution. Celui-ci offre de nombreux avantages et tend à s'imposer, car il réunit les
meilleures caractéristiques des formats EPS et Photoshop, tout en offrant une meilleure
normalisation et la possibilité d'être lu sur toutes les plates-formes.

LA COMPRESSION 5.4

Les images prennent souvent beaucoup de place. Cela ne pose généralement pas de
problème, mais lorsqu'on désire transférer des images, entre autres par Internet ou par le
réseau téléphonique, il est important d'alléger au maximum la taille de leur fichier pour
des raisons de rapidité. C'est la raison pour laquelle les images sont compressées. On peut
classer les méthodes de compression d'image en deux types : avec et sans perte. Par ailleurs,
il est également possible d'utiliser certains programmes généraux de compression, qui
fonctionnent avec tous les types de fichiers.

NNBBBBBNNNNNNNNNNBBBBNNNNNNNNN
NBBBBBNNNN

2N5B10N4B10N4B4N

▶ **CODAGE SÉQUENTIEL**
L'indication des séquences de pixels (2 5 10
4 10 4 4) prend moins de place en mémoire
que l'indication de la couleur de chaque pixel
(1 1 0 0 0 0 0 1 1 1 1 1 1 1 1 1 1 0 0 0 0 1 1 1 1
1 1 1 1 1 0 0 0 0 1 1 1 1) lorsque plusieurs
pixels identiques se suivent. D'où le principe
du codage séquentiel.

LA CHAÎNE GRAPHIQUE LES IMAGES

MÉTHODES DE COMPRESSION SANS PERTE 5.4.1

Ces méthodes réduisent la taille des fichiers d'image sans pour autant altérer la qualité de l'image. Ainsi, l'image conserve sa qualité initiale lorsqu'elle est décompressée. Techniquement, il s'agit tout simplement de simplifier la mémorisation numérique de l'image.

Le type le plus simple est la compression par codage séquentiel, qui est utilisé pour des images au trait se composant de pixels noirs et blancs. Normalement, le fichier comporte une information pour chaque pixel, spécifiant s'il est blanc ou noir. Une ligne peut donc avoir la forme suivante : noir, noir, noir, blanc, blanc, blanc, blanc, blanc, blanc, blanc, blanc, blanc, blanc, blanc, blanc, blanc, blanc, noir, noir, noir, noir, noir, noir. Avec un codage séquentiel, la même ligne est réduite à 3 noirs, 14 blancs, 6 noirs, ce qui prend moins de place. Cette méthode s'avère très intéressante quand les images possèdent un grand nombre de zones continues d'une même couleur. Parmi les méthodes de compression sans perte, hormis le codage séquentiel, citons les compressions Huffman et LZW (du nom des chercheurs et concepteurs de la méthode : Lempel, Ziv et Welch). Les télécopieurs utilisent une variante modifiée du codage Huffman.

COMPRESSION LZW 5.4.2

La compression LZW peut être utilisée dans le domaine graphique pour les images enregistrées au format TIFF. Il faut compter quelques secondes de plus pour monter une image TIFF lorsqu'elle est compressée LZW par rapport à la même image non compressée. Ce type de compression prend en charge les images au trait, en niveaux de gris, RVB et CMJN.

> ► LZW
>
> + Compression d'image sans perte
> + Utilisable au format TIFF et montage direct sur la page
> + Bien adapté aux images au trait
> − Peu de réduction de la taille des fichiers
> − Temps d'ouverture/d'enregistrement allongé

► Image au trait non compressée = 321 ko

► Image quadri non compressée = 2 100 ko

► Même image, compression LZW = 66 ko

► Même image, haute compression JPEG = 61 ko

► **COMPRESSION ET TAILLE DES FICHIERS**
Nous voyons ici différents types de compression et l'importance de la réduction de la taille des fichiers. La compression LZW est sans perte, alors que la JPEG est avec perte. La compression LZW a plus d'effet sur les images au trait, tandis que les images en niveaux de gris et en couleurs ne diminuent que de moitié. La compression JPEG réduit d'avantage un même type d'image au détriment de la qualité, mais elle peut parfois être intéressante.

MÉTHODES DE COMPRESSION AVEC PERTES 5.4.3

Certaines méthodes de compression suppriment une partie plus ou moins grande des informations d'image. Lorsque le taux de compression est faible, l'information supprimée n'est pas perçue par l'œil. Il s'agit souvent de légers changements dans la couleur et dans les détails d'une surface, qui est le plus souvent monochrome. En pratique, ces formats simplifient l'image. Par contre, si l'on compresse trop une image, la dégradation risque d'être importante puisque l'on aura perdu trop d'informations. Dans ce cas, les images perdent de leur clarté et deviennent une sorte d'assemblage de blocs de couleurs de grandeurs différentes.

JPEG 5.4.4

Le JPEG (Joint Photographic Experts Group), du nom du groupe initiateur de cette méthode, est l'un des types de compression avec pertes les plus courants. Cette méthode permet de régler le taux de compression et donc la quantité d'informations d'image supprimée. En utilisant l'indice de compression minimal, soit une dégradation minimale des informations, l'image est réduite à 1/10 et l'on obtient une restitution d'image dont les pertes ne peuvent normalement pas être perçues. Par contre, avec un taux supérieur, des différences sont visibles si l'on compare les deux images. En utilisant le format JPEG, l'image peut être compressée autant que l'on souhaite, mais il est évident que la qualité de l'image s'en ressent. Si l'on retouche une image dans ce format, elle est compressée à chaque enregistrement. Il n'est donc pas recommandé d'utiliser la compression JPEG pour les images susceptibles d'être retouchées ou modifiées plusieurs fois.

▶ Image non compressée, 2 100 ko

▶ Compression faible JPEG, 840 ko

▶ Compression moyenne JPEG, 165 ko

▶ Compression forte JPEG, 61 ko

▶ JPEG – QUALITÉ DE L'IMAGE ET TAILLE DES FICHIERS

Cette compression avec perte peut sembler dangereuse, mais dans la plupart des cas, l'option de qualité maximale donne un résultat impossible à distinguer de l'original. Plus le taux de compression est faible, plus la qualité de l'image est élevée et vice-versa. L'avantage est un gain de taille de fichier. De plus, si l'on veut exporter une image via Internet ou l'archiver, on a tout intérêt à la compresser. (Les petits encadrés ci-dessus montrent une zone agrandie 3 fois.)

LA CHAÎNE GRAPHIQUE LES IMAGES

Le JPEG est un format qui fonctionne aussi bien sur PC que sur Macintosh ou toute autre plate-forme et qui est donc facilement transférable. Le format EPS permet de compresser les images selon la méthode JPEG. Le résultat est un fichier EPS avec tous les avantages et les inconvénients de ce format. L'image bitmap haute résolution est compressée JPEG, mais le fichier possède une image de prévisualisation normale.

COMPRESSION DES FICHIERS [5.4.5]

Tous les types de fichiers de données peuvent être compressés, avec différents résultats en ce qui concerne leur taille. Ce type de compression est sans perte, dans le sens où aucune information n'est perdue. Le fichier est seulement converti en utilisant les 1 et les 0 d'une manière plus efficace. Il existe de nombreux logiciels de compression de fichiers, par exemple : Compact Pro, Stuffit, ZIP et Disk Doubler. Les fichiers d'images peuvent bien entendu être compressés de cette manière.

LA SCANNÉRISATION DES IMAGES [5.5]

Nous allons à présent étudier ce qu'il est nécessaire de savoir pour scanner une image. La gamme et la compression des tons, ainsi que la courbe gamma sont par exemple des facteurs importants dans ce domaine. Il en est de même pour ce qui est de la résolution, de la linéature et des facteurs d'échantillonnage. Pour commencer, nous allons étudier les différents types d'originaux et la préparation avant toute numérisation.

IMAGES ORIGINALES [5.5.1]

Par image originale, nous faisons référence à une image numérisée afin d'obtenir une image numérique. Il peut s'agir d'une impression sur papier (type réfléchissant), d'une diapositive ou d'un négatif (type transparent), ou encore d'une illustration dessinée à la main, etc.

Il est important de savoir à quoi est destinée l'image à numériser. Ainsi, si l'on souhaite imprimer des images en grand format ou des images agrandies en partie, il convient bien entendu de choisir un grand original. Il faut aussi savoir que la résolution maximale du scanner limite les possibilités d'agrandissement de l'image. Un scanner à faible résolution ne permet pas d'agrandir une image en un très grand format. La taille de l'original est particulièrement importante dans le cas des diapositives ou des négatifs, car le grain du film peut apparaître clairement si l'on agrandit trop l'image.

En outre, la durée de vie des originaux varie selon leur type. Une photo Polaroïd ne conserve sa qualité que quelques années, tandis qu'un tirage sur papier noir et blanc conservé au sec, à l'abri de la lumière et dans un endroit frais pourra bien se conserver plus de 100 ans.

GAMME DES TONS DES ORIGINAUX ET À L'IMPRESSION [5.5.2]

La gamme de tons correspond au nombre de tons que peut restituer un support. Le film pour diapositive (on parle de film inversible ou d'ektachrome) possède la plus grande capacité de restitution des tons et c'est pourquoi on l'utilise souvent pour la scannérisation. La gamme des tons est exprimée en unités de densité, mesurant le contraste maximum

▶ **DENSITÉ SELON LES ORIGINAUX**

Impression (papier journal)	d 0,9 – d 1,0
Tirage photo	d 1,8
Impression (papier couché)	d 1,8 – d 2,2
Négatif	d 2,5
Diapositive	d 2,7
Monde réel	supérieur à d 3,0

▶ **COMPRESSION DES TONS**
La gamme des tons d'impression est moins importante que celle de la réalité, d'où la compression. Lors de cette opération, certains tons sont perdus ; il faut donc faire un choix et garder les tons les plus importants.

entre la partie la plus claire et la partie la plus foncée de l'image. Une diapositive originale comprend une gamme de tons de densité allant de 2,7 à 3,0, alors que la densité d'une impression sur un papier couché de qualité se situe autour de 2,2. Une impression sur papier journal est d'environ 0,9 tandis qu'un tirage papier d'après négatif est d'environ 1,8.

COMPRESSION DES TONS 5.5.3

Un papier ne peut en général pas restituer autant d'informations que celles existantes sur l'image originale, car l'on ne dispose pas d'une gamme de tons d'encre aussi large que celle d'un film. Si l'image est destinée à un document imprimé, il faut toujours compresser la gamme des tons de l'original en fonction du type de papier choisi. Ainsi, dès la scannérisation, il faut prendre en compte le nombre de tons pouvant être imprimés sur le papier retenu et effectuer les ajustements nécessaires. En pratique, une gamme des tons réduite signifie que les transitions subtiles que l'on remarque sur l'original n'apparaîtront pas sur le document imprimé. Des changements de tons importants sur l'original apparaîtront de manière discontinue à l'impression au lieu de conserver leur apparence de gradations régulières. Enfin, les tons proches se fondront en un ton unique.

TYPES D'IMAGES 5.5.4

Une compression de tons implique une perte d'information. Afin d'optimiser l'utilisation des informations contenues dans une image, il est recommandé d'étudier le type de compression approprié et la plage de tons prioritaires. Pour cela, observez tout d'abord l'image afin de définir les parties prioritaires et celles qui le sont moins. Ainsi, pour un original sombre composé de nombreux détails dans les parties foncées, on donnera la priorité à la gamme de tons situés dans les parties foncées et on compressera les parties claires d'autant plus. La priorité sera donnée à la gamme de tons moyens si l'on a une image située dans les tons moyens afin d'obtenir la meilleure reproduction possible.

Pour ces raisons, nous avons réparti les images en trois types : tons clairs, tons moyens et tons foncés. Les images aux tons clairs sont lumineuses et comportent de nombreux détails dans les parties claires. Les images aux tons moyens présentent leurs principaux détails dans les tons moyens, tandis que les images aux tons foncés comportent de nombreux détails dans les parties sombres.

▶ **IMAGE AUX TONS CLAIRS**
Image claire, comprenant de nombreux détails dans les zones claires.

▶ **IMAGE AUX TONS MOYENS**
Ce type d'image possède plus de détails dans les zones de tons moyens.

▶ **IMAGE AUX TONS FONCÉS**
Image sombre, possédant de nombreux détails dans les zones foncées.

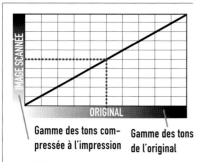

Gamme des tons com-
pressée à l'impression

Gamme des tons
de l'original

▶ **COMPRESSION DES TONS**
La gamme des tons est réduite à l'impression par rapport à l'original.

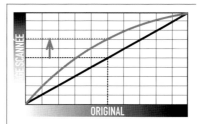

▶ **COURBE GAMMA POUR IMAGES AUX TONS
CLAIRS**
Cette courbe a une valeur gamma inférieure
à 1,8. La priorité est donnée aux tons clairs
de l'image, alors que les tons sombres sont
compressés.

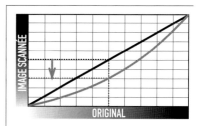

▶ **COURBE GAMMA POUR IMAGES AUX TONS
FONCÉS**
Cette courbe a une valeur gamma supérieure
à 1,8. La priorité est donnée aux tons
sombres de l'image tandis que les tons clairs
sont compressés.

COURBE GAMMA 5.5.5

On peut régler la compression des tons à l'aide d'une courbe appelée gamma. Cette dernière indique la relation entre les valeurs de tons de l'original et les valeurs de tons à l'impression. Une courbe linéaire n'influence pas la relation tonale de l'image. Par contre la
gradation (courbe gamma) peut être modifiée et agir sur la relation tonale de l'image de
différentes manières.

La valeur gamma indique l'angle et la position sur la courbe. Normalement, on recommande une valeur de 1,8 pour les tons moyens, car cette valeur correspond plus ou moins
à la perception des tons par l'œil. Par contre, une image aux tons foncés comportant des
détails importants doit être scannée avec une valeur plus élevée, afin que les détails des
parties sombres apparaissent à l'impression. Il y a certes un prix à payer puisque la restitution des détails dans les parties claires est en toute logique moins bonne. Une image aux
tons clairs doit être scannée avec une valeur inférieure à 1,8 afin que tous les détails des
zones claires (aussi appelées zones « de haute lumière » en photographie) apparaissent ;
bien entendu, les détails en partie sombre de cette image seront moins bien restitués.

RÉSOLUTION ET LINÉATURE DE TRAME 5.5.6

Il est nécessaire de choisir la résolution de l'image lors de la scannérisation. La résolution
est définie par le nombre de pixels d'une image par pouce (abrégé en ppi, pixel per inch).
Deux facteurs conditionnent la résolution de scannérisation : la linéature de trame prévue
pour l'impression et le besoin ou non de modifier la taille de l'image à imprimer. La linéature est à son tour conditionnée par la méthode d'impression et la qualité du papier utilisé.

FACTEUR D'ÉCHANTILLONNAGE 5.5.7

Le facteur d'échantillonnage est le rapport entre la résolution de l'image et la linéature
à l'impression. La règle générale spécifie que la valeur optimale du facteur d'échantillonnage est 2, c'est-à-dire une résolution d'image double de celle de la linéature. Par
exemple, une image destinée à une impression en trame 150 (lignes par pouce) doit être
scannée à 300 ppi. Si l'on descend au-dessous d'un facteur 2, l'image perd de sa qualité,
sachant qu'avec un facteur 1,7, l'œil perçoit difficilement la différence de qualité.

▶ **LINÉATURES RECOMMANDÉES**
Voici un tableau de valeurs de linéature
recommandées selon la qualité du papier
et les procédés d'impression :

Qualité de papier

Papier journal	65 – 85 lpi
Non couché	100 – 133 lpi
Couché, mat	133 – 170 lpi
Couché, brillant	150 – 300* lpi

Procédés d'impression

Offset	65 – 300* lpi
Héliogravure	120 – 200 lpi
Sérigraphie	50 – 100 lpi
Flexographie	90 – 120 lpi

* Offset sans mouillage

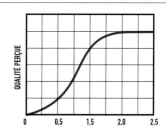

▶ **FACTEUR D'ÉCHANTILLONNAGE**
Un facteur d'échantillonnage supérieur à 2 ne permet pas de distinguer l'amélioration de la qualité.
Les fichiers sont plus volumineux et les images
sont plus « lourdes » à traiter sur ordinateur.

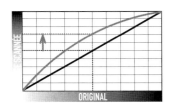
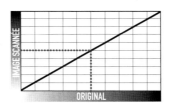
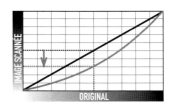

▶ GAMMA INFÉRIEUR À 1,8
Les images ci-dessous sont scannées avec une courbe gamma appropriée aux tons clairs.

▶ GAMMA ÉGAL À 1,8
Les images ci-dessous sont scannées avec une courbe gamma appropriée aux tons moyens.

▶ GAMMA SUPÉRIEUR À 1,8
Les images ci-dessous sont scannées avec une courbe gamma appropriée aux tons foncés.

▶ IMAGE AUX TONS CLAIRS
L'image garde ses contrastes dans les zones claires aux dépens des zones sombres.

▶ IMAGE AUX TONS CLAIRS
L'image perd un peu de ses contrastes dans les zones claires.

▶ IMAGE AUX TONS CLAIRS
L'image perd tous ses contrastes dans les zones claires.

▶ IMAGE AUX TONS MOYENS
L'image perd une partie de ses contrastes dans les zones sombres.

▶ IMAGE AUX TONS MOYENS
L'image garde ses contrastes dans les zones de tons moyens aux dépens des zones sombres et claires.

▶ IMAGE AUX TONS MOYENS
L'image perd une partie de ses contrastes dans les zones claires.

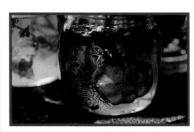

▶ IMAGE AUX TONS FONCÉS
L'image perd tous ses contrastes dans les zones sombres.

▶ IMAGE AUX TONS FONCÉS
L'image perd une partie de ses contrastes dans les zones sombres

▶ IMAGE AUX TONS FONCÉS
L'image garde ses contrastes dans les zones sombres aux dépens des zones claires.

Par contre, au-dessous de 1,5, la qualité en pâtit. En outre, si l'on descend encore plus bas, les pixels créés par la scannérisation apparaissent clairement sur l'image imprimée. C'est le cas lorsque le facteur d'échantillonnage descend autour de 1. En revanche, l'utilisation d'un facteur supérieur à 2 n'améliore pas la qualité ; l'image prend seulement plus de place et devient plus lourde à traiter sur ordinateur (voir les exemples de l'illustration ci-dessous).

FACTEUR D'ÉCHELLE [5.5.8]

Le choix de la résolution de l'image dépend de l'agrandissement que l'on compte faire subir à la totalité ou à une partie de l'image originale. Le rapport entre la taille de l'original

▶ **FACTEUR D'ÉCHANTILLONNAGE**

▶ Taille du fichier d'image : 1 382 ko 1 382 ko

▶ Taille du fichier d'image : 957 ko

▶ Taille du fichier d'image : 627 ko

▶ Taille du fichier d'image : 479 ko

▶ Taille du fichier d'image : 380 ko

▶ Taille du fichier d'image : 297 ko

▶ Taille du fichier d'image : 182 ko

▶ Taille du fichier d'image : 116 ko

▶ Taille du fichier d'image : 66 ko

▶ Exemples d'images selon différents facteurs d'échantillonnage. Les études montrent qu'un facteur supérieur à 2 n'améliore pas la qualité de l'image et ne fait qu'accroître la taille des fichiers. Le rapport optimal entre la taille du fichier et la qualité de l'image se situe autour de 2. Les conséquences d'une résolution trop basse par rapport à la linéature (facteur d'échantillonnage faible) se remarquent nettement sur les contours diagonaux, par exemple le haut du couvercle ouvert. D'une manière générale, une résolution basse a pour conséquence une perte de netteté et les pixels de l'image apparaissent lorsqu'elle est vraiment trop basse. Ces exemples d'images ont été imprimés avec une linéature de 100 lpi afin de rendre bien visible les effets d'une faible résolution.

et celle de l'impression s'appelle le facteur d'échelle. Un facteur 3, par exemple, correspond à un agrandissement au triple de la taille initiale. Il faut alors une résolution d'image triple de celle choisie pour une image imprimée à la même taille que l'original.

RÉSOLUTION OPTIMALE DE SCANNÉRISATION [5.5.9]

Lorsqu'on scanne une image, il faut prendre en compte la linéature de la trame d'impression, ainsi que les facteurs d'échantillonnage et d'échelle. En multipliant ces différents facteurs, on obtient la résolution de scannérisation. Ainsi, la résolution optimale = linéature d'impression × facteur d'échantillonnage × facteur d'échelle. Par exemple, pour une image devant être imprimée avec une linéature de 150 lpi et agrandie à 170 % par rapport à l'original, la résolution optimale est égale à $150 \times 2 \times 1,7 = 510$ ppi. Il faut alors choisir la résolution la plus proche proposée par le scanner afin d'obtenir une acquisition numérique rapide et de bonne qualité. Dans ce cas, 600 ppi serait probablement la meilleure solution, étant donné que les résolutions des scanners sont le plus souvent préprogrammées par pas de 200. N'oubliez pas que la résolution de l'image a une valeur double de la linéature d'impression, tandis que la résolution de scannérisation est égale à la résolution de l'image multipliée par le facteur d'échelle. L'exemple ci-dessus indique donc une résolution de l'image égale à 300 ppi, alors que la résolution de scannérisation est égale à $300 \times 1,7 = 510$ ppi. La plupart des scanners possèdent une fonction permettant de calculer automatiquement la résolution de scannérisation optimale, à condition évidemment que l'on ait indiqué la linéature et le facteur d'échelle.

COMBIEN DE FOIS PEUT-ON AGRANDIR UNE IMAGE ? [5.5.10]

Les possibilités d'agrandissement d'une image dépendent de la qualité de l'original et de la résolution maximale du scanner. La résolution de scannérisation maximale est déterminée par la plus petite unité de longueur que la tête optique du scanner peut analyser. Dans le cas où un scanner a une résolution maximale de 1 200 ppi, il ne peut numériser un original qu'avec 1 200 points par pouce au maximum (soit 472 points par cm).

▶ **AGRANDIR DES IMAGES**
Dans le cas d'un agrandissement d'un facteur 3, 9 pixels sont nécessaires pour une partie de l'image qui ne demandait qu'un pixel avant l'agrandissement. La mémoire nécessaire sera donc 9 fois plus importante pour stocker et traiter l'image agrandie.

▶ **LINÉATURE ET FORMAT DES IMAGES**

	A6	A5	A4	A3	Taille des fichiers RVB	
500 ppi/250 lpi	4	5	6	7	1 – env. 2,25 Mo	5 – env. 36 Mo
350 ppi/175 lpi	3	4	5	6	2 – env. 4,5 Mo	6 – env. 72 Mo
240 ppi/120 lpi	2	3	4	5	3 – env. 9 Mo	7 – env. 144 Mo
170 ppi/85 lpi	1	2	3	4	4 – env. 18 Mo	

La résolution d'une image et la linéature d'impression sont directement influencées dès lors que l'on change la taille de l'image. Le tableau indique le rapport entre le taux d'agrandissement/ format de l'image et la résolution/linéature. Une image agrandie de 200 %, par exemple A6 à A4, a une résolution diminuée de moitié et ne peut être imprimée qu'avec une linéature diminuée aussi de moitié. Une image A6 scannée pour une linéature de 250 lpi, c'est-à-dire à 500 ppi, peut être agrandie en A5 pour une linéature de 175 lpi, en A4 pour 120 lpi ou en A3 pour 85 lpi (rapport 4).

Reprenons l'exemple ci-dessus pour calculer l'agrandissement maximal possible à partir d'un scanner ayant une résolution de 1 200 ppi. Une image destinée à être imprimée avec une linéature d'impression de 150 lpi nécessite une résolution de 300 ppi si nous utilisons un facteur d'échantillonnage de 2. Cela implique que l'image peut être agrandie 4 fois au maximum, soit 1 200 ppi/300 ppi, donc un facteur d'échelle de 400 % au maximum. Il est donc conseillé d'utiliser au départ un original de grand format si l'on veut imprimer une image de grand format, car on risque de ne pas pouvoir agrandir suffisamment un original de petite taille.

▶ **AGRANDISSEMENT MAXIMUM**

Facteur d'échelle maximum = résolution maximale du scanner/résolution de l'image (exemple : 4 = 1 200/300).

TAILLE DE L'IMAGE LORS DU MONTAGE 5.5.11

Il est possible de modifier la taille d'une image lors de son montage dans le logiciel de mise en page. Cependant, il ne faut pas oublier que la résolution de l'image est liée à sa taille et donc que les changements de taille effectués influencent directement la résolution. En pratique l'agrandissement d'une image dans un logiciel de mise en page provoque une baisse de la résolution.

▶ **FACTEUR D'ÉCHELLE**

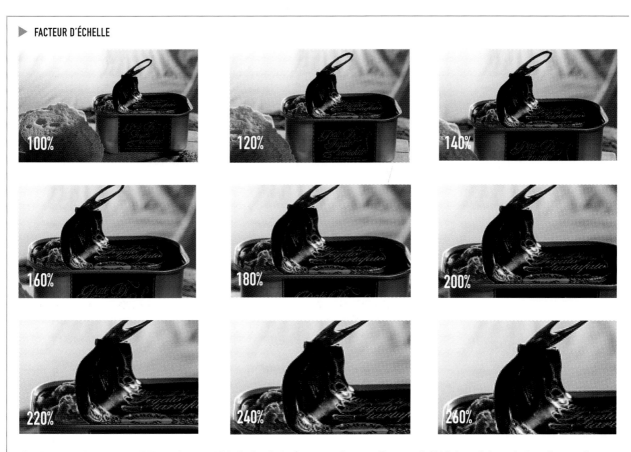

▶ Exemples d'images ayant différents facteurs d'échelle. Les études montrent qu'un agrandissement de 120 % donne de bons résultats. Un agrandissement supérieur à 120 % montre une altération visible de la qualité, particulièrement des contours diagonaux, comme on le voit sur la partie supérieure du couvercle ouvert. D'une manière générale, la netteté pâtit d'un agrandissement trop grand, et dans les cas extrêmes les pixels deviennent clairement visibles.

Prenons l'exemple d'une image scannée avec un facteur d'échantillonnage égal à 2 et agrandie à 150 % dans le logiciel de mise en page. Le facteur d'échantillonnage passe à 2/1,5 = 1,33, ce qui est bien trop bas. Si nous décidons de prendre un facteur d'échantillonnage minimum de 1,7, nous obtenons un facteur d'échelle correspondant à 2/1,7 = 1,18 = 118 %. Cet agrandissement correspond à quelque chose près à la limite de perception d'une altération de la qualité. C'est pourquoi la règle est qu'un agrandissement ne doit pas dépasser 115 à 120 % dans le logiciel de mise en page.

Dans le cas où l'on souhaite agrandir encore davantage l'image, quatre solutions sont à envisager : scanner avec une plus haute résolution, abaisser la linéature d'impression, accepter une qualité réduite ou bien interpoler une résolution plus élevée dans le logiciel de retouche d'image. L'interpolation ne permet pas d'obtenir la même qualité que celle obtenue en scannant en haute résolution, mais le résultat sera meilleur comparé à une linéature d'impression trop basse [voir 5.6.3].

ARCHIVAGE ET RÉUTILISATION DES IMAGES NUMÉRISÉES 5.5.12

La résolution de l'image conditionne la taille de l'image et la linéature d'impression maximale. La séparation CMJN limite les domaines d'application d'une image. Ainsi, les images devant être utilisées dans différentes applications devront être archivées sans séparation et en haute résolution. Ces images pourraient être appelées originaux numériques. On peut par exemple archiver une image non séparée en RVB ou en CIElab. Cette image devra par contre être séparée lors de la préparation à l'impression. En théorie, on ne peut jamais contourner les problèmes de limitation de taille de fichier d'une image scannée, mais en utilisant une résolution suffisamment élevée on peut en pratique créer un original numérique pouvant être utilisé à toutes fins. Par contre, on peut archiver sous la forme adaptée les images qui sont toujours utilisées pour le même type de production graphique.

LA RETOUCHE D'IMAGE 5.6

Suite à la numérisation, les images peuvent être traitées de différentes manières afin d'obtenir la qualité recherchée. Cependant, il faut savoir que les différentes opérations de traitement occasionnent une perte des informations contenues dans l'image d'origine, comme les détails, la qualité des couleurs, etc. On court le risque de détruire l'image si l'on n'est pas prudent ou si l'on répète trop les interventions. Il est donc important de limiter le nombre d'interventions et de les effectuer dans un ordre précis. Bien que les traitements « détruisent » les images, le résultat final est en général perçu comme une amélioration ; c'est justement le but de la retouche d'image.

Comme nous l'avons dit précédemment, il existe différentes opérations possibles dans le traitement d'une image et il est important de suivre un certain ordre, en commençant non seulement par l'étape qui altère le moins l'image, mais aussi par celle qui facilite le travail. Les ajustements de la luminosité, du contraste et des couleurs doivent être autant que possible réalisés lors de la scannérisation de l'image afin de limiter, entre autres, les pertes d'informations. Nous allons dans les pages suivantes illustrer les différentes interventions à partir d'un exemple d'image scannée.

▶ **DÉTRUIRE TOUT EN AMÉLIORANT**
À gauche, une image venant d'être scannée, non retouchée et donc sans perte d'informations. L'histogramme décrit la répartition des tons sur toute la gamme, avec les tons sombres à gauche et les clairs à droite. La hauteur des barres indique le nombre de pixels pour chaque ton respectif. À droite maintenant, la même image une fois la retouche effectuée. L'histogramme au-dessous montre que de nombreux tons ont disparu. On peut dire que l'image est « détruite », dans le sens où l'on constate une réduction de l'information ; par contre à l'œil nu, la qualité semble bien meilleure. En bref, dès que l'on retouche une image, une partie des informations qu'elle contient disparaît. Ce n'est en général pas un problème si l'on n'apporte pas trop de changements. Par contre, si l'on effectue des ajustements répétés dans le mauvais ordre, le nombre de tons qui disparaissent s'accroît et la qualité de l'image s'en ressent.

ORDRE DES ÉTAPES 5.6.1

Nous recommandons de suivre les différentes étapes dans l'ordre suivant : commencez par réduire et recadrer l'image selon sa taille et son contenu final (le travail sera par la suite plus rapide et plus facile). Effectuez ensuite tous les ajustements nécessaires : commencez par les changements d'ordre général et poursuivez avec des retouches qui ne concernent que certaines parties spécifiques de l'image. Pour finir, réalisez les adaptations propres à un procédé d'impression spécifique, tels que les réglages de netteté et de séparation.

1. CADRER L'IMAGE 5.6.2

Il est important de contrôler dès le départ la composition de l'image et de supprimer les parties inutiles en recadrant l'image, afin de ne pas travailler avec une image trop grande. Un document réduit est plus rapide à retoucher. Si l'image requiert des fonds perdus, pensez bien à prévoir une rogne de 5 mm sur chaque côté de la page.

2. CHOISIR LA RÉSOLUTION 5.6.3

Suite à la scannérisation et tout particulièrement si l'on veut récupérer une image à partir d'une archive numérique ou équivalent, la résolution de l'image doit être réglée à la valeur appropriée pour l'impression. Pour ce qui est du calcul de la résolution optimale, reportez-vous au début de ce chapitre. Les réglages sont simples ; il suffit de s'assurer que

▶ **RECADRAGE DE L'IMAGE**
La plupart des programmes disposent d'un symbole de recadrage ressemblant à deux triangles.

Photoshop est bien paramétré pour utiliser l'interpolation bicubique pour le rééchantillonnage des images. Il s'agit de la meilleure méthode pour le changement de taille et la rotation des images, c'est-à-dire toutes les opérations qui impliquent un recalcul des pixels.

3. RÉGLER LE POINT BLANC ET LE POINT NOIR [5.6.4]

Étant donné que l'impression restitue une gamme des tons moins large que celle de la réalité et de la plupart des originaux, vous devez évidemment chercher à l'améliorer autant que possible à l'impression. Pour cela, il convient tout d'abord de régler correctement le point blanc et le point noir. Il s'agit de bien restituer le blanc de l'image en blanc à l'impression et non pas en un blanc gris. De même, ce qui est noir à l'entrée devra être noir à la sortie. Le point blanc et le point noir déterminent le contraste.

▶ **POINTS NOIR ET BLANC**
Vous pouvez régler les points noir et blanc de l'image à l'aide de Niveaux. Cliquez sur Auto ou effectuez un réglage manuel en suivant la procédure ci-dessous.

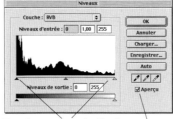

En maintenant la touche Alt enfoncée, cliquez sur la flèche blanche ou noire pour ajuster les points blanc ou noir.

La case Aperçu doit être cochée pour que cela fonctionne.

▶ **CONTRÔLE DU POINT BLANC**
Lorsqu'on effectue un contrôle du point blanc, seules les zones blanches de l'image apparaissent, tout le reste est noir, et vice versa pour le point noir.

C = 12 %
M = 12 %
J = 12 %
N = 3 %

C = 7 %
M = 5 %
J = 5 %
N = 3 %

▶ **QU'EST-CE QUE LE BLANC ?**
C'est le cerveau qui décide de ce qui est perçu comme blanc sur une image. Le motif détermine l'interprétation. Ainsi, si le cerveau décide qu'une couleur est blanche, elle est perçue comme blanche, même si cela n'est pas le cas, comme dans l'image ci-dessus.

Dans le menu Image -> Réglages -> Niveaux, vous avez plusieurs moyens à disposition pour corriger ces deux points. Parfois, le mode de correction automatique suffit : le point le plus clair et le point le plus foncé sont choisis automatiquement et enregistrés respectivement comme point blanc et point noir. Pour vérifier les zones de l'image qui seront alors totalement blanches ou noires, maintenez la touche Alt enfoncée et cliquez sur le triangle de réglage blanc ou noir. Cela fait apparaître les surfaces qui ne comportent aucune couleur et celles qui recevront 100 % d'encrage à l'impression. Notez que la case Aperçu doit être cochée si l'on veut utiliser cette fonction. Le pourcentage des encres d'impression du point blanc et du point noir peut être réglé. Les valeurs varient selon les procédés d'impression utilisés, mais le point blanc ne doit pas être inférieur à 3 % pour l'impression offset.

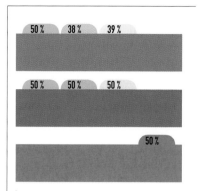

▶ BALANCE DES GRIS
Une même quantité des trois couleurs primaires ne produit pas une balance des gris. C'est ce que nous constatons ci-dessus, en procédant à une comparaison à un ton neutre 50 % noir.

4. RÉGLER LA LUMINOSITÉ ET LE CONTRASTE ⁵·⁶·⁵

Dans la plupart des cas, il faut régler la luminosité et le contraste de l'image, parfois seulement pour une partie des tons de l'image. Ainsi, on peut éclaircir les zones sombres sans changer les autres zones. Dans ces cas-là, Adobe Photoshop dispose d'un outil très pratique pour effectuer ces réglages : Image -> Réglage -> Courbes.

5. AJUSTER LES DOMINANTES DE COULEUR ⁵·⁶·⁶

Une image dont la balance des gris est incorrecte présente ce que l'on appelle une dominante de couleur. Cela signifie que toute l'image tire d'une manière erronée vers une certaine couleur. Il existe plusieurs outils permettant de corriger la balance des gris et d'éliminer ce défaut, par exemple : Courbes, Balance des couleurs et Variantes dans le menu Image -> Réglages.

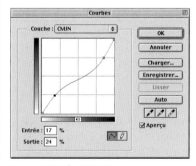

▶ LUMINOSITÉ ET CONTRASTE
À l'aide de Courbes, il est possible de régler la luminosité et le contraste d'une image. On peut aussi dans une certaine mesure régler les points noir et blanc.

Un changement de forme de la courbe agit sur l'image. Dans ce cas, plus la courbe est plate, plus l'image semble « douce », et plus la courbe est abrupte plus l'image semble « dure ». Notez qu'ici, les points du début et de la fin de la courbe restent inchangés ; il n'y a donc aucun changement des points noir et blanc.

LUMINOSITÉ ET CONTRASTE
A : image non ajustée, courbe droite. B : image adoucie en aplanissant le milieu de la courbe ; les points blancs et noirs restant inchangés. C : les zones sombres ont été éclaircies, sans modification du reste de l'image. D : image durcie en accentuant la pente du milieu de la courbe.

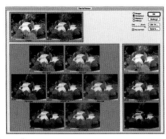

▶ RÉGLAGE DE DOMINANTE DE COULEUR – 1
La fenêtre Variantes est l'un des trois outils permettant l'ajustement général des couleurs. Il permet de visualiser les modifications.

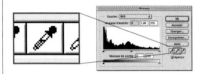

▶ RÉGLAGE DE DOMINANTE DE COULEUR – 2
Vous pouvez régler la dominante en choisissant la pipette grise dans Niveaux et en cliquant dans la zone que vous souhaitez neutre.

▶ RÉGLAGE DE DOMINANTE DE COULEUR – 3
Dans Balance des couleurs, vous modifiez les couleurs d'une manière générale en ajustant la dominante.

AVANT · APRÈS

▶ RÉGLAGE GÉNÉRAL DES COULEURS
Image avant et après un réglage général des couleurs. L'image de gauche montre une dominante cyan. L'image de droite a été ajustée de telle manière que les zones de l'image devant être neutres ont déterminé le changement de toutes les couleurs.

La Balance des couleurs permet de régler chaque couleur et la fenêtre Variantes affiche plusieurs versions de l'image, présentant chacune une compensation colorimétrique différente. Dans les deux cas, l'ensemble des couleurs est affecté par les modifications (à moins que l'on n'ait sélectionné une zone spécifique à modifier). Variantes propose aussi la modification au choix des tons foncés, moyens ou clairs de l'image, ainsi que de sa saturation.

Pour obtenir une balance des gris correcte et éviter les dominantes couleurs, suivez la procédure suivante, très simple et très rapide : affichez la palette Infos (Fenêtre –> Infos), faites apparaître les valeurs CMJN, recherchez sur l'image une zone qui devrait avoir un ton gris neutre, mesurez cette surface neutre à l'aide de la pipette, comparez le résultats aux valeurs correctes de la balance des gris et ajustez l'ensemble de l'image jusqu'à ce que la zone devant être gris neutre ait atteint ces valeurs [voir 5.8.2 et « L'impression » 13.4.3]. Vous devez pouvoir vous procurer auprès de l'imprimeur les valeurs correctes de la balance des gris en fonction de la combinaison méthode d'impression/papier. Des recommandations générales sont données plus loin dans ce chapitre [voir 5.8.2]. Une fois le bon niveau de gris obtenu dans toutes les zones importantes, l'image entière devrait alors être correctement ajustée. Si la luminosité varie d'une partie de l'image à l'autre, peut-être devrez-vous réaliser des ajustements partiels en fonction de la luminosité sur une zone particulière.

6. AJUSTER CERTAINES COULEURS 5.6.7
Parfois, on souhaite ajuster une couleur spécifique et bien souvent il s'agit de corriger une couleur de référence pour en donner un ton naturel, par exemple la peau, l'herbe ou le ciel. Dans ce cas-là, Image –> Réglages –> Teinte/Saturation est l'outil approprié ; il permet d'ajuster individuellement la teinte, la saturation et la luminosité. C'est à ce niveau que l'on peut effectuer les changements généraux, par exemple l'accroissement de la saturation de toutes les couleurs. Avec ce même outil, il est également possible de réaliser certaines retouches, par exemple si l'on désire changer la couleur d'un élément donné quel qu'il soit.

7. RÉALISER LES RETOUCHES ET LES SÉLECTIONS 5.6.8
Avant d'archiver une image, il est recommandé de supprimer toutes les imperfections, qu'il s'agisse de retirer les grains de poussière ou tout autre défaut de ce type. C'est aussi à ce stade que l'on effectue les retouches et les montages, ainsi que les sélections des parties d'une image.

8. ARCHIVER LES IMAGES 5.6.9

Une fois les retouches terminées, il est recommandé d'archiver l'image en mode RVB pour qu'elle soit utilisable pour d'autres productions. En effet, une image déjà réglée pour un type d'impression spécifique est difficile à réutiliser pour d'autres projets.

9. RÉGLER LA NETTETÉ 5.6.10

La netteté d'une image dépend des contrastes entre zones foncées et zones claires. Nous parlons ici de l'impression associée à la netteté des contours, au « relief » de l'image, et non du fait que l'image soit floue ou non ; le flou d'une image suite à une mauvaise mise au point lors de la prise de vues, par exemple, ne pourra pas véritablement être corrigé. Pour augmenter l'impression de netteté d'une image, il faut rechercher les transitions douces et les accentuer. Ce type de modification artificielle se fait couramment à des degrés différents. Il faut également noter que la conversion des images en trames, puis l'impression, les adoucit généralement. Il est donc important de pouvoir compenser ces pertes.

Adobe Photoshop permet cette compensation grâce à son filtre Accentuation (Filtre –> Renforcement –> Accentuation) ; beaucoup d'autres logiciels de retouche d'image proposent un masque de netteté. L'outil propose trois paramètres de réglage : rayon, seuil et gain.

Rayon

En réglant le rayon, il s'agit d'évaluer tout d'abord comment les changements de tons (les transitions) longs ou courts altèrent la netteté. Les changements longs doivent être conservés étant donné qu'ils font partie des transitions naturelles de l'image. Les transitions qui sont vraiment les plus courtes doivent toujours être nettes ; cependant, comme elles ne seront probablement plus visibles après tramage, l'accentuation de la netteté ne les concerne pas. Au niveau du filtre Accentuation, les transitions courtes se règlent avec Rayon. Ce paramètre permet de définir, en nombre de pixels, la longueur minimale que doivent avoir les transitions pour être accentuées. Normalement la valeur du rayon se règle entre 0,8 et 1,6. N'oubliez pas cependant que la résolution est un facteur important. Si la résolution de l'image est trop élevée, l'accentuation de netteté ne se remarquera pas particulièrement à l'impression.

Valeur de seuil

Pour accentuer la netteté, il ne faut appliquer la correction qu'aux transitions séparant deux détails réels. La question est de savoir quelle doit être la différence des tons d'une transition pour que celle-ci puisse être considérée comme un contour dont la netteté doit être accentuée. Il faut donc choisir un seuil suffisamment adapté pour accentuer ce qui doit vraiment l'être. Si l'on accentue les différences de tons trop petites, l'aspect général de l'image devient granuleux, car les grains du film original ou les structures naturelles des surfaces composant l'image sont aussi accentués.

La valeur de Seuil se situe en général autour de 7 à 9. Si l'image est très granuleuse, la valeur peut être réglée entre 20 et 30. La mesure de la valeur de Seuil se définit comme la différence nécessaire entre des tons de gris pour qu'une transition entre deux zones soit considérée comme un contour. Étant donné que l'image se compose de 256 niveaux de tons allant du blanc au noir, les niveaux de Seuil déterminent la différence minimale entre ces niveaux pour qu'une transition soit accentuée.

▶ **MODIFICATION SÉLECTIVE DES COULEURS – 1**
Dans Correction sélective ou dans Teinte/Saturation, il est possible de modifier les couleurs choisies. Vous pouvez même rendre vos fraises un peu moins mûres !

▶ **MODIFICATION SÉLECTIVE DES COULEURS – 2**
Teinte/Saturation est l'outil le plus simple pour ajuster chaque couleur séparément. On peut par exemple sélectionner le vert pour ne modifier que les teintes vertes.

▶ **CONSEIL**

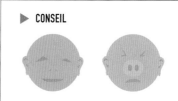

Une règle simple : prévoir environ 15 % de plus de jaune que de magenta pour la teinte des visages de personnes à peau claire.

▶ Le filtre Accentuation d'Adobe Photoshop propose trois réglages : gain, rayon et seuil.

▶ Ici, un exemple de transitions douces (longues) et nettes (courtes). La distance sur laquelle s'étend la différence entre zones adjacentes détermine s'il s'agit d'un contour susceptible d'être accentué (transition nette) ou d'une transition douce (longue) qui ne doit pas être modifiée.

▶ La courbe de droite illustre les trois facteurs que sont le gain, le rayon et le seuil.

Le Rayon spécifie la largeur en pixels que doit avoir une zone manquant de contraste pour qu'elle soit accentuée, soit 4 pixels dans l'exemple de droite. Seule la zone de la largeur spécifiée est accentuée.

Le Seuil spécifie la différence minimale de luminosité que doivent présenter deux pixels pour qu'ils soient considérés comme des contours devant être accentués.

La mesure est exprimée en niveaux, c'est-à-dire la différence minimale de niveaux de l'échelle des tons pour accentuer une transition.

La fonction seuil permet d'ajuster le réglage afin d'éviter d'accentuer les surfaces naturellement granuleuses.

Le Gain détermine l'intensité de l'accentuation. Une valeur trop élevée peut produire des effets de contours indésirables.

Luminosité (niveau de gris)

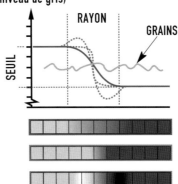

▶ Nous voyons ici une série de pixels représentant une zone floue d'une image (bleu), c'est-à-dire présentant une transition douce entre la zone claire et sombre (courbe bleue, de pente douce).

Afin d'améliorer la netteté de l'image, essayez d'accentuer les transitions (courbe verte).

Par contre si l'on accentue de trop, on risque de provoquer un effet de halo (courbe rouge).

▶ Le gain de la seconde image a été trop accentué. On remarque alors des contours disgracieux. Le côté clair est cerné par une ligne claire tandis que le côté sombre est cerné par une ligne sombre. Ce phénomène de contraste est illustré sur l'image ci-dessous.

Gain

Le Gain détermine l'intensité de l'accentuation. Une valeur trop basse n'améliore pas sensiblement la netteté. Une valeur trop élevée génère un liseré noir sur le côté sombre et un liseré blanc sur le côté clair des contours, ce qui crée un effet de halo. La règle générale est de choisir une valeur entre 100 et 200 %.

Nous avons recommandé dans les paragraphes ci-dessus certaines valeurs pour le filtre Accentuation. Il est évident que chaque cas de figure étant particulier, il faut effectuer ses propres essais. Lorsqu'on dispose d'une image très floue, il peut être difficile d'accentuer la netteté avec les valeurs recommandées. En effet, les petites différences de Rayon et de Seuil n'existent pas sur une telle image. On peut dans ce cas-là tester avec une valeur de Rayon supérieure et une valeur de Gain inférieure. Lorsqu'on juge une image à l'écran, il est important que l'échelle de visualisation soit de 1:1 ou 100 %, car chaque pixel de l'image est affiché par un pixel à l'écran. Il s'agit du meilleur moyen d'évaluer une image.

10. PROCÉDER À LA SÉPARATION 5.6.11

Pour procéder à la séparation d'une image à l'aide de Photoshop, choisissez simplement Image –> Mode –> Couleurs CMJN et l'opération s'effectue automatiquement. Il faut par contre définir les réglages préalables, étant donné que les séparations doivent être réalisées d'une manière différente selon les procédés d'impression utilisés [5.8]

11. ENREGISTRER L'IMAGE DANS UN FORMAT APPROPRIÉ 5.6.12

Il n'existe pratiquement que deux formats d'image utilisés dans la production graphique : TIFF et EPS. Au niveau de la qualité, il n'y a pas de différence notable entre les deux formats et leurs fichiers ont plus ou moins la même taille. La différence se situe en fait au niveau des options qu'ils proposent. Par exemple, un fichier EPS peut aussi être enregistré comme fichier DCS [voir 5.3.2, 5.3.3 et 5.3.4].

LES OUTILS D'ADOBE PHOTOSHOP 5.7

Nous allons maintenant passer rapidement en revue les outils les plus courants utilisés pour retoucher les images dans Adobe Photoshop.

OUTILS DE DESSIN 5.7.1

Vous pouvez régler la taille (épaisseur) de tous les outils de dessin proposés par Adobe Photoshop. Pour les outils qui ont des lignes douces, le pinceau par exemple, vous pouvez aussi régler la forme et la douceur des contours. Des réglages spécifiques permettent également de gérer la couleur, la transparence, etc.

OUTIL TAMPON 5.7.2

L'outil tampon permet de supprimer une zone et de la remplacer par une surface d'une autre partie de l'image ; il sert surtout pour retoucher des défauts, supprimer des grains de poussière ou encore pour peindre en dupliquant une autre partie de l'image. Choisissez l'outil Tampon et, en maintenant la touche Alt enfoncée, cliquez sur la surface que vous voulez réutiliser. Vous pouvez alors la reproduire où vous le souhaitez sur l'image. L'endroit où la surface a été sélectionnée est marqué par une petite croix sur l'image.

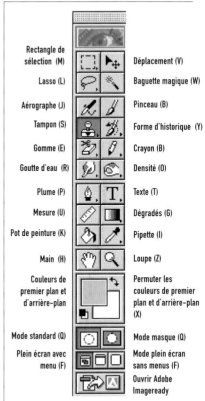

▶ **PALETTE D'OUTILS DE PHOTOSHOP**
La plupart des outils possèdent plusieurs options ; ils sont signalés par une petite flèche dans le coin inférieur droit du bouton. Maintenez la touche Alt enfoncée, puis cliquez ou maintenez enfoncé le bouton de la souris pour accéder aux options.

Vous pouvez aussi choisir rapidement l'outil en appuyant sur la touche de la lettre entre parenthèses.

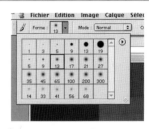

▶ **PINCEAU ET PLUME**
Ces deux outils possèdent de nombreuses options permettant de choisir différentes formes et tailles et de créer des formes personnalisées.

L'icône du Mode Masque est située en bas à droite de la palette outils.

Sélectionnez le Mode Masque en cliquant sur l'icône de droite.

Utilisez les outils de dessin pour créer un masque (ici recouvert de rouge).

Cliquez sur l'icône de gauche pour visualiser le contour du masque.

OUTIL DOIGT [5.7.3]

Cet outil dilue la couleur sur une partie de l'image comme sur un dessin ou une peinture.

OUTIL GOUTTE D'EAU ET NETTETÉ [5.7.4]

L'outil Goutte d'eau permet d'accentuer le flou sur une partie de l'image. En pratique, plus l'on repasse l'outil sur une surface, plus le flou est accentué. Cet outil est très utile si l'on veut enlever les effets de contour ou diminuer l'importance d'un détail. À l'inverse, l'outil Netteté permet d'accroître la netteté. Cette fonction n'améliore cependant pas la qualité générale de l'image si son aspect flou résulte d'une mauvaise mise au point à la prise de vues, par exemple.

OUTILS DE DENSITÉ + ET – [5.7.5]

Ces deux outils empruntés de la chambre noire des photographes fonctionnent comme lorsqu'on tire un négatif sur un papier photographique. Densité - permet d'éclaircir une zone de l'image et Densité + de la foncer, de la même manière que lorsqu'on sous-expose/surexpose au tirage.

OUTILS AÉROGRAPHE, PINCEAUX, CRAYONS, GOMME [5.7.6]

Cet ensemble d'outils sert directement au dessin et à la peinture. L'outil Crayon permet de créer des tracés couleur nets et le Pinceau de peindre avec différentes opacités, formes et souplesses du tracé. L'Aérographe fonctionne exactement comme un pistolet à peinture ; il suffit d'appliquer doucement la couleur désirée en couches successives, ce qui est particulièrement utile lorsqu'on veut par exemple créer des ombres. Comme son nom l'indique, la Gomme sert tout simplement à effacer ; il en existe différentes formes. Il est également possible d'utiliser la fonction Effacer de l'historique, que l'on trouve dans la palette Options des gommes ; plutôt que de gommer une surface, elle la remet dans l'état qu'elle avait lors du dernier enregistrement.

OUTIL PLUME [5.7.7]

Cet outil permet de créer, avec des courbes de Bézier, des tracés qui peuvent servir à effectuer des sélections ou des masques et à reproduire un élément détouré sur fond transparent.

OUTIL DÉGRADÉ [5.7.8]

L'outil Dégradé permet de créer un fondu progressif entre la couleur de premier plan et celle d'arrière-plan choisies. Cet outil est particulièrement utile dans un masque provisoire permettant de créer un fond dégradé.

OUTIL MASQUE [5.7.9]

Le Mode Masque permet d'effectuer facilement une sélection dans une image. On peut alors modifier la couleur des parties sélectionnées (ou bien de celles qui ne le sont pas, en fonction des réglages de Photoshop). Il est en outre utiliser n'importe quel outil de dessin lorsqu'on crée un masque. Il est ainsi possible de créer des sélections permettant de réaliser différents effets selon l'importance du masque. Un clic sur l'icône du Mode Standard

1. Choisissez une image dont l'objet à détourer possède des contours nets.

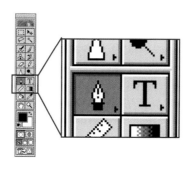

2. Sélectionnez l'outil Plume dans la palette d'outils.

3. Créez un tracé avec la plume. Le tracé peut englober un ou plusieurs objets. Faites en sorte que le tracé se trouve à l'intérieur du contour afin d'obtenir le meilleur résultat possible.

4. Enregistrez le tracé en cliquant deux fois sur le tracé de travail dans la palette flottante Tracés. Attribuez un nom au tracé. Vous pouvez enregistrer plusieurs tracés dans une image, mais ne pouvez en sélectionner qu'un à la fois.

5. Choisissez d'utiliser le tracé comme Masque. Un nombre de pixels du périphérique trop faible ralentira le traitement RIP. Une valeur entre 8 et 10 est en principe recommandée.

6. Enregistrez l'image. Utilisez impérativement le format EPS.

7. Et voilà le résultat ! L'image apparaît comme une sélection, suivant le tracé créé, lorsque vous la montez dans le logiciel de mise en page ou que vous l'imprimez sous forme de sélection. L'ensemble du fichier numérique reste intact et visible si l'image est traitée dans Photoshop (étape 3).

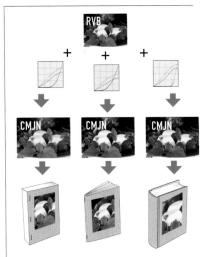

▶ SIMILAIRE MAIS DIFFÉRENT
L'image doit être séparée selon une courbe de séparation spécifique à chaque mode d'impression. Cela signifie que la même image est réglée et travaillée en fonction de son utilisation finale. Ainsi, il est difficile de réutiliser une image séparée dans une autre application que celle prévue au départ.

▶ FACTEURS AFFECTANT LA SÉPARATION CMJN

Lors de la séparation, trois grands facteurs doivent être pris en compte :
- le type de papier ;
- le procédé d'impression et l'encrage ;
- la trame.

permet de revenir en position normale. On voit alors les lignes de sélection du masque. On peut aussi cliquer sur l'icône du Mode Masque lorsqu'on a sélectionné une partie d'image que l'on souhaite traiter avec un masque.

CALQUES 5.7.10

L'outil Calques permet non seulement d'effectuer des retouches ou de créer des montages, mais il est également utile pour créer des graphismes composés de plusieurs parties (par exemple une image et un texte ou un motif et une ombre) que l'on veut maintenir séparées jusqu'à la fin des travaux.

POT DE PEINTURE ET BAGUETTE MAGIQUE 5.7.11

Ces outils possèdent des fonctions similaires bien que la baguette magique sélectionne des zones de couleur, alors que le pot de peinture applique la couleur de premier plan dans une zone fermée. Pour ces deux outils, la sélection ou l'application se fait dans les mêmes couleurs/teintes que celles sélectionnées. On peut régler la gamme de tons des pixels concernés avec la fonction Tolérance du menu Option.

SÉLECTION ET DÉTOURAGE 5.7.12

La sélection peut se faire de deux manières différentes, soit en attribuant un arrière-plan blanc à une image, soit en utilisant des tracés. L'avantage de la première méthode est l'absence de contours marqués, ce qui est pratique si l'on veut sélectionner une image dont la profondeur de champ est limitée. Un autre avantage est que l'on peut, outre la sélection, ajouter ou garder l'ombre derrière le motif. Enfin, cette méthode fonctionne avec tous les formats d'image disponibles. Par contre, seul le format EPS gère les sélections avec tracés. L'inconvénient est que le fond de l'image disparaît pour toujours ; l'image est « détruite ». En outre, il n'est pas possible de placer l'image sélectionnée sur une autre image ou un autre objet sans qu'elle soit entourée d'un carré blanc. La méthode de sélection avec tracés est par conséquent celle qui est la plus couramment utilisée. À l'aide de l'outil Plume, on crée une courbe de Bézier autour du motif. On peut aussi créer des courbes dans la courbe afin de « percer des trous » dans le motif sélectionné, par exemple en traçant un cercle devant être transparent au centre. Les bords d'une sélection avec tracés sont bien marqués.

Pour le détourage, on peut avoir recours aux masques de fusion. Ils sont particulièrement appropriés pour les contours complexes (des cheveux par exemple), à condition toutefois, qu'il y ait un contraste colorimétrique marqué entre l'arrière-plan et le sujet. L'avantage est que cette technique ne détruit pas l'image, puisque le masque est modifiable.

LES RÉGLAGES POUR L'IMPRESSION 5.8

Si vous regardez une campagne publicitaire dans laquelle une même image apparaît à la fois sur un quotidien, dans un magazine, sur des panneaux publicitaires, dans le métro, etc., vous verrez que cette image a été adaptée aux médias utilisés. Du point de vue technique, il s'agit de différents fichiers numériques distincts répondant aux spécifications de chacun des médias utilisés. D'une manière générale, une image numérique qui a été ajustée pour l'impression sur un support défini ne peut être utilisée que pour le média retenu.

La quadrichromie, c'est-à-dire l'impression avec des encres cyan, magenta, jaune et noire, est le moyen le plus couramment utilisé pour une impression sur papier. Toutefois, le mélange de ces quatre couleurs ne suffit pas pour se rapprocher vraiment des couleurs réelles. En théorie, la trichromie, avec des encres cyan, magenta et jaune, devrait suffire pour imprimer une image ; en utilisant un encrage à 100 % de ces trois teintes, on devrait obtenir une couleur noire [voir « La couleur » 4.4.2]. Cependant, comme les encres ne possèdent pas de pigments parfaits et qu'elles ne se lient pas complètement, on obtient une teinte brun foncé au lieu du noir. D'où ce que l'on appelle un phénomène de recouvrement [voir « L'impression » 13.4.4] : il faut en effet ajouter du noir pour compenser ces défauts. Une autre raison est que l'on peut ainsi imprimer du texte avec la seule encre noire, au lieu des trois autres couleurs, et éviter ainsi les problèmes de repérage (décalage d'une passe d'encre à l'autre).

Les scanners et les écrans utilisent trois couleurs pour restituer les images : le rouge, le vert et le bleu [voir « La couleur » 4.4.1]. Afin d'imprimer une image scannée, il faut donc convertir les trois couleurs d'acquisition numérique en quatre couleurs d'encre. Cette méthode est connue sous le nom de séparation CMJN. Cette dernière peut être gérée par le RIP, par le logiciel associé au scanner ou par un logiciel de retouche d'images, comme Adobe Photoshop.

Lors de la séparation des images RVB en CMJN, il faut prendre en compte le procédé d'impression et le support (en général du papier) utilisés. Les trois principaux facteurs qui ont leur importance sont la qualité de papier, le procédé d'impression et la trame. Ces trois facteurs imposent chacun des exigences spécifiques. Ainsi, le papier et le procédé d'impression limitent non seulement la valeur maximale d'encrage, mais conditionnent également le rapport de la séparation du noir en fonction des trois autres couleurs d'encre, c'est-à-dire quel niveau de GCR/UCR utiliser [voir 5.8.3]. Le procédé d'impression et parfois la qualité de papier déterminent les balance des gris d'une image. En outre, il faut savoir que les trois éléments (qualité de papier, procédé d'impression et trame) influent sur l'engraissement des points lors de l'impression et de la production des plaques. Lorsqu'on sépare une image, il faut donc régler, entre autres, les valeurs d'encrage, la séparation GCR/UCR, la balance des gris, l'engraissement du point et la norme couleur d'impression. Nous allons maintenant reprendre ces paramètres et expliquer leur importance.

ENCRAGE 5.8.1

Le procédé d'impression en quadrichromie (CMJN) utilise quatre couleurs, chacune pouvant être utilisée à 100 %. Dans le cas où l'on utiliserait 100 % de chaque couleur, on obtiendrait en théorie une valeur d'encrage de 400 % (c'est-à-dire une teinte noire composée de 100 % de cyan, 100 % de magenta, 100 % de jaune et 100 % de noir) ; dans la pratique cependant, ce n'est pas possible [voir « L'impression » 13.4.4]. Outre les problèmes de rendu des couleurs, une charge d'encre trop importante engendre des phénomènes de maculage, de refus et de bouchage, ainsi que des temps de séchage trop longs.

Afin d'éviter ces problèmes, lors de la séparation des couleurs, on peut régler la valeur maximale d'encrage. L'image est alors recalculée selon la valeur choisie. Ainsi, si l'on choisit une valeur d'encrage maximale de 300 %, aucune zone ne recevra plus d'encre que ce pourcentage. En général, selon la qualité du papier et le procédé d'impression, la valeur maximale recommandée se situe entre 240 et 340. Par contre, si l'on utilise un vernis à l'impression, il faut compter le vernis comme une couleur supplémentaire et par conséquent réduire l'encrage maximal afin d'assurer la bonne adhérence du vernis.

C 92 % M 93 %
J 75 % N 83 %
Encrage total 343 %

C 75 % M 84 %
J 99 % N 12 %
Encrage total 270 %

▶ ENCRAGE TOTAL
L'image ci-dessus présente une valeur d'encrage élevée dans les zones sombres. Basé sur les 4 couleurs primaires, l'encrage total atteint 343 %.

▶ BONNE ET MAUVAISE BALANCE DES GRIS
L'image du bas a une balance des gris correcte, mais pas celle du haut, qui comporte donc une dominante couleur disgracieuse.

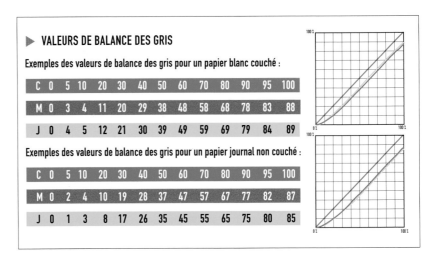

BALANCE DES GRIS [5.8.2]

Si l'on imprime avec une valeur d'encrage identique dans les trois couleurs C, M et J, la surface obtenue n'est pas gris neutre, bien qu'elle devrait l'être en théorie. La couleur du papier, le fait que les encres ne se lient pas parfaitement les unes aux autres (d'où l'importance de l'ordre d'application des couleurs à l'impression), les différences d'engraissement des points selon les encres et les pigments des encres en sont les principales causes.

En fait, si la balance des gris n'est pas réglée correctement, les couleurs de référence naturelles de l'image, par exemple celles de l'herbe, de la peau ou du ciel, n'apparaissent pas naturelles. Une image dont la balance des gris est erronée présente une dominante de couleur. Il faut donc adapter l'image en fonction des défauts mentionnés ci-dessus afin d'obtenir une restitution correcte. Les valeurs de la balance des gris sont couramment réglées à 40 % pour le cyan, 29 % pour le magenta et 30 % pour le jaune. Cette combinaison restitue normalement une teinte de gris neutre sur un papier couché de qualité normale sur presse offset à feuilles [voir « L'impression » 13.4.3].

UCR, GCR ET UCA [5.8.3]

On obtient une teinte gris neutre si l'on imprime avec une bonne la balance des gris les trois couleurs primaires C, M et J. Ce mélange de couleurs peut être remplacé par une couleur noire tout en restituant la même couleur grise. L'avantage de ce procédé est une diminution de la charge d'encre dans la machine à imprimer. Selon ce principe, on peut donc remplacer les couleurs d'une zone neutre d'un document par une couleur noire. Ce procédé porte le nom de retrait sous couleurs ou UCR (Under Color Removal). Le retrait sous couleurs n'influe que sur les zones neutres d'une image.

Même les couleurs qui ne sont pas gris neutre, mais qui se composent d'un mélange des trois couleurs primaires de différentes densités, comportent une composante grise. Ainsi, si l'on considère une couleur constituée de C = 90 %, M = 25 % et J = 55 %, on obtient une composante grise de C = 25 %, M = 25 % et J = 25 %. Si l'on remplace cette composante grise par du noir (N = 25 %) et qu'on la mélange avec la valeur restante de cyan (C = 65 %) et de jaune (J = 30 %), on obtient théoriquement la même couleur. Cette méthode de remplacement de la composante grise d'un mélange par une composante noire est appelée GCR (Gray Component Replacement). Il est possible de faire varier le niveau de GCR afin de ne remplacer qu'une partie de la composante grise par du noir. Ainsi, dans l'exemple ci-dessus, on pourrait ne remplacer qu'une partie de la composante grise, soit C = 10 %, M = 10 % et J = 10 %, par N = 10 %, mélangeant ainsi la couleur noire (N = 10 %) avec les parts restantes des trois couleurs (C = 80 %, M = 15 % et J = 45 %).

Le but de cette opération est de réduire l'encrage sans modifier les couleurs. Par ailleurs, le remplacement des couleurs par du noir permet plus facilement d'obtenir une bonne balance des gris à l'impression et donc une meilleure qualité d'impression. Le mode de séparation GCR est à préférer lorsqu'on travaille sur des images particulièrement sensibles à une variation des couleurs, telles que, par exemple, les images en noir et blanc devant être imprimées en quadrichromie. En outre, une réduction de la charge d'encre limite les problèmes de maculage et de bouchage dans les machines à imprimer.

Il faut savoir que lorsqu'on remplace les couleurs primaires par du noir, les teintes foncées de l'image ont tendance à pâlir. Ce phénomène peut être contrecarré en ajoutant un peu de couleurs primaires sur les teintes les plus sombres. On parlera alors d'ajout sous couleurs (en anglais, UCA, Under Color Addition). Le réglage des modes de séparation GCR, UCR et ajout sous couleurs peut être effectué dans Adobe Photoshop ou Linocolor, par exemple.

ENGRAISSEMENT DU POINT 5.8.4

L'engraissement du point est un phénomène qui correspond à l'accroissement de la taille du point de trame pendant le processus d'impression. En pratique, une image non ajustée pour prendre en compte l'engraissement devient trop sombre une fois imprimée. Il faut donc compenser ce phénomène lors de la séparation CMJN afin d'obtenir une qualité optimale à l'impression. Dans ce cas, il faut connaître la valeur d'engraissement possible du point pour le papier et le procédé d'impression utilisés. Ces informations sont généralement fournies par l'imprimeur.

La taille du point de trame diminue lors du report du document sur une plaque d'impression. Cela n'est le cas que pour les films et les plaques positifs. Par contre, avec des plaques et films négatifs l'effet est inverse, le point augmente. Notons que le problème ne se pose plus avec le CTP, puisqu'il n'y a plus de report film/plaque. La taille augmente également au niveau de la machine à imprimer au moment où l'encre est appliquée sur le papier. Étant donné que les diverses qualités de papier possèdent différentes caractéristiques, il faut ajuster l'engraissement à la séparation en fonction de la qualité de papier. Si l'image est mal ajustée, par exemple avec réglage pour un papier couché de bonne qualité (qui engraisse peu) alors que l'impression s'effectue sur papier journal (qui engraisse beaucoup), on obtient au final une image bien trop sombre. Il existe aussi un engraissement de point optique qui dépend de la manière dont la lumière est réfléchie par le papier.

Le procédé d'impression utilisé influe également sur le degré d'engraissement du point. Par exemple, pour un même papier, les presses rotatives offset se caractérisent par un engraissement plus important que celui obtenu sur les presses offset à feuilles. Plus la linéature est importante, plus l'engraissement est élevé pour un même procédé et un même papier. Toutes les qualités de papier ne conviennent pas à toutes les linéatures. Les fabricants de papier donnent des recommandations sur la linéature en fonction de la qualité de papier.

On mesure habituellement l'engraissement sur les valeurs de tons à 40 % et à 80 %. Par exemple, une valeur usuelle d'engraissement est de 23 % sur un ton à 40 % pour une linéature de 150 lpi sur papier couché (valeur sur le film négatif). L'engraissement du point

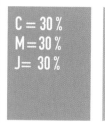

▶ GRIS NEUTRE
En pratique, un mélange de CMJ 30/30/30 ne donne pas un gris neutre. Par contre un mélange CMJ 30/20/21 restitue un gris neutre.

▶ GCR – PRINCIPE

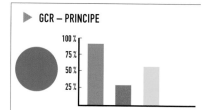

Le mélange ci-dessus représente une proportion de C = 90 %, M = 25 % et J = 55 %. L'encrage total est donc de 170 % (90 + 25 + 25).

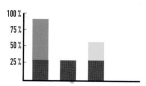

Le mélange a une composante grise commune de C = 25 %, M = 25 % et J = 25 %. La composante grise est remplacée par un pourcentage de noir correspondant, soit N = 25 %.

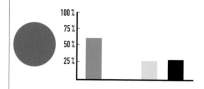

Le résultat est le même, mais on obtient une charge d'encre bien inférieure, soit un encrage limité à 120 %.

► SÉPARATION SANS GCR

CMJN

=

CMJ

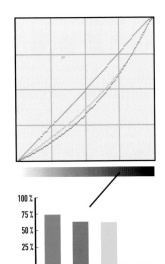

+

N

Sans GCR, aucune couleur noire secondaire n'est générée.

► La séparation sans GCR n'utilise pas du tout le noir. Les tons noirs sont produits seulement par C, M et J.

► SÉPARATION AVEC GCR FAIBLE

CMJN

=

CMJ

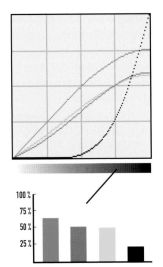

+

N

► Un retrait GCR faible remplace une partie de la composante grise commune des couleurs primaires par du noir.

► SÉPARATION AVEC GCR MOYEN

CMJN

=

CMJ

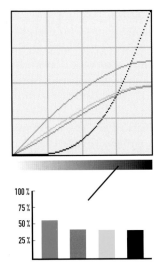

+

N

► Un retrait GCR moyen remplace une grande partie de la composante grise commune des couleurs primaires par du noir.

CMJN

=

CMJ

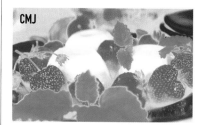

+

N

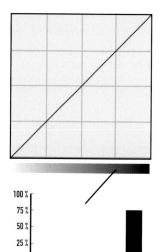

▷ Un retrait GCR maximal remplace toutes les parties de la composante grise commune des couleurs primaires par du noir.

CMJN

=

CMJ

+

N

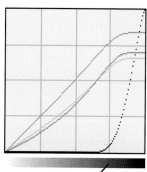

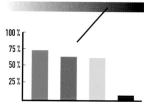

▷ Un retrait UCR remplace, dans les parties sombres et neutres de l'image, les composantes communes des couleurs primaires par du noir.

▷ AVEC OU SANS GCR

Normalement, une image séparée avec ou sans GCR devrait donner un résultat identique. Cependant, si la charge d'encre varie ou si elle est irrégulière dans la presse, l'image séparée avec GCR est moins affectée.

▷ Une image sans retrait GCR ou avec un retrait faible comprend l'ensemble des couleurs primaires. Elle est donc beaucoup plus sensible aux variations de couleurs dans la presse et même une faible variation peut produire une dominante couleur.

▷ Comme une image séparée avec un retrait GCR comprend une moindre proportion de couleurs primaires, la balance des gris est moins affectée par les variations de couleurs dans la presse. L'image est donc identique à chaque feuille imprimée.

▶ **NOIR ET BLANC EN QUATRE COULEURS**
Une image noir et blanc peut être séparée et imprimée avec les composantes CMJN afin d'améliorer la restitution des tons doux et d'accroître la profondeur. Dans ce cas, il est important d'utiliser une balance des gris correcte pour éviter les problèmes de dominante couleur.

est toujours exprimé en unités de pourcentage absolu, c'est-à-dire que pour l'exemple qui précède, un ton à 40 % sur le film sera restitué par un ton à 63 % lors de l'impression (40 % + 23 % = 63 %).

NORMES COULEURS D'IMPRESSION [5.8.5]

La séparation CMJN d'une image nécessite de prendre en compte la norme couleur d'impression. Selon les pays, les couleurs d'encre cyan, magenta, jaune et noir (CMJN) sont définies de différentes manières. Ainsi, l'Eurostandard est appliqué en Europe, tandis que le standard SWOP correspond à la norme d'impression américaine. Ces normes sont en outre complétées par différentes options en fonction du type de papier et des méthodes d'impression, par exemple Eurostandard Couché pour la norme Eurostandard appliquée au papier couché. Ainsi, en choisissant la norme d'impression pour la conversion CMJN, on obtient une séparation selon les caractéristiques des encres dans ce profil.

SPÉCIFICATIONS À L'IMPRESSION [5.8.6]

La qualité des documents à imprimer dépend des valeurs spécifiées lors de la séparation CMJN. L'imprimeur doit pouvoir fournir les valeurs d'engraissement du point, de norme couleur, de retrait GRC/UCR, de couverture d'encre et de balance des gris en fonction du papier sur lequel le document doit être imprimé. Le tableau récapitulatif de la page 100 reprend certaines recommandations fournies par un imprimeur pour les valeurs de séparation à appliquer pour papier journal, papier couché et non couché. Une autre possibilité est de disposer des profils ICC définissant les normes de gestion des couleurs. Un profil ICC bien généré contient les réglages pour toutes les valeurs nécessaires.

COULEURS HI-FI [5.8.7]

Ces dernières années, sont apparues de nouvelles techniques de séparation autres que la quadrichromie. C'est ainsi que l'on parle de séparations six, sept et huit couleurs. Ces techniques permettent de disposer d'une palette de couleurs plus importante et de mieux restituer le spectre colorimétrique, d'où une restitution de l'image plus proche de l'original. On part souvent des couleurs primaires auxquelles on ajoute 2, 3 ou 4 couleurs complémentaires. Parmi les techniques les plus courantes, citons l'hexachromie qui utilise en plus des quatre couleurs primaires, le vert et l'orangé.

▶ **IMAGE NON AJUSTÉE**
Cette image est sombre, car elle n'est pas ajustée en fonction de l'engraissement.

▶ **IMAGE AJUSTÉE**
Cette image ajustée en fonction de l'engraissement est bien restituée.

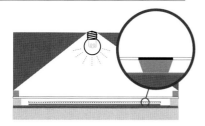

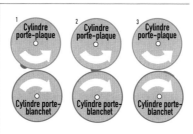

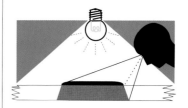

▶ **ENGRAISSEMENT LORS DE LA COPIE DE PLAQUE**
La taille des points de trame diminue lorsque le document est copié sur une plaque avec un film positif. C'est le contraire si le film est négatif.

▶ **ENGRAISSEMENT LORS DE L'IMPRESSION**
Les points d'encre sont comprimés au moment du contact entre les deux rouleaux avec pour résultat un élargissement et des images plus sombres.

▶ **ENGRAISSEMENT OPTIQUE DES POINTS**
Effet optique dépendant du réfléchissement de la lumière et de sa diffusion sur le papier.

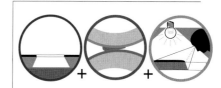

LES SCANNERS 5.9

Le scanner permet d'effectuer l'acquisition numérique d'un document original afin de le traiter ensuite sur ordinateur. Il existe deux grands types de scanners : à tambour et à plat. Dans le scanner à tambour, le document original est monté sur un cylindre transparent ; sur le scanner à plat, le document est posé à plat, comme dans un photocopieur. Les scanners sont disponibles dans une gamme de prix très large, allant de quelques centaines d'euros à 50 000 euros. La qualité, la rentabilité de production et les performances du programme de gestion associées au scanner expliquent ces grandes différences de prix.

COMMENT FONCTIONNE UN SCANNER ? 5.9.1

Le scanner réalise l'analyse d'un support d'information en le découpant optiquement selon une matrice dont il mesure ensuite chaque cellule, qui devient un point ou pixel de l'image obtenue. Plus la densité de l'image pixelisée, appelée aussi bitmap, est élevée (c'est-à-dire, plus la résolution d'analyse de l'image est élevée), plus l'information scannée est importante et plus le fichier d'image est volumineux. Les données de chaque point de mesure sont transmises à l'ordinateur et enregistrées sous forme de pixels. La résolution d'analyse de l'image s'exprime en nombre de pixels par pouce (ppi) [voir 5.5.9]. Le scanner éclaire chaque point avec une lumière blanche et mesure point par point la quantité de lumière transmise ou réfléchie pour ensuite l'enregistrer sous forme de couleur provenant de chaque point.

La lumière réfléchie ou transmise est divisée à l'aide de filtres couleurs en ses trois composantes : lumière rouge, verte et bleue. On obtient ainsi la valeur RVB de chaque couleur. Les différentes intensités de rouge, vert et bleu des rayons lumineux créent différentes couleurs [voir « La couleur » 4.4.1].

Une fois la lumière transmise ou réfléchie divisée en trois composantes, le scanner convertit les données en valeurs numériques de 0 à 255. L'intensité de la lumière des couleurs primaires détermine la valeur numérique entre 0 (absence de lumière) et 255 (intensité maximale). Chaque couleur primaire peut ensuite être reproduite en 256 teintes ou niveaux d'intensité. Les points numérisés provenant de l'original sont convertis en pixels dans l'ordinateur. La couleur des pixels se définit comme un mélange des trois valeurs de couleurs RVB, restituant de la manière la plus proche possible la couleur du point scanné

= ENGRAISSEMENT TOTAL

▶ **ENGRAISSEMENT TOTAL**
L'engraissement total désigne la valeur totale d'engraissement résultant de la copie de plaque, de l'impression et de l'effet optique.

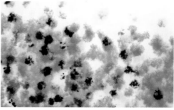

▶ **LES COULEURS HI-FI**
Deux, trois ou quatre couleurs sont ajoutées aux quatre couleurs primaires CMJN. Avantage de cette technique : on dispose d'une gamme de couleurs plus importante. Parmi la plus répandue, citons l'hexachromie, exemple ci-dessus. Cette technique utilise le CMJN plus le vert et l'orangé. Les images ci-dessus montrent les points des six couleurs utilisées.

▶ ENGRAISSEMENT

L'engraissement peut être mesuré à l'aide d'un densitomètre et d'une gamme de couleur. En règle générale, on mesure les valeurs de tons à 40 % et 80 %.

L'engraissement est toujours exprimé en valeur absolue. Un engraissement de 23 % signifie qu'un ton à 40 % sera restitué par un ton à 63 % lors de l'impression.

Pour définir un ton à 40 % à l'impression, il suffit de tirer une ligne horizontale à 40 % sur l'axe d'impression jusqu'à ce qu'elle coupe la courbe d'engraissement, puis de tirer une ligne verticale jusqu'à l'axe du film.

Dans cet exemple, la correction du ton à 40 % sera de 23 % (papier couché), 19 % (papier non couché) ou 15 % (papier journal) pour obtenir une impression satisfaisante.

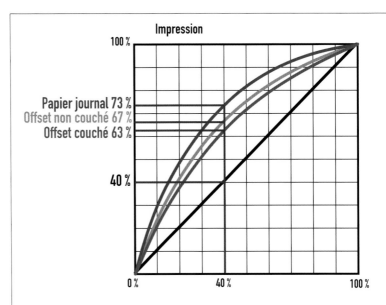

▶ COURBES D'ENGRAISSEMENT

Les courbes montrent l'engraissement sur toute la plage des tons pour trois qualités de papier et le film négatif. L'axe horizontal définit la valeur des tons sur le film et l'axe vertical celle des tons à l'impression. Pour lire l'influence de l'engraissement sur la valeur d'un ton, tirez une ligne verticale à partir d'une valeur de ton sur film jusqu'à ce qu'elle rencontre les courbes respectives, puis tirez une ligne horizontale vers l'axe d'impression qui donnera la valeur. L'illustration ci-dessus indique l'influence de l'engraissement sur un ton à 40 %, soit 63 % sur papier couché, 67 % sur papier non couché et 73 % sur papier journal.

▶ VALEURS DE SÉPARATION RECOMMANDÉES

PAPIER JOURNAL	environ 85 lpi	PAPIER NON-COUCHÉ	environ 120 lpi	PAPIER COUCHÉ	environ 150 lpi
Engraissement	33% néga/26%-posi	Engraissement	27% néga/20%-posi	Engraissement	23% néga/16%-posi
GCR	élevé	GCR	faible/moyen	GCR	faible/ UCR
Encrage	240–260%	Encrage	280–300%	Encrage	320–340%

► SÉPARATION AVEC PROFIL ICC DANS PHOTOSHOP

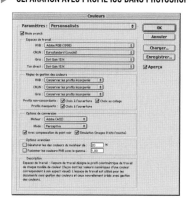

Pour gérer les couleurs dans Photoshop, sélectionnez Édition (ou Photoshop sous Max OS X) –> Couleurs. Les profils ICC sont aujourd'hui la méthode de séparation la plus utilisée ; elle est déterminée par trois facteurs : profil (CMJN), Moteur et Mode.

Sélectionnez le profil ICC adapté à vos conditions d'impression ou le profil standard le plus proche dans Espaces de travail –> CMJN. Le profil donne des informations sur l'engraissement, la balance des gris, l'encrage maximal, la norme couleur et le niveau de GCR [voir « La couleur » 4.7.6].

Spécifiez la manière de traiter les couleurs existantes et les profils au niveau de Règles de gestion des couleurs. Normalement, Conserver les profils incorporés est sélectionné par défaut, ce qui signifie que les couleurs d'une image incorporant un profil ne sont pas converties et restent telles quelles.

Sélectionnez le Module de gestion des couleurs au niveau Options de conversion –> Moteur [voir « La couleur » 4.7.7]. Photoshop dispose de son propre module, mais il en existe d'autres.

Au niveau de Options de conversion –> Mode, vous avez le choix entre quatre méthodes de conversion : perceptive, saturation, colorimétrie relative et absolue. Le choix dépend du type d'image. Une conversion perceptive est courante pour des photographies scannées [voir « La couleur », 4.7.8 - 4.7.11].

Si vous avez sélectionné Avec compensation du point noir, la valeur de la couleur la plus sombre de l'image est, une fois convertie, représentée par la valeur de couleur la plus sombre dans le nouvel espace colorimétrique. Cette option est particulièrement intéressante si l'on passe d'un espace colorimétrique limité à un plus étendu, par exemple d'un CMJN en une séparation polychrome CMJN.

La séparation proprement dite s'effectue via le menu Image –> Mode –> Couleurs CMJN. L'exemple montre la conversion de Adobe RVB en profil d'impression Eurostandard couché.

► SYSTÈME DE SÉPARATION INTÉGRÉ DE PHOTOSHOP

Le système de séparation intégré de Photoshop est la méthode traditionnelle utilisée lorsqu'on ne dispose pas de profil ICC. Il suffit de choisir la norme d'encrage, de régler les valeurs d'engraissement, de GCR et UCA, d'encre noire maximale, ainsi que la limite de l'encrage total.

Allez dans le menu Édition ou Photoshop –> Couleurs, sélectionnez Espaces de travail –> CMJN –> CMJN personnalisé afin de régler ces paramètres.

Vous pouvez choisir les encres selon les normes prédéfinies, Eurostandard en Europe, ou SWOP aux États-Unis. Vous pouvez aussi définir vos propres

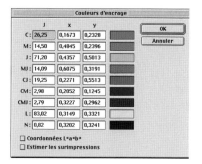

valeurs d'encres en sélectionnant Options d'encrage –> Couleurs –> Autre à l'aide des valeurs CIElab ou CIExyz.

Adobe Photoshop offre deux possibilités de compensation de l'engraissement, Standard et Courbes.

La méthode Standard est la plus courante. Elle est certes très pratique pour indiquer l'engraissement, mais elle a ses limites. Photoshop

choisit toujours une valeur d'engraissement lorsqu'on sélectionne une norme de Couleurs d'encrage, mais cette valeur correspond rarement à la réalité, d'où la nécessité de faire une correction. Il suffit d'indiquer un engraissement pour les tons à 40 % et le programme se charge du calcul des autres valeurs. L'engraissement est uniquement spécifié par une valeur pour toutes les encres, sans prendre en compte la variation de l'engraissement selon les encres.

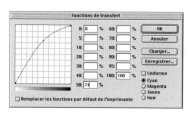

La méthode Courbes est plus précise, car elle offre non seulement 13 pourcentages de réglage d'engraissement ; elle permet également de régler séparément les valeurs pour le cyan, le magenta, le jaune et le noir.

de l'original. Par exemple, le mélange rouge = 0, vert = 0 et bleu = 0 donne du noir (absence de lumière) et rouge = 255, vert = 255 et bleu = 255 donne du blanc (intensité maximale). Quand tous les points ont été analysés par le scanner, le document numérique ressemble à une mosaïque se décomposant en petits éléments d'image. Cette mosaïque porte le nom d'image bitmap (ou pixelisée).

SCANNERS À TAMBOUR 5.9.2

On parle de scanner à tambour, car le document est fixé sur un cylindre transparent qui tourne et analyse l'image point par point. La taille de l'original pouvant être analysée varie selon les fabricants, mais ces scanners acceptent souvent des documents jusqu'au format A3. Ce type de scanner est réservé à des originaux pouvant être courbés et n'accepte donc pas une page de livre, qui doit dans ce cas-là être photographiée ou bien être analysée par un scanner à plat [voir ci-après]. Pour des diapositives, le cadre doit être retiré. Les scanners à tambour sont souvent de grande taille et d'un prix élevé, mais restent la référence en termes de qualité et de performances. Ces scanners sont réservés aux professionnels des arts graphiques exigeant une haute qualité de reproduction et une productivité élevée.

Les scanners à tambour permettent également d'analyser des documents opaques. Il y a en effet une tête à l'intérieur du cylindre, mais également une à l'extérieur ; le principe est alors le même que pour un scanner à plat.

SCANNERS À PLAT 5.9.3

Ces dernières années, les scanners à plat se sont de plus en plus répandus. Les images sont placées à plat sur une vitre, ce qui est un avantage si l'original ne peut pas être courbé. Comme les scanners à tambour, ils acceptent normalement un format maximal A3, bien que cela dépende des modèles. Les scanners à plat sont bien souvent meilleur marché et plus simple d'utilisation que les scanners à tambour. Leur prix et leur qualité varient énormément, d'une centaine d'euros à plusieurs dizaines de milliers d'euros. Les scanners les plus performants et les plus chers sont comparables aux meilleurs scanners à tambour en termes de qualité d'image.

► SCANNER À TAMBOUR
Le document original est fixé sur un cylindre transparent.

► SCANNER À PLAT
Le document original est mis à plat sur une vitre.

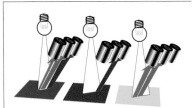

► PRINCIPE DE SCANNÉRISATION
Le scanner éclaire une surface avec de la lumière blanche. La lumière réfléchie est séparée à l'aide d'un filtre couleurs en trois composantes : le rouge, le vert et le bleu. La combinaison des valeurs RVB analysées représente les couleurs.

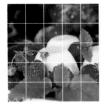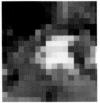

► SCANNÉRISATION D'IMAGES
Le scanner analyse un document en découpant sa surface en une matrice composée de petits carrés, qui correspondent chacun à un point de lecture. Plus la matrice est dense (c'est-à-dire, plus la résolution est élevée), plus il y a d'informations analysées et plus la taille du fichier est importante. Chaque point analysé est transformé en élément d'image (pixel) au niveau de l'ordinateur. La résolution d'analyse de l'image se mesure en nombre de pixels pas pouce (ppi, pixels per inch).

PRINCIPE DE L'ANALYSE 5.9.4

Les scanners à tambour réalisent l'acquisition numérique en utilisant une tête de lecture contenant des capteurs basés sur la technologie PMT (Photo-Multiplier Tube, tube photomultiplicateur) ou des cellules CCD qui mesurent l'intensité de la lumière réfléchie/transmise. Le cylindre tourne à grande vitesse, tandis que la tête de lecture se déplace lentement dans le sens longitudinal. Les scanners à plat utilisent des cellules CCD (Charged Couple Device) qui analysent l'image en avançant pas à pas, scannant d'affilée une bande complète de l'image.

PASSES SIMPLES OU TRIPLES 5.9.5

La plupart des scanners peuvent analyser les composantes rouge, verte et bleue en même temps, soit une acquisition en une passe. Les scanners qui analysent les couleurs une par une sont appelés scanners à trois passes. Il est donc évident que ce type de scanner est trois fois moins rapide que les scanners une passe qui offrent de surcroît un meilleur repérage des couleurs. Dans le monde des arts graphiques, le repérage des couleurs signifie que les points, et donc les éléments qu'ils représentent, sont correctement positionnés les uns par rapport aux autres, d'une couleur primaire – RVB ou CMJN – à l'autre.

MÉCANIQUES ET OPTIQUES 5.9.6

La qualité des images scannées est liée à la fiabilité des mécaniques et à la qualité des optiques. La précision optique influe sur la restitution des couleurs et la netteté des images, tandis que la précision des mécaniques est importante pour ce qui est de la stabilité des performances dans le temps. Une mauvaise optique altère les couleurs et brouille l'image, tandis qu'une mauvaise mécanique génère des effets de bandes et un mauvais repérage des couleurs.

PHOTOMULTIPLICATEURS ET CELLULES CCD 5.9.7

La qualité des photomultiplicateurs et des cellules CCD est importante pour assurer correctement la conversion des signaux lumineux. Les cellules CCD ont parfois du mal à distinguer les différences de teinte, surtout dans les parties les plus foncées d'une image. Elles

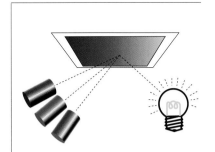

▶ ACQUISITION NUMÉRIQUE AVEC
  SCANNERS À PLAT
Les cellules CCD mesurent l'intensité de la lumière réfléchie.

▶ ACQUISITION NUMÉRIQUE AVEC SCANNERS
  À TAMBOUR
La lumière passe à travers le film original et le tambour rotatif transparent, pour être ensuite transmise aux cellules CCD ou aux photomultiplicateurs via un miroir placé au centre du tambour.

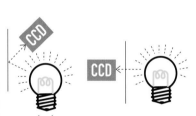

TYPE RÉFLÉCHISSANT   **TYPE TRANSPARENT**

▶ **SCANNÉRISATION**

Les scanners analysent le spectre d'intensité de la lumière transmise ou réfléchie par l'original. Les documents réfléchissants réfléchissent la lumière, alors que les diapositives et les négatifs laissent passer la lumière.

▶ **CELLULES CCD ET PHOTOMULTIPLICATEURS**

Les capteurs CCD (Charge Couple Device) et les photomultiplicateurs transforment l'énergie lumineuse en énergie électrique puis en signal numérique. Les photomultiplicateurs fonctionnent de la même manière que les CCD, mais génèrent d'abord un signal analogique.

▶ **256 TONS**

L'ordinateur fonctionne normalement avec 1 octet (= 8 bits) par couleur primaire. 8 bits dans le système binaire représentent les valeurs de 0 à 255 dans le système décimal ($2^8 = 256$ donc 256 valeurs possibles).

---

ont en outre une tendance à vieillir, ce qui réduit leur capacité de restitution précise des couleurs et des transitions de teintes. Les cellules CCD dotées d'une longue durée de vie sont très chères à produire.

DENSITÉ MAXIMALE D'ANALYSE 5.9.8

La densité maximale d'analyse (DMax) d'un scanner est un paramètre important qui décrit sa capacité à acquérir plus ou moins complètement la gamme de tons d'une image, jusqu'aux moindres nuances de couleur. Cette densité est limitée par la sensibilité des photomultiplicateurs et des cellules CCD. Pour illustrer les limitations de la densité d'analyse des scanners, on peut la comparer à la gamme des tons des originaux : par exemple, la gamme des tons maximale d'une diapositive est de 2,7 unités de densité [voir 5.5.2]. Un scanner dont la DMax est inférieure à celle de l'original ne pourra jamais restituer de façon optimale l'ensemble des tons de l'original. Les scanners à tambour possèdent en général une DMax supérieure à celle des scanners à plat et sont donc, tout du moins en théorie, censés être de meilleure qualité. Un scanner présentant une DMax réduite ne peut pas analyser les nuances fines, particulièrement celles situées dans les zones sombres, ce qui donne une image numérisée dont les gradations sont irrégulières et manquent de contraste.

NOMBRE DE BITS PAR COULEUR 5.9.9

On parle souvent de profondeur d'analyse pour faire référence au nombre de bits par couleur. Certains scanners permettent de coder les sélections sur plus de 8 bits et peuvent aller de 10, 12 à 14 bits par couleur. Au lieu des 8 bits qui déterminent les 256 niveaux de gris, on obtient par exemple 1 024 niveaux pour 10 bits, 4 096 pour 12 bits et 16 384 pour 14 bits, donc une information plus importante lors de la numérisation. L'œil ne perçoit pas la différence, mais les quelques bits de plus permettent de coder davantage d'informations dans les zones particulièrement importantes, par exemple une image sombre comportant de nombreux détails dans l'ombre. Notez que Photoshop gère aujourd'hui les images en 8 et 16 bits par couche.

RÉSOLUTION 5.9.10

Un autre signe de qualité d'un scanner est sa résolution. La résolution d'analyse d'un scanner haut de gamme est supérieure à 3 000 ppi. Une haute résolution d'analyse est importante si l'on souhaite agrandir un document. Ainsi, une diapositive courante (24 × 36 mm) que l'on prévoit d'agrandir dix fois doit être scannée avec une résolution de 3 000 ppi pour une linéature de 150 lpi afin de maintenir une bonne qualité d'image.

LOGICIEL DE NUMÉRISATION 5.9.11

La plupart des scanners sont fournis avec des logiciels avancés permettant le réglage de l'analyse des documents à numériser. Le pilote du scanner est un outil important puisqu'il décide de la qualité de restitution de l'image. Un logiciel performant doit permettre le réglage correct de la netteté, des séparations et de la restitution du document, qu'il s'agisse de la correction sélective des couleurs, de la résolution d'analyse, du rapport d'agrandissement et du recadrage. Ce même logiciel doit permettre l'exploitation et la création de formats de fichier tels que TIFF, EPS, DCS et JPEG, ainsi que les espaces colorimétriques de type RVB, CMJN et CIElab. Nombreux sont les paramètres pouvant être ajustés par la suite ; cependant, on gagne souvent non seulement sur la qualité, mais aussi sur les temps de production en effectuant les réglages au moment de la numérisation. Un document mal numérisé au départ peut être difficile à ajuster par la suite, si ce n'est pas parfois impossible [voir 5.5.9].

DÉTRAMAGE ^{5.9.12}

De nombreux scanners proposent aujourd'hui une fonction de détramage. Même s'il ne s'agit pas de la vocation de base d'un scanner, cette fonction est très utile, car le détramage sous Photoshop s'avère très laborieux.

LES APPAREILS PHOTO NUMÉRIQUES ^{5.10}

Les appareils photographiques numériques s'apparentent aux scanners, à la différence près qu'ils ne travaillent pas avec un original, mais qu'ils enregistrent directement l'objet et que l'analyse est immédiatement disponible pour un traitement numérique. De plus, comme l'on n'utilise pas de pellicule, certaines étapes disparaissent, comme les opérations de développement et de scannérisation de l'original, en un mot un gain de temps. En outre, ces appareils permettent d'envoyer facilement les informations déjà numérisées via les réseaux de télécommunication. Les photographies numériques sont aujourd'hui très utilisées par les photographes de presse qui peuvent ainsi fournir rapidement et sans problème les informations à leur rédaction. Par contre, l'inconvénient de ces appareils est souvent le manque de qualité de l'image qui n'est pas comparable à celle d'un original traditionnel traité avec un scanner de qualité professionnelle. Toutefois, certains nouveaux modèles d'appareils photo numériques haut de gamme commencent à offrir des résultats acceptables pour certains besoins professionnels.

Un appareil photographique numérique repose sur le même principe que celui du scanner. La lumière blanche réfléchie par le sujet photographié est séparée en trois composantes : rouge, vert et bleu. La différence est que c'est l'objet lui-même qui réfléchit la lumière et non pas l'image sur film de l'objet. Les prix de ces appareils varient énormément, de quelques centaines à quelques dizaines de milliers d'euros. Les appareils numériques bon marché ont une basse résolution et la qualité est très inférieure à celle des appareils plus coûteux. On divise couramment les appareils photographiques numériques en trois catégories : les appareils grand public, les appareils numériques reflex (SLR, Single Lens Reflex), les appareils « bridge » et les appareils de studio.

APPAREILS GRAND PUBLIC ^{5.10.1}

Dans cette catégorie, il existe aujourd'hui des appareils photo numériques simples et bon marché, qui s'adressent à un large public, mais qui ne sont pas vraiment de bonne qualité. De petite taille, comme les appareils photo de poche, ces appareils conviennent mieux pour afficher les photos sur un écran compte tenu de leur basse résolution. La gamme d'appareils disponibles est cependant étendue ; les nouveaux modèles offrent régulièrement des fonctions innovantes et plus performantes, ainsi qu'une amélioration de la résolution offerte et donc de la qualité d'image. Ces appareils possèdent une matrice fixe équipée de cellules CCD. L'optique est fixe, le fonctionnement est automatisé et le stockage s'effectue géné-

> **QUALITÉ DES SCANNERS**
> La qualité des scanners dépend :
> - des mécaniques et des optiques ;
> - des photomultiplicateurs et des cellules CCD ;
> - de la densité maximale d'analyse ;
> - du nombre de bits par couleur primaire ;
> - de la résolution ;
> - du logiciel de numérisation.

Appareils photo grand public

Appareil photo de studio

▶ **DIFFÉRENTS TYPES D'APPAREILS PHOTOS NUMÉRIQUES**
Il existe trois types d'appareils photos numériques : les appareils grand public, Reflex et studio. Les appareils grand public sont les moins chers ; les appareils studio sont les plus coûteux.

ralement sur différents formats de cartes mémoires Flash. Il suffit de changer ou de vider la carte mémoire lorsqu'elle est pleine, afin de stocker de nouvelles images. Pour ce type d'appareil, la résolution proposée va de 2 mégapixels (2 000 000 pixels, soit 1600 × 1200 pixels), ce qui suffit pour l'impression d'une image de la taille d'une carte postale avec une linéature de 150 lpi, à 5 mégapixels. Les prix de ces appareils photo numériques commencent autour de 200 euros et peuvent aller jusqu'à un peu moins de 1 000 euros.

APPAREILS PHOTO NUMÉRIQUES REFLEX ET « BRIDGE » 5.10.2

Cette catégorie est représentée par les appareils photos avancés où le dos numérique remplace le boîtier arrière traditionnel contenant la pellicule. Le boîtier arrière contient une matrice comprenant des millions de cellules CCD. On pourrait appeler cette matrice une pellicule numérique, qui, comme une pellicule traditionnelle, est sensible à la lumière et capture et convertit les composantes rouge, verte et bleue en signaux numériques.

L'exposition fonctionne en principe de la même manière qu'avec un appareil photo normal qui utilise un obturateur à une vitesse donnée. Il suffit donc de régler l'obturateur et l'ouverture. Lorsque l'obturateur s'ouvre, la matrice sensible est exposée à la lumière qui enregistre alors l'image. Les appareils qui exigent trois expositions par image (trois passes, une pour chaque sélection de couleurs RVB) ne sont pas appropriés pour des sujets mobiles. Ces appareils sont aussi appelés appareils photo à balayage. Avec les appareils récents, qui capturent l'image en une seule opération, il est en principe possible de travailler comme avec un appareil courant. La résolution des appareils reflex est prédéfinie par la matrice CCD du dos numérique et dépend donc du nombre de cellules CCD ; il n'est donc pas possible d'augmenter la résolution. Les appareils les plus coûteux de cette gamme permettent une impression allant jusqu'au format A3 et une linéature de 133 lpi. Quant à la taille des fichiers, elle se situe souvent entre 15 et 20 Mo.

Il existe également une catégorie intermédiaire d'appareils, développée récemment, les appareils bridge, parfois présentés comme des appareils reflex ; il s'agit en réalité de faux reflex, dans la mesure où l'image présentée dans le viseur est recréée par un petit afficheur à cristaux liquides (LCD), alors que les appareils reflex possèdent un viseur optique véritable, comme les reflex argentiques (à pellicule). L'image obtenue dans le viseur des appareils bridge est moins fidèle que celle que l'on voit dans un viseur optique.

Ces appareils, qui offrent des résolutions de 3 à 5 mégapixels et dont le dispositif de visée est plus simple à concevoir, sont moins coûteux que les appareils numériques reflex. On les trouve dans des gammes de prix allant d'environ 500 à plus de 1 000 euros.

APPAREILS DE STUDIO 5.10.3

Ce sont les appareils de photo les plus lourds et les plus chers souvent utilisés dans les studios. De haute résolution, ces appareils restituent une image de très bonne qualité. À la différence des appareils dont nous venons de parler, ils peuvent utiliser des barrettes de cellules CCD au lieu d'une matrice. Les barrettes se déplacent alors dans le dos numérique et enregistrent l'image comme un scanner à plat.

Cette technique est bien plus lente que les appareils numériques grand public et reflex et les temps d'exposition peuvent aller jusqu'à plusieurs minutes. Par contre leur résolution est très élevée et la qualité de l'image supérieure. De même que les scanners, ces appareils permettent le réglage de la résolution. En utilisant la résolution maximale, la taille des fichiers se situe entre 100 et 150 Mo ce qui permet d'imprimer un format A2 avec une linéature de 133 lpi. Compte tenu du temps d'exposition important, ce type d'appareil ne permet pas la prise de vue de sujet mobile, mais convient à la photographie de produits ou autres sujets immobiles dans un studio. Ces appareils, destinés aux professionnels, sont en général plus coûteux que les précédents et peuvent valoir plusieurs dizaines de milliers d'euros.

ÉCLAIRAGE 5.10.4

Comme dans toute prise de vue, l'éclairage est important si l'on veut obtenir une bonne qualité de l'image. L'utilisation d'appareils photo numériques implique de prêter plus d'attention aux contrastes qu'avec la photo analogique. Par ailleurs, la manière de procéder diffère peu de celle utilisée avec un appareil traditionnel.

QUALITÉ 5.10.5

La qualité des images obtenues avec les appareils photo numériques évolués s'améliore régulièrement. Ils trouvent leur application dans les domaines de production de catalogues et d'autres types d'imprimés à des coûts intéressants, surtout lorsqu'on n'a pas besoin d'une perfection absolue. En outre, ils permettent de prendre de nombreuses photos et de les sélectionner rapidement tout en évitant les coûts d'achat et de développement des pellicules.

PRISE EN CHARGE DES FICHIERS RAW 5.10.6

Les fichiers RAW sont les fichiers bruts, non compressés, qui sont créés dans un premier temps par l'appareil numérique. En principe, ils sont ensuite convertis et compressés par la puce de l'appareil en JPEG (d'où une perte de qualité), puis stockés sur la carte.

Or, depuis la version CS, Photoshop peut importer et exploiter les fichiers RAW de la plupart des appareil du marché.

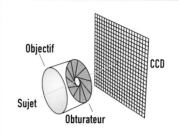

▶ TECHNIQUE CCD
Les appareils photos grand public et reflex capturent le motif via une matrice CCD.

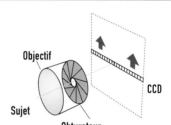

▶ TECHNIQUE DE BALAYAGE
Les appareils de studio ont des barrettes de cellules CCD qui balaient lentement le motif.

▶ PHOTOGRAPHIE NUMÉRIQUE

+ Pas de développement

+ Pas besoin de scanner les images

+ Distribution aisée des images

+ Rapidité

− Qualité légèrement inférieure

− Difficile pour des motifs mobiles

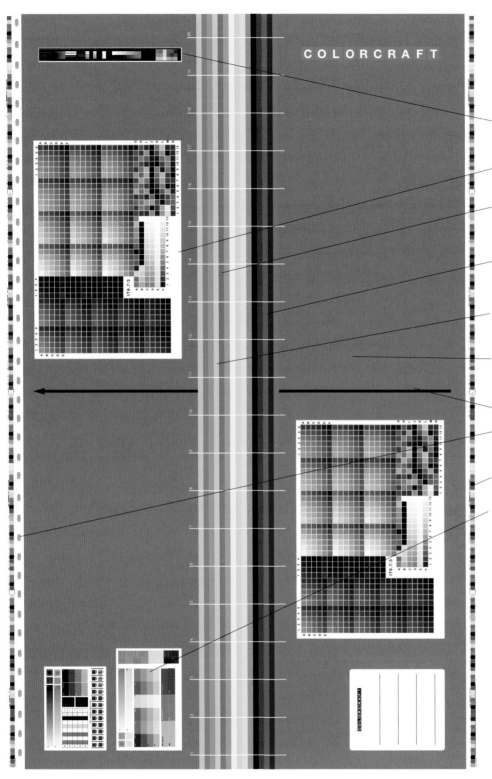

COLORCRAFT

▶ FORME TEST
Afin d'obtenir une impression de qualité optimale et de générer un profil ICC, il est utile d'imprimer une forme test, comme illustré ci-contre.

Gamme de contrôle UGRA permettant de vérifier l'exposition de plaque.

Mire IT8 permettant de générer un profil ICC.

Contrôle des contrastes à l'impression permettant de calculer l'encrage optimal.

Contrôle de recouvrement permettant de s'assurer du bon recouvrement des couleurs.

Barre d'engraissement permettant de mesurer l'engraissement du point.

Zone de stabilisation permettant de stabiliser l'encrage sur l'ensemble de la feuille.

Direction de l'impression.

Contrôle visuel de la balance des gris.

Zone de contrôle qualité de la presse.

Zones de contrôle diverses permettant de détecter les problèmes mécaniques de la presse (doublage, papillotage) [voir « L'impression » 13.5].

PRÉPARATION DES DOCUMENTS

6

PHASE STRATÉGIQUE

PHASE CRÉATIVE

► PRODUCTION DES ORIGINAUX

PRODUCTION DES IMAGES

► SORTIE / RASTÉRISATION

ÉPREUVES

PLAQUES + IMPRESSION

FINITION

DISTRIBUTION

CHAPITRE 6 PRÉPARATION DES DOCUMENTS **La création de documents et la production d'originaux destinés à la production en imprimerie sont beaucoup plus complexes qu'il n'y paraît. Une bonne connaissance des impératifs et des limites de l'impression sont nécessaires, mais de très bonnes compétences dans l'utilisation des logiciels et la réalisation des épreuves sont également indispensables.**

▶ **QUELQUES APPLICATIONS DE PRODUCTION GRAPHIQUE**
Il existe différents logiciels conçus pour la création d'images, bitmap et vectorielles, de textes et de pages. Même si certains logiciels permettent plus ou moins d'effectuer l'ensemble de ces opérations, il est conseillé d'utiliser un logiciel dédié à une fonction précise pour obtenir les meilleurs résultats. Par exemple, mieux vaut s'abstenir de faire de la mise en page dans un logiciel de traitement de texte.

La création d'un document destiné à l'impression ne se limite pas à la conception d'une mise en page. En effet, il est tout aussi important que le document en question puisse être traité par un RIP et imprimé. Les documents mal conçus peuvent d'une part entraîner une augmentation des coûts, des retards de production et d'autre part donner un résultat final de qualité moindre.

Dans ce chapitre, vous trouverez toutes les informations indispensables à la réalisation optimale d'un document destiné à l'impression. Nous traiterons de l'utilisation des polices, de la définition et du choix des couleurs, du traitement des images et des logos, de la défonce et du recouvrement, des grossis-maigris, ainsi que des fonds perdus et de l'impression sur deux pages. Enfin, nous passerons en revue les points à ne pas oublier avant de remettre un document à l'imprimeur. Intéressons-nous pour commencer aux logiciels de PAO.

LES LOGICIELS DE CRÉATION D'ORIGINAUX 6.1

Différents types d'applications sont nécessaires pour produire des originaux : les logiciels de traitement de texte pour rédiger les textes, les logiciels de retouche d'image pour travailler les images, les logiciels d'illustration pour la création d'illustrations et les logiciels de mise en page pour assembler les divers éléments. Il est important de travailler sur les logiciels les plus couramment utilisés dans la profession afin que les applications soient bien adaptées à la production graphique et que les fichiers soient plus facilement utilisables par tous les intervenants de la chaîne graphique.

LOGICIELS DE TRAITEMENT DE TEXTE 6.1.1

Microsoft Word est le plus répandu des logiciels de traitement de texte, mais il arrive que l'on utilise également WordPerfect. Ces logiciels servent à rédiger des textes qui peuvent ensuite être utilisés dans un logiciel de mise en page. Les anciennes versions ne posent en général aucun problème et sont même parfois à recommandées, car les logiciels de mise en page ne peuvent pas toujours importer les fichiers créés à l'aide des versions les plus récentes. Ce principe s'applique également si l'on veut être certain qu'une autre personne pourra ouvrir un fichier dans un autre traitement de texte. Notez également que les images d'un document de texte ne peuvent pas être importées dans un logiciel de mise en page, pas plus généralement que certains enrichissements typographiques apportés dans le traitement de texte. Par contre, les feuilles de styles sont, elles, importées.

LOGICIELS DE MISE EN PAGE 6.1.2

QuarkXPress, Adobe InDesign et Adobe PageMaker sont les logiciels de mise en page les plus utilisés ; leurs fonctions sont à peu près équivalentes. Ils permettent d'assembler textes, illustrations et images en pages complètes et de créer des originaux qui sont ensuite imprimés sur films ou fournis sous forme de fichiers destinés aux imprimeurs. Les trois logiciels tournent aussi bien sous Macintosh que sur PC. Notez toutefois que Page-Maker est progressivement remplacé par InDesign.

LOGICIELS DE RETOUCHE D'IMAGES 6.1.3

Adobe Photoshop est le logiciel de prédilection des professionnels pour le traitement des images bitmap. D'autres logiciels sont disponibles, tous n'acceptent pas le format de fichier d'image Photoshop. Les images doivent être enregistrées aux formats, EPS, DCS (quatre fichiers EPS), PDF ou TIFF [voir « Les images » 5.3].

LOGICIELS D'ILLUSTRATION 6.1.4

Adobe Illustrator et Macromedia Freehand sont les logiciels les plus fréquemment utilisés pour la création d'illustrations et d'images vectorielles. Les formats d'enregistrements sont EPS ou PDF [voir « Les images » 5.1.7].

LOGICIELS MOINS ADÉQUATS 6.1.5

Les logiciels Microsoft Word, Corel WordPerfect, Microsoft PowerPoint et Microsoft Excel ne sont pas basés sur le langage de description de page PostScript [voir « Sortie » 9.3.3]. Pour cette raison, ils ne conviennent absolument pas à la production d'originaux destinés à la production graphique. Cela ne signifie pas pour autant que ces logiciels ne sont pas performants.

LES POLICES 6.2

Deux formats de polices sont généralement utilisés en production graphique : TrueType et PostScript. PostScript Type 1 est le plus répandu dans le métier. Les polices TrueType conviennent moins bien aux réalisations. Lors d'une impression sur une imprimante Post-Script d'un document comportant des polices TrueType, les polices du documents sont converties en courbes de Bézier. Cette conversion peut provoquer des changements dans la typographie et donc dans la disposition des textes imprimés, alors même que tout semble correct à l'écran. En choisissant de travailler avec des polices PostScript Type 1, le standard pour l'impression graphique, vous évitez les risques de problèmes avec les textes. Les polices PostScript étant basées sur les courbes de Bézier, elles peuvent en principe être agrandies à l'infini sans altérer la qualité [voir « Caractères et polices » 3.4.1].

▶ **FORMATS DE FICHIER**

Texte : Word, RTF, ASCII

Images bitmap : DCS, EPS, TIFF

Images vectorielles : EPS

Documents de mise en page : QuarkXPress, Adobe PageMaker et InDesign

Documents prêts-à-imprimer : PDF

▶ **PARTAGER LES LONGS DOCUMENTS**

Adobe PageMaker et QuarkXPress limitent le nombre de pages contenues dans un document. Il peut donc être nécessaire de fractionner un document et de synchroniser les différentes parties entre elles par un fichier « livre ». Le partage peut également faciliter le travail et la gestion des documents.

▶ **CONSEILS DE TYPOGRAPHIE**

Prenez l'habitude de ne pas utiliser les fonctions italique, gras, contour, etc., du logiciel de mise en page. Choisissez plutôt les variantes correspondantes des polices, sans quoi il pourrait se produire des erreurs lors de la rastérisation.

Même si elles portent parfois le même nom, les polices de différents fournisseurs ne sont pas forcément en tous points identiques : il est donc recommandé de s'en tenir à un même fournisseur. Si l'on remplace une police par une autre du même nom, mais qui provient d'un autre fournisseur, il faut s'attendre à avoir de mauvaises surprises, comme des changements dans le texte et dans les lignes. Il est impossible d'évaluer le nombre de polices existantes sur le marché ; aucun fournisseur ne les possède toutes et encore moins dans chaque version. À la remise d'un document, son créateur communique le plus souvent une copie des polices utilisées. Du point de vue juridique, ce procédé n'est pas légal, mais il est cependant toléré si les polices ne sont utilisées que pour le temps nécessaire à la réalisation d'un travail. C'est une manière simple de s'assurer que l'impression se déroulera sans problèmes [voir « Caractères et polices » 3.2.2].

LE TRAITEMENT DES COULEURS 6.3

Lors de la création d'un original, on utilise souvent plusieurs couleurs dans un document. Nous allons définir brièvement quelques points importants à garder à l'esprit pour le traitement de la couleur. Nous définirons les termes de tons directs et de quadrichromie, ainsi que leurs différentes utilisations.

CHOIX DES COULEURS 6.3.1

Au moment du choix des couleurs d'un document, il faut décider de travailler soit avec la gamme des tons directs, soit avec la gamme des tons de la quadrichromie, ou bien avec les deux. La quadrichromie utilise les quatre encres d'impression (cyan, magenta, jaune et noir), alors que les tons directs sont des couleurs d'encre correspondant à des mélanges prédéfinis. Il existe une large gamme de ces couleurs et on les trouve dans les nuanciers Pantone [voir « La couleur » 4.5.5].

Choisissez les tons directs si :
- vous souhaitez n'utiliser qu'un ou deux tons dans l'imprimé ;
- vous voulez utiliser un texte coloré et non pas noir (surtout si le texte est fin ou le corps petit) ;
- il est important qu'une couleur spécifique soit reproduite exactement, par exemple pour un logo ou pour un aplat (surface de couleur unie).

Choisissez les tons de la quadrichromie si :
- vous devez imprimer des images en couleurs ;
- vous utilisez plus de deux couleurs.

Utilisez les tons directs et la quadrichromie si :
- vous voulez utiliser un ou plusieurs tons directs en plus des couleurs quadri pour obtenir un effet graphique spécial ;
- vous devez imprimer des couleurs or, argent, fluorescentes ou autres qui ne sont pas imprimables avec les combinaisons des tons de la quadrichromie,

- il est important qu'une couleur spécifique soit reproduite exactement, par exemple pour un logo ou pour un aplat.

Remarque importante : la concordance des couleurs à l'écran avec les couleurs imprimées n'étant pas très exacte, il est recommandé d'utiliser des nuanciers, que vous travailliez avec des tons directs ou en quadrichromie.

UTILISATION DES COULEURS DE LA QUADRICHROMIE 6.3.2

Le travail en quadrichromie signifie que l'on utilise le système de synthèse soustractive des couleurs : cyan, magenta, jaune et noir (CMJN). Celles-ci peuvent être combinées pour créer une variété de couleurs différentes [voir « La couleur » 4.5.2]. Les nuanciers quadri indiquent les différentes compositions de CMJN pouvant être imprimées sur un papier donné. Ainsi, il existe des nuanciers pour papiers couchés et non couchés, ainsi que pour les papiers journaux. Veillez à utiliser le nuancier correspondant le mieux au papier choisi pour l'impression. Un nuancier permet de choisir directement la combinaison des couleurs afin d'obtenir un résultat donné à l'impression. Lors de la combinaison des tons quadri, il est recommandé de ne pas faire de mélange contenant trop d'encre. Selon le procédé d'impression et le type de papier, on ne peut pas imprimer avec plus 240 à 340 % d'encre (en théorie, la valeur maximale d'encrage est de 400 %). Une impression offset feuilles par exemple supporte environ 340 % d'encre, tandis que sur papier journal, le pourcentage est limité à environ 240 %. Les valeurs exactes peuvent être fournies par l'imprimeur [voir « L'impression » 13.4.5].

Lors de l'impression d'un grand nombre de couleurs superposées, on n'obtient jamais une concordance parfaitement exacte ; c'est ce que l'on appelle un défaut de repérage. Avec de grands éléments comme les images, les illustrations, les zones colorées ou les blocs de texte de grande taille, cela ne se remarque presque pas. Par contre, avec de plus petits éléments, petits textes, dessins aux traits fins ou illustrations détaillées, ce défaut est accentué et ces éléments peuvent avoir une apparence floue. Il n'est donc pas recommandé de colorer les textes ou des graphismes (images au trait) avec des combinaisons de tons quadri. S'il est important de donner une couleur particulière à un texte ou à un graphisme, il est préférable de choisir un ton direct particulier pour l'imprimer. Le même phénomène peut se produire si l'on utilise des textes négatifs (en noir au blanc) ou des graphismes sur un fond coloré ou une image en couleur. Dans ces cas, il est préférable de choisir une des

▶ **NUANCIER COULEURS CMJN**
Il est déconseillé de choisir une couleur à partir de la palette de l'écran. Mieux vaut utiliser un nuancier couleurs imprimé sur un papier du même type que celui sur lequel vous souhaitez imprimer votre document. Les nuanciers donnent les pourcentages de couleurs CMJN pour chaque couleur représentée.

Un texte qui comporte de nombreuses couleurs superposées comme celui-ci présente de forts risques de défaut de repérage.

Il est plus sûr de composer un texte dans l'un des quatre tons quadri ou dans un ton direct pour éviter tout risque de défaut de repérage.

▶ **DÉFAUT DE REPÉRAGE DANS UN TEXTE**
Évitez de colorer les caractères de petite taille avec une combinaison quadri qui peut facilement provoquer un défaut de repérage

Il est déconseillé d'utiliser des polices de caractères romains pour le texte de petite taille en négatif sur fond coloré, car les empattements fins risquent de disparaître complètement.

Il vaut mieux choisir une police san sérif avec des lignes plus épaisses.

▶ **TEXTE NÉGATIF SUR FOND QUADRI**
Évitez les caractères romains de petite taille en négatif sur fond composé de plusieurs tons quadri.

Sur fond monochrome, il ne se produit aucun défaut de repérage. Ainsi, il est toujours plus sûr de placer un texte négatif sur des surfaces d'une seule couleur.

▶ **FONDS MONOCHROMES = SÉCURITÉ**
Afin d'éviter tout défaut de repérage dans un texte négatif, placez-le sur un fond monochrome.

N 100 %	+	C 50 %	+	M 50 %	=	N 100 %, C 50 %, M 50 %
N 100 %	+	C 50 %	+		=	N 100 %, C 50 %
N 100 %	+		+	M 50 %	=	N 100 %, M 50 %

▶ **NOIR PROFOND – 1**

En mélangeant 100 % de noir avec 50 % de cyan et 50 % de magenta, on obtient un noir plus profond qu'avec seulement du noir. Avec seulement du noir et du cyan, le noir est aussi plus profond, mais plus froid. Avec du noir et du magenta, on obtient un noir profond plus chaud.

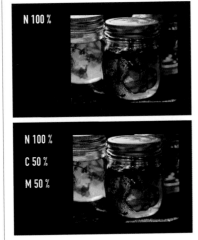

▶ **NOIR PROFOND – 2**

Si l'on place une image en quadrichromie dans un cadre noir ou sur un fond imprimé seulement avec du noir, celui-ci paraît plus pâle que l'image. Cet effet se remarque particulièrement sur du papier de qualité inférieure.

▶ **NOIR ET BLANC / QUADRICHROMIE**

Une image en niveaux de gris semble généralement pâle en comparaison à un fond saturé ou à une image quadri.

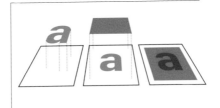

▶ **LES COULEURS QUADRI SONT TRANSPARENTES**

C'est le principe même de la synthèse soustractive des couleurs : un élément imprimé transparaît à travers une couleur quadri le recouvrant.

▶ **MÊME LE NOIR EST TRANSPARENT**

Un aplat 100 % noir ne masque pas un élément imprimé avec une autre couleur quadri. Pour le cacher entièrement, un noir profond est nécessaire.

couleurs de la quadrichromie, par exemple le noir, ou un ton direct pour le fond. Si l'on doit placer un texte négatif sur un fond coloré (image ou aplat), mieux vaut choisir une police sans sérif. Les polices de caractères romains ont des empattements fins qui risquent de disparaître complètement lors de l'impression sur un fond de couleur. L'importance des problèmes de repérage varie considérablement selon les différentes méthodes d'impression. L'impression de quotidiens sur presse rotative donne plus de difficultés de repérage qu'une impression offset sur machine feuilles [voir « L'impression » 13.5.1].

Une zone colorée devant être d'un noir profond requiert 100 % de noir et près de 50 % de cyan ou de magenta. En effet, si elle ne contient que 100 % de noir, elle paraîtra grise en comparaison. Si l'on choisit le magenta, on obtient une nuance de noir plus chaude et, à l'inverse, plus froide si l'on choisit du cyan. Il est important que les zones cyan et magenta soient légèrement plus petites que la zone colorée en noir, afin de parer à un défaut de repérage visible [voir 6.7]. Si l'on doit placer une photo en couleur à l'intérieur d'une surface de noir profond, il est recommandé d'utiliser la méthode ci-dessus de manière à ce que le fond ne paraisse pas plus pâle que les parties noires de la photo. Une autre situation dans laquelle il est recommandé de choisir un noir profond (composé de noir avec du cyan ou du magenta) est lorsqu'on souhaite couvrir d'autres éléments. Les couleurs utilisées en quadrichromie sont « transparentes ». Ainsi, un élément imprimé et recouvert d'un aplat réalisé avec une seule couleur quadri transparaîtra. Le mélange de noir et de cyan ou de magenta suffit généralement à masquer complètement les éléments imprimés au-dessous.

UTILISATION DES TONS DIRECTS 6.3.3

Si l'on pense utiliser un ton direct et des couleurs quadri ou bien plus de deux tons directs, il faut se renseigner auprès de l'imprimeur au sujet du nombre d'encres utilisables sur ses presses. Si, par exemple, ses machines ne peuvent imprimer que quatre couleurs, un produit à imprimer avec un ton direct en plus des couleurs primaires devra passer deux fois dans la presse. Or, cela peut nettement augmenter le prix de l'impression. De nombreux imprimeurs disposent de presses pouvant imprimer en cinq, six ou huit couleurs. Ainsi, pour imprimer un produit en quadrichromie plus deux tons directs dans une presse six couleurs, un seul passage en machine suffit.

Avec une impression standard en quadrichromie plus un ou deux tons directs, on peut par exemple combiner des images quadri avec des textes, des logos ou des aplats en tons directs. Un autre moyen courant d'imprimer simultanément en quadrichromie et en tons directs consiste à combiner du noir avec un ton direct. Cette technique est courante pour l'impression de papiers à entête ou de cartes de visite. Il existe des nuanciers Pantone spéciaux permettant de choisir les tons directs et de voir comment ils sortiront à l'impression. Ces nuanciers reproduisent les tons imprimés sur papier couché ou non couché [voir « La couleur » 4.7.1].

À l'impression, chaque couleur possède son propre film. Le nombre de films correspond au nombre de plaques et donc au nombre de couleurs dans la presse. Si l'on travaille avec des images quadri et deux tons directs, le document est imprimé en six couleurs : CMJN pour les images plus deux tons directs. Un moyen de contrôler que le document comporte le même nombre de couleurs consiste à faire une impression en couleurs séparées sur une imprimante laser. Chaque couleur utilisée sortira séparément, exactement comme la sortie sur film ou sur plaque. Ainsi, si le document comporte une image en quadrichromie et deux tons directs, on obtient six tirages, quatre pour l'image et deux pour les tons directs choisis. Si d'autres couleurs ont été sélectionnées dans la palette de couleurs, elles seront également imprimées même si elles n'ont pas été utilisées dans le document. Ces couleurs doivent par conséquent être éliminées avant de remettre le travail pour la sortie sur film/sur plaque. En effet, dans le cas inverse, on court le risque de devoir payer l'impression des pages vides correspondant aux couleurs non utilisées. Il est de toute façon important d'informer l'imprimeur des tons directs utilisés.

Conversion d'un ton direct en quadrichromie :

• Vous pouvez soit comparer le nuancier Pantone à un nuancier quadrichromie afin de trouver la composition CMJN se rapprochant le plus du ton direct, soit, ce qui est la méthode la plus fiable, utiliser un nuancier Pantone indiquant la correspondance CMJN des tons directs de la gamme Pantone. Ce nuancier s'appelle Solid to Process Guide et il est recommandé d'utiliser une version récente et adaptée aux normes d'encrage européennes (version EURO).

• Décochez Couleur d'accompagnement (nom de l'option dans QuarkXPress) dans la définition de la couleur.

• Spécifiez la composition CMJN que vous avez choisie à l'aide des nuanciers.

▶ **NUANCIER PANTONE**
Pour sélectionner les tons, on utilise des nuanciers Pantone préimprimés. Dans le type de nuancier ci-dessus, vous pouvez détacher les touches de couleur. Il existe également des nuanciers fournissant les valeurs de conversion CMJN de différents tons Pantone.

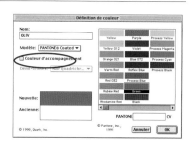

▶ **SÉPARATIOM CMJN DES TONS PANTONE**
Pour l'impression en quadrichromie, vous pouvez utiliser les tons Pantone dans QuarkXPress, Adobe InDesign ou Adobe PageMaker.

Il est cependant important de s'assurer que la séparation CMJN a été effectuée avant l'impression. Adobe PageMaker, Adobe InDesign et QuarkXPress peuvent séparer automatiquement les tons directs dans un document. Dans QuarkXPress, par exemple, la case Couleur d'accompagnement ne doit pas être cochée (voir ci-dessus). Toutefois, les applications utilisent leurs propres valeurs de séparation, qui ne donnent que rarement de bons résultats. Il est donc recommandé de contrôler les tons dans un nuancier et de les séparer manuellement en inscrivant les valeurs de chaque composante CMJN.

Adobe PageMaker, Adobe InDesign et QuarkXPress peuvent automatiquement faire la conversion CMJN des tons directs dans un document. Dans ce cas, l'application utilise ses propres valeurs de conversion, mais cela donne rarement de bons résultats ; il est donc fortement recommandé d'utiliser la méthode précédente et de spécifier soi-même les valeurs CMJN restituant les tons directs. Sachez toutefois que le procédé quadri ne permet pas de restituer tous les tons directs disponibles dans la gamme Pantone et que, selon le ton choisi, le résultat ne pourra parfois être qu'une approximation plus ou moins proche.

UTILISATION DES VERNIS 6.3.4

Les vernis permettent parfois de donner plus de brillant à l'impression ; ils peuvent être appliqués sur l'ensemble d'une page ou bien seulement sur certains éléments (un logo, par exemple) afin de créer des effets spéciaux ; c'est ce que l'on appelle le vernis sélectif [voir « Finition », 14.12.2]. Vous pouvez travailler avec les vernis de la même manière qu'avec les tons directs : commencez par définir le vernis en tant que couleur spéciale et indiquez ensuite sur quels éléments il va être appliqué. Pour contrôler le résultat, vous pouvez faire un tirage sur imprimante laser en sélectionnant uniquement la « couleur vernis » : les zones imprimées en noir sur ce tirage seront vernies à l'impression.

LE TRAITEMENT DES IMAGES 6.4

Outre les couleurs et la typographie, les images jouent un rôle prépondérant dans la réalisation d'originaux. Avant de se lancer dans la production proprement dite, il faut préparer une maquette, décider de la taille des images à utiliser et déterminer les types de traitements. Il est également important de choisir le bon format d'image et la méthode d'incorporation (de liaison) des images dans le document.

FORMATS DE FICHIERS D'IMAGES POUR L'IMPRESSION 6.4.1

Pour être imprimées, les images scannées, qui sont en mode RVB (mode de couleurs utilisé par les moniteurs et les scanners), doivent être converties en mode CMJN (mode de couleur utilisé pour la restitution sur papier ou autres supports) ; cette conversion est appelée séparation CMJN. Lors de la séparation, il faut adapter les images au type de papier et au procédé d'impression qui seront utilisés [voir « Les images » 5.8].

Il existe trois formats de fichier d'images appropriés pour l'impression : EPS, DCS et TIFF. Les images non enregistrées dans ces formats doivent être converties et réenregistrées dans les logiciels utilisés pour être imprimées. De plus, elles doivent être séparées en mode CMJN et enregistrées dans l'un des formats approprié, avec une application comme Adobe Photoshop par exemple [voir « Les images » 5.3].

MONTAGE ET RETOUCHE DES IMAGES 6.4.2

Lorsqu'on monte des images avec un logiciel de mise en page, il faut commencer par définir leur taille. Il s'agit d'une étape importante, car la qualité de l'image dépend du facteur d'agrandissement lors de la scannérisation. En général, on peut agrandir une image jusqu'à 120 % sans trop altérer la qualité, dans la mesure où la résolution était optimale

▶ **IMAGES DANS LES DOCUMENTS**
L'écran du haut correspond au gestionnaire de liens d'images dans QuarkXPress via le menu `Usage -> Images` ; celui du bas est l'équivalent dans Adobe InDesign via `Fenêtre -> Liens`. Dans QuarkXPress, vous pouvez contrôler dans quelle page se trouve l'image, le type de fichier, l'état du lien et si elle doit être imprimée ou non.

à 100 %. Si une image doit être agrandie au-delà de 120 %, il vaut mieux la scanner une seconde fois plutôt que de l'agrandir avec un logiciel de mise en page [voir « Les images » 5.5.11].

La définition de la taille d'une image est importante, car sa résolution lors de la scannérisation dépend de son format sur le document à imprimer, de son format d'origine et de la linéature d'impression. Par exemple, si la taille d'une image est inconnue, il faut la scanner avec une haute résolution afin d'éviter des problèmes de qualité dans le cas où l'image doit être très agrandie. Cette méthode est assez onéreuse, car le prix de la scannérisation est souvent fonction de la taille et de la résolution. De plus une résolution excessivement haute n'améliore en rien la qualité de l'imprimé, alors que le temps nécessaire pour la traiter est plus long.

On peut également modifier les images avec un logiciel de mise en page, en les faisant tourner ou en les inclinant par exemple, mais l'on perd alors un temps précieux, car le RIP doit recalculer ces images en haute résolution à chaque fois. En conclusion, il est donc recommandé de traiter les images avec un logiciel de retouche d'images plutôt qu'un logiciel de mise en page et de les monter ensuite dans les documents avec un logiciel de mise en page.

IMAGES LIÉES 6.4.3

Lorsque qu'une image est montée avec un logiciel de mise en page, celui-ci place une image en basse résolution dans le document. Cette image basse résolution fait référence à une image haute résolution ; cette référence est appelée lien. Lors de la sortie du document, le logiciel utilise ce lien pour rechercher l'image haute résolution et remplacer la version basse résolution. Ce lien étant constitué par référence au nom du fichier et à son emplacement dans l'arborescence de fichiers de l'ordinateur, il ne faut ni renommer, ni déplacer ce fichier image au risque de rompre le lien.

Si vous devez déplacer un fichier, mettez à jour le lien en indiquant au programme son nouvel emplacement. Pour contrôler que toutes les images sont correctement liées, sélectionnez le menu `Usage -> Images` dans QuarkXPress et `Fenêtre -> Liens` dans Adobe InDesign. Pour mettre à jour les liens, cliquez sur `Mettre à jour` et indiquez le nouvel emplacement des fichiers images. Dans Adobe PageMaker, vous pouvez enregistrer les images montées directement dans le fichier document. Il faut cependant éviter, car vous risquez d'obtenir des documents d'un volume important et difficiles à manipuler. De plus, il est impossible de retoucher des images enregistrées dans un fichier document.

LE TRAITEMENT DES LOGOS 6.5

Les tons directs sont fréquemment utilisés pour les logos. Avant d'imprimer en quatre couleurs, il est nécessaire de convertir les tons directs en CMJN en utilisant un nuancier de conversion [voir 6.3.3], ou bien de rechercher dans un nuancier quadri la correspondance se rapprochant le plus du ton direct du logo. Aujourd'hui, la plupart des entreprises réalisent des logos en quadrichromie afin d'éviter les écarts de conversion entre différents procédés et d'une période à une autre.

Les logos sont habituellement des images vectorielles et non bitmap. Cela signifie qu'ils sont définis par des courbes mathématiques et qu'ils peuvent être redimensionnés sans altérer leur qualité. Lorsqu'un logo est enregistré comme image bitmap, il est préférable de le vectoriser, par exemple dans Adobe Streamline [voir « Les images » 5.1.6].

LA DÉFONCE ET LE RECOUVREMENT 6.6

Lorsque deux éléments doivent être superposés (par exemple, un texte sur une zone colorée), vous pouvez choisir d'imprimer l'élément du dessus directement sur la zone colorée ou bien de « défoncer » la zone ; un blanc apparaît alors dans la zone colorée avec la même forme que cet élément qui est ensuite imprimé sur la surface évidée. Dans le premier exemple, appelé recouvrement, l'encre utilisée pour imprimer le texte superposé se mélange avec celle de la zone colorée, créant ainsi une nouvelle couleur. Dans le second exemple, appelé défonce, le texte a la couleur définie dans l'application de mise en page. Par défaut, le logiciel de mise en page choisit automatiquement la méthode de défonce. Cette dernière peut cependant engendrer des espaces vides ou des défauts de repérage. Pour remédier à ce problème, il faut selon le cas utiliser la technique du grossi ou le recouvrement (voir plus bas).

Lorsque le contraste entre un élément foncé et un fond clair est relativement important, il est préférable de choisir le recouvrement. Dans le cas d'un texte en noir, le recouvrement est toujours recommandé, car il est alors impossible d'avoir un défaut de repérage entre les éléments ; de plus, la sortie de la page est plus rapide. Le recouvrement est également préconisé dans le cas de lignes fines ou d'un texte de petite taille, à condition que cela n'entraîne pas une modification trop importante de la couleur des lignes ou du texte.

Avec la technique du grossi, les dimensions des éléments sont légèrement modifiées. Plus l'objet est petit, plus cet effet est évident, car la dilatation est la même, indépendamment de la taille de l'élément. C'est la raison pour laquelle il faut, dans la mesure du possible, choisir le recouvrement plutôt que la technique du grossi pour les petits éléments. Gardez également à l'esprit qu'un texte noir imprimé sur une zone colorée a, par rapport à un fond blanc, des tons noirs plus profonds. Si l'on veut éviter cet effet, il est préférable d'imprimer le texte noir en défonce. De cette manière, tout le texte est imprimé sur fond blanc et a le même ton de noir.

▶ **LOGOS EN PLUSIEURS VERSIONS**
Lorsqu'on crée un nouveau logo en tons directs, il est judicieux d'en réaliser une version en CMJN (parfois, il peut aussi être utile d'en réaliser une version en noir et blanc).

LES GROSSIS-MAIGRIS (TRAPPING) ^{6.7}

Comme nous l'avons dit plus haut, on obtient toujours un défaut de repérage plus ou moins grand en imprimant plusieurs couleurs les unes sur les autres, en raison du procédé d'impression et des variations de dimension du papier, aussi bien en longueur qu'en largeur [voir « L'impression » 13.3.6]. Si l'on a effectué une défonce, le défaut a la forme d'un espace blanc ou décoloré entre un élément et le fond. Même les petits défauts peuvent être visibles. Ce type de problème survient notamment lors de l'impression sur presse offset rotative et en flexographie.

Pour résoudre ce problème, on peut utiliser les techniques de grossi-maigri, également qualifiées de *trapping*, terme anglo-saxon équivalent. Le grossi signifie qu'un objet est légèrement dilaté de manière à ce qu'il déborde sur un autre. Par exemple, si une zone colorée est placée directement à côté d'une autre, il est possible d'éviter un écart blanc entre celles-ci en faisant chevaucher légèrement l'une d'elles sur l'autre. Les logiciels les plus courants pour la production de documents, comme Adobe PageMaker, Quark-XPress, Adobe InDesign et Adobe Illustrator, intègrent des outils de grossi-maigri. Il existe également des logiciels puissants dédiés tels que Creo TrapWise et Island Trapper. Comme ces logiciels représentent un investissement lourd et qu'ils occupent beaucoup de mémoire, ils sont réservés à des environnements de grosse production.

Si le grossi correspond à la dilatation d'un objet superposé, le maigri signifie que l'objet défoncé, c'est-à-dire l'évidement, est rétréci. Les deux fonctions donnent un débord de l'objet sur le fond et vice-versa, empêchant qu'il ne se produise un espace vide suite à de légers défauts de repérage. Le degré d'effet de grossi-maigri est fonction de l'importance du défaut de repérage au cours du procédé d'impression. Plus le défaut de repérage est important, plus l'effet de grossi-maigri devra être prononcé. Le débord résultant du grossi ou du maigri signifie qu'un objet et le fond sont partiellement imprimés l'un sur l'autre et qu'il se crée ainsi une nouvelle couleur plus foncée. On obtient alors un contour visible qui peut parfois être gênant. Cependant, un tel contour est souvent préférable à un espace blanc. Ce contour se remarque d'autant plus si le contraste entre l'objet et le fond est important.

Les parties les plus foncées d'un objet ou d'un fond déterminent la forme perçue par l'œil ; c'est pourquoi on choisit généralement de faire des grossis-maigris sur les parties les plus claires pour éviter que l'œil ne perçoive un changement de forme de l'objet. Si, par exemple, on maigrit un fond jaune sous un texte bleu foncé, ce dernier conservera sa forme optique. Si, au contraire, on grossit le texte bleu, celui-ci sera nettement déformé. Dans les exemples ci-contre, nous avons utilisé deux couleurs quadri pour simplifier l'illustration.

Si la couleur de l'objet et celle du fond sont similaires, il est préférable de ne pas utiliser de défonce et de grossi. Dans ce cas, un défaut de repérage créerait une zone de couleur intermédiaire entre celle de l'objet et celle du fond. Le grossi n'est pas non plus nécessaire sur des objets en couleurs primaires lorsque les couleurs de l'un des objets a une valeur d'encrage supérieure à l'autre.

La fonction grossi-maigri des applications de mise en page ne peut traiter que des objets simples comme les textes sur des zones colorées. Pour des objets plus complexes (par exemple ceux ayant des variations de tons et des motifs pour lesquels le grossi-maigri doit être changé pas à pas en fonction des variations de couleur), il est nécessaire de disposer de logiciels spécialisés plus puissants (généralement appelé logiciels de *trapping*).

▶ RECOUVREMENT ET DÉFONCE – 1
Comme vous pouvez le constater, les couleurs se mélangent du fait du recouvrement et le résultat peut être fâcheux.

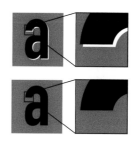

▶ RECOUVREMENT ET DÉFONCE – 2
Lorsque la couleur d'un élément n'est pas sensible aux changements de tons, comme le noir, le recouvrement est recommandé pour éviter des « blancs ».

▶ ENCRE TRANSPARENTE ET RECOUVREMENT
L'encre d'impression étant transparente, l'élément en arrière-plan peut transparaître. Cela peut poser des problèmes comme celui de l'image ci-dessus.

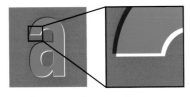

Pour un texte de petite taille, il vaut mieux utiliser la technique du recouvrement que celle de la défonce et du grossi.

Pour un texte de petite taille, il vaut mieux utiliser la technique du recouvrement que celle de la défonce et du grossi.

▶ RECOUVREMENT DE PETIT TEXTE

Après une défonce et un grossi, il est recommandé d'imprimer un texte de petite taille en recouvrement pour éviter de modifier son aspect.

▶ DÉFAUT DE REPÉRAGE EN DÉFONCE

En cas de défonce et de défaut de repérage. on obtient des zones blanches ou décolorées.

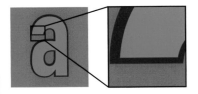

▶ GROSSI-MAIGRI

Au grossi, un objet est dilaté tandis qu'au maigri, le fond en défonce est contracté.

▶ CONTOUR DÉCOLORÉ

Après un grossi et un maigri, on obtient un contour décoloré. Si deux éléments ont une opacité similaire, la zone de recouvrement prend une teinte plus foncée, parfois inesthétique.

CHOIX DU DEGRÉ DE L'EFFET DE GROSSI-MAIGRI 6.7.1

Il est difficile de donner des recommandations d'ordre général sur les valeurs à appliquer, car celles-ci sont spécifiques à chaque procédé d'impression et à chaque qualité de papier. Si l'on veut appliquer cet effet soi-même, il faudra demander à l'imprimeur les valeurs qu'il recommande. Selon le procédé d'impression, ces valeurs se situent généralement entre 0,1 et 0,5 point. À la remise de documents numérisés et avant impression, il est important d'informer l'imprimeur que l'on a réalisé le grossi-maigri soi-même ou, dans le cas contraire, lui demander de le faire.

LES FONDS PERDUS 6.8

Les zones d'une page où les images ou les zones colorées vont jusqu'aux limites du papier s'appellent des fonds perdus. Il est important que ces objets débordent légèrement du format du document pour être sûr qu'ils couvrent toute la page après le massicotage et la finition. Dans le cas contraire, les images ou les zones colorées risquent de ne pas atteindre le bord du papier et l'on obtient alors un bord blanc disgracieux entre l'élément imprimé et le bord du papier. Les procédés d'impression et de finition n'étant jamais exacts, il est recommandé de garder une marge de sécurité (un fond perdu) d'au moins 5 mm au-delà du format.

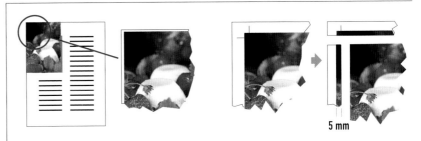

5 mm

▶ IMAGE EN FONDS PERDUS

Si l'on place une image à l'extrême bord d'un document, un contour blanc va probablement apparaître autour de l'image. La solution consiste à faire dépasser l'image d'au moins 5 mm à l'extérieur de la page et de couper ensuite nettement la feuille après impression. Ainsi, l'image couvrira le bord de la page, elle sera « à fonds perdus ».

▶ CHANGEMENT DE FORME DES OBJETS FONCÉS

L'œil perçoit plus facilement les changements de forme des objets foncés. Dans le cas ci-dessus, on choisit de faire un maigri du fond pour éviter les effets néfastes. Dans l'exemple du haut, le texte foncé a été grossi provoquant une forme gênante à l'œil.

L'IMPRESSION SUR DEUX PAGES 6.9

Parfois, une image ou un autre objet doit être placé sur une page double, chaque moitié étant alors souvent imprimée sur des feuilles séparées ou bien sur des parties différentes d'une feuille. Ainsi, les pages ne sont pas imprimées directement l'une à côté de l'autre [voir « Finition » 14.3.1]. Les pages imprimées de cette manière sont appelées fausses doubles-pages. Lors de la finition des feuilles imprimées, incluant leur pliage, il peut être difficile d'obtenir un repérage parfait entre les deux pages. Il est donc déconseillé

▶ **GROSSI DE LA MOITIÉ D'UN OBJET**
Afin d'éviter la décoloration d'objets, effectuez un grossi-maigri uniquement là où cela s'avère nécessaire.

ATTENTION - FAUSSE DOUBLE-PAGE

▶ **DIFFICULTÉS – 1**
On obtient toujours une certaine variation de la composition de la couleur entre les feuilles imprimées et même parfois entre le côté droit et gauche d'une feuille. Pour cette raison, il faut éviter de placer des objets ou des images dont la qualité de la couleur est importante à cheval sur une fausse double-page.

▶ **DIFFICULTÉS – 2**
On n'obtient jamais un repérage à 100 % entre deux pages séparées. Pour cette raison, il faut éviter de placer des objets ou des images en diagonale sur des pages séparées.

▶ **GROSSI-MAIGRI NON NÉCESSAIRE**
Si un objet et un fond ont la même composition de couleurs quadri, le vide engendré par un défaut de repérage a une couleur proche de celle du fond et de celle de l'objet. Il n'est donc pas nécessaire de faire un grossi-maigri.

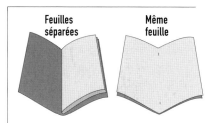

Feuilles séparées   Même feuille

▶ **FAUSSE ET VRAIE DOUBLE-PAGE**
Une fausse double-page se compose de deux pages imprimées séparément (gauche). Une vraie double-page ne comporte qu'une seule et même feuille (droite).

▶ **DIFFICULTÉS – 3**
Il faut également éviter les traits fins à cheval sur deux pages. Les traits épais sont moins sensibles au défaut de repérage.

▶ **RASSEMBLER LES ÉLÉMENTS POUR LA SORTIE**
QuarkXPress possède une fonction permettant d'enregistrer un document et de rassembler tous les objets et images s'y rapportant. Le tout est inséré dans un dossier comportant également un rapport sur le contenu.

d'imprimer de cette manière des éléments particulièrement délicats comme des textes de petite taille ou des traits fins. Les images en diagonale sur une double-page sont également très sensibles aux mauvais raccords. Il faut aussi éviter de placer à cheval sur une double page des images ou des éléments qui ne doivent subir aucun changement de couleur. La combinaison des couleurs dans la presse à imprimer varie tout au long du tirage et lors des différents calages (démarrages et redémarrages de production). Ainsi, les deux parties d'une image placée sur deux pages adjacentes peuvent présenter des différences de couleur.

LE CONTRÔLE ET LA REMISE DES DOCUMENTS 6.10

Avant de remettre les documents originaux pour le traitement suivant, il est important de les contrôler une dernière fois, notamment par le biais d'une épreuve. Il faut ensuite rassembler tous les fichiers se rapportant au document (images, illustrations, logos et polices) dans un dossier. QuarkXPress, Adobe InDesign et Adobe PageMaker possèdent des fonctions d'enregistrement de documents qui rassemblent tous les éléments se rapportant à un projet et qui les placent dans un dossier. Dans QuarkXPress, on active cette fonction en cliquant sur Fichier et en choisissant Rassembler les infos pour la sortie. Tous les documents avec leurs images sont rassemblés dans le dossier que vous leur avez attribué. Un rapport est alors créé ; il contient les informations sur les polices, les images et les couleurs utilisées, ainsi que des informations supplémentaires sur le document. Dans Adobe InDesign, cette fonction se trouve sous Fichier –> Assemblage. Lorsqu'on utilise cette fonction, le document est d'abord contrôlé, opération appelée Contrôle en amont dans InDesign (préflashage ou preflight avec des logiciels spécialisés) [voir « Contrôle et épreuvage » 10.4], puis placé dans un dossier avec les images, les polices et un rapport.

Lorsqu'on transmet un dossier à un autre professionnel des arts graphiques, il est important de bien marquer tous les éléments. Tous les CD-Rom ou autres supports, comme les disques Zip et Jaz, doivent être munis d'étiquettes mentionnant leur contenu et le nom du propriétaire. Il faut également purger le support de stockage des anciennes versions de fichiers ne concernant pas le dossier en question. Les fichiers doivent également être nommés et structurés de manière à pouvoir être trouvés facilement. Il est recommandé de compresser les fichiers quand ils sont envoyés par Internet ou transmis par FTP surtout quand il s'agit de polices, qui peuvent s'altérer facilement lors des transferts entre serveurs. Prenez d'ailleurs l'habitude de compresser tous les fichiers appartenant à un document en un seul fichier. Le transfert du fichier est alors plus rapide et plus sûr. Compressez-le de préférence en mode auto-extractible ; le destinataire n'a alors pas besoin d'un programme de décompression pour accéder aux fichiers et les utiliser. Pensez également que les fichiers compressés peuvent être difficilement reconnus par une plate-forme informatique différente de celle sur laquelle ils ont été créés. Les différents systèmes ayant des caractéristiques différentes, ce problème doit être traité au cas par cas [voir « Les images » 5.4.5].

Quoi qu'il en soit, il faut toujours envoyer des épreuves de fabrication, et ce, même vous avez déjà transmis vos fichiers Internet. De simples épreuves laser en noir et blanc peuvent suffire, mais il faut s'assurer que ce sont les dernières versions. Les épreuves sont d'une part un moyen de contrôler que le document livré est correct et permettent d'autre part aux personnes chargées de l'étape suivante de détecter les éventuels défauts. Pour une production en quadrichromie, il est recommandé de fournir une épreuve laser ou jet d'encre en quatre couleurs permettant de contrôler la validité de vos documents, notamment en ce qui concerne les recouvrements et défonces. Enfin, elles permettent de détecter les images enregistrées en mode RVB, car elles ne sont imprimées que sur la sortie de la couleur noire, dans le cas d'une impression en couleurs séparées.

▶ **REMETTEZ LA DERNIÈRE VERSION**

Les épreuves envoyées doivent impérativement être celles de la dernière version. Ne faites aucun changement après leur impression, car le prestataire graphique risque de corriger le document en fonction d'une ancienne version.

▶ **LES BLOCS TEXTE SONT-ILS COMPLETS ? – 2**
Lorsque la place n'est pas suffisante dans un bloc texte, Adobe PageMaker avertit l'utilisateur en affichant une flèche rouge en bas du bloc.

▶ **IMPRESSION EN SÉPARATION**
Un bon moyen de contrôler qu'un document est correct consiste à l'imprimer en mode séparation sur une imprimante laser noir et blanc via le menu Fichier –> Imprimer.

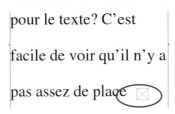

▶ **LES BLOCS TEXTE SONT-ILS COMPLETS ? – 1**
Y a-t-il suffisamment de place pour le texte ? Il est facile de ne pas voir qu'il manque du texte dans un bloc. QuarkXPress affiche ce symbole en cas de texte non affiché.

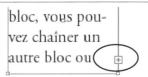

▶ **LES BLOCS TEXTE SONT-ILS COMPLETS ? – 3**
Lorsque la place n'est pas suffisante dans un bloc texte, Adobe InDesign avertit l'utilisateur en affichant un signe plus rouge sur le bord droit du bloc.

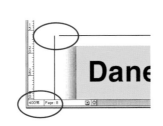

▶ **LES LIGNES FINES SE JOIGNENT-ELLES ?**
Agrandissez le document et contrôlez que les lignes fines et les cadres sont bien placés.

▶ **FLÈCHE CORRECTE DES TRACÉS**
À la création d'un masque, il faut régler la flèche, la valeur usuelle étant de 8 pixels.

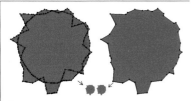

▶ POINTS D'ANCRAGE TROP NOMBREUX

Évitez les points d'ancrage trop nombreux. Dans l'illustration d'un point de trame irrégulier dans le chapitre « Contrôle et épreuvage », il y a trop de points de trame. On obtient le même résultat avec moins de points (petits points) et le RIP est plus rapide.

▶ CONTRÔLE EN AMONT

Il s'agit d'une fonction d'Adobe InDesign qui contrôle les liens d'un document, les polices, etc. Elle permet également de rassembler le document, à savoir, de réunir toutes les polices, les objets graphiques et les images s'y rapportant, de les placer dans un dossier puis de créer un rapport.

▶ AUTRES RECOMMANDATIONS

Voici une liste des points importants à ne pas oublier avant de remettre votre document à un prestataire.

DOCUMENT

☐ Vérifier qu'il ne contient pas de pages vides non désirées.

☐ Vérifier que les traits fins (filets) sont définis avec une mesure exacte et non comme « fin » ou « maigre ».

☐ Contrôler en format agrandi que les filets et les cadres sont jointifs et bien placé comme prévu.

☐ Tâcher de rassembler toutes les pages dans aussi peu de documents que possible afin de simplifier le traitement des documents.

☐ Vérifier que la pagination donne bien les chiffres impairs sur la page de droite ; en effet, cela peut facilement changer lors d'une recomposition d'un document.

☐ Supprimer les objets restant en dehors des pages réelles.

☐ Définir le format du document dans les mêmes dimensions que le format final du produit imprimé. Il n'est par exemple pas possible de travailler avec des feuilles A3, alors que le document sera imprimé au format A4. Choisir un format A4 dès le départ.

FICHIERS

☐ Des versions de logiciels et de plug-ins différentes au niveau du créateur et de son partenaire peuvent être sources de problèmes. Contrôler que le prestataire de services peut utiliser les fichiers sans problème.

COULEURS

☐ Dans le menu couleurs de l'application de mise en page, supprimer toutes les couleurs qui ne serviront pas à l'impression, sans quoi des films inutiles pourraient être produits.

IMAGES

☐ Contrôler que les liens des images se rattachent bien aux images qui seront utilisées et non aux versions de visualisation (à moins d'avoir convenu que quelqu'un remplace les images).

☐ Vérifier que les images sont correctement cadrées.

☐ S'assurer qu'aucune couleur de fond n'est définie dans les blocs d'images contenant les images sélectionnées.

☐ S'assurer que les images TIFF sont réglées sur fond blanc dans le bloc images. Dans le cas contraire, des bords dentelés pourront apparaître dans des tons allant vers le blanc.

☐ Les masques, les tracés et les illustrations ne doivent pas avoir trop de points d'ancrage ni être réglés sur une flèche trop faible.

☐ Les tons directs (par exemple les couleurs Pantone) utilisés dans les images liées doivent avoir exactement le même nom que dans le document original afin d'éviter des problèmes durant la sortie.

☐ Les images TIFF en niveaux de gris et au trait peuvent être colorées dans Quark-XPress. Cela n'est pas possible avec les images EPS.

TYPOGRAPHIE

☐ Contrôler sur un tirage que le texte ne s'est pas déplacé.

☐ Les blocs texte sont-ils complets ? Il est facile de ne pas voir qu'il manque du texte dans un bloc.

SUPPORT DE STOCKAGE

☐ Choisissez un support utilisé de manière standard dans la profession.

STOCKAGE ET ARCHIVAGE

7

CHAPITRE 7 STOCKAGE ET ARCHIVAGE Il existe plusieurs types de supports de stockage numérique, chacun approprié à différents types de fichier. Pour gagner en efficacité, il est conseillé de prendre le temps de mettre au point une méthode de stockage qui vous permette d'accéder facilement à vos fichiers pour les exploiter.

Pour enregistrer le fichier sur lequel vous travaillez, celui-ci doit bien entendu être placé quelque part. Les fichiers sont généralement stockés sur le disque dur de l'ordinateur ou sur un serveur, en fonction de la configuration du système. On peut également les enregistrer sur d'autres supports de stockage, comme les CD ou les bandes. Ces supports sont en général moins chers que les disques durs ; ils sont aussi très pratiques pour le stockage de fichiers devant être partagés ou transportés entre des utilisateurs non reliés à un serveur de réseau, ou bien pour archiver les fichiers dont vous n'avez pas besoin sur votre disque dur. Cet archivage libère également de l'espace sur le disque dur ou sur le serveur au profit de documents plus régulièrement utilisés.

Dans ce chapitre, nous présenterons différents types de supports de stockage, notamment les disques durs, les disques magnétiques et optiques, ainsi que les bandes. Nous exposerons quels supports sont les plus appropriés aux différentes exigences de stockage. Enfin, nous traiterons du processus d'archivage et de l'utilisation des programmes et bases de données d'archivage.

▶ STRUCTURE POUR L'APPELLATION DES FICHIERS
Quand on stocke des fichiers, il est important de mettre en place un système d'appellation des dossiers et des fichiers afin de pouvoir les identifier facilement comme projets en cours. L'organisation des fichiers et des répertoires par numéro de commande ou nom du client/du projet est une pratique courante.

LES SYSTÈMES DE STOCKAGE 7.1

Le processus de production graphique implique souvent un travail avec un grand nombre de fichiers de différentes natures : texte, mises en page, logos, images, polices, illustrations, fichiers prêts-à-imprimer, etc. De ce fait, il est important de mettre en place une structure de fichiers organisée. Une bonne structure facilite l'accès aux fichiers dont vous avez besoin et vous indique clairement la version la plus récente de chaque document. Quand plusieurs personnes travaillent en réseau et enregistrent des fichiers sur le même serveur, il est particulièrement important d'avoir un système de stockage et d'appellation des fichiers structuré, faute de quoi le désordre s'installe et personne ne peut plus rien retrouver. Dans l'idéal, il devrait y avoir un système de sauvegarde des fichiers utilisés par tous une fois par jour, ainsi qu'un système d'archivage régulier des fichiers peu utilisés afin de libérer de la mémoire sur le serveur. Les disques durs des ordinateurs individuels sont relativement chers et ne sont pas vraiment appropriés au stockage à long terme. Les fichiers que vous n'utilisez pas tous les jours doivent être archivés sur des supports de stockage moins onéreux, comme les disques Zip ou les CD. Si vous voulez travailler avec un fichier archivé, il suffit de le recharger sur votre disque dur ou serveur. Il est important de définir des conventions d'appellation, de stockage et d'archivage qui indiquent clairement la version la plus récente de chaque fichier, afin de minimiser le risque d'effacement ou d'archivage de fichiers en cours d'utilisation.

LES SUPPORTS DE STOCKAGE 7.2

La plupart des gens stockent les fichiers qu'ils utilisent souvent sur le disque dur de leur ordinateur. Si vous voulez archiver des fichiers, les échanger avec d'autres utilisateurs, ou transporter des données, vous devez avoir recours à d'autres types de supports de stockage. Il existe un grand nombre de supports de stockage différents, appropriés à différentes situations. Ces supports sont différents en termes de coût et de fonctionnement, il est donc important de bien comprendre leurs fonctionnalités, leurs avantages et inconvénients afin de faire le choix le plus adapté à la tâche à réaliser.

CHOISIR UN SUPPORT DE STOCKAGE 7.2.1

Votre choix de support de stockage doit être motivé par le mode d'exploitation que vous envisagez pour les informations stockées. Le stockage d'informations pendant la production, l'archivage à long terme, l'archivage à court terme, la création de fichiers de sauvegarde en double et le stockage d'informations en vue de leur transport, de leur diffusion ou des deux ont tous des exigences différentes en matière de support de stockage. Lors du choix d'un support, certains facteurs doivent être pris en compte : leur coût, leur capacité de stockage, les vitesses de lecture-écriture, leur rapidité d'accès, leur sécurité, leur durée de vie, leur degré de standardisation et leur disponibilité sur le marché. La rapidité d'accès d'un support est reflétée par le temps qu'il faut à l'ordinateur pour retrouver un fichier stocké sur ce support. La vitesse de lecture-écriture est une mesure de la quantité de données qui peuvent être lues ou écrites par seconde sur un périphérique de stockage donné. La sécurité dépend de la sensibilité d'un support aux dommages causés par les champs électromagnétiques, les chocs physiques ou les secousses, entre autres. La durée de vie d'un périphérique de stockage est déterminée par la durée pendant laquelle des informations pourront y être stockées et lues, ainsi que par la durabilité physique du support. Si un périphérique de stockage est assez courant pour que l'industrie ait développé une version normalisée, fabriquée et vendue par différents fabricants et magasins, le périphérique est considéré comme standardisé et largement disponible sur le marché.

TYPES DE PÉRIPHÉRIQUES DE STOCKAGE 7.2.2

Les périphériques de stockage sont regroupés en deux grandes catégories : magnétique et optique. Il existe également des hybrides magnéto-optiques combinant les deux techniques. L'une des différences entre les deux périphériques réside dans le fait que les supports magnétiques peuvent toujours être effacés et réutilisés, tandis que les supports optiques ne sont pas tous réinscriptibles. Voilà pourquoi ces derniers sont généralement plus appropriés à des fins d'archivage et de transport. Les supports de stockage magnétiques ont longtemps été les plus aptes au travail en production et au transport ; aujour-

▶ STRUCTURE DES DOSSIERS POUR LE STOCKAGE
Quand on stocke différents types de fichiers sur un espace commun, il est pratique de suivre une structure de dossiers qui permette de retrouver facilement les différents fichiers.

▶ STOCKAGE DE FICHIERS

Différentes utilisations du stockage de fichiers :
• Production
• Diffusion
• Transport
• Archivage à court terme
• Archivage à long terme
• Copie de secours/double sauvegarde

▶ COMPARAISON DES SUPPORTS DE STOCKAGE

Les facteurs importants à prendre en compte pour choisir un support de stockage sont :
• Le coût par Mo
• La capacité de stockage
• La vitesse de lecture et d'écriture
• Le temps d'accès
• La fiabilité
• La durée de vie
• La distribution sur le marché
• La compatibilité/la standardisation

Importance des facteurs	Production	Diffusion	Transport	Archivage/court	Archivage/long	Copie de secours
Vitesse	très élevée	moyenne	élevée	moyenne	faible	faible
Sécurité	faible	très élevée	moyenne	élevée	très élevée	élevée
Durée de vie	faible	très élevée	faible	élevée	très élevée	moyenne
Diffusion	faible	très élevée	élevée	faible	faible	faible
Coût/Mo	faible	très élevée	faible	élevée	très élevée	élevée

Pour une production efficace, des vitesses de lecture-écriture et des temps d'accès optimaux sont incontournables. Les fichiers archivés pour une période courte devraient être stockés sur un support peu coûteux mais relativement rapide. Un archivage à long terme requiert un support durable et souvent relativement coûteux. Un support peu onéreux, avec une grande capacité de stockage, est le plus approprié à la copie de secours/sauvegarde en double. Si les fichiers doivent être transportés entre des postes de travail ou des bureaux, il est important que le support de stockage soit distribué à grande échelle. C'est la seule façon de s'assurer que le destinataire sera en mesure d'exploiter le format reçu. Les vitesses de lecture-écriture ont également leur importance pour le support qui sera utilisé pour transporter des fichiers. La diffusion de fichiers à grande échelle nécessite un support avec un fort degré de standardisation et de sécurité.

---

d'hui cependant, ils sont le plus souvent réservés à l'archivage de secours. Les lecteurs optiques se trouvent dans l'ordinateur de bureau au même titre que le disque dur local, ce qui les rend simples d'utilisation. Nous allons détailler ci-après les différents types de périphériques de stockage.

LES DISQUES DURS 7.3

Les disques durs sont le support de stockage le plus rapide en termes de rapidité d'accès et de vitesse de lecture-écriture. Ils sont généralement utilisés pour le stockage au cours d'un projet, quand la vitesse est une priorité. Tous les ordinateurs possèdent un disque dur intégré, appelé disque dur local. S'il vous faut plus d'espace sur disque dur, vous pouvez ajouter des disques durs externes à votre Macintosh via le port FireWire ou USB. Les disques durs externes peuvent également être utilisés pour le transport de grandes quantités de données.

Un disque dur est constitué d'un certain nombre de disques empilés les uns sur les autres. Chaque disque est enduit d'une couche magnétique sensible. Quand on enregistre des informations sur le disque dur, ces surfaces les stockent sur des pistes magnétiques que l'ordinateur peut lire et interpréter comme une série de uns et de zéros. La tête de lecture-écriture du disque dur se déplace très près des disques en rotation lors de l'enregistrement ou de la lecture, ce qui le rend très sensible aux secousses pendant le fonctionnement. En effet, en cas de secousse, la tête de lecture/écriture peut heurter les disques et endommager les informations qui s'y trouvent. C'est ce que l'on appelle un « écrasement de tête » (*head crash*) [voir « L'ordinateur » 2.2.12].

▶ DISQUE DUR

Un disque dur est constitué de plusieurs disques magnétiques sur lesquels des informations sont enregistrées et lues par un certain nombre de têtes de lecture-écriture.

▶ LES DISQUES DURS SONT COMPOSÉS DE PLUSIEURS DISQUES

Des disques sensibles sont superposés très près les uns des autres, avec des informations stockées sur les deux faces.

▶ DISQUES MAGNÉTIQUES

Utilisation adéquate des disques magnétiques (ne s'applique pas aux disquettes)

• Stockage de fichiers pendant la production
• Transport de grandes quantités de données

▶ DISQUES MAGNÉTIQUES

Avantages et inconvénients des disques magnétiques (ne s'applique pas aux disquettes) :

+ Ils sont vendus à grande échelle.
+ Les dispositifs de lecture sont rapides et bon marché.
+ Ils sont fortement standardisés.
+ Ils disposent d'un capot protecteur.
− Les disques eux-mêmes sont chers (sur une base coût par Mo).
− Ils peuvent être endommagés par les champs magnétiques et la poussière.
− Ils sont sensibles aux chocs.

LES DISQUES MAGNÉTIQUES 7.4

La disquette a longtemps été le type le plus connu de disque magnétique amovible, malgré sa capacité de stockage relativement faible (jusqu'à 1,4 Mo). Très récemment encore, la plupart des ordinateurs personnels disposaient de lecteurs de disquettes intégrés. Les disquettes sont supplantées petit à petit par les CD, les clés USB et les transmissions par Internet.

Parmi les autres types de disques magnétiques amovibles, on trouvait les disques Jaz et Zip, qui étaient rapides et pouvaient stocker de grandes quantités de données ; toutefois, ils sont aujourd'hui supplantés par les CD et les DVD. Les disques Syquest ont été pendant longtemps la solution la plus répandue, mais ils ne sont plus fabriqués aujourd'hui. Ces disques étaient conçus comme les disques du disque dur de votre ordinateur et fonctionnaient de la même manière. Ils exigeaient des appareils de lecture-écriture compatibles qui étaient relativement bon marché, mais les disques eux-mêmes pouvaient être assez chers (sur une base coût par Mo).

▶ DISQUETTE
Une disquette contient 1,4 Mo.

▶ DISQUE/LECTEUR JAZ
Un disque Jaz contient 1 ou 2 Go.

▶ DISQUE/LECTEUR ZIP
Un disque Zip contient 100, 200 ou 250 Mo.

▶ STOCKAGE SÉQUENTIEL

Les bandes stockent les informations de manière séquentielle.

▶ BANDES MAGNÉTIQUES

Les bandes magnétiques sont efficaces pour :

• L'archivage à court terme

• L'archivage à long terme

• La copie de secours/double sauvegarde

▶ CAPACITÉS DE STOCKAGE DE DIFFÉRENTS TYPES DE BANDES :

Cassette DAT : jusqu'à 4 Go

Bande Exabyte : jusqu'à 8 Go

Bande DLT : jusqu'à 40 Go

▶ BANDES

+ Peu onéreuses (sur une base coût par Mo).

+ Grande capacité de stockage.

− Temps d'accès longs.

− Sensibilité aux champs magnétiques.

− Les programmes utilisés pour lire les bandes sont peu standardisés.

▶ DAT AVEC LECTEUR DAT

Une cassette DAT peut contenir jusqu'à 4 Go de données. Afin de pouvoir lire une information précise, le lecteur DAT doit parvenir à l'emplacement exact où les données ont été enregistrées sur la cassette. Cela signifie que l'on n'a pas un accès immédiat aux fichiers, comme c'est le cas avec les disques magnétiques ou optiques.

▶ APPLICATIONS POUR BANDES

Des programmes spéciaux sont nécessaires pour lire les bandes. Comme ils ne sont pas normalisés, de nombreuses versions sont disponibles, et il faut souvent recourir au même type de programme que celui utilisé pour enregistrer la bande si on veut la lire.

LES BANDES 7.5

Une bande est également un support magnétique. Il en existe de nombreux types, mais les plus courantes sont les DLT (Digital Linear Tape, bande linéaire numérique), les DAT (Digital Audio Tape, bande audio-numérique) et les Exabyte. Une bande est un support relativement lent, mais son coût par mégaoctet est faible et elle peut contenir de grandes quantités de données. On l'utilise, le plus souvent, comme support de sauvegarde et de secours, mais elle peut aussi se révéler efficace pour l'archivage à long terme, en particulier si l'on veut stocker de grandes quantités de données. Toutes les bandes requièrent des périphériques de lecture-écriture compatibles reliés au poste de travail. Une bande n'est pas un support particulièrement standardisé. Par exemple, il existe souvent plusieurs programmes différents pour un même type de bande. Pour qu'un ordinateur soit capable de lire une bande, il doit souvent disposer d'un programme rigoureusement identique à l'original utilisé pour enregistrer le contenu de la bande. Cela rend les bandes peu efficaces comme moyen de diffusion des fichiers.

Les bandes stockent les informations de manière séquentielle, c'est-à-dire que pour accéder à l'information que vous recherchez, vous devrez localiser l'emplacement où elle a été enregistrée sur la bande. Cela signifie que vous n'avez pas un accès immédiat aux fichiers, comme c'est le cas avec les disques magnétiques ou les supports de stockage optiques. La rapidité d'accès à une bande peut s'élever à plusieurs secondes, comparé à un temps d'accès de quelques millièmes de secondes pour les disques magnétiques ou optiques. Par contre, les bandes ont des vitesses de lecture-écriture relativement élevées. Comme pour les disques magnétiques, la surface des bandes est magnétisée, ce qui les rend sensibles aux dommages par les champs magnétiques. Une bande est également exposée à l'usure quand elle est lue ou écrite. Les fabricants estiment la durée de vie de la plupart des bandes à environ 5 à 10 ans.

▶ UN CD-ROM
Un CD-Rom peut contenir jusqu'à 700 Mo de données.

▶ STOCKAGE À ACCÈS DIRECT
Les disques optiques stockent les données en sections, comme les disques durs et les disques magnétiques.

▶ ABC DU CD

Les différents types de CD et leur utilisation :

• CD audio : musique
• CD-R : archivage
• CD-RW : archivage

LES DISQUES OPTIQUES 7.6

Les disques optiques n'ont pas de surface magnétisée comme les supports dont nous venons de parler. Cela signifie qu'ils ne sont pas sensibles aux dommages par les champs magnétiques, et sont donc plus sûrs pour un stockage à long terme. Les modèles de base de disques optiques ne sont ni réinscriptibles ni effaçables, ce qui en fait une option très sûre pour l'archivage. Bien qu'ils ne soient pas aussi rapides que les disques magnétiques, leur durée de vie va de 10 à 30 ans et ils sont relativement bon marché. Il existe trois types de disques optiques : les CD (Compact Disc), les DVD (Digital Versatile Disc) et les cartouches MO (magnéto-optiques).

CD 7.6.1

Le CD est le support de stockage optique le plus répandu et le plus standardisé. La plupart des ordinateurs sont équipés de lecteurs de CD intégrés et sont capables de lire des CD sans programme spécial. Comme le CD est standardisé, largement distribué et qu'il ne peut pas être effacé, il constitue un excellent support pour la publication électronique. La diffusion et l'archivage sont deux autres utilisations bien appropriées au CD. Les CD doivent être manipulés avec précaution, car ils peuvent être rayés ou endommagés très facilement. Les CD ont généralement une capacité de stockage de 650 ou 700 Mo.

Le CD-Rom (Compact Disc-Read Only Memory) est un support de choix pour la publication numérique d'encyclopédies ou de jeux par exemple, et pour la diffusion de logiciels informatiques, entre autres. Pour produire un CD-Rom, il faut créer un master. Puis, une forme de reproduction du master est réalisée, à partir de laquelle tous les CD qui seront distribués sont fabriqués.

Avec l'arrivée du CD-R (Compact Disc-Recordable), il est maintenant possible de fabriquer des CD chez vous avec votre ordinateur. Il vous suffit de posséder un lecteur-graveur de CD adapté et le logiciel qui l'accompagne. Pour graver un CD avec 700 Mo de données, il faut de 2 à 20 minutes en fonction de la vitesse de lecture-écriture du périphérique. Bien qu'un CD puisse être compilé en plusieurs fois, ces fichiers ne peuvent pas être effacés ou remplacés. S'il ne vous faut qu'une ou deux copies, la technique du CD-R est un moyen relativement efficace et bon marché d'archiver des fichiers. Le CD-RW (Compact Disc-Rewriteable) est une évolution de cette technologie. Ces CD réinscriptibles permettent d'effacer des fichiers existants pour en enregistrer d'autres.

▶ LES DIFFÉRENTES UTILISATIONS DES CD-R

• Diffusion de grandes quantités de données
• Archivage à court terme
• Archivage à long terme

▶ CD

+ Bon marché.

+ Faible coût des dispositifs de lecture.

+ Insensibilité aux champs magnétiques.

+ Grande durée de vie.

+ Bonne standardisation.

+/– Non réinscriptibles.

– Absence de capot protecteur.

▶ WINDOWS OU MACINTOSH

Si vous voulez utiliser un CD à la fois sur Windows et Macintosh, il faut utiliser le format ISO.

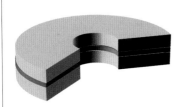

Un CD-Rom comporte trois couches : une couche de base en polycarbonate, une couche d'information avec revêtement aluminium réflectif et une couche de vernis de protection.

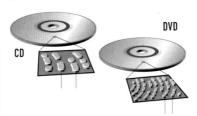

▶ COMMENT LES CD ET LES DVD STOCKENT LES INFORMATIONS
Les CD et les DVD enregistrent les données dans une piste continue en spirale où se succèdent des creux et des méplats. Les pistes d'un DVD étant plus denses que celles d'un CD, ils peuvent stocker davantage de données.

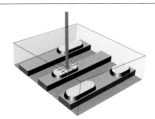

▶ LECTURE DES DONNÉES SUR UN CD
Un laser basse puissance lit les pistes sur le CD ou le DVD et l'ordinateur interprète les changements entre les méplats en une série de uns et de zéros.

▶ ABC DU DVD

Les différents types de DVD et leur utilisation :

• DVD-Vidéo : vidéo

• DVD-Audio : musique

• DVD-ROM : données

• DVD-R : archivage

• DVD-RW, DVD-RAM, DVD+RW : archivage

▶ LES DIFFÉRENTES UTILISATIONS DU DVD-R

• Diffusion de grandes quantités de données

• Archivage à court terme

• Archivage à long terme

Le CD Photo est un CD de technique CD-R lancé par Kodak. Un CD photo permet de stocker jusqu'à 100 images de cinq ou six résolutions différentes sur un CD. Les images sont stockées dans un format compressé spécial appelé YCC. Un CD Photo se plie à plusieurs applications différentes au cours du processus de production graphique. Un CD est physiquement composé de trois couches : une couche de base en polycarbonate, une couche d'information avec revêtement aluminium réflectif et une couche de vernis de protection (dans le cas du CD-R ou du CD-RW, d'autres matériaux sont utilisés à la place de l'aluminium). Comme pour un album d'enregistrement analogique (anciens disques noirs en vinyle), les informations stockées sur le CD prennent la forme d'une piste continue en spirale. Des creux et des méplats qui ont été gravés à la surface du CD par un laser puissant se succèdent tout au long de cette piste en spirale. Un laser basse puissance illumine et « lit » ces variations, et l'ordinateur les traduit en une série de uns et de zéros. Les passages d'un creux à un méplat sont interprétés comme des uns, tandis qu'aucun changement pendant la transition est interprété comme un zéro.

DVD (DIGITAL VERSATILE DISC) 7.6.2

Le DVD (Digital Versatile Disc ou Digital Video Disc) est un standard de stockage plus récent dans les disques optiques. Le DVD est basé sur la technologie du CD, mais il peut stocker beaucoup plus d'informations sur le même espace, ce qui lui confère une capacité bien supérieure au CD. Le DVD peut être simple face, comme les CD, ou double face (stockant des informations sur les deux côtés du disque). Il peut également être simple couche, offrant une couche de lecture par face, ou double couche. Les DVD simple face/simple couche peuvent stocker jusqu'à 4,7 Go de données, tandis que les disques double face/double couche peuvent stocker jusqu'à 17 Go. À l'avenir, les DVD auront même une capacité de stockage accrue. Bien que les données stockées sur un DVD soient lues avec un rayon laser (comme pour le CD), un lecteur DVD spécial est requis pour lire les informations avec une forte densité de compilation. Toutefois, un lecteur DVD est capable, à l'inverse, de lire les CD-Rom. Les DVD peuvent stocker de la musique, du texte, des images, et même des films. En fait, les DVD et les lecteurs DVD vont probablement remplacer les cassettes vidéo et les magnétoscopes traditionnels comme support

Un laser à forte puissance chauffe le disque, modifiant la direction des champs magnétiques à sa surface.

Un laser basse puissance se reflète sur la couche de surface. L'ordinateur interprète les différentes directions des champs magnétiques comme des uns et des zéros.

▶ CARTOUCHE MO
Les cartouches MO existent en format 5,25 pouces ou 3,5 pouces et contiennent respectivement jusqu'à 5,2 Go et 2,6 Go de données.

de choix pour les loisirs à la maison. Dans l'industrie de la production graphique, les DVD sont généralement utilisés pour la diffusion et l'archivage à long terme.

Il existe plusieurs types de DVD. La vidéo est stockée sur des DVD vidéo, la musique sur des DVD audio et tous les autres types de données sur des DVD-Rom. Les DVD enregistrables sont connus sous le nom DVD-R et DVD+R. Il existe trois types de DVD réinscriptibles : DVD-RW, DVD-RAM, et DVD+RW.

CARTOUCHES MAGNÉTO-OPTIQUES 7.6.3

Les cartouches magnéto-optiques (cartouches MO) sont un hybride de supports optique et magnétique. Ces cartouches réinscriptibles sont recouvertes d'une couche de protection en plastique, ce qui les rend moins vulnérables aux rayures et aux dommages que les CD ou les DVD. Les cartouches MO peuvent stocker jusqu'à 2,6 Go de données. Les disques stockent les informations sur les deux faces, et chaque face doit être lue séparément (il faut retourner le disque) ; vous n'avez donc accès qu'à la moitié de la capacité totale de stockage à la fois. La technologie magnéto-optique est relativement bien standardisée, mais elle n'atteint pas le degré de standardisation des CD.

Les cartouches MO requièrent des périphériques de lecture-écriture compatibles reliés au poste de travail. Alors que les cartouches MO sont relativement bon marché, les périphériques de lecture-écriture peuvent être onéreux, ce qui rend ce système pratique uniquement si vous avez un grand nombre de cartouches MO à manipuler. Les cartouches MO sont utilisées, en premier lieu, pour transporter de grandes quantités de données et pour l'archivage (à court ou long terme).

▶ DVD
+ Bon marché.
+ Faibles coûts des dispositifs de lecture.
+ Insensibilité aux champs magnétiques.
+ Grande durée de vie.
+ Grande capacité de stockage.
− Absence de capot protecteur.

▶ CARTOUCHES MO
+ Insensibilité aux champs magnétiques.
+ Grande durée de vie.
+ Capot protecteur.
− Coût élevé des dispositifs de lecture.
− Faibles vitesses d'écriture.

▶ COMPARAISON DES CAPACITÉS DE STOCKAGE DES DISQUES

CD : jusqu'à 700 Mo

DVD : jusqu'à 17 Go

Cartouches MO : 3,5 pouces : jusqu'à 2,3 Go ; 5,25 pouces : jusqu'à 5,2 Go

▶ UTILISATION DES CARTOUCHES MO

Les cartouches MO se prêtent bien :
• Au transport de grandes quantités de données
• À l'archivage à court terme
• À l'archivage à long terme

Pour enregistrer des données sur une cartouche MO, un laser à forte puissance doit d'abord chauffer le disque à 200 degrés Celsius afin de modifier la direction du champ magnétique de la cartouche. Il est important de noter que la direction du champ magnétique ne peut être modifiée que lorsque le disque est chaud. Cela signifie que les cartouches MO ne sont pas sensibles à l'influence des champs magnétiques externes à température ambiante. Si vous voulez écrire par-dessus des données déjà stockées sur une cartouche MO, il faut la vider au préalable des anciennes informations avant de pouvoir enregistrer à nouveau. Ainsi, la réécriture des informations sur un disque prend deux fois plus de temps que la lecture. Les cartouches MO sont lues par un laser basse puissance qui se reflète sur la couche de surface du disque. Cette réflexion est modifiée par les changements de direction du champ magnétique enregistré, et l'ordinateur est capable d'interpréter ces variations en une série de uns et de zéros.

CLÉS USB 7.6.4

Les clés de stockage USB utilisent une technologie qui n'est ni magnétique ni optique, mais à base de mémoire Flash. Ce type de mémoire présente l'avantage de conserver les informations stockées, même en l'absence de courant, à la différence de la mémoire vive (RAM) d'un ordinateur dont le contenu disparaît lorsqu'on l'éteint. Le coût par mégaoctet est nettement plus élevé que pour les autres supports, mais il n'est pas nécessaire de disposer d'un lecteur, ce type de clé se connectant directement sur un port USB d'ordinateur. Les capacités de stockage disponibles croissent régulièrement : on trouve aujourd'hui des modèles stockant 64 Mo, 128 Mo, 256 Mo et jusqu'à 2 Go.

Les clés USB sont relativement résistantes, puisqu'elles ne sont sensibles ni aux champs magnétiques, comme les supports magnétiques, ni aux rayures, comme les CD ou les DVD, et qu'elles se transportent facilement, grâce à leur petite taille.

Compte tenu de son coût actuel, ce type de support est bien adapté au stockage de données personnelles, mais pas à l'archivage ni au transport d'informations entre prestataires.

LES CRITÈRES POUR FAIRE UN CHOIX 7.7

Parce que chaque type de support de stockage présente des avantages et des inconvénients, il faut savoir que le choix de l'un d'eux va dépendre largement de l'usage que vous voulez en faire, que ce soit pour la production, pour le transport, pour la diffusion ou pour l'archivage.

▶ COMPARAISON DES SUPPORTS

Le schéma montre le coût par mégaoctet de stockage pour les différents supports. Les disques magnétiques et les disques durs reviennent beaucoup plus chers que les CD et les bandes. Les disquettes ont la capacité de stockage la plus faible de tous ces dispositifs ; ainsi bien qu'elles soient peu onéreuses en général, elles ont un coût par mégaoctet parmi les plus élevés.

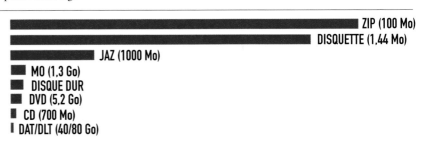

ZIP (100 Mo)
DISQUETTE (1,44 Mo)
JAZ (1000 Mo)
MO (1,3 Go)
DISQUE DUR
DVD (5,2 Go)
CD (700 Mo)
DAT/DLT (40/80 Go)

PRODUCTION 7.7.1

Pendant la phase de production d'un projet proprement dite, il est recommandé de stocker tous les fichiers associés à ce projet sur le disque dur interne de l'ordinateur, sur des disques durs externes ou sur un serveur de réseau. Ces méthodes offrent un accès efficace aux fichiers que vous utilisez tous les jours.

TRANSPORT 7.7.2

Pour le transport de fichiers entre deux endroits, les disques magnétiques étaient, il y a quelques années encore, appropriés parce qu'ils étaient bien standardisés, largement distribués et réinscriptibles. Aujourd'hui, les CD aussi se prêtent bien au transport de données, car ils sont fortement standardisés et très répandus sur le marché. Comme les CD-Rom ne sont pas réinscriptibles, on est sûr que les données enregistrées ne seront pas effacées ou modifiées par erreur. Les disques magnéto-optiques sont également adaptés pour le transport, mais ils ne sont pas aussi largement utilisés que les disques magnétiques ou les CD. La transmission par Internet devient aujourd'hui la méthode la plus répandue pour envoyer des fichiers.

DIFFUSION 7.7.3

Si vous voulez diffuser un produit numérique auprès d'un grand nombre d'utilisateurs différents, les CD et les DVD sont fortement recommandés, parce qu'ils ne peuvent pas être effacés, qu'ils sont bien standardisés et qu'ils ont une grande durée de vie.

ARCHIVAGE À COURT TERME 7.7.4

Les disques magnétiques sont pratiques pour stocker des fichiers à court terme ; toutefois, ils ne sont pas appropriés pour l'archivage à long terme en raison de leur sensibilité aux dommages causés par les champs magnétiques. Les CD-R, les CD-RW, les différents types de DVD et les disques magnéto-optiques se prêtent bien à l'archivage à court terme grâce à leur durabilité.

▶ **PROPRIÉTÉS DES SUPPORTS DE STOCKAGE COURANTS**

	Disque dur	Disquette	Zip/Jaz	Bande DAT/DLT	CD /DVD	Cartouches MO
Vitesse de lecture-écriture	élevée	faible	élevée	moyenne	élevée/moyenne	moyenne
Sensibilité	élevée	élevée	élevée	moyenne	faible	faible
Durée de vie	moyenne	courte	courte	moyenne	longue	longue
Capacité de stockage	80 Go	1,3 Mo	250/2000 Mo	4–80 Go	0,7/4,7 à 9,2 Go	1,3 Go
Technique de stockage	magnétique	magnétique	magnétique	magnétique	optique	magnéto-optique
Diffusion	élevée	élevée	moyenne	faible	élevée	faible
Standardisation	ok	bonne	ok	mauvaise	bonne	ok
Champ d'application 1	production	transport	transport	sauvegarde	archivage	archivage
Champ d'application 2	transport	diffusion	production	archivage	diffusion	transport

▶ **ARCHIVES NUMÉRIQUES OU ARCHIVES MANUELLES**

▶ **ARCHIVES NUMÉRIQUES OU ARCHIVES MANUELLES**
Les archives numériques permettent d'accéder à des données par de multiples biais grâce aux références croisées, tandis que les systèmes d'archivage manuel sont restreints à une structure hiérarchique.

▶ **LES TROIS ÉLÉMENTS D'UNE ARCHIVE NUMÉRIQUE**
Une archive numérique est en général composée de trois éléments : un programme d'archivage, une base de données et un support de stockage.

ARCHIVAGE À LONG TERME ET COPIE DE SECOURS/SAUVEGARDE EN DOUBLE 7.7.5

Pour archiver de grandes quantités de données à long terme ou pour conserver une sauvegarde de secours de vos fichiers pour plus de sûreté, nous vous recommandons d'utiliser soit des bandes, soit des disques optiques. Les bandes ne sont pas chères et offrent une grande capacité de stockage, mais elles ont aussi une durée de vie plus courte que les disques optiques. De ce fait, nous vous suggérons de choisir des disques optiques, comme le CD-R qui est relativement bon marché, si la sécurité et la longévité sont vos principaux critères. Les disques durs et les cartouches magnétiques sont moins adaptés à l'archivage à long terme du fait de leur coût élevé par mégaoctet d'espace de stockage.

L'ARCHIVAGE 7.8

Nous allons maintenant nous intéresser plus en détail aux programmes d'archivage conçus pour vous aider à conserver les traces d'un archivage de fichiers à grande échelle.

ARCHIVAGE NUMÉRIQUE 7.8.1

Une archive numérique stocke des fichiers et des informations sur ces fichiers. Les images numériques et le texte sont les deux types de fichiers les plus couramment archivés, mais les archives peuvent contenir n'importe quel type de fichier : mises en page, fichiers son, applications, etc. L'expression « archive numérique » désigne un système constitué d'un programme d'archivage, d'une base de données contenant les informations sur les fichiers stockés et du support réel sur lequel les fichiers sont stockés physiquement.

L'archivage numérique offre de nombreux avantages par rapport à l'archivage ou au classement manuel traditionnel. L'un des plus gros avantages est que l'archive numérique tient considérablement moins de place qu'une archive physique. Quelques CD ou bandes peuvent stocker des centaines de fichiers. Et à la différence du système de classement traditionnel, un archivage numérique n'impose pas de structure hiérarchique. Une archive numérique peut tirer profit de la capacité de l'ordinateur à créer des références croisées parmi toutes sortes d'entrées différentes. Par exemple, l'image d'un chat et d'un chien assis l'un à côté de l'autre n'est stockée qu'à un seul endroit dans une archive numérique. Et pourtant, cette image est accessible via plusieurs critères de recherche différents – sous le sujet « chat » et sous le sujet « chien », et même peut-être « chiens et chats », selon la manière dont le système est configuré.

Un programme d'archivage n'est en fait qu'un système qui simplifie la gestion d'une base de données. Cette base de données rassemble toutes les informations sur les fichiers en archive. Ces informations comprennent généralement les noms des fichiers, leur date d'archivage, la taille de chaque fichier, les images qu'ils contiennent, l'emplacement de chaque fichier, etc.

La base de données est le plus souvent stockée sur un disque dur, alors que les fichiers archivés sont stockés séparément sur des supports, comme les CD ou les bandes magnétiques. Cela permet d'effectuer des recherches rapides dans les fichiers archivés sans avoir à sortir et examiner tous les CD ou les bandes où sont stockés les fichiers.

Au moment de l'archivage réel du fichier, celui-ci est transféré sur le support de stockage que vous avez choisi. Le fichier est enregistré et décrit par le programme d'archivage, qui stocke ensuite ces informations dans la base de données locale. Si vous archivez un fichier image, le programme crée une petite copie de faible résolution de l'image haute résolution. Ces images basse résolution sont appelées des vignettes. Les vignettes sont stockées dans la base de données et vous permettent d'identifier facilement ou de localiser les vrais fichiers image en haute résolution dans les archives. Chaque fichier archivé possède également une carte de référencement dans laquelle vous pouvez saisir des informations descriptives et classifier le fichier. Vous pouvez ensuite utiliser la fonction Recherche qui permet de localiser le fichier sur la base des informations saisies.

CLASSIFICATION, DESCRIPTION ET STRUCTURE 7.8.2

Si vous créez des archives numériques pour un stockage à long terme ou que vos archives contiennent un très grand nombre de fichiers, vous trouverez peut-être pratique de les organiser en fonction d'une structure qui vous permettra de les retrouver facilement. Un moyen pour y parvenir consiste à classifier chaque fichier en fonction de certains critères de recherche. Vous pouvez classifier un fichier en le décrivant de manière aussi détaillée que possible dans la carte de référencement. Par exemple, la carte de référencement d'un fichier image peut contenir un certain nombre de champs différents, comprenant le nom de fichier, le numéro d'identification, le photographe, le client, le propriétaire, la date, la résolution, les dimensions, etc., tous saisis par la personne chargée de l'archivage du fichier. En général, on insère également des champs pour des mots-clés et des descriptions textuelles. Si vous voulez décrire une image avec des mots-clés, le programme contient un dictionnaire des termes que vous pouvez utiliser pour la classification. Vous pouvez également ajouter si nécessaire des mots nouveaux dans le dictionnaire. Vous pouvez saisir tout ce que vous souhaitez dans les champs de description textuelle, par exemple une phrase courte décrivant le fichier. La classification est une étape critique du processus d'archivage et elle peut influencer la fonctionnalité réelle de vos archives. Des archives bien organisées sont particulièrement importantes si des utilisateurs externes font des recherches dans les fichiers, car ils n'auront pas l'avantage de bien connaître ce qu'ils cherchent.

RECHERCHE 7.8.3

Il existe plusieurs manières de rechercher un fichier dans une archive numérique. Les programmes disposent souvent d'une fonction de recherche contenant un nombre prédéfini de champs dans lesquels vous pouvez taper ce que vous recherchez. Parfois, cette fonction est combinée avec un menu de recherche contenant des mots-clés, vous permettant de choisir le mot qui décrit le mieux ce que vous recherchez. Cela facilite la sélection de critères qui augmenteront la probabilité d'un résultat de recherche satisfaisant.

Les archives numériques utilisent des variables booléennes (voir illustration) pour orienter le résultat des recherches. Il est possible de combiner deux ou plusieurs mots avec les variables booléennes AND (et), OR (ou) et NOT (non) ; on obtient alors différents résultats de recherche. Par exemple, si vous faites une recherche « chiens AND chats », le résultat de recherche comprend les images contenant les deux critères de recherche, c'est-à-dire, seules les images contenant à la fois des chiens et des chats, et pas celles avec seulement des chiens ou seulement des chats. Si vous faites une recherche

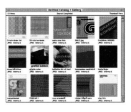

▶ **IMAGES EN VIGNETTES**
Quand on effectue une recherche dans un programme d'archivage, les résultats sont présentés à l'écran accompagnés de vignettes.

▶ **CARTE DE RÉFÉRENCEMENT**
Chaque objet intégré dans une base de données d'archivage reçoit une carte de référencement. Cette « carte » contient toutes les informations pertinentes sur le fichier, permettant par la suite de le retrouver.

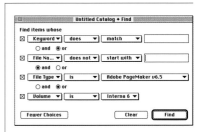

▶ **ZONE DE RECHERCHE**
Pour effectuer une recherche de fichier dans une base de données d'archivage, il faut passer par une zone de recherche qui permet de saisir les critères de l'élément recherché. Il est possible de combiner plusieurs critères de recherche avec des variables booléennes comme AND (et), OR (ou) et NOT (non).

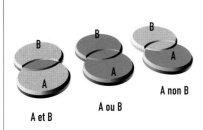

A et B

A ou B

A non B

▶ **LES VARIABLES BOOLÉENNES**

Les variables booléennes entraînent la création de correspondances partielles avec des variables comme AND (et), OR (ou) et NOT (non). L'illustration à gauche montre les résultats d'une recherche avec la variable AND, celle du centre avec la variable OR, et celle de droite montre les mêmes résultats avec la variable NOT.

« chiens OR chats », vous obtenez toutes les images classifiées comme images de chiens, ainsi que celles classifiées comme images de chats, en plus de toutes celles contenant à la fois des chiens et des chats. Si vous effectuez une recherche « chiens NOT chats », vous avez des images ne contenant que des chiens. Les résultats de recherche sont souvent affichés sous forme de liste avec des images en vignette pour vous permettre d'identifier facilement le fichier que vous recherchez.

▶ **ARCHIVAGE NUMÉRIQUE DES IMAGES**

Avantages et inconvénients de l'archivage numérique des images (comparé à l'archivage manuel) :

+ Les archives sont faciles à parcourir.

+ Les recherches sont rapides.

+ L'archivage n'est pas limité à une structure hiérarchique.

+ Forte probabilité de résultats de recherche satisfaisants.

+ Le programme d'archivage permet une classification précise des fichiers.

+ Pas d'usure physique sur les images originales.

+ Une archive numérique prend relativement peu de place.

+ Les recherches dans les archives peuvent être conduites de plusieurs manières.

+ Il est facile de faire des copies de secours.

+ Vous n'avez pas accès à l'original physique et la qualité de l'image est amoindrie.

+ Des connaissances en informatique sont requises pour réaliser une archive numérique.

– Des problèmes techniques peuvent empêcher l'accès à l'information archivée.

– Les fichiers image consomment une grande quantité d'espace de stockage.

– Il y a des restrictions sur la manière dont on peut exploiter des images stockées numériquement, en termes de taille, de résolution, etc.

– Comme la technologie est en constante évolution et qu'il y a très peu de normes dans l'industrie informatique, le contenu d'une archive doit être mis à jour régulièrement pour rester accessible.

RÉSEAUX ET COMMUNICATIONS

8

PHASE STRATÉGIQUE

PHASE CRÉATIVE

▶ PRODUCTION DES ORIGINAUX

▶ PRODUCTION DES IMAGES

▶ SORTIE / RASTÉRISATION

ÉPREUVES

PLAQUES + IMPRESSION

FINITION

DISTRIBUTION

CHAPITRE 8 RÉSEAUX ET COMMUNICATION Afin de faciliter le transfert de fichiers et de permettre aux utilisateurs de partager l'utilisation d'équipement (imprimantes, serveurs, imageuses, etc.), les ordinateurs sont généralement reliés à un réseau. Un réseau permet d'échanger des données, comme des fichiers ou des tâches d'impression, sous forme de séries de signaux numériques.

Les réseaux informatiques tiennent aujourd'hui une place importante dans la chaîne de production graphique et sont même devenus indispensables pour l'échange de fichiers, la communication entre machines et le partage des équipements entre les utilisateurs, du serveur, à l'imprimante, en passant par les scanners et les flasheuses…

Dans ce chapitre, nous présenterons les concepts de réseau local et étendu, puis nous passerons en revue les éléments qui composent un réseau. Nous traiterons également de quelques notions élémentaires liées aux questions de techniques de transfert et à leur performance. Enfin, nous évoquerons les différents types de réseaux, les communications téléphoniques et Internet.

QU'EST-CE QU'UN RÉSEAU ? 8.1

Un réseau est bien plus qu'un ensemble de câbles physiques. Il permet de répondre à des besoins tels que :

- l'accès à des données informatisées pour d'autres utilisateurs ;
- le partage des périphériques (imprimantes, serveurs, modems, etc.) ;
- la mise à disposition d'une base de données commune ;
- l'envoi de messages entre ordinateurs, par courrier électronique via un intranet par exemple.

Pour cela, les éléments suivants sont indispensables :
- câbles de connexions ;
- cartes d'interface réseau ;
- protocoles de communication permettant aux différents éléments de dialoguer entre eux.

Bien entendu, pour dialoguer entre eux, ces éléments doivent être compatibles.

▶ RÉSEAU
La connexion des périphériques sur un réseau permet de partager les imprimantes, les serveurs ou les modems entre les différents ordinateurs branchés au réseau. Par exemple, tous les ordinateurs sur un même réseau peuvent utiliser la même imprimante.

LES RÉSEAUX LOCAUX (LAN) ET LES RÉSEAUX ÉTENDUS (WAN) 8.2

Les réseaux sont souvent définis en fonction de leur couverture géographique. Ainsi, on dit qu'un réseau est local lorsque son utilisation est limitée à une zone précise ; on parle alors généralement de LAN (Local Area Network, réseau local). Dans le domaine graphique, les réseaux locaux couramment utilisés sont de type Ethernet ou réseau sur fibre optique (FDDI).

On parle de WAN (Wide Area Network, réseau étendu) lorsque plusieurs réseaux locaux sont connectés entre eux. Ce type de réseau est notamment utilisé par les entreprises possédant des bureaux éloignés, afin d'assurer les communications internes au sein des différentes unités d'un groupe par exemple. On peut utiliser les télécommunications pour connecter des réseaux LAN en un réseau WAN. Ainsi, un ordinateur peut se connecter à un autre ordinateur pour ensuite envoyer des fichiers à l'aide du réseau téléphonique. Malgré l'éloignement, il est donc possible, via les lignes téléphoniques, de relier les ordinateurs et l'ensemble des réseaux locaux.

DE QUOI SE COMPOSE UN RÉSEAU ? 8.3

Un réseau est composé d'un certain nombre d'éléments : câbles de connexions, cartes d'interface réseau, protocoles de communication et périphériques. Le câble est ce qui relie physiquement les machines, la carte réseau sert d'interface pour les communications entre ordinateurs, le protocole définit les règles de communication à suivre, tandis que les serveurs et autres composants comme les répéteurs (amplificateurs), les hubs (concentrateurs), les ponts, les switches (commutateurs) et les routeurs font partie des éléments physiques de construction du réseau. Nous allons maintenant passer en revue les différents éléments.

CÂBLES RÉSEAU 8.3.1

Le choix du type de câble utilisé est important, car il détermine la vitesse maximale de transmission (temps de transfert d'un fichier), la sécurité de transmission des données et la qualité de l'information transmise (plus la distance est importante, plus la perte d'intensité des signaux numériques est significative). Il existe trois grands types de câbles : à paires torsadées, coaxiaux et en fibre optique.

Les câbles à paires torsadées sont les plus utilisés. Ils se composent de fils en cuivre isolés et torsadés par paire de fils. Simples et bon marché, ils correspondent aux câbles téléphoniques courants. Les signaux envoyés par les câbles torsadés portent à 100 mètres. Les parasites ayant un effet sur l'intensité du signal, il pourra être nécessaire de renvoyer une nouvelle fois l'information. Ces perturbations peuvent provenir de champs électriques provoqués par les appareils. Afin d'éviter ces problèmes, il existe des câbles torsadés avec blindage, c'est-à-dire recouverts d'une couche métallique antiparasite passée autour des fils torsadés ; on les appelle aussi câbles blindés.

Un câble coaxial se compose d'un conducteur dans un isolant plastique. L'isolant est lui-même entouré d'une tresse en cuivre antiparasite rendant le câble insensible aux perturbations électromagnétiques. Les signaux envoyés par un câble coaxial portent à 185 mètres. Ce type de câble est plus cher que le câble torsadé, mais bien meilleur marché que les fibres optiques.

▶ **LAN (réseau local)**
De l'anglais Local Area Network – un réseau local installé dans un même bureau ou bâtiment.

▶ **WAN (réseau étendu)**
De l'anglais Wide Area Network – plusieurs réseaux locaux connectés les uns aux autres sur de longues distances pour créer un réseau commun d'une entreprise installée dans différents endroits géographiques.

▶ **LES COMPOSANTS D'UN RÉSEAU**

Un réseau se compose généralement de :
- câbles
- cartes d'interface réseau
- protocoles
- équipements tels que serveurs, répéteurs, hubs (concentrateurs), switches (commutateurs), ponts et routeurs

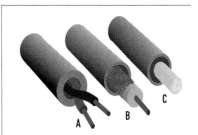

Le troisième type est le câble en fibre optique. La carte interface convertit les signaux électriques en signaux lumineux, qui sont ensuite transportés par le câble en fibre de verre. Ce câble est insensible aux parasites électromagnétiques, d'une grande portée, et ne peut être mis sur écoute. D'une portée de près de 20 km, ce câble possède une vitesse de transmission bien plus rapide que les deux précédents. Ces câbles très onéreux nécessitent du matériel et des composants adaptés à la fibre optique.

Bien entendu, dans les réseaux sans fil (*wireless*) du type Wi-Fi, les câbles ne sont plus nécessaires.

Comment faire son choix ? Il s'agit de trouver un équilibre entre le prix et les performances techniques souhaitées. Il est en fait fréquent que l'on utilise une combinaison sur le même réseau : un câble torsadé peut être suffisant sur une partie du réseau, alors qu'un câble optique est adapté pour les transmissions importantes et les longues distances.

CARTES RÉSEAU 8.3.2

L'interface réseau est une carte de circuit imprimé installée sur l'ordinateur. Cette carte gère les communications entre les ordinateurs du réseau. À chaque type de réseau correspond un type d'interface [voir « L'ordinateur » 2.2.8].

PROTOCOLES 8.3.3

Pour communiquer entre eux, tous les ordinateurs d'un réseau doivent parler la même langue, donc disposer d'un protocole de communication. Un protocole se compose de règles qui permettent à un utilisateur de se connecter à un réseau et d'échanger des informations, sous forme de paquets de données par exemple. Un protocole est comparable à une langue, avec ses règles et sa grammaire.

Les protocoles sont souvent différents selon les types de réseau utilisés. Certains, plus standardisés que d'autres, peuvent convenir pour différents réseaux. Dans le secteur graphique, TCP/IP est le protocole le plus utilisé. AppleTalk et EtherTalk sont des protocoles du réseau Apple : ils trouvent donc leur application dans un réseau d'ordinateurs Macintosh. AppleTalk est utilisé sur la solution Localtalk propre à Apple, tandis que EtherTalk s'utilise sur le réseau Ethernet [voir 8.6].

Dans un environnement composé à la fois de Macintosh, de PC et d'ordinateurs fonctionnant sous Unix, le protocole TCP/IP (Transmission Control Protocol/Internet Protocol) est non seulement le plus répandu, mais aussi celui qui assure les communications sur Internet. Compatible avec la plupart des réseaux, TCP/IP est le protocole de réseau le plus normalisé. Il existe d'autres protocoles, mais nous ne les traiterons pas dans cet ouvrage.

LES ÉLÉMENTS D'UN RÉSEAU 8.4

Outre les éléments que nous venons d'évoquer, un réseau comporte également des serveurs et d'autres équipements. Un serveur est un ordinateur intégré au réseau assurant pour le compte des utilisateurs les tâches communes à effectuer. Les répéteurs, les hubs (concentrateurs), les switches (commutateurs), les ponts et les routeurs sont des équipements utilisés pour l'expansion et la division d'un réseau en différentes parties, appelées zones ou segments. Ils permettent aussi la connexion de différents réseaux entre eux. Nous allons maintenant nous intéresser de plus près à ces différents équipements.

SERVEURS ^{8.4.1}

Un serveur est un ordinateur central reliant les différents ordinateurs d'un réseau. Généralement de grande capacité, il administre l'ensemble des équipements du réseau et peut gérer de nombreuses tâches.

La tâche la plus courante est le stockage de fichiers pouvant être partagés par plusieurs utilisateurs. Avec l'aide de logiciels adéquats, un serveur gère les files d'attente d'impression pour les imprimantes ou les imageuses. Il apporte des informations sur le trafic et la capacité du réseau, indique les utilisateurs connectés et les activités en cours sur le réseau. Le serveur peut également être relié à Internet grâce à des modems ou à connexions type RNIS (Numéris) ou ADSL. Les différents utilisateurs peuvent ainsi communiquer entre eux via leur ordinateur, ce qui permet l'extension d'un réseau local LAN en réseau étendu WAN. Une application bien connue est la gestion du courrier électronique.

Le serveur assure également la sécurité du réseau en gérant les mots de passe des utilisateurs et en leur permettant d'avoir accès ou non aux informations. Ainsi, certains utilisateurs peuvent avoir accès aux fichiers, mais ne pas être autorisés à les modifier ou à les supprimer, cette dernière autorisation pouvant être réservée à une seule personne afin de limiter les risques de pertes de données.

Les serveurs permettent d'administrer et de sauvegarder automatiquement les fichiers, par exemple avec deux disques durs « en miroir », c'est-à-dire qui travaillent en parallèle. Ainsi, lorsqu'on travaille sur un disque, l'autre recopie automatiquement l'information ou les changements effectués. Il s'agit là d'une manière de limiter les risques de pertes de données en cas de défaillance de l'un des disques. Les serveurs peuvent aussi assurer la sauvegarde des fichiers sur d'autres supports, comme les bandes magnétiques ou les disques optiques [voir « Stockage et archivage » 7.7.5].

Dans le cas d'un réseau important, il peut être intéressant d'utiliser plusieurs serveurs suivant la répétition des tâches et leurs similitudes, ce qui permet d'accroître la capacité et la fiabilité.

RÉPÉTEURS (AMPLIFICATEURS) ^{8.4.2}

Les répéteurs permettent l'extension d'un réseau. Comme nous l'avons dit précédemment, les câbles limitent la longueur d'extension d'un réseau, puisque les signaux transportés par un câble perdent de leur puissance. L'utilisation d'un répéteur assure le renforcement des signaux et permet ainsi l'extension du réseau. Les répéteurs renforcent tous les signaux indépendamment de leur origine ou de leur destination.

HUBS (CONCENTRATEURS) ET SWITCHES (COMMUTATEURS) ^{8.4.3}

Les hubs et les switches sont des boîtiers permettant de connecter les câbles réseau entre eux et donc de relier les différentes parties d'un réseau. Les équipements réseau comme les ponts et les routeurs sont connectés via des hubs et des switches. Il en existe deux types : passifs et actifs. Les modèles actifs fonctionnent comme des répéteurs (amplificateurs) et renforcent tous les signaux, tandis que les hubs passifs ne servent que d'éléments de connexion. Les switches sont conçus de telle manière qu'ils offrent une bande passante d'un niveau constant. Les unités qui y sont reliées sont moins affectées par les fluctuations du trafic sur le réseau.

> **ÉQUIPEMENTS D'UN RÉSEAU**
>
> Exemples d'équipements :
> - serveurs
> - répéteurs (amplificateurs)
> - hubs (concentrateurs) / switches (commutateurs)
> - ponts
> - routeurs

> **FONCTIONS DES SERVEURS**
>
> Les fonctions les plus courantes sont :
> - gestion des fichiers
> - gestion des impressions
> - supervision du réseau
> - communication et e-mail
> - services de sécurité (accès)
> - copies de sauvegarde/de secours

> **LA TÉLÉCOMMUNICATION SUR RÉSEAU**
> Il est courant de connecter des modems, Numéris (RNIS) ou Internet à un serveur. Cela permet aux utilisateurs d'un réseau d'appeler des ordinateurs externes et vice versa. On peut ainsi connecter un réseau local (LAN) à un réseau étendu (WAN). La gestion de l'e-mail passe généralement aussi par un serveur.

▶ ÉQUIPEMENTS RÉSEAU
Les équipements réseau sont souvent assemblés dans une armoire en « rack », comme sur la photo ci-dessus. Les routeurs, les hubs et les switches ont la même apparence.

PONTS ET ROUTEURS 8.4.4

Les ponts et les routeurs assurent la connexion de parties définies d'un réseau, appelées zones ou segments de réseaux. Ils ne permettent que le transfert des données d'un segment ou d'une zone à l'autre. Ils limitent le trafic inutile sur l'ensemble du réseau et réduisent l'utilisation de la bande passante.

TECHNIQUES DE TRANFERT ET PERFORMANCES 8.5

La vitesse de transfert est un facteur important lorsqu'on travaille en réseau. Indiquée en nombre de bits par seconde, cette vitesse représente la quantité d'informations pouvant être transmise dans un temps donné. La vitesse théorique est en premier lieu fonction du type de réseau et de câbles utilisés.

En pratique, la vitesse de transfert est fortement conditionnée par le protocole utilisé, la conception du réseau et sa charge, cette dernière étant fonction du nombre d'utilisateurs connectés et de la taille des fichiers envoyés à un moment donné.

Comme les ordinateurs se partagent la capacité du réseau, on constate une chute de la vitesse de transfert lorsque la charge est élevée. La capacité de transmission d'un réseau est aussi appelée bande passante ; elle représente la vitesse théorique de transfert maximale possible en utilisant une certaine forme de communication.

COMMENT FONCTIONNE LA TRANSMISSION ? 8.5.1

Les réseaux Ethernet étant très répandus, nous allons prendre ce type de réseau comme exemple pour expliquer la manière dont s'opère la transmission. Lorsqu'on veut transmettre un fichier d'un matériel à un autre par le biais d'un réseau Ethernet avec le protocole EtherTalk, l'ordinateur émetteur commence par vérifier la disponibilité de réception du destinataire sur le réseau. Si la réponse est positive, l'émetteur divise le fichier en segments, appelés paquets, chaque paquet pouvant avoir une taille de 64 à 1 514 octets.

Chaque paquet comprend en première partie les adresses de l'émetteur et du destinataire, et en dernière partie une information sur le contenu du paquet permettant au destinataire de vérifier la bonne transmission du message. Entre ces deux parties du paquet se trouve le segment de fichier proprement dit.

L'adresse du destinataire en introduction assure l'envoi à l'ordinateur destinataire, celui-ci confirmant en retour que le message est bien arrivé, ce qui permet d'envoyer le paquet suivant. Le dernier paquet du fichier contient une information indiquant la fin du transfert.

FACTEURS INFLUANT SUR LES PERFORMANCES D'UN RÉSEAU 8.5.2

Un réseau se compose de nombreux utilisateurs qui souhaitent envoyer différents types d'informations. Ethernet n'autorise que l'envoi d'un paquet à la fois, si bien que le réseau reste bloqué tant que le message n'est pas arrivé à la bonne adresse. Dès que le réseau est disponible, un nouveau paquet peut être envoyé par l'un des ordinateurs reliés au réseau. Il peut arriver que deux ordinateurs désirent envoyer un paquet au même moment. On parle alors d'une collision. Conséquence : les paquets ne sont pas transmis et il est donc nécessaire de les envoyer à nouveau. Afin d'éviter au maximum ce type de collision, le système utilise un générateur de nombres aléatoires. Il est évident que plus il y a d'ordinateurs reliés à un réseau, plus le risque de collisions est grand. Par ailleurs, plus le nombre de paquets transmis est important, plus la bande passante du réseau est sollicitée.

En plus du trafic normal de transfert de fichiers et de tâches d'impression, le système transmet également un certain nombre d'informations destinées à contrôler le fonctionnement du réseau. C'est ainsi que les matériels connectés au réseau s'envoient régulièrement des messages pour s'informer mutuellement de leur présence et de leur disponibilité sur le réseau ; ces messages peuvent être comparés à de courtes questions et réponses transmises entre toutes les machines. Par conséquent, plus il y a d'équipements connectés au réseau plus le trafic de contrôle est élevé.

COMMENT UTILISER AU MIEUX LES PERFORMANCES D'UN RÉSEAU ? 8.5.3

Le trafic des informations de contrôle a une certaine influence sur les performances du réseau, mais ce n'est rien si l'on considère l'envoi de nombreux fichiers volumineux par un groupe d'ordinateurs.

La solution à ce problème consiste à utiliser des routeurs et des ponts qui divisent le réseau en un nombre réduit de réseaux indépendants, dénommés zones, pratique appelée segmentation dans l'environnement Windows. Chaque zone représente une partie distincte, si bien qu'un matériel appartenant à une zone ne peut envoyer d'informations de contrôle à une autre zone. Par conséquent, l'encombrement du réseau d'une zone n'influe pas sur une autre zone. Ainsi, si l'on place les ordinateurs traitant et échangeant des fichiers d'images volumineux dans une zone et les ordinateurs de mise en page surchargeant moins le réseau dans une autre zone, l'utilisateur d'un fichier de mise en page ne note pas de réduction des performances du réseau dans la première zone. La segmentation d'un réseau en zones peut améliorer sensiblement les performances : un réseau Ethernet mal conçu peut voir ses performances diminuées de moitié comparées à celles d'un réseau bien réparti en zones.

Par ailleurs, un réseau segmenté est moins sensible aux pannes mécaniques ou techniques. Par exemple, le mauvais fonctionnement d'un câble dans une zone n'affectera que la zone connectée. En conclusion, il y a beaucoup à gagner à étudier soigneusement la conception d'un réseau.

LES DIFFÉRENTS TYPES DE RÉSEAUX 8.6

Nous allons maintenant étudier les types de réseaux et les moyens de communication les plus courants utilisés dans le domaine de la production graphique. Pour ce qui est des réseaux locaux, citons LocalTalk, Ethernet et les réseaux à fibre optique (FDDI), et pour les moyens de communication, les modems, RNIS (ISDN en anglais et Numéris en France) et les connexions par le « câble ».

LOCALTALK 8.6.1

LocalTalk était la solution la plus simple proposée par Apple. Cependant, avec l'évolution des performances, ce réseau local est devenu comparativement trop lent et il est pratiquement abandonné aujourd'hui. Les seules données qu'il peut transmettre à une vitesse raisonnable sont celles d'un document comportant uniquement du texte. La

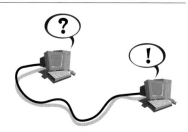

▶ **TRANSFERT DE FICHIER SUR UN RÉSEAU**
Avant de transférer un fichier vers un autre ordinateur, l'ordinateur appelant demande si l'ordinateur appelé est disponible sur le réseau. Quand il obtient une réponse positive, l'ordinateur scinde le fichier en plusieurs paquets de données. Le dernier paquet contient des informations permettant d'achever le transfert.

▶ **PAQUETS SUR UN RÉSEAU**

Un fichier de 1 Mo scindé en paquets de 500 octets, représente au total 2 000 paquets. Sur un Ethernet standard, catégorie 3, on peut en théorie transmettre 10 Mbits par seconde, soit 2 500 paquets de 500 octets par seconde. Le transfert d'un fichier de 1 Mo prend donc à peine une seconde.

▶ **TRAFIC DE CONTRÔLE DU RÉSEAU**
Tous les appareils connectés sur un réseau s'informent réciproquement de leur disponibilité en s'envoyant de courtes questions et réponses à intervalles réguliers. Plus le nombre d'appareils est important, plus le trafic de contrôle est élevé.

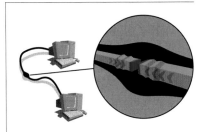

Si deux ordinateurs envoient des données simultanément, les deux paquets entrent en collision et aucun d'eux ne sera transmis. Les données sont ensuite renvoyées et un générateur de nombres aléatoires permet d'éviter que les paquets soient à nouveau envoyés simultanément.

▶ QUE CONTIENT UN PAQUET ?

Chaque paquet est ainsi conçu que son premier segment contient des informations sur l'adresse de l'émetteur et du destinataire. Le dernier segment contient une description du contenu du paquet permettant à l'ordinateur destinataire de contrôler que le transfert du paquet est complet et que toutes les données ont bien été reçues. Le segment contenant les données se trouve au milieu. Les informations complémentaires prennent environ 10 % du

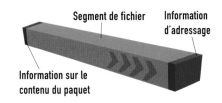

contenu du paquet. Un paquet de 500 octets comprend donc environ 50 octets d'information d'adressage et de fin de transfert, les 450 restants étant les données du fichier.

vitesse théorique de transmission est de 230 kbit/s, soit 28,75 ko/s, ce qui correspond à une vitesse 40 fois inférieure à celle d'un réseau Ethernet de catégorie 3 [voir 8.6.2]. Un réseau LocalTalk utilise généralement le protocole de réseau AppleTalk et un câblage à paires torsadées.

ETHERNET 8.6.2

Ethernet a commencé à se répandre dans les entreprises du secteur graphique avec sa catégorie 3, offrant une vitesse de transmission théorique de 10 Mbit/s, soit 1,25 Mo/s. En environnement Macintosh, un réseau Ethernet utilise le protocole EtherTalk d'Apple ou, de plus en plus souvent, le protocole TCP/IP. Ce réseau permet l'utilisation de tous les types de câblage.

Aujourd'hui, c'est Ethernet catégorie 5, ou Fast Ethernet, qui remplace la catégorie 3, avec une vitesse de transmission théorique de 100 Mbit/s, soit 10 fois supérieure, et plus récemment, la catégorie 6, dont la vitesse théorique est de 1 000 Mbit/s, soit 1 Gigabit/s. Notez que la mise à jour de l'Ethernet catégorie 3 en Ethernet catégorie 5 ou 6 est facile, sachant toutefois que le câblage doit être adapté.

FDDI 8.6.3

FDDI (Fibre Distributed Data Interface, interface de données distribuées par fibre) est une norme ISO. Ce réseau permet le transfert théorique des données à une vitesse de 100 Mbit/s ou 12,5 Mo/s. D'un coût élevé, ce réseau exige le transfert sur fibre optique. Un réseau FDDI utilise normalement le protocole TCP/IP et est souvent utilisé par les entreprises traitant une grande quantité de données et exigeant une haute sécurité.

SCSI 8.6.4

SCSI (Small Computer Standard Interface, interface standard pour micro-ordinateur) n'est pas à proprement parler un réseau, mais une interface d'ordinateur assurant la communication avec les périphériques tels que les disques durs externes, les scanners, etc. Les communications via le câble SCSI sont très rapides, allant de 24 Mbit/s (3 Mo/s), pour les premières versions, à 80 Mbit/s (10 Mo/s), pour la version Ultra SCSI-2.

La longueur des câbles SCSI étant limitée à 6 m, ils ne sont pas adaptés pour le câblage réseau [voir « L'ordinateur » 2.2.13].

LIAISONS VIA LE RÉSEAU TÉLÉPHONIQUE 8.7

Ce type de liaison utilise le réseau téléphonique et permet la communication entre des ordinateurs ou même entre des réseaux entiers sur longue distance. Les communications via le réseau téléphonique exigent un matériel appelé modem afin de transformer les données de l'ordinateur en signaux transmissibles sur une ligne téléphonique. Il existe trois types de modems : les modems analogiques (pour les lignes téléphoniques ordinaires), les modems numériques ADSL et les modems numériques pour lignes Numéris (RNIS). Tous les types de liaison via le réseau téléphonique requièrent un programme particulier.

MODEMS ANALOGIQUES 8.7.1

Les modems analogiques assurent la communication sur les lignes téléphoniques ordinaires. Via un modem, l'ordinateur appelle tout simplement un autre ordinateur par le biais de la ligne téléphonique. Un modem analogique transforme les données numériques d'un ordinateur en signaux analogiques pouvant être transmis sur une ligne téléphonique. Le modem récepteur interprète les signaux et les transforme de nouveau en informations numériques.

Le modem est connecté au port modem de l'ordinateur [voir « L'ordinateur » 2.2.9]. La plupart des ordinateurs sont aujourd'hui fournis avec un modem intégré. L'utilisation d'un modem demande un logiciel de communication qui est souvent fourni lors de l'achat du matériel. La vitesse de transfert des modems analogiques est relativement lente. Les modems les plus rapides disponibles aujourd'hui assurent la transmission des données à une vitesse de 56 600 bits, soit 7,2 ko par seconde.

MODEMS NUMÉRIQUES NUMÉRIS (RNIS) ET ADSL 8.7.2

Le réseau RNIS (Réseau numérique à intégration de services, Numéris en France) a connu pendant plusieurs années une bonne implantation dans les entreprises du secteur des arts graphique. Un modem Numéris fonctionne en principe comme un modem classique, dans le sens où il doit établir une communication avant de pouvoir transmettre des données. La différence est que ce réseau de télécommunication est de type exclusivement numérique, soit une évolution du réseau téléphonique analogique courant.

Cependant, de par sa diffusion croissante, c'est l'ADSL qui équipe aujourd'hui en majorité tous les partenaires de la chaîne graphique. Un modem ADSL peut rester connecté en permanence via une liaison numérique établie sur une ligne téléphonique analogique ordinaire, grâce à l'adjonction d'un équipement de communication ad-hoc chez l'opérateur téléphonique.

Le réseau RNIS permet d'atteindre des vitesses de transfert plus élevées que celles des modems analogiques, notamment pour des documents écrits et des images à basse résolution, mais il reste toujours relativement lent lors de l'envoi d'une grande quantité d'informations. La transmission RNIS se fait via deux « canaux » et la vitesse maximale est de 128 kbit/s, soit 15 ko/s. Selon le type d'abonnement souscrit, les modems ADSL permettent généralement des transmissions allant de 128 à 2 048 kbit/s dans le sens « descendant », c'est-à-dire en réception du réseau téléphonique vers le modem, et de 64 à 256 kbit/s dans le sens « montant », c'est-à-dire en émission depuis le modem vers le réseau téléphonique, sachant que ces caractéristiques et les possibilités offertes par les fournisseurs d'accès sont en évolution constante.

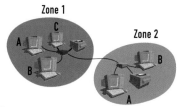

▶ DIVISION EN ZONES
Le partage d'un réseau en zones à l'aide de routeurs ou de ponts permet de réduire la surcharge. Il n'y a pas de contrôle entre les zones, par exemple entre le matériel A de la zone 1 et le matériel A de la zone 2. De plus, la charge de trafic d'une zone n'affecte pas celle d'une autre zone.

▶ TRAFIC CRÉÉ PAR LES LOGICIELS

Pour contrôler qu'une même licence de logiciel n'est pas installée sur plusieurs ordinateurs, certains logiciels, comme Adobe Photoshop, créent du trafic sur le réseau, car ils vérifient qu'il n'y a pas d'autres logiciels portant le même numéro de série sur le réseau.

Pour ne pas surcharger le réseau inutilement, fermez les logiciels que vous n'utilisez pas.

▶ FERMER LE PARTAGE DE FICHIERS

Cette fonction, lorsqu'elle est activée sur Macintosh, augmente le trafic de contrôle, réduisant les performances du réseau.

Pour utiliser au mieux un réseau, il est recommandé de fermer le partage de fichiers sur tous les ordinateurs, à l'exception des serveurs, et d'avoir un nombre limité de serveurs.

▶ **WWW – World Wide Web**
Le Web permet de naviguer sur des pages en
ligne contenant des combinaisons diverses
de textes, d'images, de sons, d'animations et
de programmes interactifs.

Le réseau RNIS n'est pas très standardisé. Il existe aujourd'hui trois types d'interfaces pour applications Macintosh sur le marché (Planet, Leonardo et OST), auxquelles il faut ajouter de nombreux logiciels de communication. Il est en général recommandé que l'émetteur et le récepteur possèdent la même interface RNIS et le même logiciel de communication afin d'éviter les problèmes. Parmi les logiciels de communication, citons Easy Transfer, Leonardo Pro et ISDN-Manager.

INTERNET 8.8

Internet est le nom du réseau global permettant de connecter à travers le monde des millions de réseaux locaux (LAN) et étendus (WAN). Il utilise TCP/IP comme protocole. Tous les ordinateurs peuvent être reliés au réseau Internet, soit par une liaison téléphonique ou directement via une connexion par câble.

LIAISONS PAR CÂBLE 8.8.1

Une connexion par câble offre une connexion directe à Internet via un câble de réseau intégré au réseau local.

LIAISONS TÉLÉPHONIQUES INTERNET 8.8.2

En utilisant une connexion téléphonique Internet avec un modem analogique, ADSL ou RNIS, l'ordinateur appelle le modem du fournisseur d'accès Internet disponible à l'autre bout de la ligne et se connecte.

Une liaison téléphonique Internet ne reste établie que durant la période d'appel, sauf dans le cas de l'ADSL où la connexion peut être permanente. Lorsqu'on appelle via un modem analogique, il faut attendre que le modem donne accès à Internet. En général le temps d'attente ne dépasse pas 15 à 30 secondes. Pour ce qui est d'un réseau RNIS, la connexion est d'une seconde.

Internet est basé sur le principe de la transmission des informations à un destinataire par des voies différentes, ce qui accroît la probabilité d'un transfert réussi. Internet recherche toujours en premier lieu la voie la plus rapide, mais si la transmission n'est pas possible sur cette voie, une autre est choisie. C'est la raison pour laquelle l'arrivée d'un message par courrier électronique ou la consultation d'un site Web peut parfois prendre un peu de temps.

APPLICATIONS SUR INTERNET 8.8.3

Internet offre de nombreux types d'applications, tels que le World Wide Web, la messagerie électronique et FTP, pour ne citer que les plus courantes. Tous ces logiciels d'applications sont utilisables indépendamment du type d'ordinateur et de l'endroit où l'on se trouve dans le monde. En un mot, on peut envoyer un message électronique ou consulter une page Web aussi bien sur Macintosh, que sur PC ou un ordinateur sous Unix, etc. Les petits problèmes, tels que des erreurs de caractères, sont en voie de disparition au fur et à mesure des perfectionnements des logiciels.

VITESSES THÉORIQUES DE TRANSFERT SELON LES TECHNIQUES

Le tableau ci-dessous indique les vitesses théoriques de transfert pour différents types de réseaux et de télécommunications, ainsi que quelques exemples de tailles de fichiers et leur vitesse de transfert.

Notez que l'on n'atteint jamais ces vitesses qui sont en réalité de 60 à 70 % des valeurs indiquées. Les erreurs, les données superflues, les réseaux surchargés, etc., réduisent les vitesses de transfert.

	VITESSE (kbit/s)	VITESSE (ko/s)	10 Mo
Modem	56,6	7,1	24 min
RNIS 1×	64	8	21 min
RNIS 2×	128	16	11 min
Localtalk	230	28,8	5,8 min
ADSL « montant »	256	32	5,2 min
Connexion câble	512	64	2,6 min
ADSL « descendant »	1 024	128	1,3 min

	VITESSE (Mbit/s)	VITESSE (Mo/s)	10 Mo
Connexion câble	2	0,25	40 s
USB 1	12	1,5	6,6 s
SCSI	24	3	3,3 s
SCSI 2	80	10	1 s
Ethernet	100	12,5	0,8 s
FDDI	100	12,5	0,8 s
FireWire	400	50	0,2 s
USB2	480	60	0,2 s
FireWire 800	800	25	0,1 s

WWW 8.8.4

Le World Wide Web (aussi appelé www, ou tout simplement le Web ou la toile) permet de naviguer sur des pages en ligne contenant des combinaisons diverses de textes, d'images, de sons, d'images animées et de programmes interactifs. Parmi les navigateurs les plus courants, citons Netscape Navigator, Microsoft Internet Explorer, ou encore Safari, fourni par Apple avec Mac OS X.

MESSAGERIE ÉLECTRONIQUE 8.8.5

La messagerie électronique permet non seulement d'envoyer des messages entre ordinateurs, mais aussi le même message à plusieurs adresses en même temps. Les programmes les plus utilisés en environnement Macintosh sont Microsoft Outlook, Eudora, Claris E-mailer, First Class. Netscape Navigator et Microsoft Internet peuvent aussi gérer la messagerie électronique.

Un message électronique peut être accompagné d'une ou plusieurs annexes, appelées fichiers joints ou pièces jointes. Les fichiers numériques peuvent être joints à un document de messagerie électronique et les images à basse résolution sont souvent converties en fichiers joints.

Afin d'accélérer le processus d'envoi de fichiers importants, ceux-ci peuvent être compressés avant l'envoi. Les logiciels de compression assurent la transformation de plusieurs fichiers en un seul, d'où un envoi plus rapide et une sécurité accrue.

TRANSFERT DES FICHIERS (FTP) 8.8.6

FTP (File Transfer Protocol, protocole de transfert de fichiers) est un standard de transmission des fichiers entre ordinateurs via Internet. Ce protocole permet d'ouvrir une session dans un ordinateur externe et d'importer ou d'exporter un fichier à partir de son propre ordinateur. Les programmes FTP les plus courants sont Anarchie et Fetch. Cependant, les navigateurs les plus récents peuvent aussi gérer le FTP. FTP est le protocole de transmission de fichiers le plus rapide via Internet.

RAPIDITÉ D'INTERNET 8.8.7

La vitesse d'envoi d'un message, de transfert de fichiers et de lecture des pages Web varie considérablement. En général, le travail sur Internet est moins rapide que sur le réseau local. Comparé à un réseau local, où les vitesses théoriques vont de 10 à 100 mégabits par seconde, la vitesse d'une ligne téléphonique avec un modem ADSL de 512 kilobits par seconde est limitée à 64 ko par seconde pour l'envoi de fichiers compressés.

ENVOI D'UN FICHIER 8.8.8

La méthode la plus courante pour envoyer un fichier directement à un ordinateur via Internet consiste à utiliser le protocole FTP ou bien à le joindre à un message électronique (e-mail). La différence principale est qu'en utilisant FTP, le fichier se place sur un serveur, tandis qu'avec la messagerie électronique, le fichier arrive directement dans l'ordinateur du destinataire. Les fichiers joints passent alors par les serveurs de messagerie à plusieurs endroits. Pour accéder à un serveur FTP, il faut indiquer son URL, qui a la forme ftp.nomdedomaine, ou bien son adresse IP. Le recours au protocole FTP demande un numéro d'identifiant et un mot de passe pour avoir accès au serveur. FTP permet de délivrer soi-même le fichier ; mais le destinataire peut aussi venir le chercher si l'on dispose soi-même d'un serveur FTP. Un site FTP peut aussi autoriser les connexions en « anonyme ».

Lorsqu'on utilise les services Internet au sein d'une entreprise ou d'une organisation, on parle d'intranet. Dans ce cas, le système du Web est utilisé pour traiter les informations internes. Quand on permet à un utilisateur extérieur d'accéder à l'intranet, on parle alors d'extranet.

▶ FTP – Protocole de transfert de fichiers
Le FTP est une norme permettant la transmission de fichiers entre deux ordinateurs via Internet. On se connecte à l'ordinateur distant via FTP, puis on y envoie/récupère des fichiers. Les deux machines doivent posséder un programme FTP.

PROTECTION D'UN RÉSEAU CONTRE LES INTRUSIONS [8.8.9]

Les réseaux connectés à l'extérieur, par le biais d'un modem ou d'Internet par exemple, doivent être protégés contre les intrusions possibles. Dans ce cas, on équipe l'ordinateur d'un pare-feu (*firewall*), qui est un logiciel spécial ne laissant passer que le trafic autorisé par le biais des systèmes de communication. Il existe de nombreuses applications de pare-feu sur le marché, soit sous forme de logiciel à installer sur un ordinateur, soit sous forme d'équipement matériel spécialisé intégrant le logiciel ad-hoc.

SORTIE

9

CHAPITRE 9 SORTIE Une fois le document achevé dans son format numérique, il est fin prêt pour une sortie sur papier, film ou plaques. Vous allez alors rencontrer des termes tels que PostScript, RIP, OPI et PDF. Les problèmes sont fréquents à ce stade de la production graphique, aussi est-il important de vous familiariser avec les principes de base de la sortie.

Dans ce chapitre, nous aborderons les principes élémentaires liés à la sortie. Le terme générique « sortie » renvoie à plusieurs types de sorties d'impression. Vous pouvez sortir votre document sur une imprimante, sur une imageuse film ou sur une imageuse plaque, que les professionnels désignent généralement à l'aide des sigles CTF (Computer To Film) ou CTP (Computer To Plate), mais vous pouvez également l'imprimer dans un fichier. Quel que soit le mode de sortie choisi, une étape est commune : le document numérique doit être converti dans un format de fichier pouvant être imprimé ou affiché à l'écran. Ce format est appelé langage de description de page (PDL, Page Description Language). Adobe PostScript est la norme PDL actuelle du marché. Le PDF est un autre format de fichier d'Adobe qui commence à s'imposer comme norme pour les sorties physiques et l'affichage à l'écran. Nous nous intéresserons à ces deux formats, ainsi qu'à l'OPI, type de programme de production et de sortie fréquemment utilisé dans la chaîne graphique.

Avant de sortir un projet sur les films ou les plaques utilisés pour l'impression, vous pouvez opter pour une imposition numérique ou manuelle. Si vous décidez de travailler en numérique, vous devez « arranger » les différentes pages sur l'ordinateur ; vous produisez alors un film ou une plaque qui est déjà imposé. Si vous souhaitez réaliser une imposition manuelle, vous produisez chaque page sur un film distinct, puis vous les montez manuellement lors de l'assemblage du film. Nous reviendrons, plus loin dans ce chapitre, sur les principes de base de l'imposition. Enfin, nous étudierons plus en détail les différents types de périphériques de sortie, y compris les imprimantes, et les imageuses films et plaques.

Nous commencerons toutefois par traiter du processus dit de rastérisation, c'est-à-dire la conversion du texte et des images en points de trame au moyen du tramage, qui constitue le fondement de toutes les techniques de production et d'impression.

LE TRAMAGE 9.1

Une photographie est composée de tons continus, c'est-à-dire de gradations (dégradés) de teintes de couleurs. Une machine à imprimer ne peut pas produire de tons continus. Au lieu de cela, elle combine surfaces imprimées et surfaces non imprimées pour obtenir un effet similaire, un peu comme une estampe gravée à la pointe sèche. Les trames sont utilisées pour simuler les tons gris avec des zones noires et blanches. En divisant l'image imprimée en très petites parties, les trames, trompent l'œil en lui faisant croire qu'il voit des gradations continues. Lorsque l'image est regardée à une distance normale, l'œil les mélange et a l'impression de voir des tons continus. Plus les divisions sont petites, meilleure est la qualité d'image.

Une trame est composée de petits points organisés en rangées serrées. La taille des points varie en fonction des tons que vous souhaitez simuler. Dans les zones claires, les points sont petits ; ils sont plus grands dans les zones foncées. Plus les rangées de points sont denses, plus la linéature est élevée. Une linéature élevée signifie que l'image est divisée en parties plus petites (points plus petits dans la trame) ; les images imprimées présentent, par conséquent, des gradations plus fines et des détails plus précis. Une surface noire est entièrement recouverte de points, ce qui donne une couverture d'encre à 100 %. Une surface blanche ne contient aucun point, la couverture d'encre est donc, dans ce cas, de 0 %. Une surface grise présente une couverture d'encre variant entre 1 % et 99 %, selon la nuance de gris.

Les trames sont calculées par un processeur, un RIP (Raster Image Processor, processeur de rastérisation d'image), puis elles sont insolées, soit sur un film graphique au moyen d'une imageuse film, soit directement sur une plaque offset avec une imageuse plaque. La plupart des fabricants d'imageuses ont mis au point leurs propres techniques de tramage, ce qui explique que l'on puisse obtenir des résultats légèrement différents selon la marque de l'équipement utilisé pour la rastérisation. Parmi les différentes techniques de tramage développées, citons Agfa Balanced Screening (ABS), High Quality Screening (HQS) de Linotype Hell et Creo Prinergy AM.

POINTS DE TRAME 9.1.1

Un point de trame est composé de plusieurs points d'insolation dans l'imageuse. La résolution d'une imageuse est mesurée en points par pouce ou dpi (dots per inch). Les points d'insolation sont situés dans des quadrillages appelés cellules de trame. Le point de trame est composé à partir du centre de la cellule de trame vers l'extérieur. Le nombre de points d'insolation utilisé pour former le point de trame détermine sa taille. Le plus petit se compose d'un seul point d'insolation et le plus grand de tous les points d'insolation de la cellule. La taille de la cellule de trame est déterminée par la linéature.

LINÉATURE 9.1.2

La linéature mesure le nombre de lignes de cellules de trame par unité de distance. Elle est mesurée en lignes par pouce ou lpi (lines per inch), parfois indiquée par l/in, lignes par pouce, ou 1/cm, lignes par centimètre. Plus la linéature est basse, plus la cellule de trame est grande, et par conséquent plus les points de trame sont gros. Cela signifie qu'un point de trame avec une couverture de 50 % dans une trame de 60 lpi est quatre fois plus grand que le même point d'une trame de 120 lpi.

Plus la linéature est élevée, plus les détails de l'image finale seront fins. Le papier et la méthode d'impression utilisés sont des facteurs à prendre en compte pour déterminer la linéature d'impression. Souvent, les fabricants de papier recommandent des linéatures en fonction des types de papier. L'imprimeur peut également fournir cette information. Si la

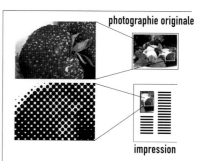

photographie originale

impression

▶ **TRAME – SIMULATION DES TONS DE GRIS**
Une machine à imprimer ne peut pas produire de tons continus, à l'inverse d'une photographie qui présente des gradations régulières. Elle peut uniquement imprimer avec ou sans couleur. Pour reproduire des tons de gris sur un imprimé, vous devez utiliser des trames. Les trames sont composées de petits points organisés en rangées peu espacées. Leur taille varie en fonction du ton à simuler. Les trames trompent l'œil en lui faisant croire qu'il voit des tons continus, alors que seuls le blanc et le noir ont été utilisés.

▶ **GRADATION CONTINUE**
Dans l'échelle de gris supérieure, nous avons simulé un dégradé continu. En réalité, celui-ci n'est pas continu, mais les trames sont si fines que les modifications ne sont pas visibles.

Dans l'échelle de gris inférieure, nous avons le même dégradé, mais une linéature inférieure. Le cerveau perçoit également cet exemple comme une gradation continue. Vous pouvez voir que l'échelle de gris est composée de points de différentes tailles en noir et blanc, les deux couleurs disponibles avec une encre d'impression noire.

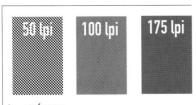

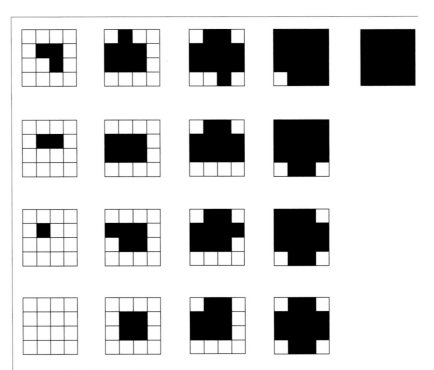

▶ LINÉATURE

La linéature est indiquée en lpi, lignes par pouce, et mesure le nombre de cellules de trame par pouce. Plus la linéature est basse, plus la cellule de trame, et donc les points de trame, sont grands. L'image ci-dessus montre différentes linéatures. À 50 lpi, l'œil demeure capable de percevoir les points de trame, mais à 175 lpi, la surface est perçue comme un ton continu.

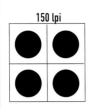 

▶ LINÉATURE DIVISÉE PAR DEUX

Si vous divisez par deux la linéature, la cellule de trame est quatre fois plus grande. De ce fait, un point de trame du même ton de gris est quatre fois plus petit dans une trame de 150 lpi que dans une trame de 75 lpi.

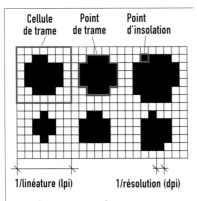

▶ RÉSOLUTION ET LINÉATURE

Ce schéma illustre la différence entre la résolution de sortie (dpi) et la linéature (lpi).

▶ STRUCTURE DU POINT DE TRAME

Dans une cellule de trame, le point est constitué de points d'insolation qui remplissent la cellule à partir du centre et vers l'extérieur, toujours suivant le même canevas. Le nombre de points d'insolation contenus dans la cellule détermine le nombre de tailles qu'un point de trame peut avoir, c'est-à-dire le nombre de tons de gris que la trame peut simuler. Le point de trame ci-dessus peut simuler $4 \times 4 + 1 = 17$ tons (+1 du fait de la cellule vierge).

linéature utilisée est trop élevée pour un type de papier donné, vous courez le risque de rendre flous les points de trame, ce qui conduira à une perte des détails et du contraste dans l'impression. La linéature 150 est courante pour les produits de qualité supérieure, tels que les brochures et les rapports annuels, tandis que l'on utilise généralement une linéature 85 pour les produits de moins bonne qualité comme les journaux.

RÉSOLUTION DE SORTIE 9.1.3

Lorsque vous voulez sortir un film sur une imageuse, vous devez sélectionner une résolution de sortie. Les imageuses proposent plusieurs paramètres par défaut, qui indiquent la résolution en dpi, le nombre de points d'insolation par unité de longueur. Les résolutions courantes sont 1 200, 2 400 et 3 600 dpi. La linéature et la gamme de nuances souhaitées déterminent le choix de la résolution pour la sortie sur une imageuse. Plus la linéature que vous souhaitez utiliser pour l'impression finale est élevée, plus la résolution de sortie que vous devrez choisir sera haute. Une résolution supérieure se traduit par une gamme de nuances plus large, mais l'impression est plus lente que pour une sortie basse résolution.

▶ **LE CERVEAU EST TROP LENT !**
Lorsque la résolution est trop basse, les dégradés réguliers (illustration du haut) deviennent hachés. Ce phénomène est appelé effet de bandes.

GAMME DE NUANCES 9.1.4

La gamme de nuances fait référence au nombre maximum de nuances de gris que vous pouvez obtenir avec une linéature et une résolution de sortie données dans une imageuse. La relation entre la linéature et la résolution de sortie détermine la gamme de nuances pouvant être reproduite. La formule de calcul de la gamme de nuances est la suivante : nombre de tonalités de gris = (résolution de sortie/linéature)^2 + 1. En appliquant cette formule, une linéature de 133 lpi avec un paramétrage de 2 400 dpi au niveau de l'imageuse permettrait d'obtenir (2 400/133)^2 + 1 = 327 nuances de gris.

Une image informatique en niveaux de gris est en général composée de 256 nuances de gris, et une image en couleurs possède 256 nuances de chaque composante couleur [voir « Les images » 5.2.4 et 5.2.8]. Pour reproduire toutes ces nuances, vous devez choisir une résolution offrant au moins 256 nuances de gris. Dans ce cas, notre exemple, qui donne 327 nuances de gris, est plus que suffisant. En réalité, l'œil humain ne peut pas distinguer 256 nuances de gris, 64 nuances de gris étant généralement le maximum de ce qu'un œil peut percevoir. Les nuances de gris de l'ordinateur et de l'imageuse sont créées selon une fonction linéaire : chaque nuance de gris représente un palier de même taille dans la gamme complète des nuances. En revanche, la perception par l'œil des nuances de gris est logarithmique, ce qui signifie principalement que la sensibilité de l'œil n'est pas la même pour toutes les parties de l'échelle de gris – il peut distinguer plus aisément les différences de tons dans la partie claire du spectre que dans la partie sombre. Ainsi, pour compenser les parties plus sensibles de l'œil, vous devez être en mesure de reproduire plus de 64 nuances linéaires. Il est difficile de déterminer le nombre exact de nuances nécessaires, mais il est recommandé d'avoir au moins 100 nuances par composante couleur, et, par conséquent, de choisir une résolution de sortie capable de produire ce nombre de teintes compte tenu de la linéature souhaitée. Dans l'exemple précédent, avec une trame de 133 lpi, une résolution de 2 400 dpi serait plus que suffisante. Toutefois, si vous choisissez un réglage de 1 200 dpi, l'imageuse reproduirait uniquement 82 nuances de gris, ce qui est trop faible pour obtenir des résultats optimums. 1 200 dpi serait, cependant, approprié pour une trame de 85 lpi ; selon notre formule, l'imageuse reproduirait 200 nuances de gris avec cette combinaison.

Compte tenu de ces paramètres, vous pourriez pensez que 100 teintes de gris suffiraient. Pourquoi dans ce cas faire des images numériques qui contiennent jusqu'à 256 teintes, voire plus parfois ? Lorsqu'une image originale est ouverte dans un programme tel qu'Adobe Photoshop, elle contient des informations couleur portant sur l'ensemble

▶ **NOMBRE DE TONS DE GRIS**

$$\text{Nombre de tons de gris} = \left(\frac{\text{Résolution de sortie}}{\text{Linéature}} \right)^2 + 1$$

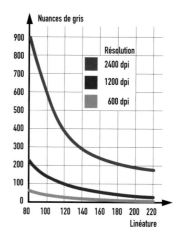

▶ **RÉSOLUTIONS RECOMMANDÉES**
Si vous voulez obtenir une gamme d'au moins 100 nuances de gris, il est recommandé d'utiliser une trame de 100 lpi et une résolution de sortie de 1 200 dpi. Si vous souhaitez améliorer davantage la définition de l'image, une résolution de 2 400 dpi permet d'obtenir un meilleur résultat qu'une trame de 200 lpi.

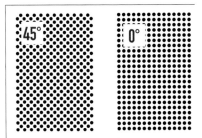

▶ **MOTIFS PERÇUS PAR LE CERVEAU**
Le cerveau peut facilement être gêné par des motifs, en particulier ceux présentant des angles de 0 et 90 degrés. Les trames sont donc inclinées de 45 degrés pour rendre les motifs moins voyants.

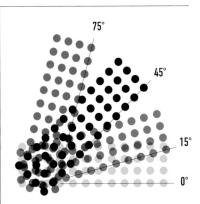

▶ **ANGLES DES TRAMES COULEURS QUADRI**
Le noir est la couleur la plus gênante pour le cerveau et sa trame est placée à 45 degrés, l'angle qui gêne le moins le cerveau. Le jaune est la couleur la moins gênante pour le cerveau et sa trame est placée à 0 degré, l'angle qui gêne le plus le cerveau.

des 256 teintes. Lorsque l'image est retouchée, certaines de ces informations tonales sont détruites. C'est la raison pour laquelle vous avez besoin de ces informations supplémentaires pour la retouche, bien plus qu'au stade de la sortie. Normalement, 256 teintes suffisent pour conserver la qualité de l'image durant la retouche, mais si les modifications sont répétées ou que les retouches sont trop importantes dans certaines parties de l'image, les informations conservées dans l'image retouchée peuvent ne pas être suffisantes pour permettre une bonne reproduction [voir « Les images » 5.6].

Pourquoi alors ne pas toujours choisir la plus haute résolution possible ? Ainsi vous n'auriez jamais à vous soucier de la gamme de nuances. Cette méthode n'est pas recommandée pour la simple et bonne raison que l'impression en haute résolution est plus longue et ne donne pas nécessairement de meilleurs résultats. Par exemple, il faut deux fois plus de temps pour sortir un document en 2 400 dpi qu'en 1 200 dpi, et trois fois plus en 3 600 dpi. Cependant, si la résolution choisie est trop basse, la gamme de nuances n'est suffisante et la reproduction des éléments et des images en couleurs est de moins bonne qualité. Si vous souhaitez une gamme de nuances d'au moins 100 teintes de gris, vous pouvez utiliser des trames pouvant aller jusqu'à 100 lpi avec une résolution de sortie de 1 200 dpi. Une résolution de 2 400 dpi est suffisante pour des trames de 200 lpi, etc.

ANGLES DE TRAME 9.1.5

Le cerveau perçoit facilement des motifs présentant des angles de 0 et 90 degrés. Les trames sont donc inclinées à 45 degrés pour rendre les motifs moins voyants. Pour l'impression en quadrichromie, la trame de chaque composante couleur est disposée selon un angle différent pour éviter tout effet de moiré [voir ci-dessous]. L'encre noire présentant généralement le contraste le plus élevé avec la surface sur laquelle s'effectue l'impression, elle est également la mieux perçue par le cerveau. C'est pourquoi la trame de l'encre noire est placée à 45 degrés, l'angle qui gêne le moins le cerveau. Le jaune présentant le contraste le plus faible, sa trame est orientée selon l'angle « le plus mauvais », c'est-à-dire à 0 degré. Les trames cyan et magenta sont orientées aussi près que possible des 45 degrés, dans des directions opposées. Pour l'impression offset, les orientations de trame recommandées sont 45 degrés pour le noir, 15 degrés pour le cyan, 75 degrés pour le magenta et 0 degré pour le jaune. Cela donne un décalage uniforme de 30 degrés entre les trois couleurs les plus visibles. Ces suggestions d'angles s'appliquent uniquement à l'impression offset. Les autres méthodes d'impression, telles que la sérigraphie ou l'héliogravure, requièrent des orientations différentes.

MOIRÉ 9.1.6

Une orientation correcte des trames est très importante pour garantir une impression de qualité. Un mauvais réglage des angles peut créer un effet dit de moiré. Le moiré est un phénomène visible, fréquemment observé dans l'impression, qui peut être facilement perçu par l'œil. Il crée une très forte déformation. Les techniques de tramage actuelles évitent le moiré en affectant à chaque composante couleur une linéature légèrement différente. Souvent, les angles de trame sont également ajustés pour compenser cet effet. Cela réduit ainsi considérablement les risques d'interférence entre les différentes trames. Il vous arrivera parfois de trouver également du moiré dans des zones spécifiques d'une image, effet appelé « moiré d'objet ». Ce défaut ne résulte pas d'une erreur d'angles de

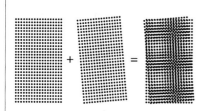

► MOIRÉ
Le moiré est un motif régulier qui apparaît lorsque deux motifs distincts sont placés l'un sur l'autre. Il est aisément perçu par l'œil et peut être très gênant à l'impression.

► DES ANGLES DE TRAME ERRONÉS ENGENDRENT DU MOIRÉ
Si une image est produite avec des angles de trame mal définis, le moiré peut être visible sur l'impression.

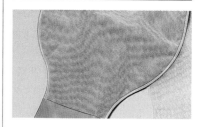

► MOIRÉ D'OBJET
Il arrive parfois que des motifs d'une image coïncident avec ceux des trames et engendrent du moiré d'objet.

trame, mais s'explique par le fait que des motifs de l'image coïncident avec ceux des trames. Le moiré d'objet est relativement peu courant, mais se produit occasionnellement dans des images sensibles telles que les tissus à carreaux ou à motifs, par exemple. Un phénomène similaire peut être observé à la télévision si une personne porte des vêtements à carreaux ou à motifs.

ROSETTES DE TRAMES 9.1.7
Lorsque les angles de trame utilisés dans l'impression sont bien calculés, l'impression obtenue présente des motifs en rosette. Si vous regardez de près une image imprimée, ce motif de rosette est plus ou moins visible à l'œil nu, en fonction de la couverture d'encre et de la combinaison de couleurs de l'impression. Bien que les rosettes puissent être évidentes au point d'en être gênant dans certaines parties d'une image imprimée, ce phénomène, résultant du tramage, est jugé « normal », contrairement au moiré. En règle générale, plus la linéature est basse, plus les rosettes sont visibles.

Toutes les épreuves analogiques, ainsi que certaines épreuves numériques, permettent une reproduction nette des points de trame, et les motifs de rosettes peuvent de ce fait être très évidents, même s'ils peuvent ne pas être aussi visibles dans l'impression finale.

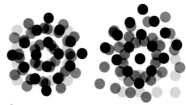

Centre ouvert   Point au centre

► ROSETTES DE TRAME
Lorsque les angles de trame utilisés dans l'impression sont bien calculés, l'impression obtenue présente des motifs en rosette. Il existe deux types de rosettes : les rosettes avec un centre ouvert et les rosettes avec un point au centre. Les opinions divergent quant à savoir quelle est la meilleure solution.

► FORMES DES POINTS DE TRAME

• **Formes des points de trame**
Ils sont recommandés pour divers types d'objets, comme les tons chair. Les points elliptiques ont tendance à créer des motifs.

• **Points carrés :** ◆
Ils peuvent être utilisés pour les images très détaillées et contrastées, par exemple les images de bijoux. Les points carrés sont moins appropriés pour les tons chair.

• **Points ronds :** ●
Ils sont recommandés pour les images lumineuses, avec, par exemple, des tons chair. Les points ronds sont moins appropriés pour les zones comportant de nombreux détails dans l'ombre.

Le choix de la forme du point dépend également de la méthode d'impression utilisée.

► SCANNÉRISATION D'IMAGES TRAMÉES
Lorsque vous scannez des images imprimées (déjà tramées), vous courez le risque de générer du moiré, car les trames de l'image coïncident avec celles du document imprimé.

Épreuve	Impression

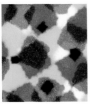

▶ **POINTS DE TRAME NETS**
Les épreuves analogiques et les documents imprimés en offset sans mouillage donnent des points de trame plus nets qu'en offset traditionnel. Les rosettes de trame peuvent alors être perçues comme gênantes du fait qu'elles sont reproduites avec netteté.

Points de trame en diamant

Points de trame elliptiques

Points de trame carrés

Points de trame linéaires

Points de trame ronds

▶ **FORMES DES POINTS DE TRAME**
Les différentes formes de points de trame présentent des caractéristiques différentes, visibles dans les gradations subtiles.

▶ **INTERACTIONS DES POINTS ELLIPTIQUES**
Du fait de leur forme, les points elliptiques se rencontrent à deux valeurs différentes, 40 % aux extrémités et 60 % sur les côtés. Il y a donc deux points d'interaction délicats dans les gradations qui peuvent créer des motifs artificiels lignés.

Par exemple, si vous devez réaliser une épreuve analogique d'une publicité de presse en 85 lpi (linéature basse), le motif en rosette pourrait apparaître gênant, car il sera reproduit de manière nette sur le papier de qualité utilisé pour l'épreuve. Néanmoins, lorsque la publicité sera réellement imprimée sur du papier journal de faible qualité, les points seront moins nets et les rosettes ne seront pas aussi visibles.

TYPES DE POINTS DE TRAME 9.1.8

Tous les « points » ne sont pas ronds. Ils peuvent être ronds, elliptiques ou carrés, mais les ronds restent les plus fréquents. Selon la méthode d'impression, et parfois selon le produit imprimé, des points carrés ou elliptiques peuvent être un choix plus judicieux. Les coins des points carrés se rencontrent à une valeur tonale de 50 %. L'œil peut parfois percevoir cette gradation dans des teintes plus douces. Les points ronds fonctionnent de la même façon, mais se rencontrent à un ton plus foncé, environ 70 %. Du fait de leur forme, les points elliptiques se rencontrent à deux valeurs différentes, 40 % aux extrémités et 60 % sur les côtés. Vous obtenez ainsi deux points d'interaction essentiels dans les gradations de couleurs et les points elliptiques peuvent parfois créer des lignes dans l'image là où les points se rencontrent. Il existe des trames qui combinent différentes formes de points dans des pourcentages différents. Le système Agfa Balanced Screening, par exemple, combine des points ronds et des points carrés, tirant ainsi parti des avantages des deux formes.

TRAMAGE FM (TRAMAGE STOCHASTIQUE) 9.1.9

Le tramage FM et le tramage classique (aussi appelé tramage AM, AM correspondant à « modulation d'amplitude ») se distinguent essentiellement par le fait que le premier fait varier le nombre de points par unité de surface (la fréquence de point), alors que le second fait varier la taille du point (son amplitude). L'appellation initialement utilisée par l'industrie de la production graphique, tramage stochastique, était quelque peu incorrect cependant (stochastique signifie aléatoire, or les trames ne sont pas aléatoires), et l'on parle maintenant plutôt de tramage FM (Frequency Modulated, à modulation de fréquence).

Dans le tramage FM, tous les points de trame sont de la même taille. Ils sont pratiquement de la même taille que les plus petits points d'une trame classique. Une zone sombre d'une image simili classique contient de gros points, tandis que la même zone d'une image tramée FM contient un plus grand nombre de points. On peut avoir l'impression que ces points sont placés au hasard sur la trame, mais en réalité, un programme organise les points suivant des calculs mathématiques. Différentes tailles de points sont disponibles pour différents types de papier. Les tailles de points assez petites sont utilisées pour le papier présentant une surface plus lisse, ce qui nécessite une résolution de sortie supérieure. Les tailles de points assez grosses sont plus adaptées pour les papiers de faible qualité et une impression basse résolution. Les tailles disponibles dépendent du fournisseur. Par exemple, Agfa propose des tailles de points de 14, 21 et 36 microns.

Le tramage FM permet généralement une meilleure restitution des détails que le tramage AM classique. Cela est particulièrement visible lorsqu'on utilise des trames FM sur du papier de qualité inférieure où l'on aurait sinon une linéature faible. Cela dit, les aplats de couleur et les gradations douces peuvent apparaître marbrées avec un tramage stochastique. Avec ce type de tramage, il n'y a pas d'angles de trame, et donc aucun problème de moiré ou de rosettes gênantes. Comme pour le tramage classique, plusieurs fabricants ont développé leurs propres versions de cette technologie, parmi lesquelles CristalRaster d'Agfa, Diamond de Heidelberg et Staccato de Creo.

En règle générale, le tramage FM requiert un meilleur contrôle du processus à tous les stades. Un environnement sans poussière est primordial si l'on développe encore les plaques à partir de films. Si l'on recourt au tramage FM pour la première fois, il est préférable de prévisualiser le document final en tirant une épreuve afin de s'assurer du résultat. Les courbes d'engraissement du point et les densités d'aplat sont différentes de celles d'une production basée sur un tramage AM classique. Il est important qu'un véritable dialogue s'instaure entre le personnel prépresse et l'imprimeur avant et pendant la production.

Quelle que soit la technologie employée, il est vivement recommandé, si l'on veut obtenir un produit fini de qualité, de réaliser des épreuves sur un équipement compatible avec la technologie de tramage employée et avec l'équipement qui sera utilisé par l'imprimeur pour produire les plaques.

AUTRES TECHNIQUES DE TRAMAGE 9.1.10

Des technologies hybrides existent également. Dans le tramage XM (à modulation croisée) par exemple, Sublima d'Agfa exploite une combinaison de tramage AM et FM : il conserve les angles de trame de la technologie classique avec les petits points de la technologie FM, tout en utilisant des points AM pour les tons moyens afin de mieux restituer les dégradés subtils.

Outre les techniques mentionnées plus haut, il existe d'autres techniques de tramage spécialisées, telles que la trame lignée et les points de trame divisés. Cette dernière technique divise chaque point de trame de taille normale en quatre points plus petits, ce qui donne l'impression de doubler la linéature avec la même gamme de nuances dans la grande cellule de trame.

▶ **PARTIE 1**

Dans le tramage FM, les points de trame sont de la même taille, mais la distance qui les sépare diffère. Dans le tramage AM, les points sont équidistants, mais ils n'ont pas la même taille.

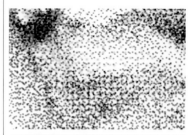

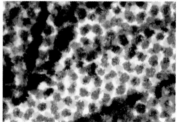

▶ **PARTIE 2**

Dans les agrandissements de trames ci-dessus, vous pouvez voir la différence entre le tramage FM et AM.

▶ **PARTIE 3**

Dans la technique FM à gauche, les points d'insolation sont éparpillés dans la cellule. Dans le tramage AM à droite, les points sont regroupés au centre. Les deux trames donnent le même ton de gris, environ 17 % (11/64).

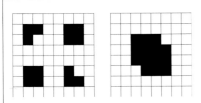

Avec des points divisés, la trame résulte de quatre unités distinctes dans la cellule de trame (à gauche). La cellule conserve son nombre de tons de gris, mais la résolution semble avoir été multipliée par deux. Comparez-la avec la trame classique qui comporte une seule unité (à droite). Pourtant, les deux exemples montrent un ton de gris de 20 %.

▶ TRAME LIGNÉE
Souvent utilisée pour créer des effets particuliers, la méthode de la trame lignée donne généralement une qualité d'image médiocre. La trame est composée de lignes, plutôt que de points.

LES LANGAGES DE DESCRIPTION DE PAGE 9.2

Un langage de description de page (PDL, Page Description Language) est un langage de programmation graphique qui décrit la présentation et l'apparence d'une page. Lors de l'impression d'un document, le format de fichier utilisé pour le créer (par exemple, QuarkXPress, Adobe InDesign, Microsoft Word) doit être converti en un format de fichier pouvant être compris par le RIP (Raster Image Processor, processeur d'image tramée) du périphérique de sortie (imprimante, imageuse). Un PDL décrit les éléments d'une page (texte, images, illustrations, etc.) et l'emplacement de ces éléments sur la page. Le RIP convertit cette description de page en trames.

Un grand nombre de langages de description de page ont été mis au point par différents fabricants. Aujourd'hui, l'industrie de la production graphique utilise les logiciels et matériels de divers fabricants ; ainsi, le langage de description de page idéal est un langage qui fonctionne sur toutes les machines, quelle que soit leur marque, et qui leur permet de communiquer librement les unes avec les autres. Citons par exemple AFP de IBM, PCL de HP ou CT/LV de Scitex. Cependant, Adobe PostScript domine actuellement le marché et est devenu la norme de facto de l'industrie. PostScript est une norme ouverte, ce qui signifie que d'autres sociétés qu'Adobe peuvent l'utiliser.

POSTSCRIPT 9.3

PostScript a commencé comme un langage de programmation, mais pour les besoins de cet ouvrage, il est plus facile de considérer qu'il s'agit d'un système composé de plusieurs parties différentes. Le système comporte trois principaux composants : conversion de fichiers en code PostScript, transfert du code PostScript et traitement (rastérisation) du code PostScript. Le code PostScript était au départ basé sur des fichiers texte codés sur 7 bits (ASCII), mais ils peuvent désormais être enregistrés en code binaire 8 bits [voir « L'ordinateur » 2.4].

Lorsque vous imprimez un document, le fichier est tout d'abord converti en code PostScript. Cela signifie qu'un fichier PostScript est créé, puis envoyé à un périphérique de sortie compatible PostScript à l'aide d'un pilote d'imprimante PostScript et que le périphérique traite le fichier avec un RIP [voir 9.1 et 9.3.4]. Ces trois étapes sont toutes aussi importantes pour obtenir un bon résultat final. Adobe a publié un livre intitulé *Manuel de référence du langage PostScript*, qui contient toutes les spécifications PostScript nécessaires pour ceux qui souhaitent mettre au point des machines ou des programmes fondés sur le langage PostScript. Des « clones » PostScript sont disponibles, mais sont malheureusement souvent à la source de problèmes avec les RIP et les pilotes d'imprimante. Le problème le plus fréquent est une modification de l'arrangement original des lignes lorsqu'un fichier est enregistré et rastérisé. C'est pourquoi il est recommandé de s'adresser à des fournisseurs utilisant les systèmes Adobe originaux.

Vous pouvez également enregistrer un document au format PostScript. Dans ce cas, l'apparence de votre document est verrouillée. Vous ne pouvez pas ouvrir le document à partir du fichier PostScript, ni éditer le fichier PostScript. Si vous voulez apporter des modifications, vous devez les effectuer dans le fichier d'origine et enregistrer à nouveau ce dernier sous forme d'un nouveau fichier PostScript [voir « Pour créer un fichier PostScript » à la page 166]. Certains programmes, comme les programmes d'imposition et de trapping, sont basés sur le format PostScript. Un document doit d'abord être enregistré sous forme de fichier PostScript avant de pouvoir être édité avec ces types de programmes. Notez que ces programmes permettent uniquement d'ajouter ou de supprimer des informations dans un document, et non d'en modifier le contenu.

PostScript est comparable à un langage de programmation. De ce fait, il n'existe pas une seule façon de décrire la présentation avec PostScript. Dans certains fichiers Post-Script, une grande quantité d'informations est située au début du fichier, ou en-tête de fichier. Ces informations permettent souvent d'optimiser le code qui les suit ; elles permettent de raccourcir les longues commandes dans le code subséquent. Adobe Illustrator utilise cette technique et vous pouvez voir la différence en comparant les fichiers enregistrés au format Adobe Illustrator à ceux enregistrés au format EPS. Le fichier EPS est plus petit que le fichier Adobe Illustrator.

POSTSCRIPT EST ORIENTÉ OBJET 9.3.1

PostScript est un langage de description de page orienté objet, ce qui signifie qu'une page est décrite sur la base des objets qu'elle contient. Dans un fichier PostScript donné, les objets, qu'il s'agisse d'un type de caractères ou d'objets graphiques tels que des lignes, des courbes, des ombres, des motifs, etc., sont tous décrits avec des courbes mathématiques. Une image composée de pixels, une photographie scannée par exemple, est enregistrée dans un fichier PostScript sous forme de bitmap avec un en-tête de fichier Post-Script.

Les objets PostScript étant basés sur des courbes de Bézier, vous pouvez supposer que la réduction ou l'agrandissement des pages n'engendre aucune perte de qualité de l'image. Cela n'est vrai qu'en partie ; si le fichier ne contient aucune image bitmap, vous pouvez l'agrandir ou le réduire sans aucun problème. Cependant, si une image bitmap est incluse dans le fichier, vous ne pouvez pas agrandir la page sans réduire la qualité, l'agrandissement de ce type image diminuant sa résolution [voir « Les images » 5.5.9, 5.5.10 et 5.5.11].

POSTSCRIPT ET LA GESTION DES POLICES DE CARACTÈRES 9.3.2

Lorsque vous créez un fichier PostScript en vue de sa sortie ou de son enregistrement pour une modification ultérieure, vous pouvez inclure les polices de caractères avec le fichier ou choisir d'utiliser des polices déjà enregistrées dans le périphérique de sortie. Les périphériques de sortie PostScript 2 proposent 35 polices de caractères standards, tandis que les équipements PostScript 3 en contiennent 136. S'il s'agit d'une impression récurrente utilisant les mêmes polices, il peut être plus facile de télécharger les polices de caractères sur le périphérique de sortie. Cela permet d'avoir un fichier PostScript plus petit, et donc d'en accélérer la création, le transfert et la sortie.

CRÉATION DE FICHIERS POSTSCRIPT 9.3.3

Chaque fois que vous imprimez un document depuis l'ordinateur sur une imprimante compatible PostScript, un fichier PostScript est créé. Il contient toutes les informations relatives à la présentation de la page une fois imprimée. Au lieu de sortir un fichier sur un périphérique d'impression, vous pouvez décider de l'enregistrer comme fichier Post-Script sur le disque dur en suivant une procédure similaire.

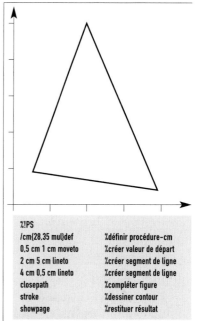

```
%!PS
/cm{28.35 mul}def      %définir procédure-cm
0,5 cm 1 cm moveto     %créer valeur de départ
2 cm 5 cm lineto       %créer segment de ligne
4 cm 0,5 cm lineto     %créer segment de ligne
closepath              %compléter figure
stroke                 %dessiner contour
showpage               %restituer résultat
```

▶ CODE POSTSCRIPT
Lorsque le code PostScript ci-dessus est envoyé à l'imprimante, cela crée un triangle. Le texte après le signe % est un commentaire et n'est pas imprimé.

▶ MODIFICATIONS DE L'ARRANGEMENT DU TEXTE
Les différents RIP et pilotes d'imprimante peuvent modifier la disposition des lignes, erreur souvent remarquée trop tardivement dans le processus.

▶ **MODIFICATION DE LA TAILLE D'UNE PAGE**
Si une page est composée uniquement d'images vectorielles, sa taille peut être modifiée sans perte importante de qualité en cas de conversion au format PostScript. Dans Quark-XPress et Adobe InDesign, la commande `Fichier -> Réglages de page` permet de modifier la taille d'une page.

▶ **SÉLECTION DU PILOTE D'IMPRIMANTE**
Le `Sélecteur` du menu `Pomme` permet de sélectionner le pilote d'imprimante. LaserWriter 8.x est l'un des plus courants.

Il existe deux grandes façons de convertir un fichier au format PostScript, selon le type de programme à partir duquel vous le convertissez. La manière la plus courante consiste à créer les fichiers originaux dans des programmes PostScript comme Adobe InDesign, Adobe PageMaker, Adobe Framemaker, QuarkXPress, Adobe Illustrator et Macromedia Freehand, entre autres. Ces programmes convertissent le fichier au format PostScript lors de sa sortie. Cependant, vous devez auparavant sélectionner un pilote d'imprimante et un fichier de description d'imprimante PostScript (un fichier PPD, PostScript Printer Definition). Cela permet au programme de disposer des informations concernant le périphérique de sortie que vous utilisez, y compris sa résolution, son format d'impression, etc., et le fichier PostScript est ajusté en conséquence (cela s'applique par exemple au pilote d'imprimante LaserWriter 8 ou supérieur et au pilote d'imprimante PC 4× ou supérieur). Le programme se sert du pilote d'imprimante pour envoyer le fichier vers le périphérique de sortie que vous avez choisi. Sur un Macintosh, vous sélectionnez les pilotes d'imprimante dans le `Sélecteur`.

Auparavant, QuarkXPress utilisait ses propres fichiers de description d'imprimante au lieu des PPD. Ce type de fichier fonctionnait de la même façon qu'un PPD, mais on sélectionnait cette option dans QuarkXPress.

Les programmes qui ne sont pas basés sur PostScript, tels que MS Word, WordPerfect, MS PowerPoint, etc., utilisent les pilotes d'imprimante pour créer des fichiers PostScript. Les pilotes d'imprimante sont assistés par un PPD, qui ajoute des informations sur l'imprimante, comme dans les exemples ci-dessus. Lorsqu'on utilise des programmes non basés sur PostScript, l'apparence d'un document peut subir des modifications non désirées à la création du fichier PostScript. Cela est dû à des différences entre divers PPD et pilotes d'imprimante ou au fait que le pilote d'imprimante est un mauvais convertisseur du langage PostScript.

Généralement, il est préférable d'utiliser les propres pilotes d'imprimante d'Adobe (AdobePS ou LaserWriter 8X pour Mac, ou le pilote d'imprimante d'Adobe pour PC) ou de demander à votre prestataire de services graphiques de vous recommander un pilote d'imprimante. Vous vous apercevrez également qu'il est préférable de travailler avec le même pilote d'imprimante et avec le même PPD durant la création du document et du fichier PostScript. Vous pouvez généralement voir les erreurs d'arrangement de la page directement à l'écran lorsque vous changez de pilotes d'imprimante.

En raison des problèmes mentionnés précédemment, imputables à l'utilisation de programmes non basés sur PostScript, il peut être préférable de fournir des fichiers PostScript complets au RIP. Le fichier PostScript verrouille tous les paramètres applicables, ce qui vous permet d'éviter toute modification éventuelle de la présentation de votre document. À l'inverse, lorsque vous utilisez un programme basé sur PostScript, les paramètres de la mise en page sont enregistrés directement dans le format de fichier du programme et ne dépendent pas d'un pilote d'imprimante particulier. Ainsi, la présentation n'est pas affectée par le pilote d'impression, et les transferts entre les différents ordinateurs et pilotes d'imprimante ne sont pas un problème. Les fichiers créés dans un programme basé sur PostScript peuvent également être transférés pour la rastérisation sans affecter la présentation.

RIP POSTSCRIPT ^{9.3.4}

RIP est l'acronyme de Raster Image Processor, processeur d'image tramée, ou processeur de rastérisation d'image, la rastérisation signifiant qu'une image est décomposée en lignes de points successives. Le mot anglais *raster* a été créé pour qualifier le système de balayage ligne par ligne utilisé pour créer les images sur des écrans cathodiques, de télévision notamment, et il a été réutilisé pour les systèmes d'impression exploitant un procédé comparable. Un RIP se compose de deux éléments principaux : un interpréteur PostScript et un processeur de conversion des pages en images raster (bitmap). L'interpréteur reçoit et convertit les informations PostScript, après quoi le processeur crée une représentation bitmap de chaque séparation de couleur de la page. Il existe deux types de RIP : les RIP logiciels et matériels. Les RIP matériels sont en réalité des ordinateurs spécialement conçus pour la rastérisation. Les RIP logiciels sont des programmes de rastérisation spéciaux pouvant être installés sur un ordinateur standard. Les RIP matériels sont en général plus rapides, car ils sont spécifiquement conçus pour la rastérisation, tandis que les RIP logiciels sont plus flexibles puisqu'ils peuvent être utilisés avec n'importe quel ordinateur standard. Un RIP compatible PostScript peut effectuer des opérations supplémentaires, comme la décompression et la séparation d'images parallèlement à la rastérisation.

Les documents créés avec des programmes tels que QuarkXPress et Adobe InDesign sont décrits à l'aide du format propre à ce programme particulier. Pour regarder un document à l'écran, le code du programme doit être converti dans un langage que l'écran peut comprendre. Lorsque vous sortez votre document, le code du programme est converti en code PostScript avec les paramètres liés. Le RIP reçoit les informations PostScript, interprète ce qui doit être fait sur la page et procède à tous les calculs. Une fois qu'une page entière a été calculée, y compris les images, les types de caractères, les logos, etc., une représentation bitmap de chaque couleur d'impression (quatre pour une impression CMJN par exemple) est créée. Ces représentations bitmap (à base de uns et de zéros) permettent à l'imageuse de savoir quels points doivent être insolés. Lors de l'insolation de plaques ou films séparés, chaque page est calculée quatre fois, une pour chaque couleur.

▶ TÉLÉCHARGEMENT DE PPD

La plupart des constructeurs d'imprimantes permettent de télécharger les PPD de leurs imprimantes sur leurs sites Web. Généralement, le téléchargement de ces fichiers est gratuit.

Adobe : http://www.adobe.fr
Hewlett Packard : http://www.hp.fr
Kodak : http://www.kodak.com
Canon : http://www.canon.fr
Minolta : http://www.minolta.fr
Agfa : http://www.agfa.fr
Epson : http://www.epson.fr
Ricoh: http://www.ricoh.fr

▶ INFORMATIONS SPÉCIFIQUES À L'IMPRIMANTE

Lorsque vous sélectionnez le fichier de description d'imprimante sous Réglages de page –> Description d'imprimante dans QuarkXPress, s'affichent alors la résolution, les tailles de papier possibles et la linéature recommandée pour ce périphérique de sortie.

▶ PPD – DESCRIPTION D'IMPRIMANTE POSTSCRIPT

Les fichiers PPD contiennent des informations sur le périphérique de sortie, par exemple sa résolution et le format de sortie. Les fichiers PPD sont disponibles pour tous les périphériques de sortie PostScript et doivent être placés dans le dossier Système de l'ordinateur au niveau de Extensions/Descriptions d'imprimantes. Vous indiquez le PPD souhaité lorsque vous sélectionnez l'imprimante dans le Sélecteur. Dans Pagemaker, vous pouvez également indiquer le fichier PPD dans Fichier –> Imprimer.

Quark Xpress gère les PPD un peu différemment. Il faut en effet lui indiquer où sont stockés les PPD via le Gestionnaire de PPD. Les fichiers PPD ne doivent pas nécessairement être stockés dans le dossier Système.

► POUR CRÉER UN FICHIER POSTSCRIPT

Pour créer un fichier PostScript, procédez pour commencer de la même manière que pour sortir un document sur une imprimante. Les explications qui suivent correspondent à la création d'un fichier PostScript à partir de QuarkXPress. Les écrans peuvent varier en fonction de la version du programme et du pilote d'imprimante utilisés, mais les paramètres sont identiques. La procédure est similaire pour créer un fichier PostScript à partir d'InDesign ou de PageMaker.

1. Sélectionnez LaserWriter 8.x dans le Sélecteur. Sélectionnez une imprimante PostScript, puis cliquez sur Créer.

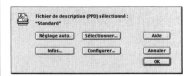

2. Sélectionnez le PPD (description d'imprimante Postscript) en cliquant sur Sélectionner.

Le PPD sélectionné est attaché à l'imprimante sélectionnée jusqu'à ce que vous changiez de PPD.

Dans PageMaker, InDesign et QuarkXpress, vous pouvez changer de PPD au niveau de la commande Imprimer. Cette sélection est alors attachée au document et non à l'imprimante.

3. Une fenêtre s'ouvre : elle contient tous les fichiers PPD installés dans le dossier Système de l'ordinateur. Sélectionnez le fichier que vous souhaitez utiliser et cliquez sur Ouvrir. Sélectionnez Acrobat Distiller PPD afin d'utiliser le fichier PostScript pour créer un fichier PDF.

4. Allez dans Fichier –> Imprimer dans QuarkXPress. Aucune case ne doit être cochée. Les séparations et le repérage doivent être désactivés afin d'utiliser le fichier PostScript pour créer un fichier PDF.

5. Si vous cliquez sur l'onglet Réglage dans la boîte de dialogue précédente, la boîte de dialogue ci-dessus s'ouvre. Aucune case ne doit être cochée. La description d'imprimante doit être Acrobat Distiller afin d'utiliser le fichier PostScript pour créer un fichier PDF.

6. Cliquez sur Réglages de page et sélectionnez Options PostScript sous Attributs de page. Veillez à ce qu'aucune case de la boîte de dialogue ne soit cochée.

Cliquez sur OK.

7. Cliquez sur Imprimante et sélectionnez Fichier pour l'option Vers et Enregistrement en haut de la boîte de dialogue. Sélectionnez les options de la boîte de dialogue comme indiqué ci-dessus. Assurez-vous que toutes les polices de caractères sont incluses.

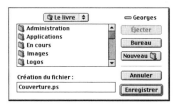

8. Dans la boîte de dialogue suivante, vous décidez de l'emplacement d'enregistrement du fichier PostScript.

Si vous cliquez sur Enregistrer, l'ordinateur démarre la création du fichier PostScript. Le fichier aura le suffixe .ps.

Dans un environnement Windows, le fichier correspondant a le suffixe .prn.

▶ COMMENT EFFECTUER UNE SORTIE EN SÉPARATION DE COULEURS

Parfois, il peut s'avérer judicieux de vérifier les documents couleurs en imprimant une sortie en séparation de couleurs sur une imprimante noir et blanc. La méthode de base est la même que pour une sortie normale ou que pour créer un fichier PostScript.

Les explications qui suivent correspondent à la création d'un fichier en séparation de couleurs dans QuarkXPress. Les écrans peuvent varier en fonction de la version du programme et du pilote d'imprimante utilisés, mais les paramètres sont identiques. La procédure est similaire pour créer un fichier de sortie en séparation de couleurs dans PageMaker ou InDesign.

1. Sélectionnez LaserWriter 8.x dans le Sélecteur. Sélectionnez votre imprimante noir et blanc habituelle puis cliquez sur Créer.

2. Sélectionnez le PPD (description d'imprimante Postscript) en cliquant sur Sélectionner.

Le PPD sélectionné est attaché à l'imprimante sélectionnée jusqu'à ce que vous changiez de PPD.

Dans PageMaker, InDesign et QuarkXpress, vous pouvez changer de PPD au niveau de la commande Imprimer. Cette sélection sera attachée au document et non à l'imprimante.

3. Une fenêtre s'ouvre ; elle contient tous les fichiers PPD installés dans le dossier Système de l'ordinateur. Sélectionnez un fichier PPD qui correspond à votre imprimante, puis cliquez sur Ouvrir.

4. Allez dans Fichier –> Imprimer. Sélectionnez les options de la boîte de dialogue comme indiqué ci-dessus. En cochant Séparations, chaque composante couleur du document est imprimée sur une feuille à part. Si vous n'avez pas supprimé, dans la boîte de couleurs, les couleurs non séparées des documents en quadrichromie ou les couleurs que vous n'utilisez pas dans un document avec couleurs d'accompagnement, ces couleurs seront également imprimées [voir » Préparation des documents » 6.3.3].

Si vous ne sélectionnez pas Séparations, le document est imprimé en composite ; toutes les couleurs sont imprimées sur la même sortie. Si vous imprimez en composite sur une imprimante noir et blanc, toutes les couleurs sont imprimées en niveaux de gris sur la même feuille. Si vous imprimez en composite sur une imprimante quadri, celle-ci sépare automatiquement les couleurs et imprime toutes les couleurs sur la même feuille. Lorsque vous décidez d'effectuer une sortie avec des marques de repérage, chaque page contient les informations indiquant la composante couleur imprimée, ce qui facilite le contrôle.

5. Si vous cliquez sur Réglages de page dans la boîte de dialogue précédente, la boîte de dialogue ci-dessus s'ouvre. Sélectionnez une description d'imprimante et assurez-vous de sélectionner une taille de papier que votre imprimante peut prendre en charge.

6. Cliquez sur Réglages de page et sélectionnez Options PostScript sous Attributs de page. Sélectionnez les options de la boîte de dialogue comme indiqué ci-dessus, aucune case ne devant être cochée. Cliquez sur OK.

7. Cliquez sur Imprimer pour lancer votre sortie en séparation de couleurs.

▶ QUE PEUT-ON VÉRIFIER ?

- Que les couleurs du document sont séparées.
- Si la boîte de couleurs contient des couleurs qui ne sont pas utilisées.
- Le recouvrement et les défonces.
- Que les images sont séparées : les images RVB apparaîtront uniquement sur l'impression en noir.
- Les fonds perdus.

Plus la page est complexe, plus les calculs et la rastérisation prennent de temps. Une page complexe peut contenir de nombreuses polices de caractères, des illustrations compliquées avec plusieurs calques, des images vectorielles avec de nombreux points d'ancrage, des images pivotées, réduites ou agrandies, ou des images qui n'ont pas été rognées dans l'application de retouche d'image, mais dans l'application de mise en page. La rastérisation de telles pages peut demander beaucoup de temps, même si le fichier est petit. En revanche, l'insolation dans l'imageuse requiert toujours la même durée, pour un même format de document, quelle que soit la taille du fichier ou la complexité du document.

POSTSCRIPT NIVEAU 1 9.3.5

Lancé au milieu des années 1980, le Niveau 1 est le fondement des trois versions actuelles de PostScript. Les deux niveaux suivants s'appuient sur le même langage de description de page, mais chaque version subséquente contient des ajouts et des améliorations. Les différents niveaux sont compatibles les uns avec les autres : un RIP PostScript 3 peut convertir un fichier Niveau 1 et vice versa. En revanche, des informations sont perdues lorsque vous passez d'un niveau supérieur à un niveau inférieur. PostScript Niveau 1 est un langage de description de page relativement simple, comparé aux deux autres. Par exemple, le Niveau 1 ne prend pas en charge la gestion des couleurs.

POSTSCRIPT NIVEAU 2 9.3.6

Jusqu'à la sortie du Niveau 2, les produits PostScript ne pouvaient pas prendre en charge la gestion des couleurs. Auparavant, certains produits conçus par différents fabricants prenaient en charge la gestion des couleurs, mais avec l'arrivée de PostScript Niveau 2, tous les produits ont été en mesure de prendre en charge le mode couleur CMJN et les images en RVB et CMJN. De nouvelles fonctions ont été ajoutées, y compris la prise en charge des modèles de couleur indépendants du matériel (CIE), des techniques de tramage améliorées, des filtres de compression et décompression et une meilleure prise en charge des fonctions uniques d'imprimantes spécifiques.

POSTSCRIPT 3 9.3.7

Avec PostScript 3, la version la plus récente de PostScript, Adobe a supprimé le mot Niveau du nom. Les améliorations apportées à PostScript 3 ont été centrées sur l'optimisation de la rastérisation des fichiers PostScript et sur la réalisation d'ajustements pour Internet. Le nombre de polices de caractères pouvant être installées sur les périphériques de sortie a été porté de 35 à 136. Le traitement est alors plus rapide, puisqu'il n'est plus nécessaire désormais d'attacher des polices au fichier.

Lors de la rastérisation avec Postscript 3, chaque objet du fichier PostScript est traité à part pour augmenter la vitesse de traitement. Le format PDF est également utilisé durant la rastérisation. Lorsque le RIP commence à traiter un fichier, le fichier est converti en une liste dont chaque élément distinct correspond à une page (organisation page par page). Cette liste est un fichier PDF. Dans ce cas, les pages peuvent être traitées une par une ; le traitement s'effectue par page indépendante, tandis que dans les versions précédentes, le fichier entier devait être traité en une seule fois.

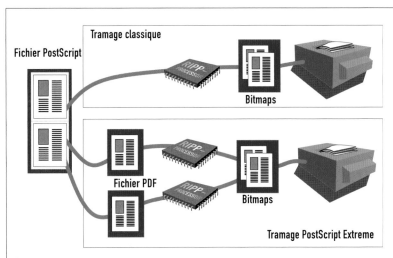

Lorsque le fichier est rastérisé, il est d'abord converti en fichier PDF. Avec PostScript Extreme, chaque page du document est traitée à part (image inférieure). Le fichier est « en pages indépendantes ». Cependant, si vous utilisez la technique PostScript classique, le fichier entier est traité séquentiellement (image supérieure).

Dans le même temps, la gradation vers le format PDF supprime les informations superflues, telles que les parties des images qui ont été coupées, par exemple. Cela contribue également à raccourcir le délai de traitement. Les RIP PostScript 3 peuvent aussi traiter les fichiers PDF directement, sans utiliser PostScript.

Adobe a mis au point une nouvelle technique de rastérisation, PostScript Extreme, qui tire parti des avantages des fichiers au format dit de pages indépendantes. Vous pouvez diviser la rastérisation des différentes pages entre plusieurs processeurs. Les pages les moins complexes n'ont pas besoin alors d'attendre pour prendre fin à cause d'une page dont la conversion demande beaucoup de temps.

Parmi les fonctions ajoutées à PostScript 3 pour Internet, figure la capacité à indiquer aux périphériques de sortie PostScript des adresses Internet. Cela implique que vous pouvez effectuer une sortie sur un périphérique de sortie via Internet, à partir de n'importe quel poste de travail. PostScript 3 offre également une fonctionnalité améliorée de sortie directement à partir de fichiers HTML.

PDF 9.4

En 1993, Adobe a lancé le format de fichier PDF, ou Portable Document Format (format de document portable). L'idée était de créer un format de fichier indépendant de la plate-forme et du programme. Cela signifie que les documents se présentent de façon identique à l'écran et sur la version imprimée, quelle que soit la plate-forme (MacOS, Windows, Linux ou Unix, etc.) utilisée pour les créer ou les lire. Les fichiers PDF sont utilisés pour tout, de la gestion des images et épreuves à la publication numérique, en passant par les e-publications, les formes numériques, etc.

Les fichiers PDF sont recommandés pour de nombreuses utilisations, notamment :

- Distribution numérique
- Usage indépendant de la plate-forme
- Épreuves numériques
- Épreuves numériques

En théorie, un fichier PDF est « verrouillé », ce qui signifie que vous ne pouvez en principe pas le modifier. Nous disons « en principe », car vous pouvez en réalité procéder à des modifications dans Adobe Acrobat, à l'aide de l'outil Retouche. Il existe également des programmes utilitaires qui facilitent l'édition de fichiers PDF.

Le format PDF est étroitement lié à PostScript, mais il s'en distingue par plusieurs aspects. Le format PDF est mieux standardisé que PostScript. Par conséquent, une page en PostScript, qui peut être décrite de plusieurs façons différentes, sera décrite d'une seule façon en PDF. Ainsi, il est plus facile au RIP d'interpréter l'apparence de la page, ce qui réduit considérablement le risque d'erreurs lors de l'impression. Une autre différence de taille entre PDF et PostScript est qu'avec PostScript, toutes les pages d'un document donné dépendent les unes des autres ; vous ne pouvez pas imprimer uniquement une page d'un fichier PostScript, toutes les pages doivent être imprimées à chaque fois. Dans les fichiers PDF, les pages sont distinctes, ce qui vous permet de sortir chaque page d'un document individuellement.

Pour créer un fichier PDF, vous devez commencer par créer un fichier PostScript qui sera ensuite converti au format PDF. Lors de la conversion, le code et les informations PostScript superflues sont supprimés. Les images et le texte peuvent être compressés, et, de ce fait, le fichier PDF occupe moins de mémoire que le fichier PostScript original. La compressibilité et l'indépendance de la plate-forme rendent le format de fichier PDF parfaitement adapté à la distribution et à la publication numériques. Le PDF est en voie de reprendre le rôle de PostScript dans la production graphique et est aujourd'hui l'un des formats les plus courants pour la livraison numérique de publicités et autres produits pour l'impression.

PDF/X 9.4.1

PDF/X est une norme ISO de fichiers numériques. Il s'agit d'un fichier PDF classique, contrôlé de certifié, garantissant à celui qui le reçoit une absence de problème lors du traitement par le RIP.

Apago Checkup et Pitstop Enfocus sont des programmes qui permettent de contrôler et d'ajuster les fichiers pour qu'ils soient conformes à la spécification PDF/X. On dit alors que les fichiers sont des fichiers PDF/X. Cette norme se décline en trois versions : PDF/X-1 (ISO 15390-1), PDF/X-2 et PDF/X-3 (ISO 15390-3). Ces versions imposent des restrictions plus ou moins sévères en fonction des différents types de travaux. Enfocus propose un logiciel gratuit appelé Certified PDF Reader, fonctionnant en plug-in d'Adobe Acrobat ou d'Acrobat Reader, qui permet de vérifier si le fichier PDF a été certifié selon la norme PDF/X. Les produits Enfocus sont importés en France par la société Quartet (www.quartet.fr). Sur le site de cette dernière, vous pouvez télécharger gratuitement Certified PDF Reader.

Indépendamment de ces normes, certains organismes professionnels ont édité des prescriptions, voire des profils de contrôle, pour la création et la sécurisation des fichiers PDF. C'est le cas en France du SICOGIF (Syndicat des Industries de la Communication Graphique et de l'Imprimerie Française), www.sicogif.com.

LA FAMILLE ADOBE ACROBAT [9.4.2]

Adobe a développé une famille complète de programmes autour du format de fichier PDF. Les programmes les plus courants sont les suivants : Adobe Reader pour lire les fichiers PDF, Adobe Acrobat pour modifier et vérifier les fichiers PDF, Acrobat Distiller pour créer des fichiers PDF, Acrobat Catalog pour archiver et rechercher des fichiers PDF et Acrobat Capture pour convertir des documents papier scannés en fichiers PDF. Adobe comprend également un pilote d'imprimante, PDFWriter, avec lequel vous pouvez créer des fichiers PDF directement à partir d'une application de mise en page (bien que cela ne soit pas recommandé). Outre les programmes mentionnés précédemment, il existe aussi des utilitaires basés sur le format PDF disponibles auprès d'autres éditeurs de logiciels qu'Adobe.

Adobe Reader

Adobe Reader, auparavant appelé Acrobat Reader, l'utilitaire le plus fréquemment utilisé, est indispensable pour lire les fichiers PDF. Le programme est gratuit et peut également être utilisé pour imprimer des fichiers PDF sur papier (disponible pour téléchargement à l'adresse http://www.adobe.fr). Lors de l'impression, Adobe Reader convertit le fichier PDF en PostScript et l'envoie au périphérique de sortie. Les RIP PostScript 3 peuvent rastériser les fichiers PDF directement, c'est-à-dire que vous pouvez les envoyer directement à l'imprimante sans qu'il soit nécessaire de les ouvrir.

Adobe Acrobat

Adobe Acrobat permet à l'utilisateur d'ajouter ou de modifier un fichier PDF. Il s'agit grosso modo d'un programme Adobe Reader doté d'un grand nombre de fonctions supplémentaires. Par exemple, Acrobat permet de créer des liens entre différentes pages, différents documents et même des liens avec des pages sur Internet. De cette façon, vous pouvez créer des documents interactifs basés sur un fichier destiné à l'origine à l'impression. Vous pouvez également créer des formes et des champs pour des formes numériques.

Dans l'industrie graphique, le format PDF est également utilisé pour le tirage d'épreuves. Adobe Acrobat présente de très nombreuses fonctionnalités utiles en matière de gestion d'épreuves numériques. L'une de ces fonctions vous permet d'ajouter des « Post-it » jaunes à un document, avec des commentaires au sujet du contenu ou de la composition d'une page. Parmi les autres fonctions utiles, figurent la capacité à mettre en relief ou à souligner les parties souhaitées d'un document, ainsi qu'une fonction qui compare les documents sélectionnés pour garantir que les modifications ont été effectuées. Enfin, vous pouvez signer et approuver les fichiers PDF. Adobe Acrobat vous permet également d'apporter certains types de modifications à des textes et images existants [voir également 9.4.5].

Acrobat Distiller

Acrobat Distiller est le programme permettant la création de fichiers PDF. Il s'agit en fait d'un RIP logiciel qui convertit des fichiers PostScript en fichiers PDF. Il offre également la possibilité de sélectionner, entre autres, le niveau de compression, la gestion des polices de caractères et la résolution des illustrations et images pour tous vos fichiers PDF [voir également 9.4.3].

▶ **ÇA NE COÛTE RIEN DE REGARDER !**
Adobe Reader est un programme gratuit de visualisation des fichiers PDF. Vous pouvez vous déplacer dans le fichier en cliquant sur les vignettes de gauche.

Lorsque vous créez un fichier PDF, vous devez toujours commencer par réaliser un fichier PostScript du document d'origine.

Suivez les instructions ci-dessous pour créer des fichiers PDF dans Acrobat Distiller. Avant de créer un fichier PDF, vous devez toujours vérifier si le fichier est destiné à l'impression ou à l'affichage à l'écran. Un fichier PDF destiné à l'affichage à l'écran est beaucoup plus petit qu'un fichier PDF devant être imprimé.

Vous pouvez également créer un fichier PDF via PDFWriter disponible dans le Sélecteur, mais ce n'est pas une bonne méthode, car elle est indiquée uniquement pour les documents texte.

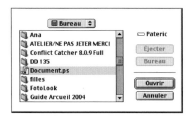

1. Démarrez Acrobat Distiller et définissez les paramètres pour l'impression ou l'affichage à l'écran. Puis sélectionnez Fichier –> Ouvrir et recherchez le fichier PostScript que vous souhaitez utiliser. Indiquez au programme où l'enregistrer. Lorsque vous cliquez sur Enregistrer, Distiller commence à travailler et le fichier PDF est créé. Le fichier aura le suffixe .pdf.

▶ PARAMÉTRAGE DE DISTILLER POUR L'AFFICHAGE À L'ÉCRAN

1. Allez dans Options du travail et sélectionnez les options ci-dessus dans l'onglet Générales.

2. Cliquez sur l'onglet Compression et sélectionnez les options suivantes. Les images sont échantillonnées à 72 dpi (définition de l'écran) et seront compressées à un taux modérément élevé.

3. Sous l'onglet Polices, sélectionnez les paramètres ci-dessus.

4. Sous l'onglet Couleur, vous sélectionnez la conversion des images. Cela implique de supprimer des images les informations propres à l'impression.

5. Sous l'onglet Avancées, vous sélectionnez les paramètres ci-dessus.

▶ PARAMÉTRAGE DE DISTILLER POUR L'IMPRESSION

1. Allez dans Options du travail et sélectionnez les options ci-dessus dans l'onglet Générales.

2. Cliquez sur l'onglet Compression et sélectionnez les options suivantes. Les images sont échantillonnées à 300 dpi et seront légèrement compressées.

3. Sous l'onglet Polices, sélectionnez les paramètres ci-dessus. Notez que Incorporer toutes les polices doit être coché.

4. Sous l'onglet Couleur, sélectionnez les paramètres ci-dessus. De cette façon, les informations spécifiques de l'impression demeureront dans le document.

5. Sous l'onglet Avancées, sélectionnez les paramètres ci-dessus.

Acrobat Catalog

Acrobat Catalog permet de créer des fichiers d'index visant à organiser un grand nombre de documents PDF. Si vous avez indexé vos documents dans Acrobat Catalog, vous pouvez effectuer des recherches par mot-clé parmi les milliers de documents enregistrés dans Adobe Acrobat. Acrobat Catalog est un programme d'archivage très utile.

Acrobat Capture

Acrobat Capture est un programme qui permet d'interpréter un texte scanné. À l'aide d'une technique appelée OCR (Optical Character Recognition, reconnaissance optique de caractères), le programme identifie le texte et le convertit en typographie réelle, ce qui permet d'obtenir des fichiers PDF compacts, bien conçus et permettant d'y effectuer des recherches.

Utilitaires

Un grand nombre de programmes utilitaires pour Adobe Acrobat ont été développés par des éditeurs de logiciels indépendants ; on parle généralement de plug-ins. Ils peuvent étendre les fonctions des programmes de la famille Acrobat. Citons comme exemple de plug-in utilisé dans la production graphique PitStop d'Enfocus. PitStop permet de contrôler la conformité de fichiers PDF par rapport à un ensemble de critères définis et également, le cas échéant, de les modifier. Grâce à PitStop, vous pouvez modifier la plupart des éléments, y compris le texte, les couleurs, la disposition des objets et images, et les formes des objets. La fonction de contrôle permet de générer des rapports d'erreurs imprimables. PitStop est disponible en plusieurs versions, dont une version serveur permettant d'automatiser le contrôle et la correction de fichiers PDF multiples.

Adobe Photoshop et Adobe Illustrator

Adobe Photoshop et Adobe Illustrator ont tous deux fait l'objet de nettes améliorations en termes de création et d'édition de fichiers PDF. De ce fait, plusieurs des programmes utilitaires mentionnés précédemment sont susceptibles d'être remplacés par des fonctions d'Adobe Photoshop et Adobe Illustrator.

CRÉER DES FICHIERS PDF 9.4.3

Le travail de création d'un fichier PDF commence avec la création de pages dans une application de mise en page, d'illustration, de traitement de texte ou de présentation. Une fois que vous disposez de ces pages, vous devez créer un fichier PostScript à l'aide du programme approprié [voir page 166]. Notez qu'un fichier PPD spécial, Acrobat Distiller PPD, est nécessaire pour interpréter le fichier PostScript avec Acrobat Distiller. Le fichier PostScript achevé est alors ouvert dans Acrobat Distiller, qui le convertit au format PDF. Il est important de déterminer les paramètres corrects dans Acrobat Distiller afin d'optimiser le fichier PDF compte tenu de son utilisation prévue. Par exemple, si le fichier PDF est destiné uniquement à être visualisé à l'écran, vous pouvez exclure les polices de caractères, diminuer la résolution et compresser les images pour réduire la taille du fichier. Si, à l'inverse, le contenu du fichier est destiné à être imprimé, vous devez vous contenter de compresser légèrement les images s'il y a lieu afin de préserver une qualité d'image optimale. Les paramètres les plus importants pour créer un fichier PDF

▶ **N'UTILISEZ PAS PDFWRITER**
Évitez de créer des fichiers PDF avec le pilote d'imprimante Adobe PDFWriter dans le Sélecteur. Utilisez plutôt un fichier PostScript et Acrobat Distiller.

sont situés dans Options -> Options du travail. Vous pouvez alors sélectionner des paramètres généraux et avancés, ainsi que la police de caractère, le degré de compression et la gestion des couleurs [voir Comment créer un fichier PDF à la page 172].

La meilleure façon de créer un fichier PDF consiste à utiliser Acrobat Distiller, mais vous pouvez également avoir recours à un pilote d'imprimante spécial appelé PDFWriter. Il vous suffit de choisir PDFWriter parmi les pilotes d'imprimante proposés dans le Sélecteur du menu Pomme. À partir de là, si vous effectuez une sortie, le document est enregistré sous forme de fichier PDF. PDFWriter est recommandé pour des documents texte simples. Dès que vous avez des pages avec un contenu plus complexe, comme des images, des illustrations ou du texte typographique, il est préférable de créer un fichier PostScript et d'utiliser Adobe Acrobat Distiller pour créer le fichier PDF. PDFWriter n'utilise pas PostScript et a parfois des difficultés pour interpréter des pages complexes. Adobe InDesign, Adobe Photoshop et Adobe Illustrator peuvent également enregistrer des documents et images directement sous forme de fichiers PDF.

CONTRÔLER DES FICHIERS PDF 9.4.4

Lorsque vous recevez un fichier PDF destiné à la production graphique, vous devez commencer par le vérifier. La première étape consiste à ouvrir le fichier PDF et à le contrôler à l'écran. Cependant, des fichiers PDF peuvent sembler corrects à l'écran et contenir malgré tout des erreurs cachées. Pour cette raison, vous devez également réaliser des tests techniques d'ordre général, des tests concernant les polices de caractères contenues dans le fichier PDF et des tests techniques d'impression.

Informations générales

Vous pouvez vérifier des informations générales d'un fichier PDF en l'ouvrant dans Acrobat et en sélectionnant Propriétés du document -> Description. Cela vous permet de voir le nom du fichier, ainsi que les autres informations ajoutées au fichier, comme le titre, le sujet, les mots-clés, etc. Les informations les plus importantes sont contenues dans les rubriques « Auteur », « Producteur » et « Version PDF ». Ces éléments vous renseignent sur le programme utilisé pour créer le fichier PostScript d'origine (par exemple, Quark-XPress 6), sur celui qui a créé le fichier PDF (par exemple, Acrobat Distiller 6.0) et sur la version du format PDF de votre fichier (par exemple, 1.4, 1.3, 1.2 ou 1.1).

La version PDF du fichier est particulièrement importante, car les versions PDF 1.2 et 1.1 manquent d'informations pertinentes pour une utilisation en production graphique. Des différents formats PDF, les versions PDF 1.3 et suivantes sont les seules qui peuvent être utilisées pour la production graphique professionnelle. Il est important de noter que pour créer un fichier PDF version 1.3 correct et facilement utilisable, il doit être écrit au minimum avec Adobe Acrobat Distiller 4.05.

Les informations relatives au programme qui a créé le fichier PostScript d'origine sont intéressantes, car elles permettent de savoir si certaines informations de l'original Post-Script ont été exclues du fichier PDF. Un fichier PDF créé à partir de Microsoft Word, par exemple, ne contiendra pas d'informations sur les couleurs CMJN, car Word ne les gère pas. Par conséquent, le fichier PDF résultant doit être séparé en quatre couleurs avant de pouvoir être sorti.

Polices de caractères

Les polices de caractères sont toujours une préoccupation majeure pour l'impression professionnelle. Acrobat Distiller permet de choisir si vous voulez inclure les polices de caractères dans le fichier PDF ou non. Si c'est le cas, vous pouvez le faire en totalité ou en partie, c'est-à-dire que vous incluez uniquement les polices de caractères utilisées dans le document. Lorsque vous créez des fichiers PDF destinés à l'impression, vous devez inclure toutes les polices de caractères dans le fichier PDF. Si vous ne les incluez pas toutes, le système de remplacement des polices de caractères d'Acrobat, basé sur la technique Multiple Master, prend le relais [voir « Caractères et polices » 3.4.3].

Adobe Acrobat Distiller 4.0 permet aux créateurs de polices de caractères d'empêcher l'inclusion de leurs polices dans les fichiers PDF. De nombreux fabricants de polices utilisent cette fonction en raison des incertitudes en matière de droit d'auteur entourant les polices de caractères ; par conséquent, vous ne pouvez pas inclure leurs polices lorsque vous créez un fichier PDF. Toutes les polices de caractères d'Adobe peuvent cependant être incluses. Acrobat permet de vérifier aisément la façon dont les polices de caractères sont prises en charge dans un fichier PDF donné. Fichier –> Propriétés du document –> Polices permet d'obtenir une liste des polices de caractères utilisées et indique dans quelle mesure elles sont incluses partiellement, totalement ou pas du tout dans le fichier PDF.

Lors de la vérification des polices de caractères contenues dans un fichier PDF, il est important que toutes les autres polices de caractères de votre ordinateur soient désactivées. Un fichier PDF contient des informations sur les polices de caractères utilisées dans le fichier donné. Si elles sont ouvertes dans le système de l'ordinateur, elles seront également activées dans le fichier PDF. Ainsi, le fichier semblera correct, même si des polices de caractères manquent. PitStop permet de visualiser des informations sur les polices de caractères incluses dans un fichier, indépendamment du paramétrage de votre ordinateur.

Préflashage

Le préflashage, aussi appelé contrôle en amont ou « preflight » (terme anglais correspondant) par les professionnels des arts graphiques, consiste à vérifier différents facteurs techniques affectant le processus d'impression, y compris le format, les positions des couleurs, les séparations, les repères de coupe, les fonds perdus et le recouvrement. De nombreux programmes permettent un contrôle en amont des fichiers PDF. Certains programmes sont spécialisés dans la vérification des fichiers PDF, mais il existe également des programmes de contrôle général des documents produits par les logiciels de mise en page comme Adobe InDesign, QuarkXPress et Adobe PageMaker [voir « Contrôle et épreuvage » 10.4].

Afin de réduire autant que possible le temps perdu en corrections d'erreurs techniques qui peuvent retarder l'ensemble du processus de production d'imprimés et, par conséquent, engendrer des coûts supplémentaires, les professionnels de la chaîne graphique, notamment les imprimeurs, attachent de plus en plus d'importance à la conformité des fichiers fournis par les différents acteurs de la chaîne. Différents systèmes de certification ou de sécurisation des fichiers PDF ont notamment vu le jour au cours des dernières années, avec l'élaboration d'ensembles de paramètres de préflashage standards basés sur des logiciels, Pitstop d'Enfocus par exemple, permettant de produire des fichiers certifiés. Lorsque le travail est effectué selon les règles, ces fichiers présentent l'avantage d'éviter les erreurs et pertes de temps aux stades ultérieurs de la production, notamment lors de la production des films ou des plaques d'impression. En Europe notamment, des organismes professionnels des métiers de l'imprimerie ont établi des jeux de paramètres de certification de fichiers PDF ou collaboré à l'élaboration de standards concernant les fichiers PDF, tels le SICOGIF en France (Syndicat national des industries de la communication graphique et de l'imprimerie française) ou la FEBELGRA (Fédération belge de la communication graphique) en Belgique.

MODIFIER LES FICHIERS PDF 9.4.5

Bien que les fichiers PDF soient en principe verrouillés en termes de modifications, vous pouvez effectuer certaines petites révisions. Le degré de modification possible d'un document est déterminé en partie par les paramètres de sécurité attribués au fichier PDF lors de sa création.

Paramètres de sécurité

Lors de l'enregistrement d'un fichier PDF, vous pouvez spécifier un paramètre de sécurité qui protège le fichier de différentes manières. Ces paramètres de sécurité peuvent être réglés au niveau de Fichier -> Propriétés du document -> Protection. Les fichiers PDF peuvent également être protégés par un mot de passe afin de contrôler le type d'accès autorisé aux divers utilisateurs du document. Vous pouvez contrôler la sortie, les modifications apportées au document, la copie du texte et des images, ainsi que la possibilité d'ajouter ou de modifier des commentaires ou des champs de formulaires. Vous devez garder à l'esprit toutefois que si vous autorisez un utilisateur à réaliser une sortie, il pourra toujours créer un nouveau fichier PS dans Adobe Acrobat, puis utiliser Acrobat Distiller pour créer un nouveau fichier PDF. Le fichier obtenu ne contiendra plus alors aucun des paramètres de sécurité que vous aviez prévus et l'utilisateur pourra en avoir un contrôle total.

Lorsque vous envoyez un fichier PDF à une société prestataire de la chaîne graphique, vous devez régler les spécifications de sécurité de manière à autoriser des modifications, car vous pourriez devoir procéder à des corrections de dernière minute. À l'inverse, lorsque vous envoyez un fichier PDF pour examen et vérification, il est souvent judicieux de ne pas autoriser de modifications du fichier. Cependant, vous devez permettre à l'utilisateur (le réviseur) d'ajouter des commentaires et de copier le texte (pour l'insérer dans une note par exemple).

Modifier du texte

La modification de texte est facilement réalisable dans Adobe Acrobat. Elle est cependant limitée par le fait que vous pouvez effectuer uniquement des modifications ligne par ligne, c'est-à-dire que vous ne pouvez pas modifier l'arrangement des lignes. Vous pouvez ajouter une nouvelle ligne dans le texte, mais les retours à la ligne et la césure doivent être effectués manuellement. Pour modifier un texte dans Acrobat, les polices de caractères appropriées doivent être installées. Si tel n'est pas le cas, la police de caractères du texte modifié est remplacée par une autre police de l'ordinateur que vous utilisez. Normalement, il n'est pas recommandé d'utiliser Acrobat pour modifier du texte. Ne recourrez à cette méthode qu'en cas d'absolue nécessité. Toute modification importante du texte devra être apportée dans le fichier d'origine.

Modifier des images et des illustrations vectorielles

Les images et les illustrations vectorielles peuvent être retouchées dans Adobe Acrobat à l'aide de l'outil Retouche. Cet outil permet de marquer les images que vous souhaitez modifier. Les images peuvent alors être déplacées, coupées, supprimées ou copiées et collées dans d'autres parties du document. Vous pouvez également ouvrir certaines images ou illustrations dans Adobe Photoshop ou dans Adobe Illustrator, les modifier et les enregistrer directement dans le fichier PDF, lequel mettra automatiquement à jour les modifications.

Monter des fichiers PDF

La plupart des applications de mise en page utilisées à ce jour permettent de monter des fichiers PDF en tant qu'images. Avec les versions les plus anciennes de ces programmes, vous pouvez monter un fichier PDF en l'exportant comme fichier PostScript ou EPS. Lorsque vous exportez un fichier PostScript, vous devez inclure toutes les polices de caractères utilisées dans le document. Vous pouvez choisir d'exporter en code PostScript Niveau 1, PostScript Niveau 2 ou PostScript 3. Si vous optez pour le Niveau 1, le fichier sera décompressé (le fichier PDF contient des données compressées) et le fichier Post-Script sera nettement plus gros (compte tenu des données) que le fichier PDF. Si vous exportez en code PostScript Niveau 2 ou PostScript 3, le fichier obtenu sera légèrement plus volumineux que le fichier PDF d'origine, car les codes PostScript Niveau 2 et Post-Script 3 prennent en charge les données compressées. Vous pouvez également exporter une page d'un fichier PDF comme fichier EPS. Cela signifie que la page est exportée comme une image au format EPS. Vous aurez alors un fichier EPS pour chaque page exportée. Il est important de choisir PostScript Niveau 1 pour exporter les fichiers EPS, car la plupart des programmes ne peuvent pas décompresser un fichier EPS.

SORTIE DES FICHIERS PDF 9.4.6

Il est important de comprendre comment fonctionne Adobe Acrobat lorsqu'il procède à une sortie de fichiers PDF, aussi mettrons-nous l'accent ci-après sur certains des problèmes les plus fréquents.

OPI

Adobe Acrobat prend en charge les commentaires OPI, ce qui signifie que vous pouvez travailler avec des fichiers PDF dans un flux de production OPI [voir 9.5]. En pratique, vous pouvez créer des fichiers PDF avec des images OPI basse résolution. À la sortie du fichier PDF basse résolution, l'image basse résolution est remplacée par l'image haute résolution. Malheureusement, tous les programmes OPI ne suivent pas la norme pour les commentaires OPI, ce qui signifie que vous devez contrôler que cette procédure fonctionne avec votre programme OPI spécifique.

Séparation des couleurs

Pour produire les séparations de couleurs directement à partir d'Adobe Acrobat, vous devez soit utiliser la version Acrobat 6.0 Professional ou une éventuelle version ultérieure, soit recourir à un module logiciel complémentaire comme CrackerJack de Arts PDF ou MadeToPrint de Callas. Ces programmes permettent de réaliser des séparations de couleurs semblables à celles effectuées dans QuarkXPress, InDesign et PageMaker. Une autre alternative consiste à séparer les couleurs de vos fichiers PDF dans le programme de rastérisation, en corrélation avec la sortie (tous les RIP PS3 prennent en charge cette « séparation In-Rip »). Il existe également des applications logicielles développées exclusivement pour séparer les couleurs des fichiers PostScript et PDF.

Les fichiers PDF peuvent contenir des éléments définis en RVB ou des éléments non encore séparés en couleurs CMJN (images, texte, illustrations). Si vous voulez effectuer une sortie en séparation de couleurs, ces éléments doivent tout d'abord être séparés en quatre couleurs. C'est ce qui arrive fréquemment avec les fichiers PDF créés avec des programmes de Microsoft Office, car ils ne prennent pas en charge la séparation en quatre couleurs. Il peut être difficile de vérifier visuellement si des images d'un fichier PDF sont converties en CMJN ou non. Des plug-ins pour Acrobat comme Quite a Box of Tricks de Quite Software permettent de contrôler notamment que ces images sont bien séparées.

Couleurs d'accompagnement (tons directs)

Depuis Acrobat 4.0 et PDF 1.3, les couleurs d'accompagnement sont toujours incluses dans le fichier PDF. Pour être certain qu'un fichier PDF contient des couleurs d'accompagnement, vous devez utiliser une application de contrôle comme Enfocus PitStop, Quite A Box of Tricks de Quite Software, CrackerJack de Arts PDF ou MadeToPrint de Callas.

Croix de repérage et traits de coupe

Avant la version 6.0 Professional, Adobe Acrobat ne pouvait inclure aucune marque de repérage (hirondelle) ou trait de coupe dans la sortie. Avec les versions antérieures, il faut donc recourir à un autre programme pour ajouter ces marques.

Fonds perdus

PDF 1.2 et les versions antérieures ne permettaient pas de définir des informations sur les fonds perdus dans le fichier PDF. Pour résoudre ce problème, un format de page plus grand devait être défini pour « tromper » Acrobat et l'obliger à inclure le fond perdu. Cela n'est plus nécessaire à présent. Le fond perdu peut être défini, comme d'habitude, lors de l'écriture du fichier PostScript. Ces informations sont alors incluses dans le fichier PDF, qui crée un format de page identique au document PostScript, incluant les fonds perdus spécifiés. Par exemple, une page QuarkXPress avec un format de document de 21 × 21 cm et un fond perdu de 5 mm crée un fichier PDF de dimensions 22 × 22 cm.

La spécification PDF 1.3 contient plusieurs définitions de format de page différentes, notamment le format de sortie, le format avec fond perdu (la page incluant le fond perdu), le format fini et le format graphique (surface librement choisie sur la page).

Pour accéder aux informations du fichier PDF, le programme qui crée le fichier PostScript doit prendre en charge ces définitions de surface, ce que de nombreux programmes ne sont pourtant pas encore capables de faire. Cela ne signifie pas que vous ne pouvez pas inclure de fond perdu dans un fichier PDF, mais d'autres programmes qui lisent le fichier PDF peuvent ne pas être en mesure d'interpréter la surface de fond perdu qui y est incluse.

Recouvrement

Si vous créez des fichiers PostScript qui ne sont pas en séparation de couleurs dans QuarkXPress, les valeurs de recouvrement ne seront pas incluses. Cela implique que les fichiers PDF créés à partir de documents QuarkXPress ne contiendront aucune information de recouvrement. Cependant, il existe des programmes distincts qui peuvent fournir des informations de recouvrement pour les fichiers PDF.

OPI 9.5

Lorsque plusieurs personnes travaillent sur un projet graphique, il est fréquent de stocker des images et des documents sur un serveur réseau. Lorsque vous téléchargez des fichiers image haute résolution volumineux du serveur vers votre poste de travail, le réseau est fortement éprouvé, et l'insertion de l'image dans la mise en page peut prendre beaucoup de temps. Cet usage intense réduit considérablement les performances du réseau et ralentit le travail de chaque personne qui y est connectée. Lorsque le document contenant les images haute résolution est imprimé à partir de l'ordinateur, le document et les images sont envoyés à l'imprimante via le réseau et celui-ci est à nouveau fortement éprouvé. De plus, l'ordinateur à partir duquel la sortie est envoyée est « bloqué » durant le processus de sortie. Pour les documents extrêmement volumineux qui contiennent de nombreuses images, cela peut durer plusieurs heures.

Pour réduire le stress imposé au réseau, améliorer et accélérer le processus de sortie, vous pouvez équiper le serveur d'un programme OPI (Open Prepress Interface, interface prépresse ouverte). La plupart des sociétés qui traitent un grand nombre d'images utilisent de tels programmes. Pour chaque image haute résolution stockée sur le serveur, un programme OPI crée automatiquement une copie basse résolution, donc nettement moins volumineuse, avec le même nom de fichier. Ces fichiers ont généralement une résolution de 72 ppi, comme l'écran. Pour importer l'image dans votre document, vous utilisez la copie basse résolution au lieu de l'image haute résolution. Comme la résolution est faible, l'image occupe moins de mémoire et peut être montée rapidement. Lors de la sortie, le document avec les images basse résolution est envoyé au serveur. Ces images sont alors remplacées par les images haute résolution correspondantes et transmises au RIP.

En pratique, cela signifie qu'il faudrait jusqu'à plusieurs heures à un réseau sans système OPI pour sortir un document ; avec un programme OPI en revanche, la sortie depuis un ordinateur personnel vers le réseau ne prend que quelques minutes. Ce système n'accélère pas le temps de sortie réelle sur l'imprimante ou sur l'imageuse, mais évite un engorgement et donc un ralentissement supplémentaire en amont du périphérique de sortie. Le programme OPI permet simplement au serveur de traiter les sorties, en lieu et place des ordinateurs individuels. Il réduit, en outre, la charge du réseau, car il réduit la quantité d'informations y transitant.

Les images basse résolution créées par un programme OPI sont destinées uniquement au montage dans des applications de mise en page. Si vous voulez modifier une image, vous devez ouvrir sa version haute résolution dans un programme de retouche d'images. Les « commentaires » OPI sont enregistrés dans le document dans lequel est insérée une image basse résolution. Ces commentaires indiquent le nom du fichier et son emplace-

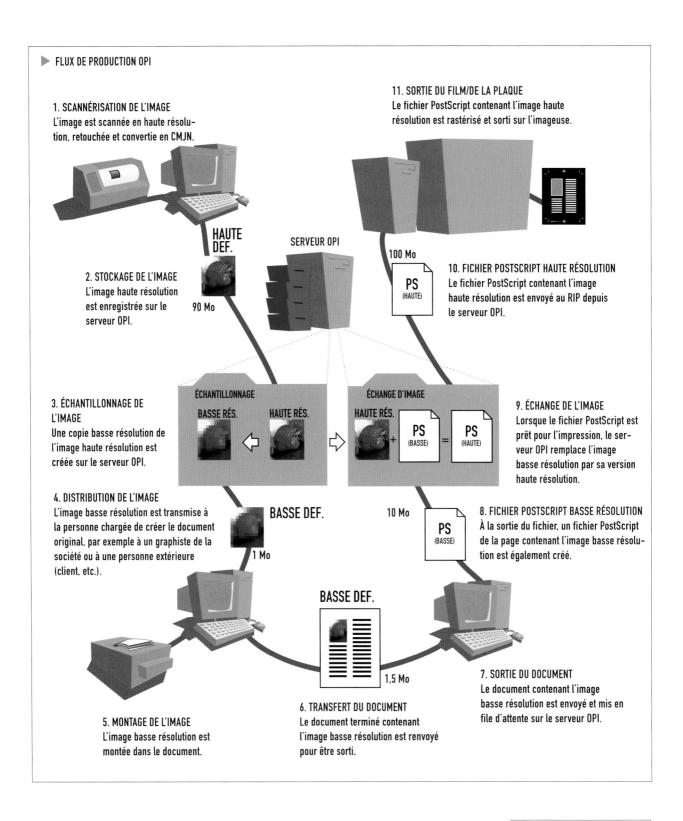

FLUX DE PRODUCTION OPI

1. SCANNÉRISATION DE L'IMAGE
L'image est scannée en haute résolution, retouchée et convertie en CMJN.

11. SORTIE DU FILM/DE LA PLAQUE
Le fichier PostScript contenant l'image haute résolution est rastérisé et sorti sur l'imageuse.

HAUTE DEF.

SERVEUR OPI

2. STOCKAGE DE L'IMAGE
L'image haute résolution est enregistrée sur le serveur OPI.

90 Mo

100 Mo

PS (HAUTE)

10. FICHIER POSTSCRIPT HAUTE RÉSOLUTION
Le fichier PostScript contenant l'image haute résolution est envoyé au RIP depuis le serveur OPI.

ÉCHANTILLONNAGE

BASSE RÉS.   HAUTE RÉS.

ÉCHANGE D'IMAGE

HAUTE RÉS.   PS (BASSE)   PS (HAUTE)

3. ÉCHANTILLONNAGE DE L'IMAGE
Une copie basse résolution de l'image haute résolution est créée sur le serveur OPI.

9. ÉCHANGE DE L'IMAGE
Lorsque le fichier PostScript est prêt pour l'impression, le serveur OPI remplace l'image basse résolution par sa version haute résolution.

4. DISTRIBUTION DE L'IMAGE
L'image basse résolution est transmise à la personne chargée de créer le document original, par exemple à un graphiste de la société ou à une personne extérieure (client, etc.).

BASSE DEF.

1 Mo

10 Mo

PS (BASSE)

8. FICHIER POSTSCRIPT BASSE RÉSOLUTION
À la sortie du fichier, un fichier PostScript de la page contenant l'image basse résolution est également créé.

BASSE DEF.

1,5 Mo

5. MONTAGE DE L'IMAGE
L'image basse résolution est montée dans le document.

6. TRANSFERT DU DOCUMENT
Le document terminé contenant l'image basse résolution est renvoyé pour être sorti.

7. SORTIE DU DOCUMENT
Le document contenant l'image basse résolution est envoyé et mis en file d'attente sur le serveur OPI.

ment d'enregistrement. Si vous déplacez ces fichiers image ou si vous en changez les noms, le serveur OPI ne sera pas en mesure de trouver les images haute résolution correspondantes lors de la sortie.

À ce jour, les programmes OPI les plus courants sont Full Press et Helios. Les fichiers PDF suivent la norme OPI et vous pouvez utiliser des images OPI basse résolution dans des fichiers PDF envoyés pour rastérisation.

L'IMPOSITION 9.6

L'impression sur une machine à imprimer est la procédure la plus coûteuse en production graphique. Aussi, devez-vous essayer de réduire autant que possible le temps d'utilisation de la machine à imprimer pour votre projet en utilisant les feuilles de papier les plus grandes possible. Pour imprimer des documents composés de plusieurs pages, un certain nombre de pages sont placées sur une seule feuille afin d'utiliser au mieux le papier. Après l'impression, la feuille est pliée et coupée en plusieurs pages plus petites. Les pages doivent être placées sur le papier de façon à préserver leur ordre une fois pliées et coupées. Le processus de placement correct des pages et de leur ajustement en vue de la finition est appelé imposition.

Vous pouvez réaliser des impositions manuelles ou numériques. En imposition manuelle, on utilise des films différents pour chaque page – chaque page du produit imprimé est sorti sur un film séparé. Les pages sont disposées conformément au gabarit d'imposition et montées avec du ruban adhésif sur un plus grand film transparent. C'est cet ensemble qui est ensuite utilisé pour exposer la plaque d'impression. Avec l'imposition numérique, on dispose les pages dans un programme d'imposition comme Preps de Creo ou DynaStrip de Dynagram. L'assemblage numérique est sorti sur une imageuse qui peut imprimer de grands formats. L'imageuse film imprimera alors un « film imposé ». L'imposition numérique présente de nombreux avantages. Le plus important est que vous gagnez du temps et de la main d'œuvre, car les pages n'ont pas besoin d'être montées manuellement. Si votre produit imprimé contient plusieurs pages, le coût de leur arrangement manuel peut représenter une grande partie du coût total d'impression. Notez qu'avec les imageuses plaques (CTP), qui suppriment l'étape du film, l'imposition numérique est devenue incontournable.

FACTEURS QUI INFLUENCENT L'IMPOSITION ? 9.6.1

Plusieurs facteurs ont une influence sur la façon dont une imposition est réalisée. Le plus important est la mise en page, qui entre autres choses, dicte le format du produit imprimé et la disposition des images en couleurs, ce qui, à son tour, détermine le nombre de plaques nécessaires et le calage de la machine à imprimer. Vous voudrez très probablement minimiser le nombre de calages, car chacun prend du temps et, par conséquent, augmente les coûts. La finition est un autre facteur important pour déterminer la façon dont une imposition est réalisée, en partie parce que l'on souhaite également minimiser les calages pour cette étape de la production, mais aussi parce que les machines utilisées sont limitées par le format des feuilles qu'elles peuvent prendre en charge et le nombre de plis qu'elles peuvent réaliser. Le budget et la technique d'impression sont autant d'autres facteurs qui influent sur l'imposition.

▶ **IMPOSITION NUMÉRIQUE**

+ Nécessite moins de main-d'œuvre.

+ Flux de production plus rapide.

+ Repérage précis.

+ Possibilité d'enregistrer des gabarits d'imposition pouvant être réutilisés.

– Si vous voulez faire une imposition entièrement numérique, tout le matériel à la base du produit imprimé doit être numérique. Par exemple, les publicités destinées à être imprimées (encore parfois fournies sur film) doivent être fournies en numérique. Si ce n'est pas le cas, il faut soit les scanner, soit laisser des pages vierges dans les impositions numériques et monter la publicité manuellement.

– En cas d'erreur sur le film ou sur la plaque, toute l'imposition doit être sortie à nouveau, ce qui peut prendre beaucoup de temps. Dans le cas d'une sortie sur film, vous pouvez également sortir un nouveau film pour la page avec l'erreur, découper l'ancienne et la remplacer par une nouvelle.

▶ **IMPOSITION MANUELLE**
Lorsque les pages sont imposées manuellement, les différents films des pages sont fixés sur un grand film de montage. Pour s'assurer que les pages sont bien placées, le montage est effectué sur une table lumineuse.

DIFFÉRENTS TYPES D'IMPOSITIONS

L'impression sur une machine à imprimer est la procédure la plus coûteuse en production graphique. Vous devez donc minimiser le temps passé sur la machine à imprimer en utilisant de
grandes feuilles de papier et occuper autant que possible toute la surface imprimable de la
feuille. La plupart des machines à imprimer acceptent un format de papier maximum de 4, 8, 16
ou 32 pages selon la taille de la feuille utilisée [voir « Le papier » 12.1.1].

Lorsque vous imprimez un livre ou une brochure, par exemple, plusieurs pages sont disposées
les unes à côté des autres sur la même feuille. L'arrangement des pages sur la feuille est appelé
imposition et varie selon les formats de papier que la machine à imprimer peut prendre en
charge.

Pour illustrer les différentes variations d'imposition, nous prendrons l'exemple d'une brochure
21 x 29,7 cm (format A4) de 8 pages, composée de deux feuilles 29,7 x 42 cm pliées dans le
milieu et attachées ensemble avec deux agrafes dans le pli.

Chaque feuille 29,7 x 42 cm contient quatre pages 21 x 29,7 cm, deux de chaque côté. Compte
tenu de la finition, une brochure de 8 pages peut être imposée de deux façons différentes : en
pliant et en agrafant deux feuilles 29,7 x 42 cm, ou en pliant de façon croisée, en agrafant et en
rognant une feuille 52 x 72 cm.

IMPOSITION D'UNE BROCHURE 21 x 29,7 CM DE HUIT PAGES POUR UNE MACHINE À IMPRIMER 36 x 52 CM

Si le plus grand format de la machine à imprimer est 36 x 52 cm, vous devez imposer quatre
pages de ce format. Il faudra réaliser quatre calages machine, car chaque feuille 36 x 52 cm
passe deux fois en machine, une fois pour chaque côté de la feuille. À l'issue de l'impression,
vous aurez deux feuilles 36 x 52 cm contenant quatre pages, soit deux pages de chaque côté de
la feuille. Les feuilles sont ensuite rognées, pliées une à une et agrafées pour former une brochure 21 x 29,7 cm de 8 pages [voir illustration à droite].

IMPOSITION D'UNE BROCHURE 21 x 29,7 CM DE HUIT PAGES POUR UNE MACHINE À IMPRIMER 52 x 72 CM

Si le plus grand format de la machine à imprimer est 52 x 72 cm, vous devez imposer deux pages
de ce format. Il faudra réaliser deux calages machine, car chaque feuille 52 x 72 cm passe deux
fois en machine, une fois pour chaque côté de la feuille. À l'issue de l'impression, vous aurez
une feuille 52 x 72 cm contenant huit pages, quatre pages de chaque côté de la feuille. La feuille
est ensuite rognée, pliée à angle droit et agrafée pour former une brochure 21 x 29,7 cm de 8
pages [voir illustration à droite].

IMPOSITION D'UNE BROCHURE 21 x 29,7 CM DE HUIT PAGES POUR UNE MACHINE À IMPRIMER 70 x 102 CM

Si le plus grand format de la machine à imprimer est 70 x 102 cm, vous devez imposer une page
de ce format. Il faudra réaliser un seul calage machine, car chaque feuille 70 x 102 cm passe
deux fois en machine, une fois pour chaque côté de la feuille, mais sans changer la plaque d'impression. Les huit pages passent sur une seule plaque d'impression. Les pages 1, 8, 4 et 5 sont
imposées sur une moitié de la feuille 70 x 102 cm et les pages 2, 7, 3 et 6 sur l'autre moitié. Une
fois la feuille 70 x 102 cm imprimée sur un côté, elle est retournée et l'autre côté est imprimée
avec la même plaque. À l'issue de l'impression, vous aurez une feuille 70 x 102 cm contenant
seize pages, huit de chaque côté de la feuille. La feuille peut alors être coupée en deux feuilles
de 8 pages identiques qui sont ensuite rognées, pliées à angle droit et agrafées pour former une
brochure 21 x 29,7 cm de 8 pages [voir illustration à droite].

Le nombre de couleurs avec lequel le produit est imprimé n'affecte pas les procédures décrites
ci-dessus dès lors que les machines à imprimer ont le même nombre groupes d'impression.

Toute la procédure de travail repose sur l'hypothèse que vous savez où doit être placée chaque
page sur la feuille de la machine pour que les pages du produit imprimé final se trouvent dans le
bon ordre. En d'autres termes, vous devez savoir comment le produit imprimé doit être imposé.

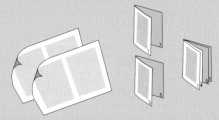

Brochure de 8 pages réalisée à partir de deux feuilles 36 x 52 cm

Brochure de 8 pages réalisée à partir d'une feuille 52 x 72 cm

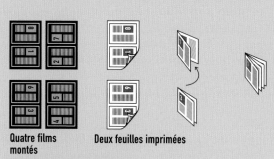

Quatre films montés   Deux feuilles imprimées

Deux films montés   Une feuille imprimée

Un film monté   Une feuille imprimée   La feuille est divisée en deux parties

LES COULEURS D'ENCRE AFFECTENT L'IMPOSITION

Si toutes les pages d'un produit imprimé ne sont pas imprimées avec la même quantité de composantes de couleur, il est généralement moins coûteux d'imprimer sur différentes machines à imprimer. Par exemple, le coût horaire d'une machine à imprimer monocouleur étant inférieur à celui d'une machine quatre couleurs, il est préférable d'imprimer les pages monochromes sur une machine à imprimer monocouleur, etc.

Lorsque vous produisez les originaux, vous pouvez, si vous connaissez par avance le format auquel est imprimé le produit, étudier l'imposition et tirer parti des choix de couleurs d'encre. Prenons l'exemple du livret de 8 pages. Il devrait être imprimé avec de l'encre noire, à l'exception de la page 3 qui est en quatre couleurs. Le côté de la feuille d'impression qui contient la page 3 doit être imprimé sur une machine quatre couleurs. Dans les exemples ci-dessous, vous pouvez utiliser une machine quatre couleurs pour toutes les pages placées sur le même côté de la feuille que la page 3 sans engendrer de coûts supplémentaires (nous n'avons pas pris en compte les coûts de la séparation de couleurs).

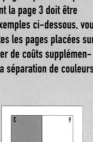

Dans une machine à imprimer 36 x 52 cm, tout le côté de la feuille qui contient la page 3 doit être imprimé sur une machine quatre couleurs. Même si la page 6 contient une seule couleur, elle est également imprimée sur la machine quatre couleurs.

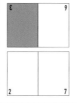

Dans une machine à imprimer 52 x 72 cm, tout le côté de la feuille qui contient la page 3 doit être imprimé sur une machine quatre couleurs. Les pages 2, 6 et 7 sont donc elles aussi imprimées sur la machine quatre couleurs.

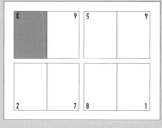

Dans une machine à imprimer 70 x 102 cm, toutes les pages de la brochure sont sur les deux côtés de la feuille 70 x 102 cm. Toutes les pages situées sur la feuille doivent donc être imprimées sur une machine quatre couleurs, qu'elles contiennent ou non de la couleur.

▶ CALAGE

Le calage, ou calage machine, englobe toutes les activités réalisées jusqu'à l'obtention de la première « bonne feuille » imprimée approuvée. Le prix de revient horaire d'une machine à imprimer étant élevé, il faut minimiser le nombre de calages et les exécuter rapidement. Un calage englobe les étapes suivantes [voir « L'impression » 13.3].

- Calage des plaques d'impression
- Réglage du margeur
- Repérage des feuilles
- Préréglage des vis d'encrier
- Équilibrage encre/eau
- Repérage
- Couverture d'encre
- Conformité par rapport à l'épreuve

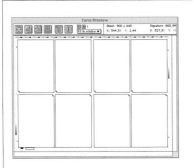

Lorsque les pages sont imposées en numérique, elles sont montées sur une feuille numérique. Ces schémas illustrent deux impositions numériques.

▶ GABARIT D'IMPOSITION
Un gabarit d'imposition indique l'emplacement des différentes pages.

BUDGET ET IMPOSITION 9.6.2

Vous devez toujours essayer d'imposer les pages de la façon la moins coûteuse possible, ce qui implique de minimiser le temps passé sur la machine à imprimer. Si nous utilisons, par exemple, un cahier de huit pages, une machine 70 × 102 cm serait probablement le format de machine à imprimer le moins coûteux [voir la relation entre les impositions d'un cahier de huit pages pour différents formats de machines à imprimer et le nombre de calages, page 182]. Le coût est fonction du volume du tirage et du coût horaire des machines à imprimer. Une machine 70 × 102 cm est plus rentable qu'une presse 52 × 72 cm ou 36 × 52 cm pour un tirage plus important (ou qui demande plus de temps). Pour un projet de moindre envergure, une machine 52 × 72 cm pourrait être plus adaptée ; l'opération est plus longue sur la machine plus petite, mais son coût horaire est nettement plus bas et le coût total donc inférieur. La durée de chaque calage est à peu près la même, mais il faut deux fois plus de calages sur la machine 52 × 72 cm que sur la 70 × 102 cm. Le graphique ci-dessous compare les temps de production pour ces différents formats de machines à imprimer.

FINITION ET IMPOSITION 9.6.3

L'imposition est directement influencée par le format du papier utilisé, le sens machine du papier et le type de finition qu'il subira. La finition impose parfois des limites compte tenu du format du papier pouvant être utilisé. Là encore, vous recherchez aussi peu de calages que possible durant ce processus. Par exemple, le pliage croisé d'une feuille de 16 pages ne prend pas plus de temps que le pliage croisé d'une feuille de 8 pages, mais nécessite moitié moins de calages de la plieuse. Cela permet de diviser par deux le coût du pliage. Les prises de pinces et les zones de rogne pour la finition influencent également l'imposition. La prise de pinces correspond à l'espace supplémentaire entre la zone imprimée et le bord de la feuille qui permet à la machine à imprimer et aux machines de finition de saisir la feuille pour la déplacer. L'emplacement de la prise de pinces est pris

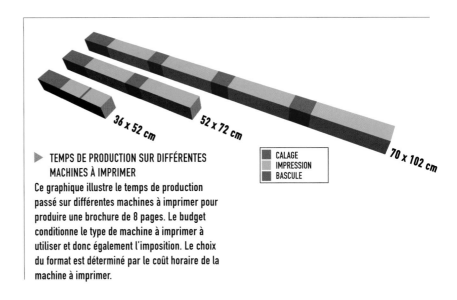

▶ TEMPS DE PRODUCTION SUR DIFFÉRENTES MACHINES À IMPRIMER
Ce graphique illustre le temps de production passé sur différentes machines à imprimer pour produire une brochure de 8 pages. Le budget conditionne le type de machine à imprimer à utiliser et donc également l'imposition. Le choix du format est déterminé par le coût horaire de la machine à imprimer.

36 x 52 cm

52 x 72 cm

70 x 102 cm

CALAGE
IMPRESSION
BASCULE

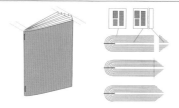

en compte dans l'imposition et la personne responsable de la finition fournit généralement un plan d'imposition où sont indiquées la position et les dimensions des prises de pinces et des zones de rogne [voir « Finition » 14.3.3.].

Durant le pliage, un phénomène appelé chasse peut se produire. Les pages intérieures du produit plié sont décalées vers l'extérieur, de sorte que la zone imprimée des pages situées au centre est plus éloignée du dos de l'ouvrage que celle des pages situées au début et à la fin. Pour compenser ce phénomène dans le processus d'imposition, il convient d'ajuster les pages [voir « Finition » 14.3.3].

TECHNIQUES D'IMPRESSION ET IMPOSITION 9.6.4

Si l'imprimé comporte de grands aplats denses, il peut être judicieux d'éviter d'avoir trop de pages de chaque côté d'une même feuille. Les aplats denses nécessitent beaucoup d'encre et peuvent « voler » l'encre des autres zones de l'imprimé. De plus, les aplats denses sont très sensibles à l'effet des autres zones imprimées sur la même feuille. Ce phénomène est appelé effet fantôme et se caractérise par l'apparition d'une trace d'impression non souhaitée dans les aplats denses. L'effet fantôme est courant sur les machines à imprimer de petits formats et peut être évité en effectuant une rotation de l'imposition de 90 degrés.

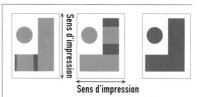

LES TECHNIQUES CLASSIQUES D'IMPOSITION 9.7

Vous pouvez imposer un produit imprimé de plusieurs façons. Nous vous proposons ci-dessous un aperçu des techniques d'imposition les plus courantes.

IMPOSITION EN AMALGAME 9.7.1

Selon le nombre de copies du produit que vous placez sur une feuille, cette imposition est dénommée imposition en deux poses, imposition en quatre poses, etc. Ces impositions sont généralement utilisées si le produit est composé d'une ou deux pages imprimées. Vous devez imposer autant de copies des pages que possible sur une seule feuille de papier, afin de minimiser le temps passé par votre projet sur la machine à imprimer. Par exemple, si votre produit imprimé est composé d'une feuille 21 × 29,7 cm et qu'il doit être imprimé sur une presse 52 × 72 cm, vous pouvez réaliser une imposition en quatre poses. L'impression d'un produit selon une imposition en amalgame peut être réalisée en combinant certaines des méthodes d'imposition présentées ci-dessous.

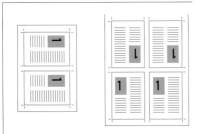

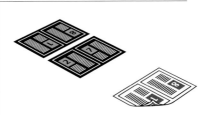

▶ CÔTÉ DE PREMIÈRE – CÔTÉ DE SECONDE
Chaque côté de la feuille imprimée nécessite un calage. Il faut donc deux jeux de films imposés par feuille imprimée.

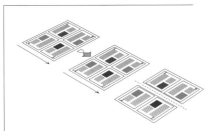

▶ BASCULE IN-8
Vous placez un côté de première sur la moitié de la feuille et un côté de seconde sur l'autre moitié. Une fois le tirage terminé, les feuilles sont retournées, puis repassées dans la machine à imprimer. Ainsi, les deux faces de la feuille peuvent être imprimées avec un seul calage, c'est-à-dire sans changer la plaque d'impression.

IMPOSITION EN PLEINE FEUILLE 9.7.2

La méthode d'imposition la plus courante est appelée imposition en pleine feuille ou répétition basculée. Avec ce type d'imposition, chaque côté de la feuille nécessite un calage, soit deux calages par feuille. Le côté de la feuille qui contient la première et la dernière page du document (si le produit imprimé contient quatre pages ou plus) est appelé côté de première. La feuille contenant la page 2 et l'avant-dernière page est appelée côté de seconde. Dans l'exemple du cahier de huit pages, les illustrations 1 et 2 à la page 182 sont des impositions pleine feuille pour les machines 36×52 cm et 52×72 cm.

IMPOSITION EN BASCULE IN-8 (DEMI-FEUILLE) ET EN BASCULE IN-12 9.7.3

Les impositions en bascule in-8 (demi-feuille) en bascule in-12 sont deux techniques d'imposition utilisées lorsque la feuille dispose d'espace pour au moins deux fois plus de pages que le produit imprimé n'en contient. En bascule in-8, un côté de première est positionné sur la moitié de la feuille et un côté de seconde sur l'autre moitié. On obtient donc deux produits imprimés à partir d'une feuille. Une fois le tirage terminé, les feuilles sont retournées, puis repassées dans la machine à imprimer une seconde fois. Ainsi, les deux pages de la feuille peuvent être imprimées avec un seul calage, c'est-à-dire sans changer la plaque d'impression. Même si le produit imprimé comporte quatre couleurs sur un côté et seulement une couleur sur l'autre, il peut demeurer rentable d'utiliser ce type d'imposition au lieu de faire deux calages sur deux machines à imprimer différentes.

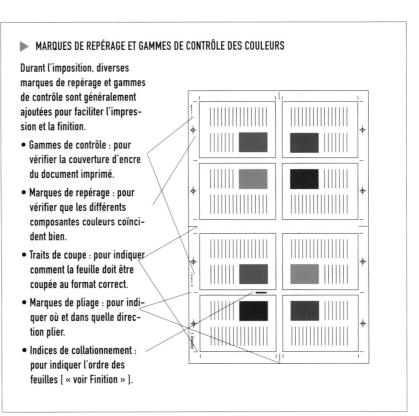

▶ MARQUES DE REPÉRAGE ET GAMMES DE CONTRÔLE DES COULEURS

Durant l'imposition, diverses marques de repérage et gammes de contrôle sont généralement ajoutées pour faciliter l'impression et la finition.

- Gammes de contrôle : pour vérifier la couverture d'encre du document imprimé.

- Marques de repérage : pour vérifier que les différents composantes couleurs coïncident bien.

- Traits de coupe : pour indiquer comment la feuille doit être coupée au format correct.

- Marques de pliage : pour indiquer où et dans quelle direction plier.

- Indices de collationnement : pour indiquer l'ordre des feuilles [« voir Finition »].

L'imposition en bascule in-8 est la plus courante de ces deux types d'imposition. La machine à imprimer prend en pinces le même bord du papier lors de l'impression des deux côtés de la feuille. Il est ainsi plus facile d'obtenir un repérage correct entre les deux faces de la feuille. Avec la technique de la bascule in-12, la prise de pinces ne s'effectue pas sur le même bord pour les deux côtés [voir « L'impression » 13.2.3]. La feuille est retournée pour le second passage dans la machine à imprimer et la prise de pinces est effectuée sur l'autre bord de la feuille, ce qui complique l'alignement des deux faces de l'imprimé. Dans ce cas, même une toute petite différence de taille des feuilles de papier peut engendrer un défaut de repérage.

▶ **IMPRIMANTE LASER**

LES IMPRIMANTES ^{9.8}

Il existe aujourd'hui une très large gamme d'imprimantes sur le marché, qui va des imprimantes de bureau au prix modique d'environ 100 euros aux imprimantes professionnelles qui peuvent valoir plusieurs centaines de milliers d'euros. Une imprimante PostScript est préférable pour les travaux de production graphique, bien qu'elle soit généralement plus coûteuse qu'une imprimante non PostScript. Cependant, nombreuses sont les imprimantes non PostScript qui peuvent être transformées en imprimantes PostScript. Nous allons passer en revue les trois types d'imprimantes les plus fréquents : les imprimantes laser, les imprimantes à jet d'encre et les imprimantes à sublimation.

IMPRIMANTES LASER ^{9.8.1}

Les imprimantes laser fonctionnent comme les copieurs, selon le procédé xérographique. Il existe plusieurs sortes d'imprimantes laser, des petites imprimantes de bureau noir et blanc jusqu'aux imprimantes rapides de production, pouvant produire plusieurs centaines de pages au format A4 par minute, en passant par les imprimantes laser couleurs fonctionnant selon le principe de la quadrichromie. La technique de l'impression laser est également utilisée dans certaines méthodes d'impression numérique.

PROCÉDÉ XÉROGRAPHIQUE ^{9.8.2}

La technologie de l'imprimante laser repose sur le procédé xérographique. Ce procédé utilise un tambour (cylindre) rotatif, ou photoconducteur, qui porte une charge électrique positive ou négative (le type de charge dépend de la marque). La surface de ce tambour a le même format que le papier sur lequel vous imprimez. À l'aide d'un faisceau laser qui frappe le tambour, la charge électrique est neutralisée ou inversée sur les zones devant recevoir les particules d'encre en poudre (ou les zones qui ne le doivent pas, ce qui varie d'une marque à l'autre). L'encre en poudre est aussi appelée toner. L'exposition du tambour au laser crée une image négative photoélectrique. Le tambour est ensuite mis en contact avec l'encre en poudre, composée de petites particules colorées qui adhèrent à l'image photoélectrique (les particules d'encre sont chargées à l'inverse de la charge appliquée au tambour ou sont de charge neutre, selon la marque de l'imprimante). Une charge électrostatique supérieure à celle de l'image sur le tambour est alors appliquée au papier ; ainsi, lorsque le papier passe devant le tambour, la poudre d'encre est transférée sur le papier. À ce stade du processus, la poudre est simplement déposée sur le papier, fixée uniquement par une faible charge électrique. Elle est ensuite chauffée et pressée sur

▶ **PHOTOCONDUCTEUR**
Matériau dont la charge électrique peut être modifiée par la lumière.

▶ **PROCÉDÉ XÉROGRAPHIQUE**

Les copieurs ordinaires et les imprimantes laser sont basés sur la même technique : le procédé xérographique. Dans ce procédé, la lumière modifie la charge d'un photoconducteur et de l'encre en poudre (toner) est ensuite fixée par chauffage et pression physique.

Nous vous expliquons à travers les schémas suivants le principe de fonctionnement d'une imprimante laser (à impression en blanc).

▶ **COMPOSANTS DE L'IMPRIMANTE LASER**

Le numéro des images donne la séquence de fabrication d'un document imprimé.

▶ 1. Le photoconducteur est chargé électriquement avant d'être insolé par le faisceau laser.

▶ 2. Le faisceau laser frappe un miroir rotatif octogonal et passe sur toute la largeur du photoconducteur, ligne par ligne, au fur et à mesure que le conducteur avance. Lorsque le faisceau laser frappe le conducteur, celui-ci perd sa charge à ce point particulier.

▶ 3. Après avoir été exposé à la lumière, le photoconducteur attire le toner dans les zones chargées. Le toner peut avoir une charge inverse pour accroître l'attraction entre le conducteur et l'encre.

▶ 4. Le photoconducteur passe devant le papier, qui a une charge électrique de même signe que le conducteur, mais supérieure. De ce fait, le toner est attiré et transféré sur le papier.

▶ 5. Une fois transféré sur le papier, le toner n'est fixé que par une faible charge électrique. Il est ensuite chauffé et soumis à une pression physique pour renforcer sa fixation.

▶ 6. Le photoconducteur est nettoyé.

la feuille pour l'y fixer de façon définitive. La chaleur nécessaire pour fixer la poudre s'élève à environ 200 degrés Celsius. Dans les imprimantes couleurs, ce procédé est appliqué quatre fois, une fois pour chaque composante de couleur (CMJN).

EXPOSITION DANS UNE IMPRIMANTE LASER [9.8.3]

Dans une imprimante laser, le tambour est insolé à l'aide d'un faisceau laser. Pour exposer l'ensemble du tambour aussi rapidement que possible, on utilise un miroir polygonal rotatif, souvent de forme octogonale. Comme le miroir tourne, chacune de ses faces peut projeter le faisceau sur toute la largeur du tambour. Le faisceau est éteint uniquement lorsqu'il atteint une zone du tambour qui ne doit pas être exposée.

Lorsqu'un côté du miroir a exposé une ligne du tambour, un moteur fait tourner légèrement le tambour afin que la face suivante du miroir puisse exposer la ligne suivante. Le miroir tourne rapidement, de l'ordre de plusieurs milliers de rotations par minute, ce qui rend les imprimantes laser très sensibles aux secousses. Certaines versions d'imprimantes laser utilisent plusieurs diodes laser, en lieu et place d'un laser et d'un miroir rotatif, afin d'exposer chaque point de chaque ligne l'un après l'autre. On les appelle imprimantes à DEL (diodes électroluminescentes).

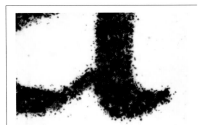

▶ **IMPRESSION XÉROGRAPHIQUE**

Pour fixer le toner, celui-ci est chauffé et « cuit » sur le papier. Lorsqu'on imprime avec du toner, les points de trame et le texte sont un peu flous, car les particules de toner ne tombent pas toujours au bon endroit.

LA CHAÎNE GRAPHIQUE SORTIE

RÉSOLUTION D'UNE IMPRIMANTE LASER ^{9.8.4}

La résolution d'une imprimante laser dépend de trois facteurs principaux : la taille du point d'insolation du faisceau laser, la taille des pas du moteur et la finesse des particules de poudre. La taille du point laser est déterminée par le laser lui-même et par l'optique de l'imprimante laser. Il existe des imprimantes qui ont des résolutions différentes selon les directions, parce que le moteur peut avancer par paliers plus petits que la taille du point d'insolation laser, ou vice versa. Un grand nombre d'imprimantes laser présentent à ce jour une résolution de l'ordre de 600 dpi. Actuellement, la poudre d'encre est le facteur qui limite le plus la résolution. Des particules de poudre plus petites se traduisent par une résolution supérieure. De nos jours, les particules de poudre ont un diamètre de seulement quelques microns. Dans les imprimantes à DEL, la résolution est fonction de l'écartement des diodes laser.

IMPRIMANTES LASER À IMPRESSION EN BLANC ET À IMPRESSION EN NOIR ^{9.8.5}

Les machines peuvent utiliser des technologies différentes selon le fabricant. Par exemple, elles peuvent être à impression en noir et à impression en blanc. Dans les imprimantes à impression en noir, le laser décrit les parties noires du matériel imprimé sur le tambour. Dans les imprimantes à impression en blanc, le laser trace les zones blanches, celles qui ne sont pas imprimées. Les imprimantes à impression en blanc créent des lignes plus fines que les imprimantes à impression en noir, ce qui implique que le même document imprimé avec les deux types d'imprimantes produira des résultats différents.

PAPIER POUR IMPRIMANTES LASER ^{9.8.6}

Le papier utilisé pour les imprimantes laser doit présenter certaines caractéristiques. Il ne doit pas être trop lisse, à l'image d'un papier couché, car la poudre a alors des difficultés à adhérer à la surface du papier. Le papier ne doit pas non plus perdre sa charge statique trop rapidement. Si c'est le cas, la poudre n'est pas attirée par le papier. Enfin, il doit être résistant aux températures élevées, car la poudre est fixée par chauffage à la surface du papier. La couche d'apprêt du papier couché peut générer une combustion lente lorsqu'il est chauffé.

Les imprimantes laser les plus courantes fonctionnent avec des formats de papier allant du A4 au A3, pour un grammage variant entre 70 et 110 g/m². Les papiers trop fins peuvent facilement endommager l'imprimante. La raideur du papier est également importante pour faciliter son chargement dans l'imprimante. Comme vous ne pouvez pas utiliser de papier couché dans les imprimantes laser, une large gamme de papiers spéciaux à aspect couché a été développée. Ces types de papier sont souvent relativement coûteux. La plupart des imprimantes laser peuvent également être utilisées pour imprimer des transparents. Vous devez utiliser les films transparents recommandés par le fabricant, car ils sont conçus pour supporter la chaleur du processus de fixation sans fondre.

PRÉ-IMPRIMÉS DANS LES IMPRIMANTES LASER ^{9.8.7}

Un autre type de papier fréquemment utilisé dans les imprimantes laser est le papier offset pré-imprimé, comme les papiers à en-tête. Vous devez garder à l'esprit certains points importants lorsque vous créez et utilisez ces pré-imprimés, afin d'éviter tout problème de bavage dans l'imprimante. Lorsque vous créez un pré-imprimé, vous devez vous assurer

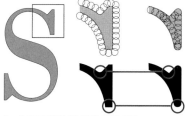

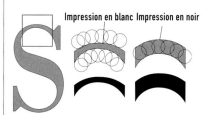

▶ **IMPRESSION EN NOIR ET BLANC**
Dans les imprimantes à impression en blanc, le faisceau laser dessine les zones blanches. Dans les imprimantes à impression en noir, le faisceau laser dessine les parties noires du document imprimé. Cela affecte essentiellement la restitution des contours des petits objets et en particulier les arêtes.

C'est la raison pour laquelle les lignes fines sont restituées différemment sur les imprimantes à impression en blanc et à impression en noir. Les lignes fines deviennent plus grasses avec les secondes.

▶ **IMPRIMANTES À JET D'ENCRE**
Il existe des imprimantes à jet d'encre qui peuvent imprimer des formats larges, dans le cas présent une imposition toute entière. Certaines peuvent également imprimer sur des matériaux spéciaux, par exemple sur des bandes textile (en tissu).

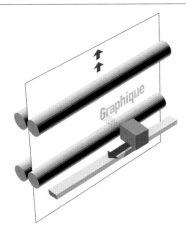

▶ **IMPRIMANTE À JET D'ENCRE**
Dans les imprimantes à jet d'encre, une cartouche d'encre glisse le long du papier. Là où le papier est supposé être en couleurs, une petite goutte est expulsée sur le papier. Une fois qu'une ligne est colorée, le papier avance et c'est au tour de la ligne suivante.

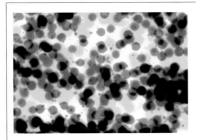

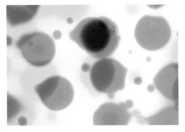

▶ **TECHNIQUE DU JET D'ENCRE EN GROS PLAN**
La technique du jet d'encre est basée sur une méthode qui projette de petites gouttes d'encre sur le papier. Les gouttes d'encre ont un diamètre d'environ 10 microns, en fonction du fabricant.

que votre papier est parfaitement adapté aux imprimantes offset et laser. Vous devez éviter toute mise en page avec des lignes épaisses verticales et de grands aplats denses, qui pourraient tacher le tambour de fixation. Par dessus tout, attendez que l'impression offset soit parfaitement sèche, ce qui peut prendre jusqu'à deux semaines, avant d'utiliser les pré-imprimés dans une imprimante laser.

Lorsque vous utilisez des pré-imprimés, vous devez être conscient qu'il est difficile d'obtenir des repérages exacts entre l'épreuve et ce qui est imprimé par l'imprimante. Il est en effet difficile de régler précisément l'emplacement de l'impression laser sur le papier, car la sortie varie généralement d'environ ± 1 mm sur le papier.

IMPRIMANTES À JET D'ENCRE 9.8.8
La technologie du jet d'encre met en jeu de petites gouttelettes d'encre qui sont pulvérisées à la surface du papier. L'impression à jet d'encre est très répandue, que ce soit dans le cadre de modèles bureautiques, d'imprimantes couleurs, de systèmes d'épreuves numériques, ou d'unités d'impression d'adresses ou de données variables intégrées à des presses offset.

TECHNOLOGIE JET D'ENCRE 9.8.9
L'impression jet d'encre est généralement issue de l'une des deux techniques suivantes. Une méthode fait jaillir des gouttelettes d'encre sur le papier. Dans les zones du papier qui doivent rester blanches, la projection est interrompue à l'aide d'un champ électrique. La seconde méthode consiste à pulvériser l'encre uniquement sur les zones du papier qui doivent être imprimées. Dans les deux méthodes, les gouttelettes d'encre sont chargées électriquement et dirigées par un champ électrique vers le bon emplacement sur le papier. Leur diamètre est d'environ 10 microns, en fonction du fabricant. Elles sont plus petites si la méthode continue est utilisée, ce qui permet d'obtenir une résolution plus haute et une meilleure gamme de nuances.

COMPOSITION DE L'ENCRE POUR L'IMPRESSION À JET D'ENCRE 9.8.10
L'encre utilisée dans les imprimantes à jet d'encre est composée à hauteur de 60 à 90 % de solvants et de colorants ou de pigments divers. Les solvants contiennent généralement de l'eau ou du polyéthylène glycol, ou un mélange des deux. La composition de la substance colorante conditionne le fonctionnement de l'imprimante et la qualité finale de l'impression. Un des problèmes les plus courants avec les imprimantes à jet d'encre est que l'encre sèche dans les buses d'éjection des gouttes. Pour éviter cela, du polyéthylène glycol est ajouté aux encres à base d'eau. Les substances colorantes sont des pigments purs ou des colorants dilués. À base de pigments, elles tendent à boucher les buses, mais elles sont moins sensibles à la lumière et à l'eau une fois sur le papier. Les pigments permettent une saturation plus forte des couleurs que les colorants dilués. Les colorants dilués sont plus sensibles à l'eau et à la lumière, mais ils n'obstruent pas les buses. Vous devez également faire attention à éviter toute formulation d'encre toxique, inflammable ou nuisible pour l'environnement.

PAPIER ET IMPRIMANTE JET D'ENCRE 9.8.11

Le type de papier que vous utilisez avec une imprimante à jet d'encre est très important, du fait de la nature de la technologie. Pour certains modèles, seul le papier fourni par le fabricant peut être utilisé. Le principal problème rencontré est le bavage qui se produit lorsque deux couleurs déteignent l'une sur l'autre. Pour éviter le bavage, l'encre doit être parfaitement sèche. Le papier doit également être en mesure d'absorber les composants liquides de l'encre aussi vite que possible, sans que les substances colorantes ne pénètrent dans le papier. Si le papier absorbe trop de colorant, cela peut nuire à la densité des couleurs. Lorsque l'encre est absorbée par le papier, non seulement elle s'infiltre dans le papier, mais elle s'étale également. Ce phénomène est comparable à ce que l'on obtient lorsqu'on écrit avec un marqueur sur un journal. Lorsqu'une goutte d'encre est absorbée par le papier, sa taille augmente, généralement jusqu'à trois fois celle de la goutte initiale. L'impression avec une imprimante à jet d'encre nécessite du papier dont les dimensions restent stables, afin qu'il ne se fronce pas, ni ne plisse du fait du liquide contenu dans l'encre. Comme la plupart des fabricants d'imprimantes recommandent leurs propres papiers spéciaux, la sélection est relativement limitée et le papier lui-même peut être onéreux.

IMPRIMANTES À SUBLIMATION THERMIQUE 9.8.12

Les imprimantes à sublimation thermique, également appelées imprimantes à thermo-transfert, sont basées sur une technique provenant des anciennes machines à écrire. Avec les imprimantes à sublimation thermique, cependant, la couleur est transférée sur le papier par pression physique (comme la touche de la machine à écrire frappe le ruban), mais en chauffant le ruban. La technique d'impression à sublimation thermique est relativement coûteuse et utilisée principalement pour certains systèmes d'épreuves numériques et certaines sorties sur papier photographique ou support transparent.

TECHNOLOGIE DE LA SUBLIMATION THERMIQUE 9.8.13

L'encre d'une imprimante à sublimation thermique ne se présente ni sous forme liquide, ni sous forme de poudre, mais se compose de paraffine ou d'esters de cire sur un ruban de film polyester ou papier condensateur. Le ruban de couleur est chauffé par une tête d'impression et l'encre s'accroche au papier, car il présente une surface plus rugueuse que le ruban de couleur. La tête d'impression est composée de plusieurs petits radiateurs entourés de porcelaine. Chaque radiateur peut être chauffé à différentes températures, ce qui permet de réguler la quantité d'encre transférée à chaque point de la sortie.

RUBAN D'IMPRIMANTE 9.8.14

Le ruban d'une imprimante à sublimation thermique se présente sous forme de rouleau continu, exactement comme celui d'une machine à écrire. Cependant, le coût du ruban pour ce type d'imprimante est assez élevé. Les rubans de couleur fabriqués à base de papier condensateur sont généralement moins chers que les rubans de couleur à base de polyester, mais ils sont d'une qualité légèrement inférieure. Les rubans présentent généralement une épaisseur d'environ 10 microns, dont 4 sont de la substance colorante.

▶ **PRINCIPALES QUALITÉS D'UNE IMPRIMANTE**

Résolution :
Mesurée en points par pouce ou dpi (dots per inch).

Vitesse :
Nombre de pages qu'une imprimante peut imprimer par minute, ppm (page par minute).

Précision mécanique :
Degré de précision avec lequel l'impression est placée sur le papier.

Correspondance des couleurs :
Degré de correspondance des couleurs de l'imprimante quatre couleurs avec les gammes normalisées.

Stabilité :
Nombre de fois où il faut calibrer l'imprimante.

Coût des couleurs :
Quantité de toner et d'encre nécessaire et leur coût.

Qualité de papier :
Type de papier pouvant être utilisé et son coût.

> **IMPRIMANTE DE PRODUCTION**
> Une imprimante de production imprime en noir et blanc à une vitesse de 100 à 400 pages par minute,
> avec la possibilité de changer le papier (par exemple pour utiliser du papier coloré) en cours de fabri-
> cation. Ces imprimantes intègrent souvent des fonctions de finition assez simples, telles que l'agrafage.

PAPIER POUR IMPRIMANTES À SUBLIMATION THERMIQUE 9.8.15

Le choix du papier pour les imprimantes à sublimation est relativement large, dès lors
que vous prêtez attention à sa rugosité. Ces imprimantes nécessitent un papier présentant
une surface de relativement bonne qualité, peu importe que le papier soit couché ou non.
Une surface très rugueuse nuit à la qualité d'impression.

LES IMPRIMANTES DE PRODUCTION 9.9

Un grand nombre d'imprimantes de ce type intègrent des fonctions de finition comme
l'agrafage. Ce type d'équipement sert généralement à imprimer des rapports, des brochures, des manuels et des documents éducatifs, c'est-à-dire des produits imprimés souvent remis à jour, comportant un nombre de pages élevé et produits en petites quantités.
Les imprimés produits de cette façon sont souvent créés avec des programmes non Post-
Script comme Microsoft Word. Si vous utilisez ce type de programmes, vous devrez
convertir les fichiers au format PostScript [voir 9.3.3].

IMPRIMANTES DE PRODUCTION OU PRESSES OFFSET : COMPARAISON DES COÛTS 9.9.1

Les imprimantes de production sont plus rentables pour les documents comportant
beaucoup de pages, mais produits en petites éditions. Le concurrent le plus sérieux est
l'impression offset sur des machines à imprimer en retiration, qui impriment les deux
côtés de la feuille dans un même tirage. Le point de rupture financier s'établit à environ
1 000 exemplaires. Les coûts de mise en route sur des imprimantes de production sont
relativement bas, mais le prix unitaire de l'exemplaire est élevé.

Le coût de finition est généralement supérieur pour l'impression offset, car les feuilles
doivent être pliées, etc., tandis que les imprimantes de production peuvent utiliser des
encarts préparés. Les fabricants d'équipement de finition ont également mis au point des
systèmes simplifiés qui tirent parti de l'utilisation d'encarts préparés, pouvant être
connectés aux imprimantes ou utilisés en ligne.

> **IMAGEUSE FILM**
> Vue externe d'une imageuse film. Sur le côté
> droit de ce modèle, le film insolé est trans-
> féré dans une développeuse pour le dévelop-
> pement « en ligne ».

QUALITÉ DES IMPRIMANTES DE PRODUCTION 9.9.2

Les modèles les plus courants dans cette catégorie ont une résolution de l'ordre de 600 dpi, ce qui est suffisant pour conserver une qualité raisonnable pour les dessins au trait, les captures d'écran et les photographies simples. Ces imprimantes conviennent parfaitement à l'impression de documents comportant principalement du texte.

LES IMAGEUSES 9.10

Les professionnels de l'imprimerie appellent généralement les imageuses film des flasheuses (parce que les premier modèles produisaient les textes, caractère par caractère, au moyen d'un flash illuminant le film au travers d'un disque portant les matrices des caractères choisis) ou des CTF (Computer To Film, ordinateur vers film), et les imageuses plaque des CTP (Computer To Plate, ordinateur vers plaque).

D'une façon générale, une imageuse fonctionne comme une imprimante laser, mais au lieu que le papier soit imprimé avec de la poudre de couleur, la machine insole et développe un film ou une plaque photosensible. Une imageuse a une résolution supérieure à une imprimante laser, environ 3 600 dpi, contre 600 dpi pour une imprimante laser moyenne. Cela s'explique par le fait que la couche d'émulsion du film ou de la plaque présente une résolution élevée. Dans les imprimantes laser, la poudre d'encre et le type de papier limitent la résolution. Une imageuse insole le film ou la plaque, mais il faut également une autre machine pour le développement nécessaire après l'insolation. Ces machines sont appelées développeuses. On parle de développeuse hors ligne lorsqu'il s'agit d'une machine séparée dans laquelle il faut introduire manuellement le support qui a été insolé dans l'imageuse et de développeuse en ligne lorsqu'elle est connectée à la suite de l'imageuse, le film ou la plaque étant transféré automatiquement après insolation.

Le RIP de l'imageuse calcule les trames en créant une grande représentation (image) bitmap sur laquelle chaque point d'insolation de l'imageuse est représenté par un 1 ou un 0 (surface insolée ou non insolée). Si vous imprimez en plusieurs couleurs, une représentation bitmap est créée pour chaque composante couleur de l'imprimé.

Un laser très fin insole les zones appropriées du film ou de la plaque d'après les informations contenues dans la représentation bitmap. Dans le cas d'une imageuse film, le film vierge est stocké sur un rouleau dans une cassette débitrice de film. La cassette fait avancer le film en fonction des besoins de l'insolation. Une fois insolé, le film est enroulé sur la cassette réceptrice de film. Cette cassette est alors insérée dans la développeuse. Le film passe dans un bain de développement. Puis il est lavé et séché avant de sortir de la développeuse. Si vous disposez d'une développeuse en ligne, le film passe directement de l'insolation au développement sans être enroulé entre les deux étapes. Dans le cas d'un CTP (imageuse plaque), les plaques vierges sont stockées dans une cassette. Pour l'insolation, une plaque est entraînée dans la machine et le processus est identique à celui du film, y compris en ce qui concerne le développement, à la différence près que les développeuses associées à ce type d'équipement sont généralement en ligne. Le principal avantage de ce type d'imageuse est qu'il n'est plus nécessaire de manipuler le film et les plaques d'impression manuellement, et qu'il permet de sauter l'étape de la copie des films sur les plaques [voir « Films et plaques » 11.4].

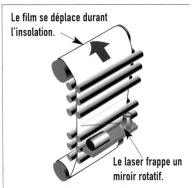

Le film se déplace durant l'insolation.

Le laser frappe un miroir rotatif.

▶ **SYSTÈME À CABESTAN (« À PLAT »)**
Dans ce système, le faisceau laser balaie le film qui avance une fois que chaque ligne est insolée. Avec ce système, la longueur du film n'est pas limitée.

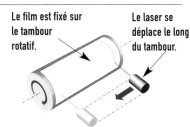

Le film est fixé sur le tambour rotatif.

Le laser se déplace le long du tambour.

▶ **TAMBOUR EXTERNE**
Le film est coupé au bon format et fixé au tambour. Le laser se déplace alors parallèlement au tambour rotatif. Le tambour tourne pour avancer le film d'une ligne à la fois, jusqu'à ce qu'il soit entièrement insolé.

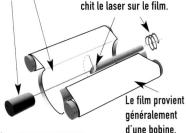

Le laser et le film sont fixes durant l'insolation.

Le miroir tourne, dans un mouvement de spirale, le long du tambour et réfléchit le laser sur le film.

Le film provient généralement d'une bobine.

▶ **TAMBOUR INTERNE**
Le film est placé dans un tambour, qui ne bouge pas durant l'insolation. Dans ce type d'imageuse, le faisceau laser tourne tout en se déplaçant le long du film.

TROIS TYPES D'IMAGEUSES 9.10.1

Il existe trois types de techniques de base pour les imageuses : les systèmes à plat (à cabestan) et les systèmes à tambours internes ou externes. Les explications qui suivent et les trois schémas correspondants concernent les imageuses film, mais les imageuses plaque utilisent des systèmes relativement similaires, mis à part le fait bien sûr que les plaques sont stockées à plat dans des cassettes correspondant à leur format, alors que les films sont enroulés sur des bobines et peuvent être coupés au format voulu. Les plaques sont manipulées une par une et les imageuses plaque peuvent comporter des systèmes de perforation permettant de perforer les plaques en fonction des caractéristiques du système de tétonnage de la machine à imprimer.

Les systèmes à cabestan font avancer le film provenant de la bobine débitrice pour l'insoler. Le film est insolé par un laser qui traverse un cristal de quartz. Le cristal de quartz est géré par les informations contenues dans la représentation bitmap du RIP, qui lui communique quand laisser passer le faisceau laser. Lorsque le cristal laisse passer le faisceau, celui-ci frappe un miroir octogonal, exactement comme dans une imprimante laser. Grâce au miroir, le faisceau balaie le film sur une ligne. Une fois qu'une ligne est insolée, le film est avancé et la ligne suivante est insolée. Le film insolé est enroulé dans une cassette réceptrice. Avec ce type de machine, il est très important que le film soit alimenté de façon précise et que la rotation du miroir soit exacte.

Dans la technique du tambour externe, le film est coupé, puis placé autour d'un tambour. Le tambour tourne ensuite pendant que le laser insole le film. Le faisceau laser est d'abord guidé à travers un cristal de quartz, puis il est réfléchi par un miroir qui avance autour du tambour rotatif. Dans ces imageuses films, il est important que le film soit parfaitement fixé au tambour et que le miroir avance avec précision.

Dans la technique du tambour interne, le film est placé à l'intérieur d'un tambour, puis « aspiré » afin d'être maintenu en place. Le faisceau laser passe à travers un cristal, puis il est réfléchi par un miroir qui tourne sur une vis à l'intérieur du tambour. Le miroir avance pas à pas sur toute la largeur du film. Une fois le film entièrement insolé, une nouvelle feuille de film est insérée dans le tambour et le film insolé est enroulé sur la bobine réceptrice. La précision du déplacement du miroir le long du film est primordiale au succès de cette technique. Il s'agit là de la seule technique dans laquelle le film demeure fixe pendant son insolation, aussi est-elle généralement considérée comme la plus précise.

Quel que soit le type d'imageuse, la précision et la répétabilité sont des facteurs très importants. La répétabilité est la capacité d'une imageuse à insoler une ligne exactement de la même façon plusieurs fois de suite. Une imageuse imprécise peut engendrer un défaut de repérage entre les quatre couleurs.

Une insolation et un développement corrects sont essentiels à la qualité de l'impression finale. Aussi, est-il important qu'une imageuse soit calibrée et que les liquides de développement de la développeuse soient changés ou régénérés fréquemment. Un liquide de développement trop vieux perd sa capacité à développer le film ou la plaque correctement, ce qui se traduit par un encrage insuffisant ou non uniforme. Une imageuse film doit être calibrée linéairement, c'est-à-dire par exemple qu'un ton à 50 % sur l'ordinateur doit être de 50 % sur le film. Une imageuse film non calibrée peut produire des valeurs tonales complètement fausses. Dans le cas des CTP, la calibration est effectuée en prenant en compte des courbes d'engraissement de point correspondant aux machines à imprimer associées à l'équipement.

CONTRÔLE ET ÉPREUVAGE

10

CHAPITRE 10 CONTRÔLE ET ÉPREUVAGE La création et le contrôle des épreuves sont importants tout au long de la chaîne graphique, et ce dès les premières phases du processus. La sortie d'épreuves permet de se rendre compte des erreurs et de les corriger en une seule étape, avant de passer à la suivante, ce qui fait gagner du temps et des ressources. Nombreux sont ceux qui ne prennent pas le temps de procéder à un tirage d'épreuves, alors qu'ils pourraient ainsi éviter de reprendre l'ensemble du processus en cas de problème.

Lors de la création un produit imprimé, il convient d'obtenir le résultat voulu à chaque étape avant de poursuivre le processus. Plusieurs types de systèmes de contrôle et de tirage d'épreuves peuvent être utilisés pour garantir ces résultats. Vous pouvez par exemple prévisualiser le produit sur l'écran de l'ordinateur, utiliser des applications de contrôle, créer des épreuves analogiques ou numériques, ou même sortir une épreuve sur une machine à imprimer.

Tout au long du projet, vous pouvez réviser le texte, la présentation et les images directement sur l'écran de votre ordinateur. Les sorties sur imprimante laser sont essentiellement utilisées pour vérifier le texte et la présentation avant de produire les films ou plaques utilisés pour l'impression. Les logiciels de contrôle peuvent vérifier que le document est fin prêt à être imprimé. Les épreuves analogiques et numériques sont utilisées principalement comme épreuves finales avant l'impression du tirage réel sur une machine à imprimer. Dans le cas de productions particulièrement importantes, vous pouvez même réaliser une épreuve sur une machine à imprimer avant de réaliser l'impression finale. C'est onéreux, mais justifié dans certains cas. Vous pouvez également réaliser des épreuves sur une machine à imprimer si vous avez besoin d'un nombre élevé d'impressions d'épreuves pour chaque page.

Toutes ces procédures de contrôle et de tirage d'épreuves servent la même fin : garantir que chaque étape se déroule comme prévu. Plus vous découvrez des erreurs tardivement dans le processus de production, plus leur correction est coûteuse et prend du temps. C'est pourquoi il est important de prévoir du temps pour le contrôle et l'épreuvage tout au long du processus, y compris aux stades très précoces.

Dans ce chapitre, nous passerons en revue les différents systèmes de contrôle et d'épreuvage. Nous établirons également une liste de contrôles (checklist) et traiterons de la production d'épreuves. Pour commencer, intéressons-nous à certaines erreurs pouvant survenir durant le processus de production graphique.

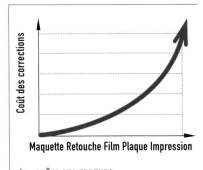

▶ **COÛTS DES ERREURS**
Une erreur coûte toujours beaucoup d'argent. Plus tôt vous l'identifiez, moins la correction est coûteuse.

LES ERREURS FRÉQUENTES DANS LE PROCESSUS DE PRODUCTION GRAPHIQUE 10.1

Un grand nombre d'erreurs peuvent survenir durant la préparation des documents numériques utilisés dans la production graphique. Par souci de simplicité, nous allons classer les erreurs les plus fréquentes en cinq grandes catégories :

• erreurs esthétiques, c'est-à-dire les erreurs typographiques, comme les orphelines et le mauvais crénage ;
• erreurs informatiques causées par les programmes, les lecteurs ou les systèmes d'exploitation ;
• erreurs d'inattention ou celles imputables à l'inexpérience ;
• erreurs causées par le personnel de prépresse ;
• erreurs mécaniques, comme la mauvaise calibration des imageuses ou les erreurs liées aux systèmes OPI.

La création d'épreuves analogiques a longtemps été le seul moyen de déceler toutes ces erreurs ; cependant, elles sont réalisées à un stade si tardif du processus de production, quand elles sont encore utilisées, qu'il est plus qu'utile d'éliminer autant d'erreurs que possible dès les premières phases de production.

LES ÉPREUVES ÉCRAN OU ÉPREUVES VIRTUELLES 10.2

Le contrôle rigoureux du texte et des images sur un écran d'ordinateur bien calibré est un premier pas efficace, qui de surcroît ne coûte rien, pour garantir un bon résultat. La plupart des applications de retouche d'images et de mise en page ont des outils conçus pour vous aider à vérifier différentes mesures. Vous pouvez vérifier la typographie, le placement des images, des illustrations, des logos et des textes.

Vous pouvez également contrôler à l'écran la césure des mots et la disposition des lignes, le format, la surface occupée par le texte, le grossi-maigri (trapping), la défonce, le recouvrement et les fonds perdus [voir « Préparation des documents » 6.6, 6.7 et 6.8]. Un opérateur graphique expérimenté peut utiliser un programme de retouche d'images pour vérifier la conformité des couleurs, les retouches d'images, la couverture d'encre, l'UCR/GCR et les réglages de l'engraissement du point [voir « Les images » 5.6].

Pour créer une épreuve écran à montrer au client, vous pouvez enregistrer votre document au format Adobe PDF [voir « Sortie » 9.4]. Un fichier PDF est facilement diffusable par message électronique aux personnes dont les commentaires vous sont indispensables. Avec le programme Adobe Acrobat, des commentaires numériques peuvent être ajoutés au document. Par ailleurs, si vous pouvez créer un fichier PDF à partir d'un document, cela signifie que vous pourrez très probablement le « RIPer » et le sortir sur film ou plaque. [voir 10.4.2].

LES SORTIES SUR IMPRIMANTE LASER 10.3

Les sorties sur imprimante laser sont principalement utilisées pour contrôler la typographie, vérifier le placement des images, des illustrations et des logos, pour réviser le texte et corriger l'orthographe. Les sorties laser permettent également de vérifier la césure des

mots, l'arrangement des lignes, le format, la surface occupée par le texte et les fonds perdus [voir « Préparation des documents » 6.8]. Ces sorties sont généralement effectuées sur une imprimante laser PostScript couleur ou noir et blanc.

Une bonne méthode pour déterminer si un document est prêt à être rastérisé consiste à effectuer une impression laser en séparation de couleurs [voir « Sortie » page 155]. Ce type de sortie permet de vérifier les défonces et les recouvrements, ainsi que le nombre de couleurs dans le document. Il est impossible de vérifier efficacement les images et les couleurs exactes sur une sortie laser, car la ressemblance n'est pas assez proche d'une impression finale.

LE CONTRÔLE DES DOCUMENTS ET LES LOGICIELS DE PRÉFLASHAGE 10.4

Les logiciels permettant le contrôle en amont sont appelés logiciels de préflashage ou parfois de « preflight », appellation anglo-saxonne. Le terme « preflight » est emprunté à l'aéronautique où il désigne la vérification effectuée par le pilote à bord d'un avion avant le décollage. Dans l'industrie de la production graphique, le préflashage renvoie au contrôle des documents numériques avant leur mise en production, c'est-à-dire avant l'étape du flashage (l'insolation) des films ou plaques. Ces logiciels permettent de vérifier les documents au regard d'une check-list standard. Le contrôle peut sembler être une étape superflue ; pourtant, la plupart des documents numériques envoyés en production arrivent avec des erreurs à corriger. La découverte d'une erreur à une étape aussi tardive que la rastérisation ou la sortie sur film ou sur plaque peut avoir des conséquences sérieuses, et les choses n'iront qu'en s'aggravant si des erreurs sont mises au jour à des stades ultérieurs. Les programmes de préflashage contribuent à identifier ces erreurs le plus tôt possible dans le processus, ce qui réduit les risques de retard et de dépassement de coûts.

Les logiciels de préflashage peuvent être classés en deux grandes catégories. Le premier groupe, qui comprend des programmes comme Flightcheck de Markzware et Extensis Preflight Pro, vérifie les documents QuarkXPress, Adobe InDesign et Adobe PageMaker et les illustrations, les images et les polices de caractères qui les accompagnent. Le second groupe contrôle et, le cas échéant, corrige les fichiers PostScript ou PDF avant qu'un document passe du programme de mise en page au RIP. Speedflow de Onevision, Pitstop d'Enfocus et pdfInspektor de Callas sont quelques exemples de ce type d'application. Chaque type de programme détecte des genres d'erreurs différents. Ceux qui vérifient les fichiers de mise en page peuvent trouver des erreurs résultant d'une inattention ou d'un manque d'expérience. Les applications qui contrôlent les fichiers PostScript et PDF trouvent des erreurs techniques causées par les programmes, les lecteurs ou les systèmes d'exploitation et peuvent aussi détecter certaines erreurs imputables au personnel de prépresse.

LOGICIELS DE PRÉFLASHAGE POUR VÉRIFIER LES APPLICATIONS DE MISE EN PAGE 10.4.1

Ces programmes contrôlent les fichiers QuarkXPress, Adobe InDesign ou Adobe Page-Maker sur les points suivants :
• liens vers les images et les illustrations dans les documents ;
• formats de fichier des images et des illustrations ;

- couleurs utilisées dans les documents et les illustrations ;
- si certaines couleurs sont définies comme des couleurs Pantone ;
- si les images sont enregistrées en mode RVB ou CMJN ;
- résolution des images ;
- que tous les types de caractères sont actifs ;
- nombre de points d'ancrage dans une courbe ;
- recouvrement et trapping ;
- styles de polices (gras, italique, etc.).

Avec ces logiciels, vous pouvez également créer des filtres, qui permettent de déterminer ce que le programme doit contrôler et ce qu'il doit faire en cas de détection d'erreur. Si une erreur est trouvée, elle est corrigée dans le programme dans lequel le document, l'illustration ou l'image a été créé à l'origine, par exemple dans QuarkXPress, Adobe Illustrator ou Adobe Photoshop.

LOGICIELS DE PRÉFLASHAGE POUR VÉRIFIER LES FICHIERS POSTSCRIPT & PDF 10.4.2

Ces programmes vérifient et peuvent éventuellement corriger les points suivants :
- s'il est possible de rastériser le fichier ;
- que toutes les polices de caractères sont incluses dans le fichier PostScript ;
- que toutes les images et les illustrations sont incluses ;
- quelles couleurs sont définies ;
- la résolution des images ;
- le format, l'épaisseur minimale des filets, le revouvrement, le corps minimal des textes, etc.

Le logiciel de préflashage modifie et optimise également le code PostScript ou PDF, réduisant ainsi la taille des fichiers ce qui, par conséquent, minimise le temps de rastérisation. Comme dans les programmes mentionnés plus haut, vous pouvez recourir à des filtres pour spécifier ce que le programme doit rechercher. Certains programmes peuvent également effectuer des changements directement dans le fichier PostScript. Par exemple, Acrobat Distiller d'Adobe vérifie les fichiers PostScript. Cependant, il ne s'agit pas d'un préflashage à part entière. Il vérifie uniquement s'il est possible d'interpréter le fichier PostScript.

LES ÉPREUVES 10.5

Les épreuves sont utilisées pour s'assurer que le travail de prépresse a été effectué correctement ; elles offrent l'occasion de procéder aux corrections nécessaires avant la production de la plaque d'impression. Les épreuves servent également de guide à l'imprimerie pour savoir ce que le client attend comme résultat final. Les épreuves sont réalisées à l'aide de techniques spécialisées et peuvent souvent simuler très fidèlement un produit imprimé sur presse. Il existe deux types d'épreuves : analogiques et numériques. Les premières sont réalisées à partir des films utilisés pour produire les plaques d'impression. Les secondes sont des sorties du projet fini sur des imprimantes couleurs haute qualité. Les deux types donnent un bon aperçu du résultat d'impression final en termes de qualité d'image et de couleurs. Si vous utilisez des films avant de produire les plaques, il faut réaliser une épreuve analogique pour vérifier la qualité et le contenu des films.

▶ **ÉPREUVES**
Les épreuves sont utilisées pour s'assurer que le travail de prépresse est effectué correctement et offrent l'occasion de procéder aux corrections nécessaires avant la production de la plaque d'impression.

▶ **OZALID**

Ces épreuves sont des types particuliers d'épreuves analogiques, tirées à partir des films destinés à l'impression. En bleu et blanc, elles ne permettent pas de contrôler les couleurs. Elles servent cependant à vérifier une dernière fois l'imposition et le contenu des films [voir « Sortie » 9.5].

Les noms donnés aux épreuves sont multiples. Certains reflètent la marque de l'équipement ou du matériel utilisé pour leur création. On a longtemps parlé de Cromalin, de Matchprint et d'Agfa-Proof, qui comptaient parmi les principaux systèmes d'épreuves analogiques ; aujourd'hui le Cromalin reste le principal système analogique utilisé et l'on parle alors généralement de Cromalin analogique. En termes d'épreuves numériques, on trouve, entre autres, les appellations Cromalin numérique, Sherpa, Iris, Rainbow, Approval, Matchprint ou Pictro Proof. Les Ozalid et les diazocopies étaient des types particuliers d'épreuves analogiques, tirées à partir des films utilisés pour l'impression. Les Ozalid étaient bleus et blancs et les diazocopies étaient blanches et noires, ce qui signifie que vous ne pouviez pas vérifier les couleurs. Par contre, ils permettaient de vérifier une dernière fois l'imposition et le contenu des films [voir « Sortie » 9.5].

La calibration des systèmes d'épreuvage est très important, qu'ils soient analogiques ou numériques. Il est presque impossible pour une imprimerie de reproduire une épreuve provenant d'un système mal calibré. Par conséquent, il est extrêmement important que l'épreuve soit calibrée en fonction des exigences de l'impression finale. Vous devez être conscient cependant que le produit imprimé final ne correspondra jamais à 100 % à une épreuve. En effet, les épreuves sont créées d'une manière différente et à partir de matériaux différents (encre, type de papier, etc.) de ceux de l'imprimé final.

LES ÉPREUVES MACHINE (TIERCES) 10.6

Une épreuve machine est un échantillon de l'impression finale réalisé sur la machine à imprimer avant de lancer le tirage définitif. On peut les réaliser sur une machine à imprimer différente de celle utilisée pour le tirage proprement dit, appelée machine à essais ; cependant, comme elles sont créées sur un équipement similaire, elles donnent l'idée la plus précise du résultat final. Avant la généralisation des systèmes d'épreuvage récents, les concepteurs de publicités produisaient généralement de telles épreuves, appelées épreuves d'annonce. Elles peuvent être réalisées sur des presses offset feuilles, alors que le magazine dans lequel est inséré la publicité est imprimé sur une rotative offset ou hélio, par exemple. En dépit de résultats très similaires, ce procédé ne produit pas une concordance totalement exacte entre l'épreuve et l'impression réelle. La réalisation d'une véritable épreuve machine peut alors consister à vérifier les premières bonnes feuilles à l'issue du calage de la machine sur laquelle sera véritablement réalisée le tirage, mais cette opération peut devenir très onéreuse si des modifications significatives doivent être apportées et son coût peut ne pas se justifier pour la plupart des projets.

QUE FAUT-IL VÉRIFIER ? 10.7

Nous allons nous intéresser de plus près, à présent, à tous les différents points devant être vérifiés durant l'épreuvage. Nous discuterons également des moments les plus appropriés durant le processus de production graphique pour effectuer ces contrôles.

RÉVISION DU TEXTE 10.7.1

Commencez par réviser le texte de votre document du point de vue de son contenu et de sa justesse, à l'écran dans un premier temps, puis sur une impression laser. À l'issue de cette étape, plus aucune modification ne devrait être apportée au texte. Toute modification du texte à des stades ultérieurs de la production sera coûteuse en temps et en argent ; assurez-vous donc d'avoir entre les mains la version finale approuvée du texte avant d'aller plus loin.

CONTRÔLE DES IMAGES 10.7.2

Pour vérifier des images sur ordinateur, il est important que vous vous assuriez que votre écran soit correctement calibré. Un écran utilise ce que l'on appelle un modèle de couleurs additives (RVB) pour représenter les couleurs, tandis que les systèmes d'impression utilisent un modèle de couleurs soustractives (CMJN) [voir « La couleur » 4.4.1 et 4.4.2]. C'est la raison pour laquelle vous n'aurez jamais une concordance exacte des couleurs entre les versions écran et imprimées. Cependant, avec un écran correctement calibré, vous pouvez obtenir une approximation étonnamment proche du produit imprimé.

La taille et la résolution des images peuvent être vérifiées avec différents programmes de retouche d'images ; ces derniers servent également à contrôler les modifications apportées, la netteté des images et la correspondance des couleurs. Adobe Photoshop comporte des outils permettant à l'utilisateur de vérifier la valeur et la saturation chromatiques dans n'importe quelle zone donnée d'une image. Une connaissance approfondie de la production imprimée est cependant nécessaire. Un opérateur scanner ou un retoucheur d'images expérimenté peut utiliser ces programmes pour contrôler les retouches d'images, la saturation des couleurs, la couverture d'encre maximale, l'UCR/GCR et ajuster l'engraissement du point [voir « Les images » 5.6].

Si votre projet exige une qualité d'image supérieure, vous devez toujours procéder à un contrôle des images. Une épreuve repose sur le modèle CMJN, ce qui signifie que vous obtiendrez une correspondance des couleurs plus proche de l'impression finale. Les épreuves numériques sont un excellent support de contrôle des images, dès lors qu'elles sont calibrées avec soin et produites en fonction des prérequis de l'impression. Les épreuves analogiques sont également un excellent support de contrôle des images, mais elles coûtent généralement plus cher que les épreuves numériques, car elles doivent être produites à partir de films. Les épreuves analogiques présentent l'avantage d'utiliser les mêmes procédés de rastérisation et de rendu des images que l'impression finale. De plus, les épreuves analogiques ont généralement une résolution supérieure aux épreuves numériques, ce qui peut s'avérer important, par exemple, si vous souhaitez vérifier des gradations subtiles sur des photographies destinées à des imprimés de qualité supérieure. Les impressions laser couleurs ne sont pas recommandées pour contrôler des images, car elles offrent en règle générale une correspondance des couleurs médiocre par rapport à l'impression réelle.

CONTRÔLE DES PAGES 10.7.3

Lorsque arrive enfin le moment de vérifier une page entière d'un original, de nombreux éléments peuvent être contrôlés à l'écran. Il est important de vérifier la typographie et le placement des images, des illustrations, des logos et du texte. Vous pouvez également

▶ **QUE FAUT-IL VÉRIFIER ?**

Un certain nombre d'éléments doivent être vérifiés avant l'impression :

LE TEXTE
- Contenu
- Orthographe/Grammaire
- Typographie

LES IMAGES
- Taille des images
- Résolution des images
- Couleurs CMJN
- Retouches des images
- Couverture d'encre
- Engraissement du point
- UCR/GCR

LES PAGES
- Zones de texte, mise en page
- Césure des mots, disposition des lignes
- Typographie/crénage
- Mise en page
- Placement des images/illustrations
- Recouvrement
- Défonces/surimpressions
- Fonds perdus
- Couleurs CMJN
- Couleurs PMS
- Conversions CMJN
- Films
- Tramage/Moiré
- Papier

contrôler la césure des mots et l'arrangement des lignes, le format de page, la zone occupée par le texte, le grossi-maigri, les recouvrements/défonces et les fonds perdus [voir « Préparation des documents » 6.6, 6.7 et 6.8]. Vous devez également imprimer les pages (en noir et blanc ou en couleurs) et vérifier encore une fois les points stipulés ci-avant. Il est préférable de générer une sortie imprimante de la même taille (100 % avec les fonds perdus) que le produit imprimé fini.

Si vous réalisez une sortie sur imprimante couleur, vous pouvez également vérifier que tous les éléments de la page ont approximativement la couleur que vous souhaitez (n'oubliez pas que cette méthode n'est pas la façon la plus précise de procéder). Vous pouvez vérifier que les conversions de couleurs sont correctes en réalisant une sortie imprimante laser en couleurs séparées [voir « Sortie » page 167]. Pour une page en couleurs quadri normale, vous devez avoir quatre sorties par page, une pour chaque couleur d'encre d'impression. Si vous imprimez avec une ou plusieurs couleurs d'accompagnement (tons directs), vous obtiendrez une page supplémentaire par couleur d'accompagnement. Si vous obtenez des pages avec des couleurs d'accompagnement que vous ne souhaitez pas, c'est que vous avez probablement oublié de séparer une ou plusieurs couleurs dans votre document, ou que vous avez omis de supprimer les couleurs que vous aviez décidé de ne pas utiliser. Dans les sorties sur imprimante laser en couleurs séparées, vous pouvez également vérifier le trapping et les surimpressions.

Avant la généralisation des CTP (imageuses plaques) et des systèmes d'épreuvage numériques, l'une des dernières étapes de la production graphique classique consistait à sortir des films graphiques et à les utiliser pour produire une épreuve analogique, afin de s'assurer que la rastérisation, l'insolation et le développement des films s'étaient bien déroulés. On pouvait alors placer la sortie laser approuvée sur l'épreuve analogique sur une table lumineuse. En procédant de la sorte, on pouvait détecter immédiatement les éventuelles divergences entre les deux. Si l'on avait effectué toutes les vérifications aux étapes précédentes, on ne devait normalement pas trouver d'erreurs dans les épreuves analogiques. Ce type d'épreuves permettait en outre à l'imprimerie de savoir ce que vous souhaitiez obtenir au final.

Dans les flux de production modernes, les films ne sont quasiment plus utilisés, les fichiers étant directement rastérisés (« RIPés ») pour produire les plaques. La qualité et la calibration du système d'épreuvage numérique revêtent alors une importance particulière pour disposer d'épreuves restituant de la manière la plus exacte possible l'impression finale sur presse d'imprimerie et vous permettant ainsi de contrôler au mieux votre production avant de passer à l'étape du tirage proprement dit.

LE CONTRÔLE DES ÉPREUVES 10.8

Un certain nombre de facteurs ont une incidence sur les épreuves, parmi lesquels la méthode d'impression simulée, le type de papier, les pigments couleurs, le type de tramage, la simulation d'engraissement du point et le trapping, pour n'en citer que quelques-uns.

DIFFÉRENTES MÉTHODES D'IMPRESSION 10.8.1

Certaines méthodes d'impression, certaines couleurs de papier et certaines encres peuvent être très difficiles, voire impossibles, à simuler sur une épreuve. L'impression offset sur papier couché est la méthode la plus facile à simuler avec un système d'épreuvage. D'autres méthodes d'impression, comme l'héliogravure, la flexographie ou la sérigraphie sont beaucoup plus difficiles à simuler. Cela signifie que vous pouvez escompter une correspondance plus proche entre une épreuve et l'impression finale s'agissant d'une impression offset qu'avec toute autre méthode d'impression. Les quotidiens imprimés sur des machines offset rotatives peuvent être difficiles à simuler.

PAPIER/SUPPORT 10.8.2

Les épreuves analogiques et numériques sont souvent réalisées sur le support fourni par le fabricant du système d'épreuve, ce qui implique que vous disposez d'un choix limité de papier pour ces épreuves. Ces papiers sont souvent blancs et glacés. Si le papier que vous avez choisi pour l'impression finale est un papier blanc, couché, lisse et brillant, l'impression d'épreuve donnera des résultats très similaires. Si, en revanche, vous utilisez un papier mat, non couché ou tirant sur le jaune pour l'impression finale, les couleurs de l'épreuve sembleront légèrement différentes. Dans certains systèmes d'épreuvage, vous pouvez utiliser le même papier que celui prévu pour l'édition finale, ce qui est un avantage évident en termes de correspondance des couleurs de l'épreuve avec celles de l'imprimé final. Par ailleurs, certains systèmes permettent de simuler différents types de papier, couchés ou non, ce qui permet d'approcher plus ou moins fidèlement le résultat final.

COULEURS/COUVERTURE D'ENCRE/DENSITÉ 10.8.3

Le type d'encre utilisé pour créer les épreuves est différent de celui utilisé dans une machine à imprimer. En Europe, il est préférable que les couleurs suivent le modèle de couleurs Eurostandard, alors que le modèle SWOP est généralement employé en Amérique du Nord. Pour obtenir une bonne conformité, il est également important que l'épreuve simule la densité de l'impression finale. La densité est fonction de la quantité d'encre pouvant être utilisée par l'imprimerie sur un type de papier donné [voir « L'impression » 13.4.2]. Les systèmes d'épreuves ont généralement, à cet égard, des capacités de simulation de l'impression limitées. La plupart des systèmes d'épreuvage ont une densité prédéfinie, qui est souvent supérieure à ce que vous pourrez imprimer au final. Cette densité supérieure permet d'obtenir une épreuve présentant une gamme de nuances plus large que l'imprimé final. De ce fait, les couleurs de l'épreuve sembleront plus éclatantes que celles de l'impression finale. En règle générale, les épreuves numériques peuvent se rapprocher davantage de la densité d'un imprimé final que les épreuves analogiques.

PELLICULAGE 10.8.4

La plupart des épreuves analogiques peuvent être pelliculées, processus qui donne à l'épreuve une surface brillante et des couleurs beaucoup plus lumineuses que celles pouvant être obtenues avec la machine à imprimer. C'est la raison pour laquelle le pelliculage est déconseillé. Un client qui a vu une épreuve analogique pelliculée et aux couleurs éclatantes sera forcément déçu en la comparant à l'imprimé final.

Épreuve analogique   Impression

▶ POINTS DE TRAME DANS UNE ÉPREUVE ET DANS UNE IMPRESSION
Comparaison grossie des points d'une épreuve analogique et d'une impression finale. La qualité du papier/support des épreuves analogiques rend les points de trame plus nets et plus précis que sur l'imprimé final.

POINTS DE TRAME, MOTIFS DE TRAME, GRADATIONS, MOIRÉ 10.8.5

Les épreuves analogiques étant réalisées directement à partir des films sur lesquels s'appuie l'impression, elles sont produites avec exactement la même technique de tramage. Cela signifie que vous pouvez vérifier qu'aucun problème propre à la technique de tramage comme le moiré n'altère l'impression. La qualité du papier/support sur lequel sont réalisées les épreuves analogiques rend les points de trame plus nets et plus précis que dans l'imprimé final. Voilà qui explique que les motifs en rosette propres au tramage puissent parfois apparaître gênants, car trop visibles, sur l'épreuve. Dans l'imprimé final, ces motifs ne sont pas aussi visibles, car les points de trame ne sont pas aussi nets.

Les systèmes d'épreuves numériques présentent une résolution plus faible (généralement de 720 à 1 200 dpi) comparés aux imageuses (1 200 à 3 600 dpi). Si vous utilisez une technique de tramage classique pour créer une épreuve numérique, vous obtiendrez une gamme de nuances médiocre [voir « Sortie » 9.1.4]. En conséquence, un tramage FM est fréquemment utilisé [voir « Sortie » 9.1.9], ce qui implique que vous ne voyez aucun point de trame réel dans l'épreuve. Comme l'épreuve numérique est reproduite avec un tramage différent de celui de l'imprimé final, vous ne pouvez donc pas détecter, avec ce type d'épreuve, d'éventuels phénomènes de tramage comme le moiré. Cependant, la question du tramage de l'épreuve ne se pose pas de la même manière selon le type de tramage qui sera employé pour produire les plaques : AM ou FM. La résolution plus faible des épreuves numériques implique également que les gradations subtiles pourront sembler différentes dans l'imprimé final. Il faut cependant savoir que les systèmes d'épreuvage numérique évoluent régulièrement et que certains équipements haut de gamme, que l'on trouve plus particulièrement chez les professionnels des arts graphiques, offrent la possibilité de sortir des épreuves, tramées ou non, simulant très bien le résultat final obtenu sur machine à imprimer.

TONS DIRECTS (COULEURS D'ACCOMPAGNEMENT)/COULEURS PANTONE 10.8.6

Ni les systèmes d'épreuves analogiques ni les systèmes d'épreuves numériques ne peuvent vraiment restituer les couleurs Pantone à partir des quatre couleurs primaires : cyan, magenta, jaune et noir. Cependant, le système Cromalin analogique de Dupont de Nemours permet d'utiliser des poudres de couleurs à la référence Pantone et de produire ainsi des épreuves intégrant véritablement un ou deux tons directs Pantone en plus de la quadrichromie. Vous pouvez simuler un grand nombre de couleurs Pantone avec les quatre couleurs primaires. Cela ne vous donne pas la couleur exacte de l'impression, si celle-ci est réalisée avec une véritable encre Pantone en plus des couleurs quadri, mais vous pouvez vérifier que tout est assez proche du résultat souhaité. Ce type d'épreuve doit être accompagné d'une référence imprimée, comme un échantillon tiré d'un nuancier Pantone, pour indiquer à quoi ressembleront les couleurs réelles.

ENGRAISSEMENT DU POINT 10.8.7

Pour que l'épreuve ressemble autant que possible à l'imprimé final, il est important de pouvoir simuler l'engraissement du point de l'impression finale. Les systèmes d'épreuvage ont habituellement une capacité limitée à le faire, mais certains sont meilleurs que d'autres. En général, vous pouvez calibrer les épreuves numériques de façon plus précise que les épreuves analogiques s'agissant de ce facteur.

RECOUVREMENT 10.8.8

Lorsqu'on réalise une épreuve, le phénomène appelé recouvrement ne se produit pas de la même façon que lors de l'impression finale [voir « L'impression » 13.4.4]. Dans une épreuve, les couleurs sont complètement liées entre elles, bien que les épreuves numériques puissent être généralement calibrées de façon plus précise que les épreuves analogiques pour refléter les recouvrements.

CRÉATION ET QUALITÉ DES ÉPREUVES 10.9

Les deux grands types d'épreuves, analogiques et numériques, sont produits de diverses façons.

ÉPREUVES ANALOGIQUES 10.9.1

Pendant longtemps, les épreuves analogiques ont constitué la principale solution disponible et il existait trois procédés distincts : les épreuves par superposition, les épreuves laminées et les Ozalid. Toutes les épreuves analogiques sont basées sur la séparation en quadrichromie (conversion CMJN), ce qui signifie qu'elles sont produites à partir de films distincts. Les épreuves par superposition sont produites en exposant l'image imprimée sur du film acétate, avec une feuille de film, ou couche, pour chaque couleur. Après l'exposition, les films acétate sont placés les uns sur les autres. Citons comme marques d'épreuves par superposition Dupont Cromacheck et 3M Color Key. Les épreuves laminées sont produites en plaçant sur un support de base différentes couches de pigment (CMJN) exposées les unes après les autres à l'aide des films d'impression. Une fois que vous avez placé la première couche de pigment sur le support de base, le film correspondant est positionné et insolé dans un châssis d'exposition. Puis la première couleur est développée dans une développeuse spéciale. La couche de couleur suivante est appliquée sur la précédente, puis son film correspondant est placé et insolé, et ainsi de suite. Pour une épreuve normale en quatre couleurs, le processus est répété quatre fois avant l'épreuve finale. Parmi les épreuves laminées citons Fuji Color-Art, 3M MatchPrint, Dupont Cromalin et Agfa-Proof. Les Ozalid étaient créées en exposant les films d'impression sur du papier sensible aux UV. Ils étaient souvent produits sur du papier de mêmes dimensions que celui de l'impression finale, ce qui permettait de vérifier les fonds perdus et l'imposition.

Le suivi de l'étalonnage d'une épreuve analogique est garanti en contrôlant l'exposition et le développement à des intervalles réguliers à l'aide de gammes (barres) de contrôle des couleurs. Les systèmes d'épreuves analogiques présentent généralement un choix limité d'options d'impression. Les fabricants peuvent proposer différents supports de base/papiers sur lesquels peuvent être simulés différents types d'impressions, mais en général la couverture d'encre et la balance des gris ne peuvent pas être modifiées. La qualité des encres et des supports de base, ainsi que l'équipement de développement et d'exposition utilisé durant le processus, sont fondamentaux pour le succès de l'épreuve analogique.

Tous ces systèmes ont progressivement été remplacés par des équipements numériques, et l'on n'utilise quasiment plus que le Cromalin analogique de Dupont, qui permet en outre d'ajouter des tons directs Pantone.

▶ **ÉPREUVE ANALOGIQUE**
Une fois l'épreuve insolée dans un châssis, elle est développée dans une développeuse spéciale. Ici : Colorart de Fuji.

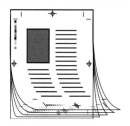

▶ **ÉPREUVE PAR SUPERPOSITION**
Ces épreuves sont créées en superposant des films acétate, un pour chaque couleur d'impression, les uns sur les autres.

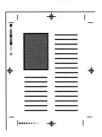

▶ **ÉPREUVE LAMINÉE**
Ces épreuves sont produites en plaçant sur un support de base différentes couches de pigment (CMJN), insolées les unes après les autres à l'aide des films d'impression.

▶ **ÉPREUVES ANALOGIQUES**
+ Garantie des films
+ Garantie du document
+ Haute résolution
– Ne respecte pas l'environnement
– Nécessite beaucoup de main d'oeuvre/peut exiger beaucoup de personnel

ÉPREUVES NUMÉRIQUES 10.9.2

On utilisait les systèmes d'épreuves analogiques pour vérifier les films servant à créer les plaques destinées à l'impression finale, mais les films disparaissent progressivement et les fichiers sont de plus en plus fréquemment sortis directement sur les plaques d'impression par le biais d'imageuses plaque, les CTP. Dans ce cas, le seul moyen de vérifier la production graphique avant la gravure des plaques consiste à sortir des épreuves numériques. Creo Iris, Agfa Sherpa, Fujifilm Pictro Proof et Kodak Approval sont quelques exemples de systèmes d'épreuves numériques. Avec une épreuve numérique, on ne peut pas contrôler les mêmes paramètres que ceux que l'on vérifiait avec une épreuve analogique tirée à partir des films destinés à produire les plaques, comme l'exposition et le développement, mais l'on peut contrôler le fichier numérique à partir duquel les plaques seront créés, tant au niveau du contenu que de la couleur.

Il existe plusieurs méthodes d'impression d'épreuves numériques. L'impression jet d'encre est la plus utilisée, mais l'on trouve également des systèmes thermiques. En fait, un système d'épreuvage numérique est simplement une imprimante couleurs de qualité supérieure [voir « Sortie » 9.7]. Le tramage utilisé pour produire des épreuves numériques est souvent différent du tramage classique. Une imprimante à jet d'encre utilise une sorte de tramage FM [voir « Sortie » 9.1.9], mais certains systèmes sont capables de sortir des épreuves tramées selon une méthode similaire à la méthode utilisée pour les plaques d'impression. Comme chaque fabricant de systèmes dispose de sa propre technique de tramage, les résultats peuvent diverger en fonction de la technique utilisée.

Les systèmes d'épreuvage numériques sont gérés par des programmes. Les paramètres de ces derniers déterminent des facteurs de calibration et d'ajustement pour imprimer l'épreuve numérique. Ils permettent de contrôler l'engraissement du point, la couverture d'encre et la balance des gris. Vous pouvez prédéfinir un certain nombre de paramètres par défaut que vous souhaitez à l'impression. Cela permet d'ajuster l'épreuve numérique aux exigences de l'impression finale. Le programme, la résolution, le support, le tramage, les couleurs, la fiabilité opérationnelle et la répétabilité de la machine déterminent la qualité d'une épreuve numérique [voir « Sortie »].

QUALITÉ DES ÉPREUVES 10.9.3

Dans les faits, il est particulièrement important, selon le type et la qualité de la production graphique que vous avez entreprise, de vous entendre avec l'imprimeur au sujet du type d'épreuvage nécessaire en fonction de la qualité souhaitée pour le produit fini. Par exemple, une brochure ou un rapport annuel en deux couleurs n'entraînera pas nécessairement les mêmes contrôles de chromie qu'un ouvrage de luxe comportant des photographies artistiques.

Lorsque les films étaient systématiquement utilisés pour produire les plaques ou clichés d'impression, les systèmes d'épreuvage analogiques permettaient de contrôler assez fidèlement la qualité du travail avant la copie des films sur les plaques. Depuis que la majeure partie des informations graphiques est directement transférée du format numérique aux plaques, il faut recourir aux systèmes d'épreuvage numériques qui utilisent des technologies, des espaces colorimétriques, des résolutions et des tramages sensiblement différents de ceux des systèmes de gravure des plaques, les CTP, et des machines à imprimer.

Des discussions et des vérifications préalables auprès de l'imprimeur concernant le type d'épreuvage souhaitable pourront vous éviter des désagréments, que ce soit en termes de coûts supplémentaires ou de retards. Il peut s'agir par exemple d'un produit imprimé dont les couleurs ne correspondent pas à vos attentes, malgré le fait que « l'épreuve vous paraissait bonne » ; cette dernière avait en fait été sortie sur un système non calibré et dont la qualité n'était pas suffisante compte tenu du type de production graphique.

Des procédés visant à assurer la stabilité, la fidélité et l'imprimabilité des épreuves ont été mis au point ; ils sont généralement basés sur des gammes de contrôle normalisées et des exigences précises en matière de calibration des matériels utilisés. Citons, notamment, la procédure de « certification de l'épreuve contractuelle » développée et préconisée par l'un des principaux syndicats professionnels français des métiers de l'imprimerie, le SICOGIF.

Vous pourrez ainsi vérifier auprès de vos interlocuteurs professionnels de la chaîne graphique leurs méthodes de travail et les solutions qu'il proposent pour la réalisation de vos projets.

▶ **ÉPREUVES NUMÉRIQUES**

+ Respect de l'environnement

+ Bonnes capacités de simulation

+ Papier édition (parfois)

+ Ne requiert pas de film

+ Demande moins de personnel

− Pas de garantie des films

− Garantie du document parfois aléatoire

− Résolution plus faible

− Tramage différent de l'impression finale

− Séparation des couleurs et espace colorimétrique différent de l'imprimerie

---

FILMS ET PLAQUES

11

PHASE STRATÉGIQUE
PHASE CRÉATIVE
PRODUCTION DES ORIGINAUX
PRODUCTION DES IMAGES
► SORTIE / RASTÉRISATION
ÉPREUVES
► PLAQUES + IMPRESSION
FINITION
DISTRIBUTION

CHAPITRE 11 FILMS ET PLAQUES La forme imprimante diffère selon le procédé d'impression utilisé. Ce chapitre portera essentiellement sur les plaques du procédé offset, s'agissant de la méthode d'impression la plus courante, ainsi que sur les films, qui ont longtemps constitué le support intermédiaire indispensable pour la production de la forme imprimante.

Le processus d'impression reposant sur un principe de surfaces imprimantes et non imprimantes, il en est de même pour les formes imprimantes, et donc les plaques et les films : les surfaces correspondent soit à la présence soit à l'absence d'encre [voir « Sortie » 9.1]. Dans ce chapitre, nous nous intéresserons aux plaques d'impression et aux films graphiques, ainsi qu'à la façon dont ils sont produits et utilisés pour réaliser des produits imprimés.

Au cours des dernières années, la production de la forme imprimante a subi une évolution technologique majeure avec le développement des systèmes de gravure directe de la forme, tant pour la production des plaques offset, que pour les autres procédés, par exemple la gravure directe des cylindres d'héliogravure. La production et l'utilisation de films décroît au fil des années ; cependant, nous commencerons par décrire les caractéristiques de ce support intermédiaire, qui a longtemps été incontournable, avant de traiter des plaques, produites selon les procédés traditionnels ou directement à partir de CTP.

LES FILMS GRAPHIQUES 11.1

Un film graphique se compose d'une feuille plastique recouverte d'une couche d'émulsion photosensible. Le film est insolé dans une imageuse, puis développé à l'aide de produits chimiques. Ces produits induisent pour la production graphique des contraintes environnementales nécessitant de faire appel à des systèmes de récupération et de recyclage.

Le film développé est placé sur une plaque d'impression et exposé à la lumière UV. La plaque comporte une couche de polymère photosensible qui réagit à l'exposition à la lumière. Cette méthode rappelle la façon dont les photographes créent leurs planches contacts. Une fois la plaque insolée, elle est développée avec des produits chimiques liquides.

FILM NÉGATIF ET POSITIF 11.1.1

Il existe des films négatifs et positifs. Lorsqu'un film positif est insolé et développé, toutes les surfaces imprimantes apparaissent en noir et toutes les surfaces non-imprimantes sont transparentes. Ce type de film donne grosso modo une image de l'apparence qu'aurait la page sortie sur une imprimante laser. Un film négatif insolé et développé donne exactement l'inverse : toutes les surfaces imprimantes sont transparentes et celles qui ne doivent pas être imprimées apparaissent en noir.

Le procédé d'impression offset prend aussi bien en charge les films positifs que négatifs, qui présentent chacun des avantages et des inconvénients. Certains imprimeurs professionnels préfèrent utiliser les films positifs, tandis que d'autres travaillent avec les films négatifs. La situation géographique semble jouer un rôle dans cette préférence : si la plupart des pays d'Europe ont recours au film positif, on préfère l'utilisation du film négatif aux États-Unis.

PROCÉDÉS D'IMPRESSION DIRECTE ET INDIRECTE 11.1.2

On distingue généralement les procédés d'impression directe et les procédés d'impression indirecte. L'impression directe signifie que l'encre d'impression est déposée sur le papier (ou tout autre matériau) directement à partir de la forme imprimante. Dans ce cas, l'image de la forme imprimante doit être inversée pour être imprimée correctement sur le papier, comme pour un tampon encreur. La flexographie et l'héliogravure, par exemple, sont des procédés d'impression directe.

L'impression indirecte, pour sa part, suppose le transfert de l'encre depuis la forme imprimante sur un blanchet en caoutchouc, qui la transfère à son tour sur le papier. L'image à imprimer est correcte sur la forme imprimante, et inversée sur le blanchet en caoutchouc, de sorte qu'elle est correctement positionnée sur le papier. L'impression offset est un procédé d'impression indirecte.

FILMS AVEC IMAGES POSITIVES ET INVERSÉES 11.1.3

Les procédés d'impression indirecte et directe requièrent différents types de films. L'impression directe utilise des films comportant des images positives, « sens (de) lecture émulsion dessus », tandis que l'impression indirecte utilise des films comportant des images inversées, ou « sens (de) lecture émulsion dessous ». Cela n'a rien à voir avec la

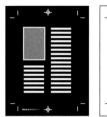 

▶ **FILM NÉGATIF ET POSITIF**
Dans un film négatif, les surfaces imprimantes sont transparentes et les surfaces non imprimantes sont noires. C'est exactement l'inverse pour le film positif.

▶ **FILM POSITIF OU FILM NÉGATIF ?**

FILM POSITIF

+ Il est facile de vérifier l'image à imprimer, car elle est positive.

– La poussière et les traces de saleté deviennent des surfaces imprimantes et sont transférées sur l'impression.

Réduction du point à l'insolation de la plaque

FILM NÉGATIF

– Difficile de vérifier l'image à imprimer, car elle est négative.

+ La poussière et les traces de saleté ne deviennent pas des surfaces imprimantes.

Engraissement du point à l'insolation de la plaque

▶ **TROUVER LE CÔTÉ DE L'ÉMULSION**

Si vous n'êtes pas certain de savoir sur quel côté se trouve la couche d'émulsion, placez le film devant la lumière. Le côté de l'émulsion est mat et l'autre brillant.

Vous pouvez également essayer de gratter avec minutie le coin du film avec un objet tranchant. Du côté de l'émulsion, vous pouvez enlever un peu de l'émulsion, ce qui est impossible sur l'autre face.

La couche d'émulsion est sensible au grattage et ne doit pas être endommagée. Les rayures de la couche d'émulsion seront directement transférées sur la plaque d'impression et sur l'impression.

▶ FILM DE PAGE
Chaque page est produite sur des films distincts.

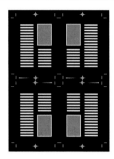

▶ FILM IMPOSÉ
Les pages sont imposées à l'ordinateur et sorties sur le même film.

▶ DENSITOMÈTRE POUR FILM
Un densitomètre permet de contrôler la densité du film graphique.

▶ LINÉOMÈTRE
Cet outil permet de vérifier la linéature et les angles de trame d'un film.

distinction faite entre les films positifs et négatifs, mais renvoie au fait que le texte est inversé ou non sur le côté du film qui contient la couche d'émulsion. On appelle le sens lecture émulsion dessus « sens litho » et le sens lecture émulsion dessous « sens offset ».

Ces sens de lecture supposent toujours que vous regardiez le film du côté de l'émulsion, c'est-à-dire le côté mat. Si l'image à imprimer est inversée, vous avez un film négatif ; si l'image à imprimer est à l'endroit, vous avez un film positif.

JEUX DE FILMS 11.1.4

Lorsque vous imprimez avec plusieurs couleurs, vous avez besoin d'un film pour chaque encre d'impression. Cet ensemble de films est généralement appelé un jeu de films, par exemple, dans le cas d'une impression en quadrichromie, un jeu de quatre films.

MONTAGE ET IMPOSITION DE FILM 11.1.5

Dans une machine à imprimer, plusieurs pages du produit imprimé sont généralement imprimées en même temps sur une même grande feuille. Cela signifie que la plaque d'impression doit contenir toutes les pages devant être imprimées sur une feuille donnée. Lorsque vous produisez des films, vous pouvez sortir les différentes pages sur des films distincts ou sur un « film imposé ». Lorsque vous utilisez plusieurs films distincts, ils sont ensuite montés et imposés manuellement sur un plus grand film. L'assemblage complet du film est ensuite utilisé pour insoler la plaque d'impression. Avec les films imposés numériquement, les pages sont montées et imposées sur ordinateur à l'aide d'un programme d'imposition, avant d'être sorties. Cela permet de sortir un jeu de films imposés, correspondant à une feuille entière, avec lequel vous pouvez insoler directement la plaque d'impression [voir « Sortie » 9.6].

▶ CONTRÔLER UN FILM

1. DENSITÉ
La densité du film doit être au moins égale à 3,5 à 4 unités de densité. Si la densité est trop faible, le film laisse passer un peu de lumière lors de l'exposition de la plaque à des endroits où cela ne doit pas se produire.

2. VALEURS TONALES
Les valeurs tonales du film doivent être vérifiées afin que les pourcentages de l'impression soient corrects. Vous pouvez les vérifier en mesurant les 50 % sur la gamme de contrôle du film avec un densitomètre. La valeur tonale mesurée doit avoisiner les 50 %, mais une différence de 2 % est généralement acceptée.

3. LINÉATURE
Vous pouvez mesurer la linéature avec un linéomètre.

4. ANGLES DE TRAME
Vous pouvez mesurer les angles de trame avec un linéomètre. Dans une impression offset normale, les angles doivent être orientés approximativement comme suit : C = 15° M = 75° J = 0° N = 45°.

Vous devez également vérifier que le film ne présente pas de rayure et qu'il est au bon format.

LES PLAQUES OFFSET 11.2

Il existe différents types de plaques. Les plaques offset sont généralement en aluminium, recouvertes d'une couche sensible. Il existe également des plaques en polyester ou même en papier, mais elles sont réservées aux petits tirages et nous ne les décrirons pas plus en détail.

Les plaques traditionnelles, c'est-à-dire destinées à être insolées à partir de films, sont recouvertes d'une émulsion photosensible adaptée à l'insolation UV. La principale différence entre les modèles de cette catégorie réside dans la durée d'exposition nécessaire pour l'insolation : on parle de plaques rapides ou lentes. Les durées varient ainsi d'une vingtaine de secondes à une minute environ.

En ce qui concerne les plaques CTP, c'est-à-dire insolées directement par un faisceau laser, l'offre de plaques varie en fonction de l'évolution des technologies employées pour les imageuses CTP : la couche sensible peut être de type thermique, argentique, photopolymère ou « sans développement ».

PLAQUES TRADITIONNELLES POSITIVES ET NÉGATIVES 11.2.1

Les plaques positives sont utilisées pour les films positifs et les plaques négatives pour les films négatifs. Les deux types de plaques donnent une image d'impression positive après le développement.

PRODUCTION TRADITIONNELLE DES PLAQUES D'IMPRESSION OFFSET 11.2.2

Pour insoler une plaque d'impression à partir d'un film, le côté émulsion du film doit être placé directement contre la plaque. La plaque est ensuite insolée pendant un certain nombre de secondes dans un châssis de copie. Il est important d'insoler la plaque durant un laps de temps exact pour obtenir un résultat correct. Des erreurs dans l'insolation des plaques peuvent entraîner des valeurs de trame incorrectes (trop élevées ou trop faibles selon que le temps d'exposition est trop long ou trop court). De mauvaises expositions peuvent également empêcher tout transfert des points de trame sur la plaque. On peut déterminer le temps d'exposition nécessaire grâce à une gamme de contrôle. La source lumineuse de l'équipement d'insolation vieillit et ses caractéristiques changent avec le temps. C'est la raison pour laquelle il faut vérifier régulièrement que les temps d'exposition demeurent exacts. Les châssis de copie les plus récents modifient automatiquement le temps en fonction de l'âge de la lampe.

Avant l'insolation, le film est aspiré sur la plaque par un système de mise sous vide. Il est important que le film soit placé tout près et à égale distance de la plaque sans bulles d'air pour garantir un transfert uniforme sur toute la plaque. Il est également important que les plaques soient produites dans un environnement sans poussière. Les poussières

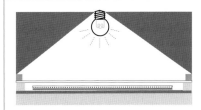

▶ INSOLATION DE PLAQUE
Avant l'insolation, le film est « collé » contre la plaque par un système de mise sous vide afin de garantir un contact uniforme. La plaque est alors insolée avec la lampe du châssis de copie.

▶ INSOLATION DE PLAQUE
La plaque est exposée aux rayons ultraviolets dans un châssis de copie. Durant l'exposition, des rideaux empêchent la lumière d'endommager l'œil.

▶ DÉVELOPPEUSE DE PLAQUES
Une fois insolée dans le châssis, la plaque est développée.

▶ GAMME DE CONTRÔLE UGRA/FOGRA
Avec une gamme de contrôle, vous pouvez vérifier que la plaque a été insolée durant un temps d'exposition correct.

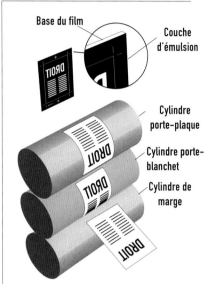

FILM ET PLAQUE SENS OFFSET
Pour l'impression indirecte (offset dans cet exemple), le film est sens lecture émulsion dessous et la plaque se lit à l'endroit (sens lecture émulsion dessus).

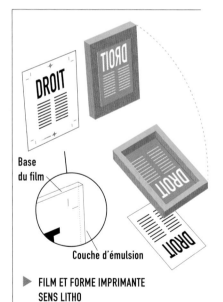

FILM ET FORME IMPRIMANTE SENS LITHO
Pour l'impression directe (sérigraphie dans cet exemple), le film est sens lecture émulsion dessus et la forme imprimante sens lecture émulsion dessous.

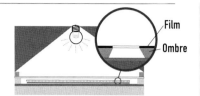

ENGRAISSEMENT DU POINT LORS DE L'INSOLATION DE LA PLAQUE
Lorsqu'on utilise des films et des plaques négatifs, la lumière ne pénètre pas le film verticalement. Par conséquent, elle éclaire des zones qui ne sont pas censées être insolées et on obtient un engraissement du point sur la plaque.

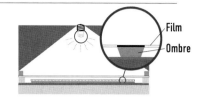

RÉDUCTION DU POINT LORS DE L'INSOLATION DE LA PLAQUE
Lorsqu'on utilise des films et des plaques positifs, la lumière ne pénètre pas le film verticalement. Par conséquent, elle éclaire des zones qui ne sont pas censées être insolées et on obtient une réduction de point sur la plaque.

empêchent le film et la plaque d'être entièrement en contact. De plus, les particules de poussières assez grosses peuvent être visibles sur la plaque, en particulier avec des films et des plaques positifs.

Si vous utilisez des films et des plaques négatifs, les surfaces insolées de la couche de polymère photosensible de la plaque sont durcies durant l'insolation. Un petit engraissement du point ou une petite réduction du point se produit durant l'insolation de la plaque, en fonction du type de film (négatif ou positif) utilisé. Lorsque vous développez la plaque avec des produits chimiques, les surfaces non insolées, non durcies et non imprimantes sont lavées. Les surfaces non imprimantes sont désormais représentées par les surfaces non émulsionnées du matériau de base de la plaque et les surfaces imprimantes par la couche de polymère. Si vous utilisez un film et des plaques positifs, les surfaces insolées de la couche de polymère de la plaque sont lavées durant le développement, ce qui donne fondamentalement le même résultat.

Comme la couche polymère de la plaque est photosensible, les plaques doivent être protégées de la lumière, sous peine d'être détruites. Une plaque offset traditionnelle permet de réaliser entre 50 000 et 300 000 impressions en fonction du fabricant et du type de plaque. Les plaques peuvent également être durcies par cuisson en vue d'un tirage particulièrement important pouvant aller jusqu'à un million de tours.

PLAQUES AVEC IMAGES POSITIVES ET INVERSÉES 11.2.3

Lors de l'insolation de la forme imprimante, la couche d'émulsion du film doit toujours être placée directement contre la forme imprimante. Une image à imprimer inversée sur le film donne une image à imprimer dans le bon sens sur la forme imprimante. Lorsqu'on utilise une méthode d'impression indirecte, la plaque laisse une image inversée sur le blanchet, qui transfère alors une image à l'endroit sur le papier. L'impression directe utilise un film avec sens lecture émulsion dessus (sens litho) qui transfère l'image à imprimer inversée sur la forme imprimante, qui imprime à son tour l'image dans le bon sens sur le papier [voir 11.1.2 et 11.1.3].

JEUX DE PLAQUES 11.2.4

Lorsque vous imprimez avec plusieurs encres, vous avez besoin d'une plaque pour chaque couleur. Cet ensemble de plaques est généralement appelé jeu de plaques, ou dans le cas d'une impression en quadrichromie, un jeu de quatre plaques.

REPÉRAGE 11.2.5

Afin d'aligner précisément les différentes composantes couleurs d'une impression les unes sur les autres, la chaîne film-plaque-machine à imprimer dispose d'un système de repérage. Vous trouverez, par exemple, un grand nombre de tétons qui permettent de bloquer les plaques dans la machine à imprimer. Les films et les plaques sont perforés en fonction de l'emplacement de ces tétons. Les films sont perforés lorsqu'ils sont montés en assemblages de films. Ces trous correspondent à l'emplacement des tétons dans la machine à imprimer. Il y a également une réglette métallique avec des tétons placés de la même façon que ceux de la machine à imprimer sur laquelle vous installez le premier assemblage de films et montez ensuite le film correspondant à la composante couleur suivante. Puis, vous placez l'assemblage de films de la couleur suivante, puis le film de cette couleur, et ainsi de suite. Ce procédé vous garantit un repérage exact de toutes les couleurs.

Certaines imageuses films perforent le film lors de l'insolation. De cette façon, vous n'avez pas besoin d'utiliser le montage de films s'ils ont été imposés numériquement. Lorsque vous insolez les plaques, vous utilisez une réglette métallique avec des tétons similaires. La plaque est perforée et la plaque et le film sont montés sur les tétons.

Les imageuses plaque (CTP) sont également à même de perforer les plaques directement lors de leur traitement dans la machine, en fonction des options dont elles sont équipées.

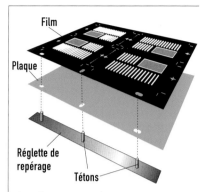

▶ RÉGLETTE DE REPÉRAGE
Pour assurer un bon alignement entre la plaque et le film, il faut les perforer. La plaque est positionnée au moyen de tétons lors du montage et de l'insolation, puis dans la machine à imprimer afin d'assurer un bon repérage.

LA RÉIMPRESSION 11.3

Le terme « réimpression » signifie impression d'exemplaires supplémentaires d'un projet, une fois le tirage initial terminé. Quand une production est terminée, l'imprimeur commercial n'est pas tenu de conserver, au-delà d'un mois après la fabrication, les films utilisés durant le processus, sauf convention écrite particulière [voir « Aspects juridiques » 17.6.1] . Si un client sait qu'un projet devra être réimprimé, il doit en informer l'imprimeur qui conservera les films plus longtemps. Si l'imprimeur n'est pas en mesure de stocker les films, le client en assume la responsabilité. Lorsque vous demandez des réimpressions d'anciens films, le travail de l'imprimeur est simplifié si vous pouvez indiquer la date de la première impression et le nom du projet, ainsi que le numéro de commande ou de facture associé au projet.

Comme de plus en plus de productions graphiques sont réalisées sans film, c'est souvent la conservation des fichiers ayant servi à produire les plaques qui devient indispensable pour les réimpressions.

Dans le cas où vous prévoyez d'éventuelles réimpressions, convenez avec l'imprimeur que vous aurez choisi de la solution préconisée : conservation des plaques, des fichiers, etc.

► **PERFORATEUR DE PLAQUE**
Cet appareil permet de faire des trous dans la plaque avant son insolation.

► **ÉQUIPEMENT CTP**
Un système moderne d'imageuse plaque.

CTP : DE L'ORDINATEUR À LA PLAQUE 11.4

En production graphique, on a toujours cherché à supprimer, chaque fois que c'était possible, les étapes superflues. Réaliser une sortie sur film et copier celui-ci sur une plaque d'impression est l'exemple type d'une telle étape, qui a été supprimée via le procédé appelé Computer To Plate (ordinateur vers plaque) ou CTP. Avec le CTP, l'original numérique est insolé directement sur la plaque à l'aide d'une imageuse plaque. Ce type d'imageuse, couramment appelée CTP dans le milieu des arts graphiques, ressemble grosso modo à une imageuse pour films de grands formats.

On peut également transférer les informations numériques directement de l'ordinateur sur le papier, en supprimant du même coup l'utilisation de plaques. Cette technique est le fondement des machines à imprimer numériques. Les presses numériques sont plus indiquées pour les petits tirages. Les éditions d'un certain volume nécessitent toujours d'employer un procédé d'impression utilisant une forme imprimante durable, telle que la plaque pour le procédé offset [voir « L'impression » 13.9].

DIFFÉRENTS CTP 11.4.1

Les imageuses plaque fonctionnent en gros comme les imageuses film. La machine est alimentée en plaques d'impression au lieu de films. De la même façon que les imageuses film, les imageuses plaques peuvent être conçues pour fonctionner avec des tambours internes ou externes, ou à plat [voir « Sortie » 9.10.1]. Pour travailler avec des imageuses plaques, la base du produit imprimé doit être numérique ; il faut donc avoir recours à l'imposition numérique [voir « Sortie » 9.5]. Pour effectuer un repérage parfait d'une impression polychrome, les plaques sont généralement perforées durant l'insolation [voir 11.2.5].

Les CTP se répartissent en deux grandes catégories, en fonction du type de faisceau laser employé : laser thermique ou visible. Les CTP à laser visible comportent également plusieurs variantes, l'offre principale s'établissant désormais autour du laser violet, après les premières générations de machines utilisant des faisceaux lasers argon-ion ou YAG.
Le laser thermique est de type infrarouge. Il insole la plaque par la chaleur émise et non par réaction photosensible. Ce procédé offre une très bonne qualité du point sur la plaque et permet une très grande durabilité des plaques, jusqu'à un million de tours si on leur fait subir une cuisson. Par contre, la dépense énergétique nécessaire est nettement supérieure à celle des lasers visibles : 40 à 50 W nécessaires pour graver une plaque thermique, contre 5 à 100 mW pour les technologies de laser visible.

Le laser violet, qui est le dernier avatar des diverses évolutions en matière de CTP à laser visible, présente quant à lui l'avantage d'être plus économique, notamment parce que les têtes d'écriture laser sont moins chères et plus durables, et parce que la consommation énergétique associée à cette technologie est nettement moins élevée. À son passif cependant, cette technique induit des contraintes de développement des plaques plus lourdes, avec le recyclage nécessaire des produits chimiques et l'entretien des développeuses qui s'ensuit. Par ailleurs, les plaques doivent être manipulées en lumière sécurisée (inactinique), tant qu'elles ne sont pas développées.

Ces technologies coexistent et les imprimeurs auront souvent fait leur choix en fonction du format de leurs machines à imprimer et de l'époque où ils auront acquis leurs systèmes CTP. Les CTP thermiques sont plus souvent choisis pour les machines grand format et susceptibles de devoir assurer des gros tirages.

Contrairement aux plaques traditionnelles, qui répondaient toutes à un même procédé d'insolation, il existe plusieurs catégories de plaques CTP. Avec le procédé thermique (laser infrarouge), dont les plaques peuvent être manipulées en lumière du jour, le faisceau laser détruit les composants polymères de la couche supérieure. Ces plaques peuvent être développées avec le même équipement et les mêmes solutions chimiques que les plaques positives traditionnelles, ce qui peut présenter un avantage pour les imprimeurs qui veulent pouvoir continuer à traiter des travaux n'ayant pas encore été numérisés. Toujours pour la technologie thermique, les fabricants cherchent également à développer des plaques ne nécessitant plus aucun développement, ce qui pourrait constituer l'une des prochaines évolutions majeures dans ce domaine.

Les plaques destinées aux CTP à laser violet et autres lasers visibles, sont soit de type argentique, soit à base de photopolymères. Les plaques argentiques sont très sensibles et nécessitent donc une faible consommation énergétique (de l'ordre de 5 mW), tout en permettant une insolation rapide et par conséquent une bonne productivité. Elles offrent par ailleurs une bonne longévité, de l'ordre de 350 000 tours (150 à 200 000 pour des plaques thermiques, sans cuisson). Elles ne sont pas compatibles avec les encres UV et leur développement requiert une chimie assez lourde à gérer. Les plaques photopolymères acceptent la cuisson, permettant de très longs tirages, sont compatibles avec les encres UV, nécessitent une chimie de développement moins polluante, sont plus rapides à produire que les plaques thermiques, tout en nécessitant nettement moins d'énergie (100 mW contre 40 à 50 W pour une plaque thermique), mais elles offrent une moins bonne résolution que les plaques thermiques et argentiques. On les destine ainsi plus souvent à l'impression des journaux.

AVANTAGES ET INCONVÉNIENTS DU CTP 11.4.2

Le débat quant aux avantages et aux inconvénients du CTP par rapport à l'utilisation de la méthode traditionnelle passant par les films n'est plus tellement à l'ordre du jour, car une grande partie des imprimeurs est désormais équipée en CTP et la part du film va continuer à décroître. Cependant, il est intéressant de comprendre les évolutions caractérisant ce changement de méthodologie.

Avantages du CTP par rapport à la production classique

+ Consommation de matière réduite : pas besoin de film ou de produits chimiques de développement.
+ Moins de main-d'œuvre : aucun personnel nécessaire pour traiter le film.
+ Flux de travail plus rapide : des étapes complètes du processus de production sont supprimées (insolation de la plaque et traitement du film).
+ Préserve l'environnement : la technique CTP évite les nuisances pour l'environnement que provoque le développement chimique des films, ainsi que les coûts afférents au recyclage des systèmes et des périphériques. Gardez cependant à l'esprit que les systèmes CTP nécessitent des produits chimiques de développement, mais pas dans les mêmes proportions que pour les films graphiques.
+ Meilleure qualité : le CTP évite les éventuelles pertes de qualité pouvant survenir durant le traitement des films, notamment les rayures de film et les variations d'insolation. Une imageuse film présente un taux d'exactitude de ± 2 %.
+ Points plus nets.

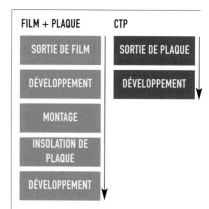

▷ **FLUX TRADITIONNEL OU CTP ?**
Vous pouvez voir ci-dessus les flux de production du film et de la plaque de la technique classique et du CTP. Les productions CTP comprenant moins d'étapes, leur flux est plus rapide.

▷ **PRÉCISION EN CTP**

Avec le CTP, vous obtenez un engraissement de point inférieur et une plus grande précision, car l'étape entre le film et la plaque est supprimée.

Marge d'erreur Classique		Marge d'erreur CTP	
film	+/– 2 %	plaque	+/– 2 %
plaque	+/– 2 %	impression	+/– 4 %
impression	+/– 4 %		
Total	+/– 8 %	Total	+/– 6 %

▶ ÉPREUVE CTP
Photographie d'une imprimante à jet d'encre associée à un système CTP, qui permet d'imprimer des fichiers rastérisés, sorte d'Ozalid pour le système CTP. Avec une telle machine, vous êtes certain que rien d'inattendu ne se produira après la rastérisation.

La plupart des avantages mentionnés précédemment sont de nature technique et/ou économique et concernent essentiellement l'imprimerie. Pour le client, l'incidence sur les coûts n'est pas toujours évidente, car les économies réalisées du fait du plus petit nombre d'opérations de prépresse nécessaires peuvent être contrebalancées par les frais facturés par les imprimeurs en raison des lourds investissements nécessaires pour les équipements CTP.

Inconvénients du CTP par rapport à la production classique

– Limité au format numérique : les productions CTP requièrent que la base de l'impression, mais aussi l'imposition, soient numériques.
– Nouvelle sortie de plaques : si, pour une quelconque raison, une plaque CTP est endommagée, si une erreur est commise lors de la rastérisation ou si des corrections doivent être apportées une fois la plaque insolée, vous devez refaire entièrement une nouvelle plaque imposée. Il est plus coûteux de réaliser une nouvelle plaque que de détecter et de corriger une erreur sur le film. En production classique, par exemple, s'il y a juste une petite erreur, vous pouvez sortir la correction sur un film distinct et le monter manuellement.

En règle générale, pour réussir une production CTP, il faut réunir les éléments suivants :
• personnel prépresse qualifié ;
• compétences en imposition ;
• matériel entièrement numérique ;
• épreuves numériques ;
• systèmes d'assurance qualité ;
• archives numériques.

INCIDENCE DU CTP SUR LA QUALITÉ DE LA PRODUCTION GRAPHIQUE 11.4.3

Comme nous l'avons expliqué au dernier paragraphe du chapitre précédent [» Contrôle et épreuvage », 10.9.3], la généralisation des CTP et, par conséquent, du recours à l'épreuvage numérique implique de se montrer particulièrement vigilant quant à la qualité à exiger pour les épreuves, selon le type de production graphique.

Dans votre recherche d'un imprimeur, vous aurez généralement consulté ses références et pris en compte le type de travaux qu'il a l'habitude de traiter. Si la qualité de votre production l'exige, il peut être judicieux de lui demander de quel équipement CTP il dispose et ce qu'il propose en terme de tramage, ainsi que les incidences que telle ou telle solution (trame AM ou FM par exemple) peut avoir sur votre produit graphique. Il existe plusieurs technologies pour les CTP et pour leurs plaques, certaines plus récentes que les autres ; or, les coûts et les résultats ne sont pas identiques d'un système à l'autre. Un imprimeur sera à même de vous proposer plusieurs variétés et qualités de papier, mais vous pourrez avoir à prendre en compte le type d'équipement dont il dispose afin d'obtenir la meilleure adéquation au résultat que vous recherchez.

LE PAPIER

12

CHAPITRE 12 LE PAPIER

Le choix d'un papier est un élément important du processus de production graphique imprimée. Le papier que vous choisissez présente non seulement un certain « toucher » et donne une certaine impression esthétique, mais a aussi un impact sur la qualité du texte et de l'image, ainsi que sur le fonctionnement de la machine à imprimer. Les coûts de la finition et de la distribution ou du routage peuvent également influencer le choix du papier.

Il existe de nombreux types de papier qui sont utilisés à différentes fins. Nous nous limiterons ici aux papiers utilisés pour la production graphique, appelés « papiers de qualité ». Les caractéristiques d'un papier sont d'une importance capitale pour le résultat imprimé final. C'est la raison pour laquelle il convient de choisir le papier le plus tôt possible dans le processus de production, voire avant de travailler sur le document original. Cela vous permet d'effectuer tous les ajustements nécessaires à la production en fonction du papier retenu, optimisant ainsi la qualité de l'impression. Il arrive trop souvent que le papier soit sélectionné à un stade trop tardif ou que l'on opte pour un papier différent juste avant l'impression. De nombreuses personnes choisissent également le papier sans penser aux conséquences que cela peut avoir sur le produit à imprimer. Le choix du papier influence, entre autres choses, la lisibilité, la qualité du texte et des images, la production du document original et la reproduction, mais aussi la qualité et la durabilité du produit imprimé. Nous aborderons tous ces points plus en détail dans la suite de ce chapitre. Commençons cependant par passer rapidement en revue les termes élémentaires relatifs au papier avant de nous intéresser à la fabrication et à la classification du papier.

▶ **VOICI QUELQUES QUESTIONS QUE VOUS DEVEZ VOUS POSER AVANT DE CHOISIR UN PAPIER :**

- Quelle « impression » souhaitez-vous faire passer avec le produit imprimé ?
- Quelle est la durée de vie prévue ?
- Quel est le budget ?
- Qu'est-ce qui est plus important, la lisibilité du texte ou la qualité de l'image ?

- Quelle linéature et gamme de nuances doit-il supporter ?
- Quelles méthodes d'impression seront utilisées ?
- Quelle finition subira le produit imprimé ?
- Comment sera-t-il distribué ?
- Dans quelle mesure l'impact environnemental est-il important pour l'acheteur ?

TERMINOLOGIE DU PAPIER 12.1

Pour comprendre comment le type de papier influence le produit imprimé, vous devez parfaitement connaître les termes suivants : format, grammage, sens des fibres, stabilité dimensionnelle, main et opacité.

FORMAT 12.1.1

Lorsque vous achetez du papier pour un projet particulier, il est préférable d'opter pour des formats finis standards afin de réduire la quantité de déchets. Il existe de nombreux formats standards dans le monde ; les formats A, c'est-à-dire A0, A1, A2, etc., sont les plus fréquents. Dans les formats A, le rapport entre la longueur de la page et sa largeur est de 1:√2 (la racine carrée de 2 est environ 1,414).

Cela signifie qu'une page de 210 millimètres de large présente une hauteur de 210 × 1,414 soit 297 millimètres. Les formats A commencent avec le A0, qui a une surface de 1 mètre carré et un rapport largeur sur longueur égal à 1:√2 (84 × 118,8 mm). Par exemple, lorsque vous divisez une feuille A0 en deux dans la longueur, vous obtenez deux feuilles A1 d'une surface d'un demi mètre carré chacune et avec le même rapport largeur sur longueur.

Aux États-Unis, les dimensions des feuilles de papier sont nettement moins standardisées et reposent sur une combinaison des formats des machines à imprimer généralement utilisées et des dimensions des zones de rogne pour les livres.

GRAMMAGE/POIDS 12.1.2

On appelle grammage le poids du papier exprimé en grammes par mètre carré [g/m²] ; il s'agit de la mesure la plus courante du poids d'un papier (sauf aux État-Unis). Lorsqu'on parle d'un papier de 80 grammes, on fait référence à un papier qui pèse 80 grammes par mètre carré. Alors, combien pèse une feuille A4 d'un papier de 80 grammes ? Comme nous l'avons expliqué ci-dessus, vous obtenez 16 feuilles A4 avec une feuille A0. La feuille A0 a une surface d'un mètre carré. Cela signifie donc qu'une feuille A4 pèse 80 g divisés par 16, soit 5 grammes.

Aux États-Unis, le poids d'un papier est indiqué en livres par rame (500 feuilles), calculé sur la taille de base d'un type spécifique de papier. Par exemple, un papier pour livre de 60 livres (60#) est un papier dont 500 feuilles d'une dimension de base de 25" × 38" pèsent 60 livres.

SENS DES FIBRES 12.1.3

Lors de la fabrication du papier, la plupart des fibres s'orientent elles-mêmes dans le sens longitudinal de la bande de papier. Ce sens est généralement appelé sens machine ou sens des fibres du papier. Comme la plupart des fibres sont orientées dans une direction, il est plus difficile de plier le papier dans cette direction. Vous pouvez tirer parti de cette caractéristique pour essayer de déterminer le sens des fibres d'une feuille de papier particulière. Placez la feuille au bord d'une table comme illustré ci-contre : selon le sens dans lequel vous la placez, l'extrémité la plus courbée est perpendiculaire au sens machine. Vous pouvez également pincer le bord du papier entre un doigt et un ongle. Le bord le plus bosselé est perpendiculaire au sens machine. Le sens machine est important pour

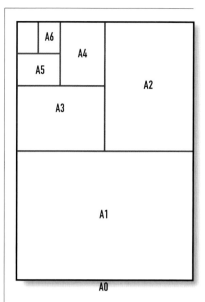

► **LES FORMATS A**
Les proportions des formats A permettent de diviser les feuilles en parties identiques pour obtenir les formats plus petits. A4 = A0/16

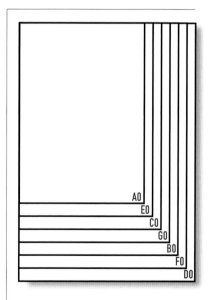

► **FORMATS STANDARDS** CO 917 × 1 297 mm
AO 841 × 1 189 mm GO 958 × 1 354 mm
EO 879 × 1 241 mm BO 1 000 × 1 414 mm

SENS DES FIBRES – 1
La plupart des fibres du papier s'orientent elles-mêmes dans le sens longitudinal de la bande de papier.

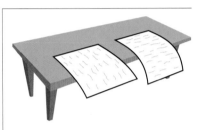

SENS DES FIBRES – 2
Le sens de fabrication d'une feuille de papier est visible lorsque vous placez celle-ci au bord d'une table : l'extrémité qui se courbe le plus est perpendiculaire au sens des fibres.

297 × 210 210 × 297

 SENS DES FIBRES – 3
Les dimensions données par le fabricant de papier vous indiquent le sens machine du papier. Le premier nombre indique toujours le côté perpendiculaire au sens de fabrication.

certaines méthodes d'impression. Si le papier se plie mal et suit avec difficulté le chemin prévu à travers la machine à imprimer, il y a de fortes chances pour que des problèmes surviennent. Dans ce cas, il faut charger le papier de façon à ce qu'il plie facilement, avec le sens des fibres perpendiculaire à la direction d'impression. Il est également important d'avoir le bon sens des fibres pour plier le papier. Si vous pliez le papier perpendiculairement au sens des fibres, les fibres cassent et le papier semble craqueler. En pliant le papier dans le sens des fibres, vous obtenez un pli correct et régulier [voir « Finition » 14.2].

Les mesures du fabricant de papier vous indiquent le sens des fibres du papier. Le premier nombre de la mesure indique toujours le côté perpendiculaire au sens des fibres. De ce fait, le sens des fibres d'un papier mesurant 70 × 102 cm est perpendiculaire à son côté court. À l'inverse, le sens des fibres d'un papier mesurant 102 × 70 cm est perpendiculaire à son côté long.

STABILITÉ DIMENSIONNELLE 12.1.4
Comme le papier possède un sens de fabrication et que les fibres présentent des caractéristiques dimensionnelles particulières, le papier reprend ces caractéristiques. Les fibres de papier humides rétrécissent et se collent davantage en largeur qu'en longueur quand elles sèchent. Lorsque les fibres du papier rétrécissent simultanément au séchage, la bande de papier se rétracte dans le sens machine et crée des tensions dans la structure du papier. La tension est supérieure dans le sens de fabrication. Comme le changement dimensionnel des fibres est supérieur dans le sens perpendiculaire et en raison de l'absence de tensions particulières en travers de la bande de papier, le papier est plus enclin à changer de dimension dans la direction perpendiculaire au sens de fabrication. Le papier connaît donc des modifications asymétriques lorsqu'il est exposé à des variations d'humidité. Ce phénomène explique les défauts de repérage constamment obtenus dans différentes directions en impression offset humide [voir « L'impression » 13.3.6 et 13.5.1]. Cependant, un papier présentant une bonne stabilité dimensionnelle conserve bien sa forme durant toute l'impression, ce qui réduit le risque de défaut de repérage.

MAIN 12.1.5
Le rapport entre l'épaisseur du papier et son poids est appelé main et est exprimé en 1/1 000e de millimètre sur le poids exprimé en grammes. Par exemple, un papier de 80 g/m² d'une épaisseur de 120/1 000e a une main de 120/80 = 1,5. La main exprime le volume du papier. Le papier avec une main élevée est léger, épais et poreux, tandis que le papier présentant une main faible est fin, lourd et compact. Dans le cas d'une reliure collée, il est préférable d'utiliser un papier avec une main élevée plutôt que faible. Pour assurer un collage solide, la colle doit pénétrer dans le papier, ce qui est plus facile avec un papier poreux et épais. Les papiers présentant une main élevée donnent généralement l'impression d'être plus rigides et plus épais que les papiers de main faible, et pourtant de même poids.

OPACITÉ 12.1.6
L'opacité d'un papier fait référence à la pénétration de la lumière et à son absorption par le papier. Un papier opaque à 100 % n'est absolument pas transparent. Plus l'opacité est élevée, moins le papier est transparent. Une opacité élevée est souvent préférable pour

l'impression, car elle évite que le texte et les images transparaissent des deux côtés d'une page. Le papier sulfurisé, par exemple, est un papier présentant une très faible opacité.

Il est particulièrement important que le papier journal et le papier non couché aient une opacité élevée. Lorsque l'encre d'impression est appliquée sur ce type de papier, ses composants gras pénètrent dans le papier, ce qui permet au pigment d'adhérer à la surface du papier [voir « L'impression » 13.1.4]. Comme une tache de gras sur du papier, ce gras peut avoir un impact négatif sur l'opacité et le pigment peut transparaître de l'autre côté. Cela s'applique principalement à l'impression sur papier journal pour laquelle les composants gras de l'encre sont relativement élevés.

LA COMPOSITION DU PAPIER 12.2

Le papier est fabriqué à partir de pâte. La pâte est composée de fibres de cellulose extraites du bois. Il existe deux types de pâte à papier : chimique et mécanique. Pour fabriquer de la pâte chimique, on extrait les fibres de cellulose du bois en les faisant bouillir avec des produits chimiques. Pour obtenir de la pâte mécanique, le bois est broyé pour extraire les fibres de cellulose. La pâte chimique est généralement composée d'un mélange de fibres longues provenant de bois de conifères (environ 2 à 3,5 mm) et de fibres courtes provenant de bois de feuillus (environ 1 à 1,5 mm), tandis que le matériau de base principal de la pâte mécanique sont des fibres provenant de bois de conifères, notamment l'épicéa.

Durant la production du papier, ces pâtes à fibres courtes et à fibres longues sont généralement mélangées ; les proportions dépendent des caractéristiques recherchées pour le papier. Les fibres des bois de conifères sont relativement longues et se lient solidement, car elles tendent à avoir plusieurs points de contact. On obtient alors un papier plus solide. Les fibres des bois de feuillus, qui sont un peu plus courtes et forment donc des liens moins solides que les fibres de bois de conifères, permettent d'obtenir une meilleure opacité.

La pâte à papier composée de plus de 10 % de pâte mécanique et de moins de 90 % de pâte chimique est utilisée pour fabriquer un papier appelé « papier avec bois », tandis que le papier obtenu à partir de pâte composée de moins de 10 % de pâte mécanique et de plus de 90 % de pâte chimique est appelé curieusement « papier sans bois ». Utilisé pour

▶ **AVEC BOIS/SANS BOIS**

- Le papier composé de plus de 10 % de pâte mécanique et moins de 90 % de pâte chimique est appelé « papier avec bois ».

- Le papier composé de moins de 10 % de pâte mécanique et de plus de 90 % de pâte chimique est appelé « papier sans bois ».

▶ **LA PÂTE**

La pâte est le mélange des ingrédients nécessaires pour fabriquer un papier particulier. Elle est composée de :

- Eau
- Charges minérales
- Pigments
- Fibres
- Colle

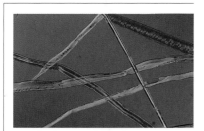

▶ **PÂTE DE BOIS DE CONIFÈRES**
La pâte de bois de conifères présente des fibres longues. Les fibres mesurent environ 2 à 3,5 mm.

▶ **PÂTE DE BOIS DE FEUILLUS**
La pâte de bois de feuillus présente des fibres courtes. Les fibres mesurent environ 1 à 1,5 mm.

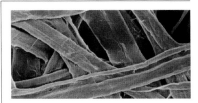

▶ **FIBRES DE CELLULOSE BATTUES**
Le battage des fibres lors de la préparation de la pâte améliore les liens entre les fibres, crée plusieurs points de contact et donne un papier plus solide.

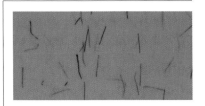

▶ **MORCEAUX DE VÉGÉTAL DANS LE PAPIER**
C'est lors de la préparation de la pâte que sont ajoutés des effets spéciaux comme des morceaux de végétaux ou de papier.

▶ **MACHINE À PAPIER**
Les machines à papier sont immenses. Pour vous faire une idée, regardez la taille des personnes à côté de la machine.

la plupart des types de produits imprimés, le papier d'impression sans bois est résistant et très blanc. Le papier avec bois présente une teinte légèrement jaune grisâtre et est utilisé pour des publications comme les journaux et les catalogues. Le papier avec bois jaunit plus vite que le papier sans bois. En ajoutant moins de pâte mécanique à la pâte chimique, on augmente la main et l'opacité du papier tout en conservant la blancheur et la bonne capacité de reproduction des images. En procédant ainsi, on atténue les différences entre le papier sans bois et le papier avec bois. La pâte mécanique coûte moins cher à fabriquer que la pâte chimique, ce qui explique que les papiers avec bois sont généralement moins onéreux pour le consommateur. Les termes sans bois et avec bois sont également associés aux règlements douaniers qui appliquent différents tarifs aux divers types de papier. Les normes en matière de papier sans bois et papier avec bois diffèrent d'un pays à l'autre, ce qui explique que cette distinction n'est pas forcément utilisée partout de nos jours.

Les fibres de cellulose peuvent être recyclées cinq ou six fois et donnent un bon matériau de base pour fabriquer du nouveau papier si l'on applique un procédé adéquat. Au cours de ces dernières années, des papiers de qualité composés à 100 % de fibres recyclées sont apparus sur le marché.

LA FABRICATION DU PAPIER 12.3

Une fois la pâte à papier fabriquée, la fabrication du papier comporte encore trois étapes : la préparation de la pâte, la machine à papier et le traitement final.

PRÉPARATION DE LA PÂTE 12.3.1

Lors de la préparation de la pâte, les fibres de cellulose sont battues, puis l'on ajoute des charges minérales, des colles et, le cas échéant, des pigments de la couleur désirée. Le battage de la pâte améliore les liens entre les fibres, ce qui permet d'obtenir un papier plus solide. Les charges minérales les plus courantes sont le marbre ou le carbonate de calcium ($CaCO_3$) et le kaolin. Ces ingrédients améliorent l'opacité et la couleur de l'impression sur le papier. Les charges minérales assurent également au papier moelleux et élasticité. Les colles comme l'alun et la colophane améliorent la résistance du papier à l'absorption de l'eau. Elles empêchent également l'encre d'être absorbée par le papier puis de s'étaler, phénomène appelé « bavage ». C'est lors de la préparation de la pâte que l'on ajoute au papier la couleur ou tout autre effet spécial comme des pétales de fleur, etc.

▶ **LA MACHINE À PAPIER**
Voici une représentation simplifiée d'une machine à papier. La pâte est distribuée sur la toile dans la caisse de tête. Le papier est égoutté dans la toile de 35 à 50 %. Dans la section presses et séchage, le papier est séché à 90–95 %. Ensuite, le papier peut être calandré et enroulé sur une bobine.

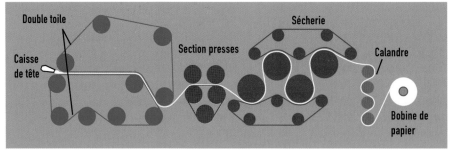

MACHINE À PAPIER 12.3.2

À l'entrée de la machine à papier, ou caisse de tête, la pâte à papier contient près de 99 % d'eau. L'égouttage de la pâte le plus important a lieu dans une toile double où l'eau est aspirée par deux tissus filtrants. La toile tourne à grande vitesse, de sorte que le papier est égoutté en très peu de temps. Pour que la pâte à papier atteigne la vitesse de la toile, la pâte se déplace à une vitesse accélérée à partir de la caisse de tête. Du fait de cette accélération, la plupart des fibres s'orientent dans le sens de la machine. Il en résulte que le papier présente des caractéristiques différentes en longueur et en largeur, ce qui a des répercussions sur sa stabilité dimensionnelle.

C'est le flux de la pâte à partir de la caisse de tête qui détermine le grammage du papier. En faisant varier le flux et la concentration de la pâte déversée sur la toile, on peut créer des papiers de différents grammages. L'épair du papier est également créé sur la toile, cette partie de la machine à papier étant appelée table de formation. Si vous tenez un morceau de papier devant une source lumineuse et que ce papier semble uniforme, c'est-à-dire qu'il ne présente aucun nuage, il présente un bon épair. Un bon épair est important pour obtenir une bonne qualité d'impression, en particulier en impression offset, en raison de l'absorption par le papier des composants gras de l'encre [voir « L'impression » 13.1.4]. L'impression offset sur un papier avec un mauvais épair présente des marbrures dans la couleur, en particulier dans les aplats uniformes.

Après la table de formation, le papier est passé entre des presses. Cette section est composée de cylindres recouverts de feutre absorbant qui compriment la bande de papier et éliminent l'excédent d'eau. On peut modifier la main du papier dans la section presses. Le papier est séché à l'étape suivante. Le niveau de séchage dépend de l'utilisation prévue pour le papier. Les papiers destinés à l'impression offset feuilles, à l'impression offset rotative et à la photocopie présentent des niveaux de séchage différents, par exemple.

Si la surface du papier doit être améliorée, celui-ci doit être séché dans un premier temps dans la section séchage. Puis, il subit une enduction en surface dans une presse encolleuse et séché de nouveau. Ce traitement est destiné à conférer au papier une surface résistante capable de supporter la pression à laquelle il est exposé lorsque l'encre est ajoutée dans la machine à imprimer [voir « L'impression » 13.5.2].

TRAITEMENT FINAL 12.3.3

Le traitement final du papier est fonction de la qualité du papier et des caractéristiques de surface qu'il doit présenter. Un traitement final réalisé dans la machine à papier est un apprêté sur machine ou apprêté calandré. Durant ce processus, le papier est pressé entre des rouleaux, en acier ou d'un autres matériau, jusqu'à l'obtention d'une épaisseur uniforme et d'une surface lisse pour garantir des impressions de qualité.

Pour que le papier soit encore mieux adapté à l'impression, il peut être couché. Le processus de couchage du papier peut être comparé à l'égalisation de la surface avec du mastic et un couteau à mastiquer. Le couchage est composé d'un liant (amidon ou latex) et d'un pigment (fine argile de kaolin ou carbonate de calcium). De plus, d'autres ingrédients sont ajoutés pour obtenir diverses caractéristiques. Le couchage améliore les qualités optiques et d'impression du papier. La surface du papier étant plus lisse, vous pouvez également utiliser une linéature supérieure à l'impression [voir « Sortie » 9.1]. Le papier couché absorbe l'encre plus rapidement et uniformément, de sorte que les impressions présentent un fini plus brillant.

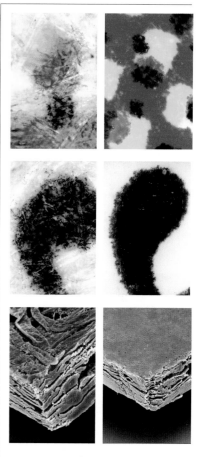

▶ **PAPIER COUCHÉ OU NON COUCHÉ ?**
Les images ci-dessus montrent du papier non couché (à gauche) et couché (à droite). Lorsque le papier est couché, les caractéristiques optiques et l'imprimabilité du papier sont supérieures. Vous pouvez utiliser une linéature supérieure et obtenir un brillant plus éclatant, car le papier absorbe l'encre plus rapidement et uniformément.

Le couchage est composé d'un liant (amidon ou latex) et d'un pigment (fine argile de kaolin ou carbonate de calcium) et est appliqué sur le papier en une fine couche. De plus, d'autres ingrédients sont ajoutés pour obtenir diverses caractéristiques. Le processus de couchage du papier peut être comparé à l'égalisation de la surface avec du mastic et un couteau à mastiquer.

▶ BOBINE

Le papier est enroulé sur d'énormes bobines en bout de la machine à papier.

▶ LE PRIX DU PAPIER VARIE

- Le papier en feuilles est plus cher que le papier en bobine.

- Le papier brillant est plus coûteux que les papiers mats ou satinés.

- Le papier sans bois coûte plus cher que le papier avec bois.

- Le papier de couleur est plus cher que le blanc.

- Le papier avec des fibres de coton, le papier de chiffons, est plus cher que les autres.

▶ STOCK DE PAPIER

Il est généralement avantageux d'utiliser les papiers que l'imprimerie utilise habituellement et dont elle dispose en stock.

Le papier peut également être glacé pour un brillant éclatant. Le glaçage offre une qualité d'image supérieure, mais réduit l'opacité et la rigidité. Durant le glaçage, le papier est frotté entre des paires de cylindres différents. Ce processus est appelé calandrage ou supercalandrage.

Enfin, le papier est enroulé en bobines ou coupé en feuilles, en fonction de l'usage prévu.

CLASSIFICATION DES PAPIERS 12.4

Le papier est classé en fonction des critères suivants : surface, type de pâte et grammage.

COUCHÉ OU NON COUCHÉ 12.4.1

Les imprimeurs commerciaux distinguent généralement le papier couché et le papier non couché. Le papier couché peut également être subdivisé en plusieurs catégories en fonction de l'importance du couchage : légèrement couché, moyennement couché, fortement couché ou papier surglacé. Le papier peut également subir un traitement pour devenir mat ou brillant. Citons comme exemples de papiers non couchés le papier à lettres, le papier pour photocopieur et le papier utilisé pour les livres brochés. La plupart des papiers non couchés sont calandrés pour garantir une bonne résistance à l'arrachage en surface. Le papier couché est utilisé pour les brochures, les livres d'art et les magazines.

PAPIER SANS BOIS, AVEC BOIS, RECYCLÉ ET DE CHIFFONS 12.4.2

Cette classification repose principalement sur le mode de fabrication du papier et revêt une importance toujours moindre dans la production graphique moderne. Le papier avec bois a une durée de vie plus courte, une résistance à l'arrachage en surface plus faible et n'est pas très blanc, mais il présente une opacité et une main supérieures. Les papiers avec bois sont généralement moins chers que les papiers sans bois.

La demande croissante en papier recyclé a contribué à l'existence de nombreuses variétés de papiers recyclés de qualité. Les plus courants contiennent 50, 75 ou 100 % de fibres recyclées. Des progrès considérables ont été faits en matière d'imprimabilité et d'aptitude au passage en machine à imprimer du papier recyclé. Il s'avère également que les fibres recyclées donnent un papier d'une opacité supérieure.

Si au moins 25 % de la pâte à papier est composée de fibres de coton, le papier obtenu est appelé papier de chiffons. Le papier de chiffons se caractérise par sa durabilité et une agréable douceur (un peu comme un tissu), attribuable aux fibres de coton. Le papier de chiffons convient parfaitement à certains types d'impressions spéciales. Le pelliculage, par exemple, est un type d'impression souvent réalisé sur du papier de chiffons.

MAT/SATINÉ OU CALANDRÉ 12.4.3

Le papier non couché peut être brillant ou mat. Le papier couché peut également être légèrement brillant ou mat. Des textures couchées mates ont été mises au point, que l'on appelle mat satiné. La texture est lisse, mais non réflective, ce qui signifie que le papier traité avec ce couchage produit des impressions combinant une qualité d'image et une lisibilité supérieures.

PAPIER OU CARTON 12.4.4

Le carton est un produit en papier rigide. Les fabricants de papier définissent généralement le carton comme du papier présentant un grammage supérieur à 220 g/m². Pour un papier existant en plusieurs grammages, les grammages les plus importants entrent dans la catégorie du papier cartonné. Ce type de carton est fabriqué de la même façon que le papier. Pour les papiers épais, on parle également de bristol.

Le carton fabriqué dans des machines à carton spéciales est appelé carton graphique. Il existe deux types de carton graphique : le carton multicouche et le carton-fibre dur. Le carton multicouche est composé de plusieurs couches de différents types de pâte. Le carton-fibre dur comporte également plusieurs couches, mais elles sont toutes du même type de pâte.

CHOIX DU PAPIER 12.5

Le choix du papier repose sur plusieurs critères d'évaluation : l'aspect du produit imprimé, sa durée de vie prévue et son prix, sa lisibilité et la qualité de l'image, la méthode d'impression et les processus de finition devant être utilisés, le mode de diffusion du produit, l'impact environnemental et les exigences de l'imprimerie. Tous ces facteurs influencent le choix du papier à leur manière.

ASPECT DU PRODUIT IMPRIMÉ 12.5.1

Le choix du papier est très important pour créer l'aspect que vous souhaitez conférer à votre produit imprimé. Celui-ci vise un objet particulier. Par exemple, vous souhaitez utiliser votre matériel comme support de vente ou d'information, etc. Différents papiers peuvent vous aider à communiquer des impressions complètement différentes, selon l'effet recherché. Souvent, le choix du papier est également influencé par des tendances esthétiques.

DURÉE DE VIE DU PRODUIT IMPRIMÉ 12.5.2

Nous en avons tous fait l'expérience, le papier journal jaunit très rapidement. Comme les journaux sont supposés vivre très peu de temps, ce n'est pas un problème en soi. Par contre, si vous voulez que votre document imprimé dure longtemps, il vous faudra choisir ente deux types de papier : papier résistant au vieillissement et papier d'archive. La principale différence entre ces deux types de papier est que le papier d'archive présente une plus grande résistance en raison des fibres de coton ajoutées. En règle générale, le papier avec bois est plus sensible au vieillissement que le papier sans bois. Cependant, vous pouvez ajouter du carbonate de calcium pour améliorer la résistance au vieillissement de votre papier.

COÛT DU PRODUIT IMPRIMÉ 12.5.3

Les prix des papiers varient considérablement en fonction de leur qualité. Le prix du papier dépend également des conditions du contrat conclu entre l'imprimeur et les différents fabricants de papier et de la quantité de papier achetée. De ce fait, les prix du papier peuvent varier considérablement d'un imprimeur à l'autre.

Vous devez garder en tête que dans le cas de tirages assez faibles, le prix du papier a un impact relativement réduit sur le coût total du produit imprimé, tandis que les coûts du papier jouent un rôle essentiel dans le coût total des grands tirages d'impression.

▶ IMPRIMABILITÉ

L'imprimabilité est la somme des caractéristiques du papier qui crée les prérequis pour une impression de qualité supérieure.

- Les pores du papier permettent l'absorption correcte de l'encre d'impression et évitent le maculage (l'encre salit la feuille suivante). En même temps, vous ne voulez pas que l'impression soit trop profonde et devienne visible de l'autre côté du papier.

- La surface du papier ne doit pas restreindre le contact entre la forme d'impression, la surface d'impression dans la machine à imprimer et le papier.

- Le papier doit présenter une résistance à l'arrachage en surface adaptée pour empêcher des fragments de papier de se détacher, ce qui laisserait des points blancs dans l'imprimé, visibles notamment dans les aplats monochromes.

- Le papier poreux absorbe la lumière entrante et offre une excellente opacité.

- La blancheur du papier est importante, car elle offre un contraste élevé entre l'impression et l'encre.

LISIBILITÉ ET QUALITÉ D'IMAGE 12.5.4

Lorsqu'on imprime des images, on recherche en principe un contraste aussi élevé que possible entre l'encre d'impression et le papier. Cependant, lorsqu'il s'agit de produits imprimés dans lesquels les informations textuelles sont plus importantes, il faut avoir d'autres priorités. Un contraste trop important entre le papier et le texte imprimé peut engendrer une fatigue visuelle pour le lecteur. C'est la raison pour laquelle un papier légèrement jaune est généralement recommandé pour les produits imprimés contenant beaucoup de texte. Le papier doit également être mat ou même non couché pour éviter toute réflexion gênante. Les manuels sont un exemple de type de produit généralement imprimé sur des papiers non couchés jaunes.

Les images ressortent mieux sur du papier couché brillant blanc lumineux, car il offre un contraste maximum. Si vous imprimez des images sur du papier coloré ou sur un papier d'un degré de blancheur réduit, n'oubliez pas combien il est difficile de compenser la couleur du papier dans le processus d'impression. Vous obtiendrez souvent une qualité d'image inférieure. Gardez à l'esprit que le texte coloré et les illustrations peuvent ne rien donner sur du papier coloré. Si les images et le texte sont d'importance égale, vous parviendrez généralement à un bon compromis en utilisant du papier couché mat. Pour obtenir une qualité d'image optimale, l'encre doit être appliquée uniformément sur le papier pour ne pas paraître marbrée. La surface lisse du papier couché permet une application uniforme de l'encre.

LINÉATURE ET ESPACE COLORIMÉTRIQUE 12.5.5

Tous les papiers présentent des limites en termes de linéature pouvant être restituée et de capacité à reproduire la gamme de nuances complète d'une image [voir « Les images » 5.4.2 et 5.4.3]. Les papiers qui peuvent traiter des linéatures supérieures vous donneront une meilleure qualité d'image. Ces deux facteurs doivent être pris en compte dans le choix d'un papier.

Les fabricants de papier recommandent des linéatures maximales pour leurs différents papiers. Lorsque les images sont scannées et séparées en CMJN, elles doivent être ajustées en fonction de la linéature et de l'espace colorimétrique du papier que vous avez choisi. Bien évidemment, cela implique de choisir votre papier avant de scanner vos images.

MÉTHODE D'IMPRESSION 12.5.6

Certaines méthodes d'impression exigent que le papier utilisé ait un sens machine donné pour garantir le bon fonctionnement de la machine à imprimer. Différentes méthodes d'impression présentent également des limites en termes d'épaisseur et de dimensions des feuilles de papier. L'impression offset, par exemple, requiert un papier doté d'une bonne résistance à l'arrachage en surface. L'encre d'impression visqueuse utilisée en impression offset conventionnelle a tendance à arracher les fibres de papier, tandis que, dans le même temps, l'eau utilisée dans le processus affaiblit le papier. En impression offset sans mouillage, il n'y a pas d'eau susceptible d'affaiblir le papier, mais l'encre présente une viscosité supérieure [voir « L'impression » 13.1.5]. L'héliogravure, en revanche, nécessite que le papier ait une surface très lisse pour éviter tout problème lors de l'application de l'encre.

Les imprimeurs qui utilisent des presses numériques recommanderont des papiers sur la base de leurs propres épreuves. Il est donc préférable de les contacter pour obtenir des informations avant de commencer la production. Les techniques xérographiques (sorties

Grammage g/m²	Nombre de pages (2 pages = 1 feuille)							
	2	4	6	8	12	16	24	32
70	4,38	8,75	13,13	17,50	26,25	35,00	52,50	70,00
80	5,00	10,00	15,00	20,00	30,00	40,00	60,00	80,00
90	5,63	11,25	16,88	22,50	33,75	45,00	67,50	90,00
100	6,25	12,50	18,75	25,00	37,50	50,00	75,00	100,00
115	7,19	14,38	21,56	28,75	43,13	57,50	86,25	115,00
130	8,13	16,25	24,38	32,50	48,75	65,00	97,50	130,00
150	9,38	18,75	28,13	37,50	56,25	75,00	112,50	150,00

▶ APTITUDE AU ROULAGE

L'aptitude au roulage (passage en machine) est la caractéristique du papier qui permet de l'utiliser avec précision dans la machine à imprimer.

Les caractéristiques du papier ne doivent pas varier durant la production. Par exemple, les dimensions du papier, sa stabilité dimensionnelle et sa surface ne doivent pas changer.

sur imprimante laser ou copieur), pour lesquelles un papier non couché est souvent recommandé, obtiennent de meilleurs résultats avec une surface de papier légèrement irrégulière. En effet, la poudre d'encre utilisée avec ces procédés adhère difficilement au papier couché. Vous ne pouvez pas utiliser de papier offset couché normal dans une imprimante laser, mais les fabricants de papier ont mis au point des papiers spéciaux présentant un aspect couché adaptés aux machines xérographiques. À l'inverse, ces papiers spéciaux ne sont pas particulièrement appropriés à l'impression offset. Ce type de papier n'absorbe pas les composants gras des encres d'impression offset, ce qui explique que le pigment adhère difficilement à la surface du papier [voir « L'impression » 13.1.4].

FINITION DU PRODUIT IMPRIMÉ 12.5.7

Le pliage est influencé par le type de papier. Gardez toujours à l'esprit qu'il faut plier le papier dans le sens des fibres pour garantir un pliage régulier. Si vous ne pliez pas dans le sens de fabrication, les fibres casseront et la pliure donnera l'impression de présenter des craquelures [voir « Finition » 14.2].

Les papiers épais ou rigides doivent toujours être rainés avant d'être pliés. Le rainage désigne l'action d'aplatir les fibres le long d'une ligne pour en faciliter le pliage. Une fois le papier rainé, les fibres supportent plus facilement le pliage et ne résistent pas à la courbure. Le rainage peut également résoudre vos problèmes si vous n'êtes pas dans le bon sens des fibres [voir « Finition » 14.7].

Si vous utilisez la technique de la reliure collée pour votre produit imprimé, plus le papier est épais et léger, c'est-à-dire plus sa main est élevée, plus solide est la reliure. En fait, le papier plus épais offre une surface plus grande pour l'adhésif et la nature poreuse du papier facilite sa pénétration dans le papier, ce qui donne une reliure plus profonde et plus robuste. Les papiers couchés et satinés sont moins adaptés à une reliure collée [voir « Finition » 14.7].

DIFFUSION DU PRODUIT IMPRIMÉ 12.5.8

Si vous créez un produit imprimé qui doit être distribué par courrier, il est important de garder à l'esprit les coûts postaux lors du choix du papier. Le choix d'un papier de moindre grammage peut contribuer à éviter un tarif postal supérieur et vous faire économiser de l'argent.

IMPACT ENVIRONNEMENTAL 12.5.9

On prétend que 30 % de l'impact négatif total d'un produit imprimé sur l'environnement est imputable directement au papier utilisé. Aussi, est-il judicieux d'essayer de choisir un papier ayant un impact négatif minimal sur l'environnement.

L'IMPRESSION

13

CHAPITRE 13 L'IMPRESSION

Nous sommes entourés, dans notre vie quotidienne, de produits imprimés. La plupart sont imprimés sur papier, mais il existe également des produits imprimés sur des matériaux comme le plastique, le verre, l'aluminium et le tissu. Pour être en mesure d'avoir une production aussi diversifiée, les imprimeurs commerciaux ont mis au point un certain nombre de méthodes d'impression diverses.

▶ **CHOISIR UNE MÉTHODE D'IMPRESSION**

Le choix de la méthode d'impression est déterminé principalement par :

- les exigences en matière de qualité ;
- la quantité du tirage ;
- le matériau d'impression ;
- le type de produit ;
- le format d'impression.

La plupart des produits imprimés sont imprimés sur papier, mais vous pouvez également imprimer sur d'autres types de matériaux. La méthode d'impression que vous utilisez pour un projet particulier est généralement déterminée par des exigences en matière de qualité, par le tirage, le matériau d'impression, le format ainsi que le type de produit imprimé que vous créez. Dans ce chapitre, nous présenterons les différentes méthodes d'impression et leurs caractéristiques. Nous passerons en revue de nombreux phénomènes d'impression et aborderons le problème de l'évaluation de la qualité d'un imprimé. Nous nous intéresserons plus particulièrement à l'impression offset qui est de loin la méthode d'impression la plus courante de nos jours.

L'IMPRESSION OFFSET 13.1

L'impression offset repose entièrement sur le principe lithographique. Il existe deux méthodes de base : l'offset conventionnel, qui est la méthode la plus usuelle, et l'offset sans mouillage, qui utilise du silicone à la place de l'eau.

▶ **DES PRODUITS DIFFÉRENTS REQUIÈRENT DES MÉTHODES D'IMPRESSION DIFFÉRENTES**

PRODUITS ET MATÉRIAUX	MÉTHODE D'IMPRESSION	LINÉATURE
Panneaux, vêtements et sacs. Matériaux et surfaces divers, grandes surfaces, surfaces non flexibles	Sérigraphie	50 à 100 lpi
Emballage	Flexographie	90 à 120 lpi
Produits imprimés en grands tirages, journaux, catalogues, emballages	Héliogravure	120 à 200 lpi
La plupart des produits imprimés sur papier, par exemple les journaux, les magazines, les emballages, les dépliants et les brochures	Impression offset	65 à 300 lpi

LE PRINCIPE LITHOGRAPHIQUE 13.1.1

L'impression lithographique ne fonctionne pas de la même façon que l'impression par forme en relief, où les surfaces imprimantes sont séparées des surfaces non imprimantes de l'image par des différences d'élévation de surface. En lithographie, les surfaces imprimantes et non imprimantes se distinguent par leurs caractéristiques chimiques différentes. Sur une plaque lithographique, les surfaces imprimantes sont généralement en polymère et les surfaces non imprimantes en aluminium. Comme l'encre utilisée en impression lithographique est grasse, les surfaces qui attirent l'encre sont dites oléophiles (du grec « oléo » qui signifie graisse et « phile » qui signifie qui aime). Les surfaces qui repoussent l'encre d'impression sont dites oléophobes (du grec « phobe » qui signifie qui éprouve de l'aversion).

En impression offset conventionnelle, l'eau est utilisée pour aider à repousser l'encre des surfaces de la plaque qui ne doivent pas imprimer. Les surfaces non imprimantes attirent l'eau, tandis que celles qui impriment la repoussent. De ce fait, les surfaces de la plaque qui impriment sont dites hydrophobes (hydro = eau) et celles qui n'impriment pas hydrophiles. En impression offset sans mouillage, les surfaces non imprimantes sont recouvertes de silicone oléophobe. Comme vous pouvez le voir dans l'illustration à droite, il y a une légère différence d'élévation entre les surfaces imprimantes et non imprimantes sur une plaque offset finie, mais ce n'est pas ce qui génère l'image imprimée.

LA SOLUTION DE MOUILLAGE 13.1.2

Pour que l'encre n'adhère pas aux surfaces non imprimantes de la plaque d'impression, cette dernière est recouverte d'un fin film d'eau uniforme avant que l'encre ne soit ajoutée. De l'alcool est ajouté à l'eau pour assurer que la surface non imprimante soit entièrement recouverte, sans créer de gouttelettes. Généralement, 8 à 12 % d'alcool isopropyle est ajouté à la solution de mouillage pour atteindre les caractéristiques désirées pour le mouillage et le nettoyage des plaques d'impression.

Pour obtenir une bonne impression, l'encre doit être mélangée à l'eau, dans une certaine mesure, avant d'être appliquée sur la plaque d'impression. L'eau est émulsionnée avec l'encre pour donner un mélange de petites gouttes distinctes des deux liquides, soit un mélange huile et eau pour ainsi dire. La solution de mouillage doit également présenter un pH et une dureté adéquats pour agir correctement. L'eau dure contient un grand nombre de sels minéraux différents qui, en grandes quantités, peuvent dissoudre les pigments de l'encre d'impression. Une fois dissous, ces pigments peuvent se mélanger à l'eau qui recouvre les parties non imprimantes de la plaque, transférant ainsi de la couleur aux parties de l'image qui devraient rester non imprimantes. Ce phénomène est appelé « voilage ». La dureté de l'eau est modifiée en ajoutant un régulateur de dureté. On ajuste la solution de mouillage de manière à tamponner, réguler, la valeur du pH.

LE BLANCHET EN CAOUTCHOUC 13.1.3

L'impression offset est une méthode d'impression indirecte, ce qui signifie que l'encre n'est pas transférée sur le papier directement depuis la plaque d'impression. Le cylindre porte-plaque commence par transférer l'image imprimée sur un cylindre porte-blanchet de caoutchouc qui transfère ensuite l'image sur le papier. Le papier passe entre le cylindre porte-blanchet en caoutchouc et le cylindre de marge, appelé aussi cylindre de

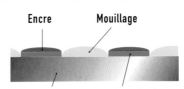

▶ LE PRINCIPE LITHOGRAPHIQUE
La plaque d'impression est mouillée afin que l'encre adhère aux surfaces en polymère et non aux surfaces non imprimantes.

▶ SOLUTION DE MOUILLAGE

La solution de mouillage est utilisée en impression offset pour :

- garantir que les surfaces non imprimantes repoussent l'encre d'impression ;
- conserver les plaques sans fragments de papier ;
- garder les plaques froides durant le processus d'impression.

▶ DE L'ALCOOL EST AJOUTÉ À LA SOLUTION DE MOUILLAGE
L'alcool est ajouté à la solution de mouillage pour aider l'eau à former un film uniforme sur les surfaces non imprimantes de la plaque d'impression.

▶ **VOILAGE**
Le voilage se produit lorsque les surfaces non imprimantes de la plaque d'impression attirent l'encre et deviennent imprimantes, ce qui crée des taches sur l'imprimé final (voir le fond).

Rouleaux de mouillage
Cylindre porte-plaque
Cylindre porte-blanchet
Cylindre de marge
Rouleaux d'encrage
Feuille imprimée

▶ **LE GROUPE D'IMPRESSION**
Ce schéma montre le fonctionnement de base d'un groupe d'impression d'une presse offset. Il fonctionne comme suit :

1. La solution de mouillage est appliquée et couvre les surfaces non imprimantes de la plaque d'impression.

2. L'encre est ajoutée et adhère uniquement aux surfaces imprimantes de la plaque.

3. L'image imprimée est transférée de la plaque au blanchet en caoutchouc.

4. Le papier passe entre le cylindre porte-blanchet et le cylindre de marge, et le blanchet transfère l'image à imprimer sur le papier.

contre-pression. Dans les procédures d'impression indirecte, l'image sur la plaque d'impression se lit dans le même sens que l'impression finale, contrairement aux méthodes d'impression directe comme la flexographie et la sérigraphie, dans lesquelles l'impression est une image miroir de la forme imprimante [voir « Films et plaques » 11.1.2].

Il est essentiel que le blanchet en caoutchouc puisse facilement absorber l'encre de la plaque d'impression pour la transférer sur le papier. S'il a des difficultés pour transférer l'encre sur le papier, la surface du papier peut être arrachée, ce qui crée ce que l'on appelle des « peluches », qui se traduisent par des taches dans les parties imprimées de l'image. Le blanchet en caoutchouc est exposé à l'usure et aux dégradations et doit être changé fréquemment, notamment en raison de la compression. Un porte-blanchet peut, par exemple, être écrasé par du papier qui s'est replié par inadvertance dans la machine à imprimer. Dans ce cas, l'épaisseur du papier entre le blanchet et le cylindre de marge est trop importante et comprime la surface flexible du blanchet. Un blanchet écrasé perd en élasticité dans les zones comprimées.

L'ENCRE 13.1.4

Les trois principales caractéristiques de l'encre d'impression sont :
- les caractéristiques chromatiques de l'encre, y compris sa pureté, sa correspondance avec la norme des couleurs utilisée (l'échelle de couleurs européenne Euroscale en Europe ou SWOP aux États-Unis) et la saturation des couleurs dans l'encre ;
- les caractéristiques physiques de l'encre, comme ses propriétés rhéologiques et sa viscosité ;
- les caractéristiques de séchage sur le papier utilisé.

Les caractéristiques chromatiques de l'encre dépendent de son pigment. Le pigment est composé de petites particules qui peuvent être de nature organique et inorganique. Par exemple, les particules utilisées dans le pigment noir incluent notamment des précipités chimiques et des suies. Les pigments sont en suspension dans un véhicule qui leur permet d'adhérer au papier. Le véhicule confère à l'encre sa forme liquide et ses caractéristiques lithographiques. Les caractéristiques physiques de l'encre, telles que sa rhéologie et sa viscosité, sont également influencées par la composition du liant. Le véhicule est également formulé de façon à empêcher les pigments de se dissoudre dans la solution de mouillage, ce qui contribue à éviter le voilage.

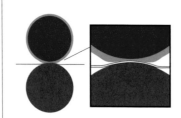

▶ **LA ZONE DE PINCEMENT D'IMPRESSION**
Le blanchet en caoutchouc est pressé dans la « zone de pincement » entre le cylindre porte-blanchet et le cylindre de marge.

▶ **ENCRE D'IMPRESSION**
L'encre d'impression présente trois caractéristiques importantes :
- Couleur
- Caractéristiques physiques (viscosité, rhéologie, etc.)
- Caractéristiques de séchage

Les véhicules utilisés dans les encres d'impression offset sont composés de résine dure, de résine alkyde et d'huile minérale. La combinaison de ces matériaux contribue à déterminer les caractéristiques de séchage de l'encre. Lors de l'application de l'encre sur le papier, celui-ci absorbe l'huile minérale contenue dans l'encre, de sorte qu'elle est « fixée ». Cela constitue la première phase du processus de séchage. Il est important, cependant, que le papier n'absorbe pas le pigment. Si le pigment est absorbé, les couleurs seront moins saturées. Le pigment et les résines contenus dans l'encre forment une espèce de gel à la surface du papier. Ce gel est juste assez sec pour ne pas maculer la feuille d'impression suivante lorsque les feuilles sont placées les unes sur les autres dans la pile de réception.

Le gel sèche complètement lorsque la résine alkyde est oxydée. Elle subit une réaction chimique avec l'oxygène dans l'air. C'est la seconde phase du séchage, appelée séchage chimique ou séchage par oxydation. Le rayonnement ultraviolet est parfois utilisé pour accélérer le processus de séchage chimique. Il arrive également que de la poudre de séchage soit pulvérisée sur les feuilles imprimées pour empêcher tout maculage. En fait, la poudre de séchage permet de séparer physiquement les feuilles, de sorte que l'encre d'une feuille ne peut pas maculer la feuille qui la recouvre. Des poudres de grosseurs différentes sont utilisées en fonction de la texture du papier. Les poudres de séchage sont généralement composées d'amidon ou de carbonate de calcium ($KaCO_3$).

OFFSET SANS MOUILLAGE 13.1.5

L'impression offset sans mouillage fonctionne globalement de la même façon que l'impression offset conventionnelle. Comme nous l'avons indiqué précédemment, l'impression offset sans mouillage utilise une couche de silicone à la place de l'eau pour différencier les surfaces non imprimantes de la plaque d'impression des surfaces imprimantes. L'offset sans mouillage requiert des plaques d'impression spéciales, recouvertes d'une couche de silicone. Lorsque ces plaques enduites sont insolées, puis développées, le silicone est éliminé dans les parties insolées, révélant ainsi les surfaces imprimantes de la plaque. L'impression offset sans mouillage utilise une encre présentant une viscosité supérieure à celle utilisée en impression offset conventionnelle. Les presses offset sans mouillage sont souvent des presses offset conventionnelles transformées dans lesquelles les rouleaux encreurs d'origine ont été remplacés par des rouleaux creux permettant d'y faire circuler un liquide dont la température est contrôlée afin de réguler la température de l'encre, et donc ses caractéristiques d'impression.

L'offset sans mouillage présente l'avantage de pouvoir imprimer avec une saturation des couleurs (c'est-à-dire une densité d'encre) supérieure, ce qui permet d'obtenir une gamme de nuances enrichie. Ce procédé donne également des points de trame plus nets : vous pouvez donc imprimer avec une linéature supérieure. Le temps de calage est également plus court en offset sans mouillage, car vous n'avez pas besoin de régler l'équilibre encre/eau. De plus, l'impression offset sans mouillage est plus écologique que l'offset conventionnel, car cette technique ne requiert pas l'ajout d'alcool dans la solution de mouillage. Une presse offset conventionnelle est moins chère, cependant, car elle ne nécessite pas de régulation des températures. Un autre inconvénient de l'offset sans mouillage est la présence fréquente de peluches en raison de la viscosité supérieure de l'encre et de l'absence d'eau pour nettoyer le blanchet en caoutchouc [voir 13.5.2]. La tradition contribue également à la popularité sans faille de l'impression offset conventionnelle, mais nombreux sont ceux qui pensent que l'offset sans mouillage devrait s'imposer à l'avenir.

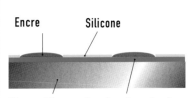

Encre   Silicone

Plaque d'impression Couche polymère

▶ PLAQUE D'IMPRESSION OFFSET SANS MOUILLAGE
Les surfaces non imprimantes de la plaque d'impression sont recouvertes de silicone, qui repousse l'encre grasse, ce qui rend la solution de mouillage superflue.

▶ IMPRESSION OFFSET SANS MOUILLAGE

+ Des points plus nets permettent d'imprimer avec une linéature supérieure.

+ Pas besoin d'obtenir un équilibre encre/eau, ce qui accélère le calage.

+ Permet une densité maximale supérieure, ce qui offre une plus large gamme de couleurs.

+ Pas de solution de mouillage, donc impact négatif moindre sur l'environnement.

− Les peluches sont plus fréquentes, en partie parce que l'encre est plus visqueuse, mais aussi parce qu'il n'y a pas de solution de mouillage pour maintenir la propreté de l'équipement.

− La température d'impression doit être régulée, ce qui accroît le coût des presses.

▶ **LA MACHINE À IMPRIMER OFFSET FEUILLES**

Au premier plan, vous pouvez voir la zone de réception où les feuilles imprimées sont recueillies à la sortie de la presse. Les quatre groupes d'impression différents (un pour chaque couleur) sont visibles en arrière-plan.

▶ **LE MARGEUR À NAPPE**

Dans une machine à imprimer offset, le margeur à nappe prend les feuilles de papier une à une dans la pile de papier et les place sur la table de marge.

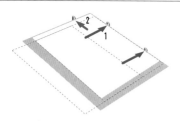

▶ **REPÉRAGE**

Avant d'être imprimée, la feuille est alignée d'après son bord avant et un des bords latéraux. Cette étape est importante, car elle garantit le bon repérage du recto et du verso des impressions sur les deux faces, ainsi que la cohérence du repérage dans les machines de finition.

LA MACHINE À IMPRIMER OFFSET 13.2

Il existe deux types d'impression offset : l'offset feuilles et l'offset rotative. Le procédé d'impression le plus répandu dans le monde est l'offset feuilles. Nous nous intéresserons donc principalement à l'offset feuilles et à ses fonctions.

IMPRESSION OFFSET ROTATIVE 13.2.1

Ce procédé est généralement utilisé pour créer des impressions d'une qualité légèrement moindre, mais en très grande quantité. Il convient parfaitement pour les gros tirages, soit par exemple à 50 000 exemplaires et plus. Il est rarement possible d'employer des procédés de finition sophistiqués en impression offset rotative ; la finition se limite en principe au pliage et au brochage des produits imprimés [voir « Finition » 14.14.1]. Les produits généralement imprimés en offset rotative sont notamment les journaux, les périodiques, les dépliants et autres imprimés de qualité moindre.

IMPRESSION OFFSET FEUILLES 13.2.2

Avec l'offset feuilles, vous pouvez imprimer presque tout ce qui peut l'être sur du papier. Comme son nom l'indique, l'impression est réalisée sur des feuilles de papier. Cette méthode permet un vaste choix de papier en termes de finition et de qualité. Un large éventail de procédés de finition de qualité est proposé pour les impressions offset feuilles, notamment le pelliculage et la reliure collée du produit imprimé. Les produits couramment imprimés en offset feuilles comprennent notamment les brochures publicitaires, les rapports annuels, les posters et les livres, entre autres produits imprimés de qualité supérieure.

Nous allons à présent examiner plus en détail le procédé d'impression offset feuilles, en commençant par le transport des feuilles à travers la machine à imprimer.

TRANSPORT DES FEUILLES 13.2.3

Dans une presse offset feuilles, les mécanismes qui saisissent les feuilles et les transportent à travers la machine à imprimer influencent directement la qualité finale du produit imprimé. Ils remplissent trois tâches principales :

• Prendre une seule feuille de papier à la fois dans la pile de papier.

• S'assurer qu'une seule feuille à la fois pénètre dans la machine à imprimer.

• Ajuster, ou « repérer » selon le terme consacré, le papier dans la machine pour que toutes les feuilles entrent dans la machine à imprimer exactement de la même façon et dans la même position. Cette étape est importante, car elle garantit que l'image sera imprimée exactement à la même place sur chaque feuille de papier.

La partie de la machine à imprimer qui prend les feuilles de la pile de papier est appelée margeur. Il existe plusieurs types de margeurs, mais le plus courant est un margeur pneumatique équipé de suceurs qui soulèvent la feuille. Durant l'élévation de la feuille, un système sépare la feuille du dessus de celle du dessous grâce à de l'air sous pression. On est ainsi certain qu'une seule feuille à la fois entre dans la machine à imprimer. Le margeur prend la feuille soulevée et la place sur la table de marge. Le papier sur la table de marge est à nouveau contrôlé pour s'assurer qu'il n'y a qu'une seule feuille. Si plusieurs feuilles sont alimentées en même temps dans la machine, cela risque d'écraser le blanchet.

Pour assurer une finition précise des produits imprimés, il est important que l'image imprimée soit placée exactement au même endroit sur les feuilles de papier durant tout le tirage. Si ce n'est pas le cas, la précision de la finition, comme le pliage, l'agrafage, etc., est compromise. Pour éviter cela, les feuilles de papier sont positionnées précisément, « repérées », sur la table de marge avant de poursuivre leur chemin dans la machine à imprimer. Les feuilles sont repérées par rapport à deux bords : le bord de prise en pinces, appelé prise de pinces, et l'un des bords latéraux, appelée bord de marge ou angle de marge. Les feuilles sont repérées uniquement par rapport à deux bords, car les dimensions des feuilles varient généralement un tout petit peu au sein d'une pile de papier.

Il est important de noter le coin situé à la jonction des deux bords de repérage. Lorsque les feuilles doivent être imprimées sur les deux faces, vous devez vous assurer que les mêmes bords sont utilisés pour repérer le papier pour l'impression du second côté. Sinon, il est difficile de garantir que le recto et le verso des feuilles correspondront exactement durant tout le tirage [voir « Finition » 14.13.3]. Comme nous l'avons indiqué précédemment, il est également important pour la finition que l'impression soit repérée tout le long du tirage. Par conséquent, le coin à la jonction du bord de la prise de pinces et du bord de marge est généralement marqué sur la pile des imprimés avant la finition.

LE GROUPE D'IMPRESSION 13.2.4

La partie de la machine à imprimer dans laquelle l'encre est transférée sur le papier est appelée groupe d'impression. Un groupe d'impression dans une presse offset est généralement composé de trois parties : un cylindre porte-plaque, un cylindre porte-blanchet et un cylindre de marge, aussi appelé cylindre de contre-pression. La structure du groupe d'impression et son emplacement au sein de la machine varient, mais par souci de simplification, nous nous intéresserons aux quatre principales versions : les groupes à trois cylindres, les groupes à cinq cylindres, les groupes d'impression satellitaires et les machines à imprimer en retiration.

Les groupes à trois cylindres sont actuellement les plus utilisés en impression offset feuilles. Un groupe à trois cylindres se compose d'un cylindre de marge, d'un cylindre porte-blanchet et d'un cylindre porte-plaque. Ce type de groupe imprime une couleur à la fois sur un côté du papier. Pour les impressions en plusieurs couleurs, plusieurs groupes à trois cylindres, un pour chaque couleur d'impression, sont alignés les unes derrière les autres.

Certaines machines à imprimer en plusieurs couleurs composées de groupes à trois cylindres peuvent retourner les feuilles de papier avec une unité de retournement, ce qui permet à certains groupes d'impression d'imprimer sur un côté du papier, tandis que les autres impriment sur le verso. La technique d'impression des deux côtés du papier en un seul passage dans la machine à imprimer est appelée impression en retiration. Une presse en retiration qui produit des impressions quatre couleurs sur les deux côtés d'une feuille en un seul passage (4 + 4) disposerait de huit groupes d'impression à trois cylindres alignés avec une unité de retournement au milieu.

Les groupes à cinq cylindres sont aussi utilisés essentiellement en impression offset feuilles. Un groupe à cinq cylindres se compose de deux cylindres porte-plaque et de deux cylindres porte-blanchet avec un cylindre de marge commun. Ce montage permet au groupe d'imprimer avec deux couleurs sur un côté du papier.

▶ **GROUPE À TROIS CYLINDRES**
Il s'agit du type de presse le plus fréquent en impression offset feuilles. Il se compose d'un cylindre de marge, d'un cylindre porte-blanchet et d'un cylindre porte-plaque.

▶ **GROUPE À CINQ CYLINDRES**
Ce type de presse est principalement utilisé en impression offset feuilles. Il se compose de deux cylindres porte-plaque et de deux cylindres porte-blanchet qui partagent un cylindre de marge commun.

▶ **GROUPE D'IMPRESSION SATELLITAIRE**
Ce type d'unité d'impression satellitaire est principalement utilisé en offset rotative. Il se compose généralement de quatre cylindres porte-plaque, de quatre cylindres porte-blanchet en caoutchouc et d'un cylindre de marge commun.

DISPOSITIFS D'ENCRAGE ET DE MOUILLAGE

Le groupe d'encrage d'une machine à imprimer est composé de plusieurs types de rouleaux ayant des fonctions différentes. Le dispositif de mouillage présente moins de rouleaux que pour l'encrage, mais ils sont du même type et remplissent les mêmes fonctions :

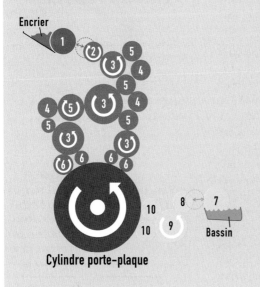

Cylindre porte-plaque

LE GROUPE D'ENCRAGE

1. Le cylindre d'encrier prélève l'encre dans l'encrier pour la transférer aux rouleaux d'encrage. Fabriqué en acier, il tourne lentement, suivant un mouvement continu ou alternatif.

2. Le rouleau preneur transfère l'encre du cylindre d'encrier à un cylindre de distribution en « sautant » de l'un à l'autre. De ce fait, il n'est jamais en contact avec les deux cylindres en même temps. Il est recouvert de caoutchouc.

3. Les cylindres distributeurs garantissent la distribution uniforme de l'encre sur les surfaces imprimantes en un film fin. Tout en tournant, ils effectuent également un mouvement de va-et-vient longitudinal, qui étale l'encre. Le premier cylindre distributeur prend l'encre sur le rouleau preneur, tandis que les autres prélèvent l'encre sur les rouleaux chargeurs. Le dernier cylindre distributeur transfère l'encre aux rouleaux toucheurs-encreurs. Les cylindres distributeurs sont généralement recouverts de plastique.

4. Les rouleaux de transfert transfèrent l'encre entre les rouleaux chargeurs qui absorbent l'encre et ceux qui en fournissent. Les rouleaux de transfert sont caoutchoutés.

5. Les rouleaux chargeurs tournent contre les cylindres distributeurs et absorbent ou fournissent de l'encre, selon leur emplacement. Ils sont en acier, recouverts d'un film plastique, comme les cylindres distributeurs.

6. Les rouleaux toucheurs-encreurs transfèrent l'encre des derniers cylindres distributeurs sur la plaque d'impression. Ils sont recouverts de caoutchouc.

LE SYSTÈME DE MOUILLAGE

7. Le rouleau barboteur est en acier chromé.

8. Le rouleau preneur est caoutchouté et recouvert d'un tissu éponge ou d'un matériau similaire, présentant la même capacité d'absorption des liquides.

9. Le rouleau oscillateur (aussi appelé table à eau) est en acier.

10. Le rouleau toucheur-mouilleur est recouvert du même revêtement que le rouleau preneur, à savoir caoutchouté et recouvert d'un tissu éponge ou d'un matériau similaire.

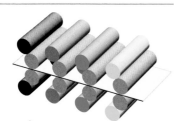

▶ SYSTÈME DE RETIRATION
Ce système de retiration est principalement utilisé en offset rotative. Il ne comporte pas de cylindre de marge. Deux cylindres porte-blanchet agissent réciproquement comme cylindre de marge.

Les groupes d'impression satellitaires sont principalement utilisés dans les presses offset rotatives, mais conviennent également pour les presses offset feuilles. Une feuille qui passe dans un système satellitaire est maintenu avec la même pince tout au long de son passage dans la machine à imprimer, ce qui facilite le repérage entre les encres d'impression. Le système satellitaire se compose généralement de quatre cylindres porte-plaque, de quatre cylindres porte-blanchet et d'un cylindre de marge commun. Ce montage permet au groupe d'imprimer quatre couleurs sur un côté du papier. Il existe également des systèmes satellitaires qui comportent cinq et six groupes.

Les systèmes de retiration sont utilisés principalement dans les presses offset rotatives, et impriment les deux côtés du papier en un seul passage dans la machine à imprimer. Sur les machines rotatives, ces systèmes ne comportent pas de cylindre de marge : les cylindres porte-blanchet, placés de chaque côté de la feuille de papier continue, remplacent les cylindres de marge ; on parle alors de groupes blanchet/blanchet. Sur les machines feuilles, il existe diverses configurations, par exemple avec des groupes à trois cylindres pour imprimer le recto, suivis de groupes similaires, mais montés à l'envers pour imprimer le verso par le dessous des feuilles.

DISPOSITIFS D'ENCRAGE ET DE MOUILLAGE 13.2.5

Les dispositifs d'encrage (systèmes de rouleaux encreurs) et de mouillage (systèmes de rouleaux mouilleurs) sont communs à tous les systèmes décrits ci-dessus. Tous les dispositifs de mouillage et d'encrage ne sont pas conçus comme ceux présentés à la page 238, mais les différences de conception sont relativement minimes et les fonctions générales identiques.

CONTRÔLE DE LA COUVERTURE D'ENCRE 13.2.6

Les vis de contrôle du débit d'encre permettent à l'imprimeur de régler la quantité d'encre devant être transférée sur les différentes parties de la plaque d'impression. Les vis d'encrier règlent la lame d'encrier et déterminent ainsi le débit d'encre dans les différentes parties, appelées bandes d'encrage. Sur les anciennes machines à imprimer, les vis étaient préréglées manuellement à la lumière de l'expérience acquise et d'un contrôle de la plaque d'impression ou de l'impression d'épreuve. Les ajustements éventuels des différentes parties étaient réalisés en fonction des mesures prises à l'aide d'un densitomètre ou d'un spectromètre. Les grandes presses actuelles intègrent un pupitre de commande à partir duquel on peut régler les vis par commande électrique et, par conséquent, le débit d'encre.

Les imprimeurs disposent désormais de systèmes de lecture de plaques qui numérisent les plaques avant leur montage dans la machine à imprimer afin d'obtenir des informations sur la couverture d'encre de chaque partie. Ces informations numériques sont ensuite transférées à la presse. On peut ainsi effectuer un préréglage précis des vis d'encrier et obtenir un calage plus rapide. La façon la plus efficace de prérégler les vis d'encrier consiste à entrer en machine les informations concernant la couverture d'encre de chaque partie, d'après le fichier numérique sur lequel repose la tâche d'impression. Certains systèmes peuvent analyser ces données, les convertir pour la machine à imprimer et les utiliser pour prérégler les vis d'encrier. La norme de cette procédure est appelée CIP 3.

▶ ZONES D'ENCRAGE
Chaque numéro de l'encrier correspond à une bande d'encrage spécifique.

▶ LE PUPITRE DE COMMANDE
Le pupitre de commande permet à l'imprimeur de contrôler les vis d'encrier dans les différentes zones. En comparant les différentes bandes d'encrage à la gamme de contrôle des couleurs de la feuille imprimée, on repère les zones devant être réglées.

▶ RÉTRÉCISSEMENT CONIQUE
Ce phénomène est observé lorsque la surface imprimée de la première encre de couleur appliquée sur une feuille est légèrement plus large que celle de la dernière encre. Cela s'explique en grande partie par le fait que le papier est compressé à chaque passage dans les groupes d'impression successifs. Le rétrécissement conique est observé aussi bien dans l'impression offset feuilles que rotative.

1. Image à imprimer bien positionnée sur la plaque d'impression.

2. Le papier est compressé lors de son passage dans le premier groupe d'impression et l'image imprimée est transférée.

3. Le papier reprend sa forme originale une fois l'impression terminée et l'image imprimée rétrécit.

4. Dans le second groupe d'impression, la feuille est compressée et encore un peu élargie, et la surface imprimée de la seconde encre s'insère dans la première.

5. Apparence de la feuille après son impression dans les deux groupes.

▶ **L'ENCRIER**
L'encre d'impression est ajoutée de manière uniforme dans l'encrier et transférée sur le cylindre d'encrier.

▶ **CALAGE DE LA PLAQUE**
Il est très important que la plaque d'impression soit insérée correctement pour garantir le bon repérage des impressions.

LE CALAGE DE L'IMPRESSION 13.3

Le terme calage désigne l'ensemble des étapes préparatoires à l'impression jusqu'à l'obtention de la première feuille imprimée approuvée. Le temps passé sur la presse étant coûteux, ce processus doit prendre le moins de temps possible, mais les étapes nécessaires sont nombreuses :
• *Calage des plaques*
• *Réglage du margeur*
• *Repérage des feuilles*
• *Préréglage des vis d'encrier*
• *Équilibre solution de mouillage/encre*
• *Repérage*
• *Couverture d'encre*
• *Conformité avec l'épreuve*

Il faut toujours s'efforcer de réduire au maximum le nombre de calages ; ils peuvent souvent nécessiter plus de temps que le roulage (le tirage effectif de l'imprimé) proprement dit [voir « Sortie » 9.6]. Vous trouverez ci-dessous une description plus détaillée des étapes du calage.

CALAGE DES PLAQUES 13.3.1

Pour permettre un repérage précis des différentes encres, il est important que les plaques d'impression soient correctement fixées dans la presse. Les tétons de repérage et les trous correspondants de la plaque d'impression permettent une parfaite fixation des plaques [voir « Films et plaques » 11.2.5]. La plaque d'impression est souvent mise en place manuellement, mais les presses avec chargeur de plaques automatique sont de plus en plus courantes.

RÉGLAGE DU MARGEUR 13.3.2

Le margeur doit être réglé au bon format de feuille. Il doit également être réglé de façon à prendre une seule feuille de papier à la fois.

REPÉRAGE DES FEUILLES 13.3.3

Il est important que les feuilles de papier soient repérées avec précision avant de pénétrer dans la machine à imprimer. Ainsi, est-on assuré que l'image est imprimée au même endroit sur chaque feuille durant tout le roulage et, par conséquent, que la finition sera aussi précise que possible.

PRÉRÉGLAGE DES VIS D'ENCRIER 13.3.4

Chercher à modifier l'apparence de l'impression en ajustant les vis d'encrier est un procédé relativement peu fiable. C'est la raison pour laquelle il est important que les vis soient préréglées le plus soigneusement possible. Les vis d'encrier sont réglées manuellement ou automatiquement, à partir des informations obtenues d'une numérisation des plaques ou du fichier numérique sur lequel repose l'impression.

ÉQUILIBRE SOLUTION DE MOUILLAGE/ENCRE 13.3.5

Il est important de régler correctement l'équilibre solution de mouillage/encre. Un excédent d'eau génère un excès de gouttes d'eau émulsionnées dans l'encre et peut créer des petits points blancs dans l'impression. Par ailleurs, un manque d'eau, également appelé « coup de sèche », peut occasionner le graissage des surfaces non imprimantes, c'est-à-dire l'apparition d'encre sur ces parties.

REPÉRAGE 13.3.6

Lorsque vous imprimez plusieurs couleurs, un repérage précis revêt la plus haute importance. Un repérage correct permet de s'assurer que les différentes encres d'impression sont placées les unes sur les autres aussi précisément que possible. Malheureusement, comme le format des feuilles de papier change légèrement lors de leur passage dans la machine à imprimer [voir illustration page 239], la presse ne parviendra jamais à réaliser un repérage parfait.

COUVERTURE D'ENCRE 13.3.7

La quantité d'encre transférée sur le papier est appelée couverture d'encre. Une couverture d'encre adaptée est importante ; un excès d'encre entraîne des problèmes de maculage, de séchage et un manque de contraste dans les zones plus sombres de l'image. Si la couverture d'encre est trop faible, l'image semble délavée. La couverture d'encre se mesure avec un densitomètre [voir 13.4.2]. Si la couverture d'encre est trop faible dans une partie spécifique de l'impression, vous devez changer le réglage de la bande d'encrage correspondante en ajustant les vis d'encrier.

Si la couverture d'encre d'une seule des couleurs est insuffisante, vous pouvez alors avoir une dominante couleur dans les images. Dans ce cas, on dit que la balance des gris est mauvaise. Pour vérifier l'équilibre des couleurs, on examine les nuances de gris des gammes de contrôle. Si les tons de gris présentent une dominante couleur, la balance des gris n'est pas bonne [voir 13.4.3].

CONFORMITÉ AVEC L'ÉPREUVE 13.3.8

L'épreuve donne au client une idée de ce à quoi ressemblera l'impression finale. Il est également important de vérifier que l'impression finale correspond autant que possible à l'épreuve. De ce fait, l'impression est généralement réglée avec précision par rapport à l'épreuve. Si l'épreuve et le travail de prépresse sont réalisés de manière professionnelle, aucun ajustement majeur ne devrait être nécessaire pour atteindre un niveau de conformité élevé entre l'épreuve et l'impression.

LE CONTRÔLE DES IMPRESSIONS OFFSET 13.4

Lors de l'impression, il faut toujours inclure une gamme de contrôle des couleurs sur la feuille d'impression en vue de mesurer, de vérifier et de contrôler la qualité de l'impression. Le contrôle dès le début de l'impression est nécessaire pour obtenir les valeurs permettant de corriger les paramètres de prépresse (utilisés pour la production des originaux

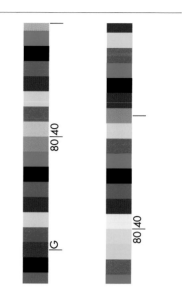

▶ **GAMMES DE CONTRÔLE DES COULEURS**
Ces barres vous permettent de mesurer et de contrôler les différents critères qualité de l'impression.

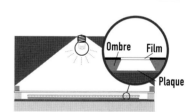

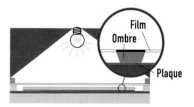

▶ **ENGRAISSEMENT DU POINT – 1**
Lorsque vous exposez une plaque négative, vous obtenez un engraissement du point (en haut). Lorsque vous exposez une plaque positive, vous obtenez une réduction du point (en bas).

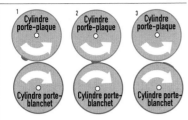

▶ ENGRAISSEMENT DU POINT – 2

Les points de trame sont comprimés et, de ce fait, élargis dans la zone de pincement d'impression.

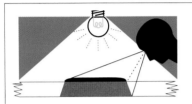

▶ ENGRAISSEMENT DU POINT – 3

Le point sur le papier crée une ombre de la lumière réfléchie qui est souvent plus large que le point lui-même.

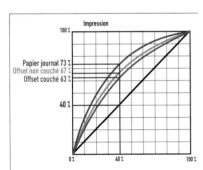

▶ ENGRAISSEMENT DU POINT SUR DIFFÉRENTS TYPES DE PAPIER

Le diagramme ci-dessus compare l'engraissement du point sur différents types de papier.

et des images, par exemple) en fonction des exigences de l'impression. Les facteurs que vous devrez vérifier sont notamment l'engraissement du point, la densité, la balance des gris, les recouvrements, la régularité de l'encrage et le doublage.

ENGRAISSEMENT DU POINT 13.4.1

Il y a engraissement du point durant la production des plaques d'impression quand la taille des points de trame change lorsqu'ils sont copiés sur la plaque d'impression. Dans le cas où les plaques sont produites à partir de films, on assiste à un engraissement du point lorsqu'on utilise une plaque d'impression et un film négatif, tandis qu'on obtient une réduction du point si l'on utilise une plaque d'impression et un film positif. L'engraissement peut également se produire lors de la production des plaques avec un système CTP. Les engraissements du point dans la machine à imprimer se produisent lorsque l'encre est transférée de la plaque d'impression au blanchet en caoutchouc, et du blanchet sur le papier. L'encre est compressée entre les cylindres et les points de trame sont légèrement élargis, ce qui crée des aplats et des images plus foncées. Il y a également un engraissement optique du point qui dépend de la façon dont la lumière est reflétée par le papier utilisé. L'engraissement total du point de l'impression finale est égal à la valeur de l'engraissement/réduction du point durant la production de la plaque, plus l'engraissement du point résultant du procédé d'impression, plus l'engraissement optique du point. Toutefois, l'impression a globalement l'impact le plus important.

L'engraissement du point implique que l'impression finale est plus foncée que l'original, ce qu'il faut donc compenser. Pour compenser avec précision, vous devez connaître l'engraissement du point résultant du procédé d'impression, du papier et de la trame que vous prévoyez d'utiliser. Les imprimeurs doivent contrôler régulièrement leurs valeurs d'engraissement et les communiquer. Une image qui n'est pas ajustée pour compenser l'engraissement du point sortira nettement plus foncée que prévu.

▶ ENGRAISSEMENT DU POINT

L'engraissement du point est mesuré avec un densitomètre sur les gammes de contrôle. Les tons à 40 % et à 80 % sont généralement les valeurs de référence. L'engraissement est toujours mesuré en pourcentages absolus. Cela signifie qu'un engraissement de 23 % dans un aplat à 40 % donne un ton à 63 % à l'impression. La courbe du graphique montre l'impact d'un engraissement de 23 % sur la gamme complète des nuances imprimées.

Si vous voulez savoir comment définir un aplat pour qu'il soit en réalité de 42 % sur l'impression, tracez une ligne horizontale depuis les 42 % sur l'axe Impression jusqu'au point d'intersection avec la courbe. À partir du point d'intersection, tracez une ligne verticale jusqu'à l'axe Film, sur lequel vous pouvez lire la valeur correcte. Dans ce cas, vous devez ajuster un aplat de 42 % à 25 %.

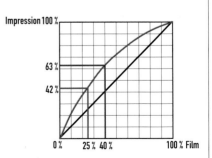

La courbe d'engraissement du point étant une courbe continue, il suffit généralement de spécifier l'engraissement du point pour une ou deux valeurs tonales. On le mesure principalement pour les tons à 40 % et parfois également à 80 %. Une valeur fréquente d'engraissement du point est d'environ 23 % dans les tons à 40 % pour une impression en trame 150 lpi sur un papier couché (avec utilisation d'un film négatif). L'engraissement du point est toujours mesuré en pourcentages absolus. Cela signifie qu'un ton à 40 % sur un film ou dans l'ordinateur sera de 63 % sur l'impression (40 % + 23 %) si vous avez un engraissement du point de 23 %.

Les facteurs qui influencent le niveau d'engraissement du point lors de l'impression sont notamment le type de papier, le procédé d'impression et la linéature. Généralement, le papier non couché génère un engraissement du point supérieur à celui observé avec le papier couché. Les journaux ont un engraissement du point encore bien plus important. Les fabricants de papier fournissent généralement des informations sur les engraissements du point de leurs différents types de papier. Le type de procédé d'impression affecte également le niveau d'engraissement. L'impression offset rotative, par exemple, est caractérisée par un engraissement du point supérieur à celui constaté en impression offset feuilles (avec la même référence de papier). La linéature influence, elle aussi, le niveau d'engraissement du point. Une linéature élevée entraîne toujours un engraissement du point légèrement supérieur, avec un procédé d'impression et un papier identiques.

DENSITÉ 13.4.2

La densité mesure la quantité d'encre appliquée sur le papier par la machine à imprimer. Si la couche d'encre n'est pas assez dense, l'impression semble mate et délavée. En cas d'excédent d'encre, les points de trame déteignent et s'étalent, ce qui se traduit par un faible contraste de l'impression. Un excès d'encre peut également engendrer des problèmes de mauvais séchage qui se traduisent par du maculage. C'est pourquoi il est important d'utiliser une quantité d'encre adaptée au papier sur lequel vous imprimez. Il incombe à l'imprimeur de le tester. Un densitomètre est utilisé pour mesurer la densité des aplats des gammes de contrôle des couleurs. Sur les gammes de contrôle, il y a au minimum un aplat pour chaque encre d'impression.

BALANCE DES GRIS 13.4.3

En théorie, si vous imprimez des quantités égales des trois couleurs primaires C, M et J, vous obtenez un gris neutre. Dans la pratique toutefois, vous obtenez ce que l'on appelle une dominante couleur [voir « La couleur » 4.4.2]. Plusieurs raisons peuvent expliquer ce phénomène : la couleur du papier, les différences d'engraissement du point entre les encres d'impression, le fait que les encres d'impression ne se mélangent pas parfaitement ou que les pigments des encres d'impression ne soient pas parfaits.

La balance des gris est importante, car elle vous aide à déterminer le bon mélange des couleurs. Si les couleurs ne sont pas bien équilibrées, vous avez une dominante couleur dans votre produit imprimé. Pour obtenir le bon équilibre, vous devez savoir comment la machine à imprimer que vous utilisez réagit au papier, quelles encres d'impression et trames vous souhaitez utiliser, et ajuster le travail de prépresse en conséquence. Pour vérifier que la balance des gris est correcte, vous comparez les niveaux de gris créés avec

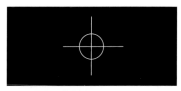

▶ CROIX DE REPÉRAGE
Cette marque est utilisée pour contrôler le repérage des composantes couleurs de l'impression. On la voit ici telle qu'elle apparaît sur un film négatif.

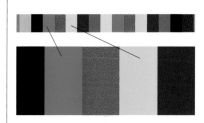

▶ PLAGES D'APLATS
La densité des aplats est mesurée par rapport aux plages correspondantes sur la gamme de contrôle des couleurs.

▶ DENSITÉ NORMALE
Les valeurs usuelles pour la densité des aplats en impression offset feuilles sur du papier couché sont :

N: 1,9   C: 1,6   M: 1,5   J: 1,3

▶ BALANCE DES GRIS
Vous risquez d'avoir une dominante couleur à l'impression si la balance des gris n'est pas bonne. Par exemple, ici, la partie supérieure gauche de l'image présente une dominante cyan.

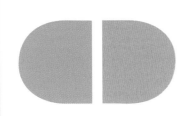

▶ **PLAGES DE BALANCE DES GRIS**
La balance des gris peut être vérifiée au niveau des plages de gris des gammes de contrôle. Ici, le gris CMJ est comparé au gris créé uniquement à partir du noir.

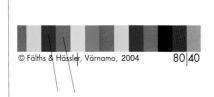

© Fälths & Hässler, Värnamo, 2004   80|40

▶ **PLAGES DE RECOUVREMENT**
Le recouvrement peut être contrôlé au niveau des plages de recouvrement des gammes de contrôle. Elles contiennent deux encres, imprimées l'une sur l'autre.

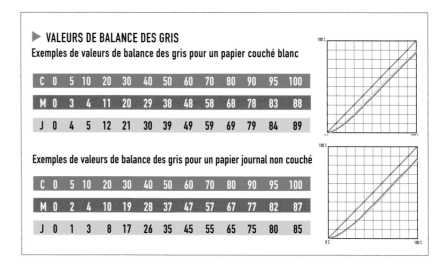

▶ **VALEURS DE BALANCE DES GRIS**
Exemples de valeurs de balance des gris pour un papier couché blanc

C	0	5	10	20	30	40	50	60	70	80	90	95	100
M	0	3	4	11	20	29	38	48	58	68	78	83	88
J	0	4	5	12	21	30	39	49	59	69	79	84	89

Exemples de valeurs de balance des gris pour un papier journal non couché

C	0	5	10	20	30	40	50	60	70	80	90	95	100
M	0	2	4	10	19	28	37	47	57	67	77	82	87
J	0	1	3	8	17	26	35	45	55	65	75	80	85

des valeurs CMJ prédéfinies aux niveaux de gris de référence correspondants, créés uniquement avec du noir. Si la balance des gris est bonne, vous obtenez des niveaux de gris correspondant aux niveaux de référence, créés uniquement avec du noir.

RECOUVREMENT 13.4.4
L'adhérence entre les encres d'impression offset est moins bonne qu'entre les encres employées dans d'autres procédés d'impression. L'impression offset est normalement effectuée humide sur humide, ce qui signifie que toutes les encres de couleur nécessaires sont imprimées directement les unes sur les autres avant d'avoir le temps de sécher. Le recouvrement fait référence à la capacité de l'encre d'adhérer à l'encre humide déjà déposée sur le papier ou de la recouvrir. Le degré de recouvrement peut être mesuré à l'aide d'un densitomètre. Les gammes de contrôle comportent des valeurs de recouvrement pour lesquelles les aplats de deux encres d'impression ont été placés l'un sur l'autre. Leur densité combinée est comparée aux densités des différents aplats correspondants.

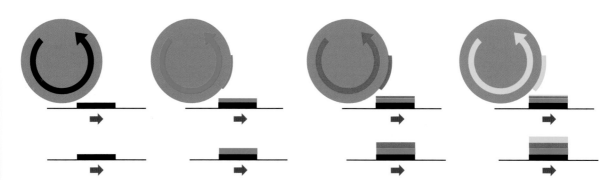

▶ **RECOUVREMENT**
En impression offset conventionnelle, en quadrichromie par exemple, les encres n'adhèrent pas complètement les unes aux autres. Le problèmes s'accroît avec chaque encre successive. Sur la ligne supérieure, vous pouvez voir le résultat d'une impression en quadrichromie offset, tandis que la ligne inférieure montre à quoi pourrait ressembler le résultat si les encres adhéraient parfaitement les unes aux autres.

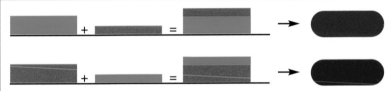

▶ **L'ORDRE D'IMPRESSION ET L'EFFET DU RECOUVREMENT**

Si le cyan est imprimé avant le magenta, la couche de cyan est épaisse et donne un aplat de couleur froide, tirant sur le bleu. Si, en revanche, si le magenta est imprimé le premier, la couleur obtenue est plus violacée.

COUVERTURE D'ENCRE MAXIMALE [13.4.5]

La couverture d'encre maximale fait référence à la quantité maximale d'encre que l'on peut appliquer sur un papier particulier avec un procédé d'impression donné. Elle est exprimée en pourcentage. Par exemple, si vous imprimez les quatre encres d'impression (CMJN) avec une couverture de 100 % les unes sur les autres, vous obtenez une couverture d'encre de 400 %. Cependant, une telle quantité d'encre ne peut pas être utilisée sans problème de maculage. Différents types de papier pouvant absorber différentes quantités d'encre, il est important de tester le papier que vous envisagez d'utiliser. Par exemple, la couverture d'encre maximale pour un papier couché glacé est d'environ 340 %, tandis que celle d'un papier journal est plus proche de 240 %. Vous devez déterminer la couverture d'encre maximale possible pour votre matériel durant les préparations de prépresse [voir « Les images » 5.7].

CONTRASTE D'IMPRESSION/INTENSITÉ COULEUR [13.4.6]

Pour imprimer, vous devez utiliser autant d'encre que possible, tout en maintenant un contraste approprié dans les zones sombres de l'impression. Pour calculer la couverture d'encre optimale, on mesure le contraste relatif d'impression, qui est la différence de densité entre un ton à 100 % et un ton à 80 %, divisée par la densité d'un ton à 100 % (on utilise généralement un ton à 70 % pour le papier journal). Le contraste d'impression

▶ **CONTRASTE RELATIF D'IMPRESSION**

Le contraste relatif d'impression est défini par la formule suivante :

$$\frac{D_{100} - D_{80}}{D_{100}}$$

D_{100} = Densité d'un aplat d'une couleur.

D_{80} = Densité d'un ton à 80 % de la même couleur.

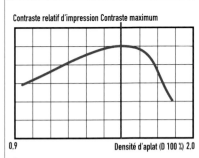

Contraste relatif d'impression Contraste maximum

0,9 Densité d'aplat (D 100 %) 2,0

▶ **CONTRASTE D'IMPRESSION**

La densité de l'aplat correspond au sommet de la courbe. Il s'agit de la densité optimale de la couleur, qui donne le contraste maximum entre le ton à 80 % et le ton à 100 %.

▶ **RECOUVREMENT**

Le recouvrement est mesuré au niveau des plages de recouvrement, comme illustré dans l'exemple ci-dessus. La formule de calcul du recouvrement est la suivante :

$$\frac{D_{1+2} - D_1}{D_2}$$

D_{1+2} = Densité de la surface avec les deux encres imprimées l'une sur l'autre, mesurée avec le filtre de la seconde encre dans le densitomètre.

D_1 = Densité de la première encre dans une plage d'aplat mesurée avec le filtre de la seconde encre dans le densitomètre.

D_2 = Densité de la seconde encre dans une plage d'aplat mesurée avec le filtre de la seconde encre dans le densitomètre.

▶ **DENSITOMÈTRE**

Un densitomètre mesure l'engraissement du point et l'intensité de la couleur sur les impressions.

▶ **DÉFAUT DE REPÉRAGE**
Le défaut de repérage crée des images floues et peut se traduire par des bords décolorés ou des jours dans les surfaces imprimées en couleurs.

▶ **POINTS BLANCS**
Les peluches sont des fragments de papier qui collent à la plaque d'impression ou au blanchet et créent des points blancs dans l'impression, appelés « pétouilles » par les imprimeurs. Elles sont particulièrement visibles dans les aplats noirs. Vous pouvez réduire la sensibilité des aplats noirs aux peluches en les colorant en noir profond [voir « Préparation des documents » 6.3.2].

▶ **STOPPEZ LES MACHINES !**
Lorsque des points blancs apparaissent sur les feuilles imprimées, vous devez arrêtez la presse et nettoyer la plaque d'impression.

est optimal lorsque la différence de densité entre le ton à 80 % et celui à 100 % est la plus élevée et que la densité des aplats est la plus élevée sans un net engraissement du point. La densité d'encre qui offre un contraste d'impression optimal confère également la couverture d'encre optimale. Il faut utiliser un filtre polarisant pour mesurer les tons avec un densitomètre. Cette procédure est appelée mesure d'intensité couleur normale.

LES DÉFAUTS D'IMPRESSION EN OFFSET 13.5

Différents phénomènes indésirables peuvent se produire durant l'impression avec le procédé offset. Si vous connaissez les différents phénomènes pouvant survenir ainsi que leur origine, il est plus facile d'y remédier. Nous examinerons ci-après quelques exemples des phénomènes les plus fréquents : le défaut de repérage, l'arrachage et les points blancs, le maculage, la réflexion, le doublage et l'allongement du point.

DÉFAUT DE REPÉRAGE 13.5.1

Comme nous l'avons mentionné précédemment, il est impossible d'avoir un repérage parfait des différentes encres d'impression en impression offset ; vous aurez toujours un petit défaut de repérage [voir 13.3.6]. Ce défaut est généralement dissimulé grâce au grossi-maigri (trapping) [voir « Préparation des documents » 6.7]. Si vous n'avez pas effectué de trapping ou si le défaut de repérage est trop important, vous verrez des bords décolorés ou des jours dans les objets colorés. Le défaut de repérage peut également créer un effet de flou. Le défaut de repérage diffère selon la zone de la feuille imprimée et il est généralement plus visible vers les bords extérieurs de la feuille.

ARRACHAGE ET POINTS BLANCS 13.5.2

Il arrive parfois que de petits fragments de la surface du papier soient arrachés durant l'impression. Ce phénomène est appelé arrachage. Si ces fragments, ou « peluches », se posent sur une surface imprimante de la plaque d'impression, cette dernière n'absorbe pas l'encre à ces endroits. On obtient alors des petits points blancs non imprimés sur l'impression finale, appelés communément « pétouilles » par les imprimeurs. Le même phénomène se produit lorsque les peluches retombent sur le blanchet en caoutchouc. Quand on observe des points blancs sur l'impression, il faut arrêter la presse et enlever les peluches de la plaque d'impression et du blanchet. L'arrachage peut être dû à la faible résistance en surface du papier, à la viscosité de l'encre ou à une vitesse d'impression trop élevée. À cause de son encre particulièrement visqueuse et de l'absence de solution de mouillage susceptible de garder les plaques d'impression propres, l'impression offset sans mouillage est plus souvent confrontée aux problèmes d'arrachage et de points blancs que l'impression offset conventionnelle.

MACULAGE 13.5.3

Les feuilles imprimées peuvent se maculer l'une l'autre si la couverture d'encre est trop élevée ou si elles sont soumises à la finition avant d'avoir suffisamment séché. Ce problème peut être résolu grâce à de la poudre de séchage ou à d'autres systèmes de séchage. L'encre cyan est généralement plus longue à sécher et donc la plus sensible au maculage.

RÉFLEXION ^{13.5.4}

Les aplats nécessitent souvent beaucoup d'encre, ce qui peut engendrer des problèmes pour le reste de l'impression. Ils sont également plus sensibles aux changements causés par d'autres zones de l'impression. Ces deux facteurs peuvent générer un phénomène appelé réflexion ou effet fantôme. Les réflexions d'autres zones imprimées apparaissent dans les aplats lorsque le cylindre porte-plaque n'a pas assez de temps pour prélever les grandes quantités d'encre nécessaires pour les aplats. La réflexion est particulièrement fréquente dans les formats d'impression assez petits.

DÉFORMATION DU POINT — DOUBLAGE ET ALLONGEMENT DU POINT ^{13.5.5}

On entend par déformation du point le changement de forme des points de trame, ce qui se traduit par un engraissement exagéré du point. Cette déformation peut résulter de problèmes liés au rapport entre les vitesses de rotation des cylindres causés par des erreurs mécaniques ou techniques en cours d'impression. Elle peut également résulter de défauts de manipulation du document imprimé dans la machine à imprimer.

▶ **EFFET FANTÔME**
Le phénomène appelé effet fantôme prend la forme de traces d'autres objets imprimés dans le sens d'impression. L'image à gauche montre la bonne image imprimée. Les deux images à droite sont imprimées dans des sens d'impression différents (indiqués par les flèches) pour montrer le phénomène de réflexion.

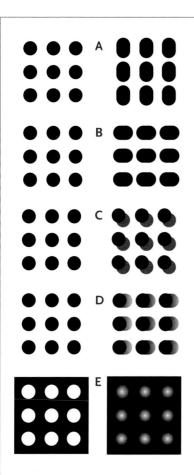

▶ **DÉFORMATION DU POINT**

A. L'allongement du point dans le sens d'impression peut être observé lorsque la pression d'impression est trop élevée, ou si le cylindre porte-plaque, le cylindre porte-blanchet et le cylindre de marge ne tournent pas exactement à la même vitesse.

B. L'allongement du point en travers du sens d'impression peut être imputable au papier ou au blanchet.

C. Le doublage résulte souvent d'un blanchet détendu.

D. Le maculage peut se produire si la couverture d'encre est trop dense ou si les feuilles imprimées font l'objet d'une finition avant d'être parfaitement sèches.

E. Le bouchage ou empâtement peut être causé par une pression d'impression trop élevée, un blanchet détendu, une couverture d'encre trop élevée, un manque de solution de mouillage ou une combinaison de ces facteurs.

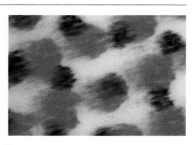

▶ **MACULAGE**
Du fait du maculage, les points de trame semblent ovales.

▶ **CONTRÔLE DU MACULAGE**
Le maculage peut être contrôlé à l'aide d'une bande de mesure. Si les points de trame sont maculés, on voit apparaître un sablier (voir ci-dessus à droite).

▶ **FILM POUR SÉRIGRAPHIE**

La sérigraphie nécessite l'utilisation d'un film positif à lecture directe.

▶ **VOILAGE**

On parle de voilage lorsque les surfaces non imprimantes attirent l'encre et deviennent ainsi, dans une certaine mesure, des surfaces imprimantes. Cela peut se produire en cas de dureté de l'eau de la solution de mouillage ou d'un manque d'eau dans l'équilibre encre/eau.

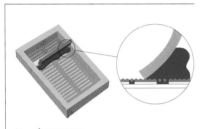

▶ **SÉRIGRAPHIE**

L'encre est pressée à travers l'écran avec une racle. L'écran est préparé de façon à permettre à l'encre de filtrer uniquement à travers les surfaces imprimantes.

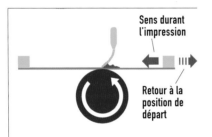

Sens durant l'impression

Retour à la position de départ

▶ **SÉRIGRAPHIE SUR OBJETS RONDS**

Le cadre et l'objet en train d'être imprimé se déplacent l'un contre l'autre, tandis que la racle demeure statique.

Une telle déformation, lorsque les points de trame s'ovalisent, est appelée allongement du point. Ce défaut peut se produire lorsque la pression entre le cylindre porte-blanchet et le cylindre de marge est trop élevée, ou lorsque le cylindre porte-plaque et le cylindre porte-blanchet ne tournent pas exactement à la même vitesse. Ce dernier cas se produit souvent, car les cylindres ont des circonférences différentes et, par conséquent, des vitesses périphériques différentes. Ce problème peut être résolu avec la mise en place d'un habillage : des feuilles de papier d'épaisseur définie sont placées entre le blanchet et le cylindre porte-blanchet.

Le doublage est un phénomène qui se traduit par une double empreinte des points de trame, une plus soutenue et une plus légère. Ce défaut peut résulter d'un blanchet détendu, à cause duquel les points de trame sont placés à des endroits différents sur le papier à chaque rotation du cylindre.

Les points de trame ovalisés ou doubles ont une influence sur l'engraissement du point, ce qui génère une couverture d'encre à la surface supérieure à celle prévue à l'origine. Par conséquent, l'image imprimée dans son ensemble donne l'impression d'être plus sombre qu'elle ne le devrait. Les gammes de contrôle des couleurs comportent des plages spéciales qui permettent de contrôler l'allongement du point et le doublage.

VOILAGE [13.5.6]

Comme nous l'avons mentionné précédemment, un manque de solution de mouillage peut entraîner le voilage des surfaces non imprimantes du papier (phénomène appelé coup de sèche ou graissage). Cela signifie que les surfaces non imprimantes de la plaque d'impression sont colorées par l'encre et deviennent des surfaces imprimantes. Le voilage peut également se produire si l'eau de la solution de mouillage est trop dure, car les pigments contenus dans l'encre se dissolvent et colorent le papier.

LA SÉRIGRAPHIE [13.6]

La sérigraphie présente l'avantage principal de permettre d'imprimer sur tout matériau, sur toute forme et à tout format. La sérigraphie est utilisée pour imprimer notamment sur de la porcelaine, du tissu, du métal et du carton. Parmi la vaste gamme de produits imprimés à l'aide de cette méthode, citons les tasses à café, les vêtements, les boîtes de gâteaux et les panneaux, pour n'en citer que quelques-uns. La sérigraphie diffère considérablement des autres méthodes d'impression. À la place d'une forme imprimante sur un cylindre, la sérigraphie utilise une fine toile, appelée écran ou tamis, tendue sur un cadre, avec un écran différent pour chaque encre d'impression. L'encre est poussée à travers l'écran par une racle afin d'être transférée sur le matériau devant être imprimé (porcelaine, tissu, métal, carton, etc.). L'écran est préparé de façon à permettre à l'encre de filtrer uniquement à travers les surfaces imprimantes.

La toile utilisée présente un maillage relativement fin. Elle agit comme un pochoir qui permet à l'encre de passer uniquement à travers les surfaces imprimantes. Un fin film plastique couvre les surfaces non imprimantes de l'écran, les surfaces imprimantes restant libres. À l'origine et pour la sérigraphie manuelle, on pouvait réaliser simplement la forme du pochoir en découpant les surfaces imprimées de l'image (bien sûr, cette méthode manuelle n'est pas utilisée en grande production).

Dans le cadre de l'utilisation professionnelle, les écrans sont réalisés à l'aide de films. Un film graphique normal, positif à lecture directe est placé sur l'écran, puis insolé. Les surfaces non imprimantes insolées durcissent et les surfaces imprimantes sont lavées durant le développement. Il existe différents matériels et méthodes pour produire des écrans. Dans certaines méthodes, le pochoir est déjà monté sur l'écran avant insolation, tandis qu'il est monté sur le cadre après avoir été insolé dans d'autres.

ÉCRAN DE SÉRIGRAPHIE 13.6.1

Les toiles utilisées pour la sérigraphie diffèrent généralement par l'épaisseur du fil utilisé, par le serrage des mailles, par la matière utilisée, synthétique ou métallique, et par l'importance de la surface imprimante disponible. Un fil plus épais et un maillage plus serré donneront des couches d'encre plus épaisses sur l'imprimé. Les couches d'encre épaisses requièrent un temps de séchage plus long. La mise en place de l'écran sur le cadre est très importante. S'il n'est pas monté parfaitement droit, dans le sens du fil et à angle droit par rapport au cadre, vous risquez d'obtenir des effets de moiré et des motifs d'interférences indésirables sur les imprimés [voir « Sortie » 9.1.6].

La toile de sérigraphie peut être achetée seule, mais elle est également vendue pré-installée sur des cadres. Une fois l'écran insolé et fixé sur le cadre, il faut s'assurer que les surfaces non imprimantes ne présentent pas de trous. Ceux-ci sont fréquents et il suffit de les boucher avec un vernis spécial.

ENCRE DE SÉRIGRAPHIE 13.6.2

L'encre qui sèche par évaporation de solvants représente un danger considérable pour l'environnement. Aujourd'hui, les encres utilisées sont plus respectueuses de l'environnement, notamment les encres à base d'eau et les encres séchées aux ultraviolets. En sérigraphie, il est important que les encres sèchent rapidement, car cette méthode ne permet pas d'imprimer sur une couche précédente restée humide. Chaque composante couleur doit être sèche avant que la suivante puisse être ajoutée.

SÉRIGRAPHIE SUR DES OBJETS COURBES 13.6.3

Pour imprimer sur des objets courbes, comme les bouteilles ou les cannettes, on utilise une autre méthode que la sérigraphie classique. En sérigraphie classique, la surface d'impression et le cadre demeurent fixes et la racle se déplace sur l'écran pour faire passer l'encre à travers. Pour imprimer sur des objets courbes, la surface d'impression et la racle se déplacent. La surface à imprimer, une bouteille par exemple, tourne sur elle-même tandis que le cadre se déplace sur elle à la même vitesse [voir illustration page 248]. Certaines presses de sérigraphie appliquent des méthodes similaires pour imprimer sur des surfaces planes. Ces machines sont dotées d'un cylindre d'impression qui tourne sur lui-même, tandis que la surface imprimante suit l'écran. D'autres presses de sérigraphie impriment sur une table de marge étroite.

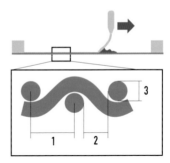

▶ ÉCRAN DE SÉRIGRAPHIE

Principales caractéristiques d'un écran de sérigraphie :

1. Densité du tissu : mesurée en nombre de fils par cm (10 à 200 en temps normal).

2. Surface d'impression ouverte : le pourcentage de la surface de l'écran disponible pour l'impression.

3. Épaisseur des fils utilisés pour le tissage : fin, moyen, épais et super épais.

▶ SÉRIGRAPHIE

+ Peut être utilisée pour imprimer sur la plupart des matériaux, y compris le papier et le carton assez épais.

+ Peu de déchets.

+ Des encres d'impression à base d'eau peuvent être utilisées.

– Pas adaptée aux linéatures élevées.

– Difficile de reproduire la gamme complète des nuances avec l'impression en sérigraphie, et les dégradés subtils ne peuvent pas toujours être reproduits.

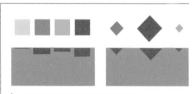

▶ **FORMES IMPRIMANTES POUR L'HÉLIOGRAVURE**

À gauche figure une forme mordue à l'acide pour l'héliogravure, ainsi qu'une impression réalisée avec ce type de forme. La figure de droite montre une forme réalisée par gravure électromécanique.

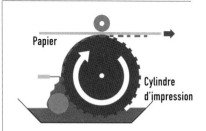

▶ **LE PRINCIPE DE L'HÉLIOGRAVURE**

Les petites alvéoles du cylindre tramé sont remplies d'encre et une racle enlève l'excédent d'encre. L'encre est transférée de la forme imprimante sur le papier dans la zone de pincement d'impression.

▶ **TEXTE TRAMÉ**

Comme l'héliogravure fait appel à des alvéoles formant la trame, tout texte imprimé est tramé.

L'HÉLIOGRAVURE 13.7

L'héliogravure est une technique d'impression ancienne qui tire ses racines dans la gravure des plaques de cuivre. Il s'agit d'une technique onéreuse, financièrement intéressante uniquement pour les grands tirages. Les presses à héliogravure sont des presses rotatives, qui impriment à grande vitesse, souvent sur de grandes largeurs (la largeur de la bande de papier est appelée laize). La technique de gravure peut être comparée à celle d'un tampon inversé, où les surfaces non imprimantes sont plus hautes que les surfaces imprimantes. En héliogravure, on n'utilise pas de plaques d'impression pour la forme imprimante, mais des cylindres d'acier recouverts d'une couche de cuivre puis chromés après gravure de la forme. Les surfaces imprimantes sont gravées par procédé laser, électromécanique ou chimique (à l'acide) sur le cylindre. On obtient alors des trames composées de petites alvéoles. Pour produire des points de trame de tailles différentes sur le papier, les alvéoles varient en diamètre ou en profondeur, ou en diamètre et en profondeur, selon la technique de gravure employée. Elles sont remplies d'encre qui est transférée sur le document à imprimer lorsque le papier est pressé contre le cylindre tramé par un cylindre de pression recouvert de caoutchouc.

FORME IMPRIMANTE 13.7.1

Une nouvelle couche de cuivre doit être déposée sur le cylindre d'impression avant chaque gravure. Le cuivrage est réalisé par électrolyse d'une solution de sulfate de cuivre et d'acide sulfurique.

GRAVURE CHIMIQUE 13.7.2

La première étape de la création d'une gravure chimique rappelle la production des plaques d'impression offset. Un gel photosensible est déposé à la surface du cylindre ; lors de l'insolation à travers le film contenant les informations à imprimer, les zones non imprimantes durcissent. Le gel ne réagit pas de façon « binaire » comme pour une plaque d'impression offset, dont les surfaces peuvent uniquement être imprimantes ou non imprimantes : plus il est insolé longtemps, plus il permet une gravure profonde. Une fois le cylindre insolé et lavé, le gel ne protège plus les zones imprimantes.

C'est alors qu'intervient la véritable gravure chimique de la forme imprimante en cuivre. On utilise un liquide acide ayant un effet corrosif sur le cuivre et le gel, une solution de perchlorure de fer. Le gel insolé est dissout par la solution acide, ainsi que la forme imprimante en cuivre sous-jacente, à différents degrés, en fonction de l'intensité de l'insolation à l'emplacement correspondant. Ce processus crée des alvéoles de similigravure de différents diamètres et/ou de différentes profondeurs.

▶ **HÉLIOGRAVURE**

+ Les formes imprimantes permettent de grands tirages, sans usure.

+ Les grands tirages bénéficient de coûts unitaires faibles.

+ Bonne reproduction des images.

– Tous les textes et lignes sont rastérisés.

– Forte utilisation de produits chimiques et de solvants dans l'encre.

– Coûts de mise en route élevés (inadéquat pour les petits tirages).

La gravure chimique, qui prend ses racines dans la gravure à l'eau-forte de plaques de cuivre et qui fut à l'origine de la gravure des cylindres pour l'héliogravure, a été progressivement abandonnée au fur et à mesure de l'adoption du procédé électromécanique.

GRAVURE ÉLECTROMÉCANIQUE ET LASER 13.7.3

Initialement, les systèmes de gravure électromécanique comportaient une tête de lecture utilisant un faisceau lumineux pour lire les données de gravure à partir d'un film opalescent, réalisé par copie du film graphique original. Les informations du film étaient transmises à une tête de gravure diamantée, aussi appelée stylet, afin de graver des alvéoles de trames sur la forme imprimante. Depuis l'avènement du numérique, la tête de gravure est directement pilotée à partir des informations des fichiers d'image ; on parle de gravure directe. Les systèmes de gravure peuvent comporter plusieurs têtes, agissant en parallèle afin de graver plus rapidement les cylindres de grande largeur (laize).

La forme tourne sur elle-même pendant qu'elle est gravée et, après chaque rotation, la tête de gravure avance le long du cylindre pour graver la partie suivante de l'image, jusqu'à ce que le cylindre soit entièrement gravé. Certains systèmes peuvent également réaliser une gravure hélicoïdale.

La technique de gravure au laser s'est développée au cours des dernières années, un faisceau laser remplaçant le stylet diamanté. Le laser permet d'obtenir une meilleure régularité des alvéoles gravées par rapport aux stylets qui s'usent progressivement au cours de la gravure. La densité des alvéoles peut également être plus importante, ce qui permet de faire varier les alvéoles en diamètre et non plus en profondeur pour la reproduction des demi-tons. Enfin, la gravure peut être beaucoup plus rapide.

Cependant, les investissements nécessaires pour changer de technologie peuvent être relativement importants, d'autant que la gravure au laser nécessite pour l'instant de déposer un alliage de zinc sur les cylindres, car la puissance des faisceaux laser employés n'est pas suffisante pour graver le cuivre. Les deux technologies continuent par conséquent à évoluer et à coexister.

ENCRE POUR HÉLIOGRAVURE 13.7.4

L'encre ne doit pas être visqueuse, car elle doit sécher très rapidement. En héliogravure, il n'est pas possible d'imprimer sur l'encre précédente tant qu'elle est humide. L'encre contient un solvant volatile (toluène) qui s'évapore rapidement, ce qui lui permet de sécher très rapidement. Le temps de séchage de l'encre est encore écourté par des systèmes de séchage à air chaud. Le toluène évaporé doit être recyclé.

Au cours des dernières années, du fait en particulier, de l'évolution des réglementations environnementales visant à encadrer plus strictement les rejets dans l'atmosphère et principalement ceux des COV (composés organiques volatiles), les recherches ont porté sur plusieurs alternatives aux encres à solvant. Parmi ces alternatives, les encres à l'eau ont vu leur utilisation se développer, notamment pour les applications d'impression d'emballages et de papier cadeau.

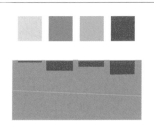

▶ **FORME IMPRIMANTE MORDUE À L'ACIDE**
Cette figure montre une forme imprimante mordue à l'acide. Les alvéoles de la trame ont la même taille, mais pas la même profondeur. La différence de profondeur donne des points contenant des quantités d'encre différentes, ce qui permet d'obtenir des tons différents à l'impression.

▶ **GRAVURE DIRECTE**
En gravure directe, la forme imprimante est gravée d'après les informations numériques. Ici, la gravure est effectuée avec un stylet diamanté dont les vibrations créent les alvéoles de trame de profondeur différente.

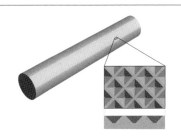

▶ **LE ROULEAU ANILOX**
Un rouleau anilox est recouvert de petits creux qui lui permettent de transférer uniformément et rapidement l'encre au cliché d'impression.

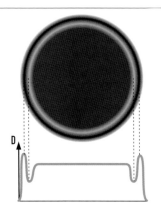

▶ LE BORD DU POINT EN FLEXOGRAPHIE
Illustration d'un bord de point (dans le point), avec le diagramme de la densité d'encre dans le point. L'encre utilisée en flexographie est si fine et la forme imprimante si compressible qu'une auréole est visible dans les aplats de couleurs. Cette auréole se forme parce que le contour de la surface est plus foncé et une petite zone dans le contour est plus claire que le reste de la surface.

▶ FILM POUR FLEXOGRAPHIE

La flexographie nécessite l'utilisation d'un film négatif à lecture directe.

▶ IMPRESSION NUMÉRIQUE
+ Faible coût pour les tirages courts.
+ Film et plaque non nécessaires.
+ Mises en route très courtes.
+ Données variables (impression variable).
+ Faible impact environnemental.
– Coût élevé pour les grands tirages.
– Qualité d'impression relativement inférieure.

▶ FLEXOGRAPHIE
+ Peut être utilisée pour imprimer sur la plupart des matériaux.
+ Des encres d'impression à base d'eau peuvent être utilisées.
+ Peu de déchets.
+ Format d'impression variable.
– Le bord du point en impression flexographique crée une déformation.
– Difficile de reproduire la gamme complète des nuances avec cette technique, ne permet pas toujours d'obtenir des dégradés subtils.

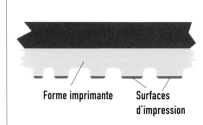

Forme imprimante   Surfaces d'impression

▶ LA FORME IMPRIMANTE EN FLEXOGRAPHIE
La forme présente des surfaces d'impression surélevées, comme un tampon.

L'IMPRESSION FLEXOGRAPHIQUE 13.8

Comme nous l'avons mentionné précédemment, l'impression flexographique fait partie des quelques techniques modernes d'impression qui appliquent le même principe que le tampon. Les surfaces imprimantes sont séparées des surfaces non imprimantes par une différence d'élévation. La flexographie permet d'imprimer sur la plupart des matériaux, notamment le papier, le carton, le plastique et le métal. C'est cette souplesse d'utilisation qui a rendu la flexographie particulièrement populaire dans l'industrie de l'emballage et du papier hygiénique.

FLEXOGRAPHIE 13.8.1

La flexographie utilise une forme imprimante en caoutchouc ou en plastique souple et une technique « d'impression directe », c'est-à-dire que la forme transfère l'encre directement sur la surface d'impression. La forme imprimante est ainsi une image miroir de l'image imprimée finale. Comme la forme est constituée d'un matériau élastique, le cylindre de contre-pression doit être dur. Nous sommes dans le cas inverse de l'héliogravure, où le cylindre de contre-pression est souple et la forme imprimante dure.

Souvent volatile, l'encre utilisée en impression flexographique présente une liquidité élevée. Elle doit être transférée de l'encrier sur le papier avant de sécher. L'encre séchant très vite, on ne peut pas utiliser de système de rouleaux encreurs comme en impression offset. On utilise à la place un cylindre appelé anilox pour garantir un transfert uniforme de l'encre sur la forme imprimante (le cliché). Le cylindre anilox présente une surface tramée, constituée de petits creux. L'encre est transférée directement de l'encrier dans les creux du cylindre anilox. Une racle enlève l'encre superflue pour toujours assurer un transfert uniforme de l'encre du cylindre anilox au cylindre porte-cliché.

CLICHÉS FLEXOGRAPHIQUES 13.8.2

Deux grands types de formes imprimantes sont utilisés en impression flexographique : les clichés flexibles en caoutchouc et les clichés en photopolymère. Les clichés en photopolymère sont les plus courants. Les clichés flexibles en caoutchouc sont créés au moyen d'une plaque en zinc qui, par application de pression physique et de chaleur, forme le cliché. Les clichés en polymère sont obtenus à l'issue d'une insolation comparable au procédé utilisé pour produire une plaque d'impression offset. Le polymère est photosensible et les surfaces imprimantes durcissent une fois exposées aux ultraviolets. Un film graphique normal est utilisé pour l'insolation. Le film doit être à lecture directe et négatif [voir « Film et plaques » 11.1, 11.1.1 et 11.1.3]. Les surfaces non imprimantes, non insolées, sont lavées au développement du cliché.

ENCRES DE FLEXOGRAPHIE 13.8.3

La flexographie étant souvent utilisée pour imprimer sur des matériaux non absorbants, l'encre doit pouvoir sécher par évaporation des solvants. L'encre est volatile et doit être rapidement transférée de l'encrier à la forme imprimante pour ne pas sécher dans les creux du cylindre anilox. Elle doit être très liquide pour pouvoir sécher rapidement et être transférée uniformément sur le cliché à l'aide du cylindre anilox.

L'IMPRESSION NUMÉRIQUE 13.9

Les termes « impression numérique » couvrent une grande variété de méthodes d'impression. Ces méthodes ont été mises au point au cours des quinze dernières années et conviennent particulièrement aux courts tirages. Elles présentent l'avantage d'être rapides et peu onéreuses pour les petits tirages de petits documents imprimés en quadrichromie. Les pages sont envoyées directement de l'ordinateur à la machine à imprimer, et vous n'avez pas besoin de développer de film ou de plaque d'impression. Aucun calage important n'est nécessaire et vous pouvez sortir facilement des épreuves. De plus, l'encre ou la poudre d'encre (le toner) est sèche lorsqu'elle sort de la machine à imprimer, ce qui permet de commencer la finition immédiatement, sans risque de maculage.

▶ PRESSE NUMÉRIQUE
Voici un exemple d'une presse numérique fabriquée par Xeikon.

▶ CAPACITÉS DE L'IMPRESSION NUMÉRIQUE

- Environ 50 pages A4 par minute ou plus.

- Le processus est entièrement numérique : ni film ni plaques d'impression ne sont nécessaires.

- Impression en quadrichromie.

- Des modifications peuvent être apportées à la forme imprimante durant l'impression (données variables).

CLASSIQUE	NUMÉRIQUE
1 Maquette	**1 Document original**
2 Épreuve	**2 Imposition**
3 Imposition	**numérique**
numérique	**3 Rastérisation/-**
4 Insolation de la	**impression**
plaque	**4 Finition**
5 Calage	**5 Produit fini**
6 Impression	
7 Finition	
8 Produit fini	

▶ **FLUX DE PRODUCTION**
L'impression numérique accélère le flux de
production en supprimant les étapes de la
plaque d'impression et du calage dans la
chaîne de production.

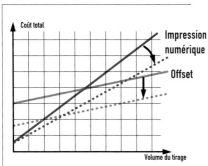

▶ **OFFSET OU NUMÉRIQUE ?**
L'impression offset a un coût de démarrage
élevé, mais un coût unitaire faible. L'impression numérique a un coût de démarrage faible,
mais un coût unitaire élevé. Le point de rupture
financier est le point d'intersection de ces
courbes.

Compte tenu de la concurrence exacerbée, les
constructeurs de matériels offset essaient de
mettre au point des machines permettant des
calages plus rapides en vue de réduire les frais
de démarrage. Dans le même temps, les
constructeurs de presses numériques essaient
de réduire leurs coûts en baissant les prix des
consommables, en augmentant la vitesse d'impression et en intégrant des formats plus larges.

Une presse numérique fonctionne grosso modo comme une imprimante laser couleur avec un RIP. Les presses numériques se distinguent principalement des imprimantes laser par leur taille et leur vitesse d'impression supérieures, et par les techniques de tramage classiques qu'elles appliquent. La plupart des systèmes s'appuient sur la technique xérographique.

Comme nous l'avons mentionné précédemment, l'impression numérique est principalement utilisée pour les petits tirages assortis d'un délai de livraison court. Les produits imprimés numériquement peuvent souvent être réalisés en quelques heures. On recourt fréquemment à l'impression numérique pour les essais et les prétirages. Si, par exemple, vous imprimez un nouveau magazine, il peut être judicieux de produire un petit prétirage pouvant être utilisé pour effectuer des tests auprès de différents groupes cibles. Comme les imprimantes non numériques, ces imprimantes présentent des limites en termes de choix de papier. Cependant, compte tenu de l'essor du marché de l'impression numérique, vous pouvez aujourd'hui faire votre choix parmi des centaines de papiers et supports.

L'impression numérique ne devrait pas remplacer l'impression offset ou toute autre méthode d'impression, dans un futur proche, mais les compléter.

COMPARAISON DES COÛTS : NUMÉRIQUE OU OFFSET ? 13.9.1

Si l'on compare les courbes des coûts de l'impression numérique et offset, l'impression numérique se caractérise par des coûts de démarrage faibles et un coût unitaire élevé. C'est le contraire pour l'impression offset : des coûts de démarrage élevés et un coût unitaire faible. Le coût unitaire élevé de l'impression numérique s'explique par la lenteur des presses numériques comparées aux presses offset. Les tarifs élevés des contrats de service après-vente des presses numériques et les coûts du matériel (toner, photoconducteur, etc.) contribuent également à la supériorité du coût unitaire.

Le seuil critique exact entre l'impression numérique et l'impression offset classique dépend du type et du format du produit imprimé, bien qu'il se situe généralement entre 500 et 1 000 unités. Il est difficile de prévoir la position future du seuil critique, mais la concurrence dans le secteur de l'impression numérique a accéléré le développement technique des presses offset. Depuis l'introduction de l'impression numérique, le délai de calage des nouvelles presses offset a été considérablement réduit. Dans le même temps, le coût du matériel pour l'impression numérique diminue et des presses numériques capables de réaliser des tirages plus importants ont été développées.

Pour comparer les coûts entre l'impression numérique et l'impression offset, vous devez également garder en mémoire que les épreuves et les plaques nécessaires à l'impression offset génèrent des frais supplémentaires, qui n'existent absolument pas en impression numérique.

QUALITÉ DE L'IMPRESSION NUMÉRIQUE 13.9.2

Compte tenu de la concurrence acharnée à laquelle doivent faire face les différents constructeurs de machines à imprimer numériques, beaucoup de temps et d'argent sont investis dans l'amélioration de la qualité du produit fini, l'objectif étant que la qualité de l'impression numérique s'approche du standard de l'impression offset. Cependant, la qualité des produits imprimés numériquement varie considérablement d'un prestataire à l'autre. Les prestataires qui réussissent à tirer le meilleur parti des imprimantes numériques sont souvent des prestataires de services prépresse et des imprimeurs dotés de services prépresse. La raison principale ? Ces prestataires ont souvent la possibilité de fournir un processus de production sûr et efficace et qu'ils possèdent du personnel chevronné en production graphique numérique, capable d'évaluer la qualité graphique.

▶ **L'IMPRESSION NUMÉRIQUE/LA XÉROGRAPHIE**

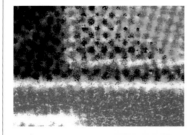

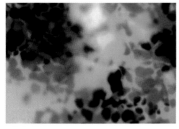

▶ Dans les impressions numériques, les points de trame sont plus flous qu'en offset ou en héliogravure ; la restitution d'image est, par conséquent, de moins bonne qualité. La principale raison à cela est que les presses numériques impriment avec de l'encre en poudre (du toner) à la place d'encre liquide. Comme les points de trame sont divisés, les impressions numériques semblent avoir une linéature supérieure à celle qu'elles ont en réalité.

▶ L'impression avec de l'encre en poudre donne des points de trame et du texte un peu flous, car les particules ne sont pas toujours bien positionnées. C'est principalement pour cette raison que la reproduction de texte en impression numérique est moins bonne que celle obtenue en offset.

▶ L'ÉPREUVE ANALOGIQUE

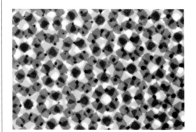

▶ Dans les épreuves analogiques, les points de trame sont très précis et nets. Sur cette image, vous pouvez voir comment l'imageuse film construit le point de similigravure. La restitution d'image est toujours meilleure sur l'épreuve que sur l'impression.

▶ Dans les épreuves analogiques, la reproduction du texte est très précise et nette. Vous pouvez voir ici comment l'imageuse film construit le texte. La reproduction de texte est toujours meilleure sur l'épreuve que sur l'impression.

▶ L'IMPRESSION OFFSET

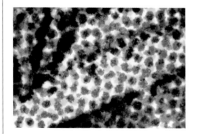

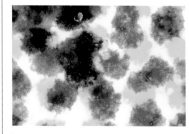

▶ En impression offset, les points de trame sont irréguliers et flous en raison de la façon dont ils sont pressés sur le papier. L'impression offset donne une qualité d'image légèrement moindre que celle de l'héliogravure ou des épreuves analogiques.

▶ Le texte imprimé sur une presse offset est net et présente des contours nets. L'offset permet d'obtenir une reproduction de texte meilleure qu'avec l'héliogravure, mais d'une qualité légèrement moindre que l'épreuve analogique.

▶ L'HÉLIOGRAVURE

▶ En héliogravure, la restitution des points de trame est très précise, car ils ne sont pas comprimés sur le papier comme c'est le cas en impression offset. La qualité de l'image est donc meilleure que celle obtenue en impression offset.

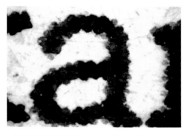

▶ Tous les éléments imprimés avec la technique de gravure sont tramés (alvéoles), même les aplats. Par conséquent, même le texte est rastérisé, ce qui se traduit par une moins bonne qualité de reproduction qu'en impression offset.

▶ LA FLEXOGRAPHIE

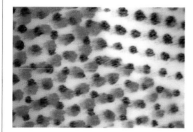

▶ En flexographie, les points de trame maculent facilement du fait que le cliché en caoutchouc glisse contre le papier comme un tampon.

▶ Le texte imprimé avec la technique flexographique macule également facilement de par le principe du tampon. La reproduction de texte est inférieure à celle obtenue avec l'impression offset. Notez le bord du point en impression flexographique qui est particulièrement visible à l'intérieur des contours des lettres.

▶ LA SÉRIGRAPHIE

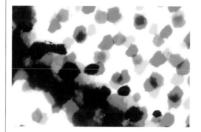

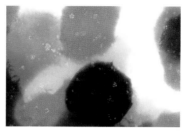

▶ Les points de trame irréguliers peuvent avoir un impact négatif sur la qualité de l'image des impressions en sérigraphie.

▶ Le texte imprimé en sérigraphie est relativement flou et de médiocre qualité comparé au texte imprimé en offset.

▶ LE JET D'ENCRE

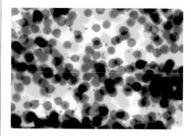

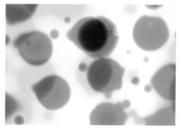

▶ Les imprimantes à jet d'encre utilisent généralement une sorte de trame FM. L'encre est projetée sur le papier en gouttelettes et chaque point de trame est constitué de plusieurs gouttes d'encre.

▶ En raison du système de projection d'encre, les contours du texte imprimé peuvent être flous. On obtient alors une reproduction de texte de qualité inférieure à celle obtenue avec l'impression offset. Notez les gouttes d'encre qui sont tombées en dehors des lettres.

▶ **DONNÉES VARIABLES**
Voici un exemple d'utilisation du principe des données variables pour modifier du texte et des images durant le tirage.

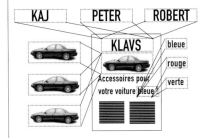

▶ **DONNÉES VARIABLES – COMMENT ÇA MARCHE ?**
En remplaçant des parties de l'image bitmap rastérisée par des bitmap plus petits (qui décrivent les objets sur la page), la machine à imprimer peut modifier l'image imprimée d'un exemplaire à l'autre.

DONNÉES VARIABLES 13.9.3

Lorsque vous créez un produit imprimé numérique, vous avez la possibilité de modifier des informations sur les imprimés feuille par feuille. Au début, cette fonctionnalité a été considérée comme une avancée capitale de l'impression numérique, généralement désignée sous l'expression données variables. Aujourd'hui, cette fonction est principalement utilisée pour les mailings et la personnalisation des lettres avec les noms des clients, tels que « Cher Monsieur Dupont, Nous avons appris que vous avez acheté récemment une nouvelle voiture… ». La fonction des données variables est alimentée par les informations tirées d'une base de données. Il est essentiel que la base de données soit correctement structurée et que les informations entrées soient exactes. La base de données doit être gérée en étroite collaboration avec le prestataire de vos services d'impression numérique.

FINITION

14

CHAPITRE 14 FINITION

Lorsqu'un produit imprimé sort de la machine à imprimer, il est loin d'être achevé. La finition, aussi appelée façonnage ou parfois traitement postpresse, désigne l'ensemble des opérations que l'on peut effectuer sur les feuilles imprimées une fois qu'elles sont sorties de la presse. Ces opérations englobent également la reliure.

Bien qu'il s'agisse de l'étape finale du processus de production graphique, la finition influence un projet depuis les toutes premières étapes et elle doit être prise en compte lors de la conception du produit. Certains types de papier par exemple sont plus adaptés que d'autres à différents procédés de finition. L'imposition des pages (la façon dont elles sont organisées sur les feuilles imprimées) est également déterminée en partie par le traitement postpresse souhaité pour le produit [voir « Sortie » 9.6]. Aussi, est-il important de décider, dès les premières étapes de planification, le type de finition que va subir votre produit imprimé. Malgré son importance, cette étape est souvent négligée durant le processus de planification, ce qui occasionne des coûts supplémentaires en bout de course.

Dans le présent chapitre, nous étudierons les principaux procédés de finition comme le pliage, le rainage et le rognage, ainsi que différentes méthodes de reliure, notamment la reliure ou la brochure collée et la couture au fil textile. Enfin, nous passerons en revue les différents types d'équipement utilisés pour la finition.

QU'EST-CE QUE LA FINITION ? 14.1

Le rognage (massicotage), la brochure, la reliure collée, le rainage, le pliage, la perforation de trous de classement, la mise sous film et le poinçonnage sont quelques exemples de procédés de finition courants. Lorsque des feuilles imprimées destinées à constituer des livres sont façonnées, les feuilles sont reliées ou collées en blocs, rognées au format voulu, puis attachées à une couverture. Les produits de formats assez réduits comme les brochures, les périodiques, etc., sont souvent agrafés directement à une couverture. Les produits imprimés présentant plus de deux pages sont généralement pliés. Si le produit contient huit pages ou plus, souvent, il est également agrafé, broché ou relié, selon son épaisseur et le type d'ouvrage. Généralement, tous les produits imprimés doivent être rognés durant la finition.

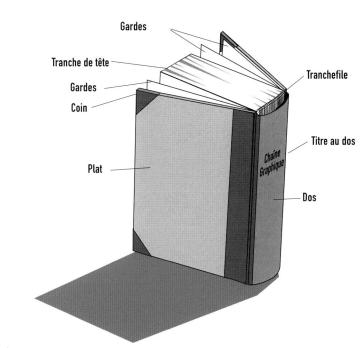

Gardes
Tranche de tête
Gardes
Coin
Plat
Tranchefile
Titre au dos
Dos

Chaîne Graphique

▶ L'ANATOMIE DU LIVRE

La reliure a sa terminologie propre. Il est indispensable de connaître les termes des différentes parties du livre pour concevoir et créer un produit aussi complexe.

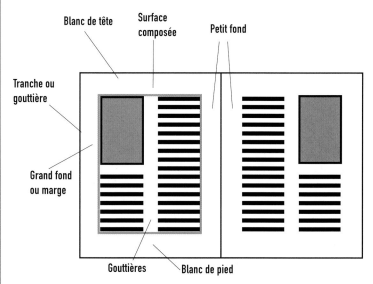

Blanc de tête
Surface composée
Petit fond
Tranche ou gouttière
Grand fond ou marge
Gouttières
Blanc de pied

▶ L'ANATOMIE DE LA PAGE

La page a elle aussi sa propre anatomie. Les termes sont intimement liés à la conception de la page, mais ils jouent un rôle essentiel dans la finition.

▶ PROCÉDÉS DE FINITION

Voici un récapitulatif des procédés les plus courants.

Rognage (massicotage) :
Le papier est coupé aux dimensions souhaitées pour s'adapter au format de la machine à imprimer et de la machine de façonnage. Enfin, le produit imprimé et relié est rogné pour obtenir le bon format et des bords réguliers.

Pliage :
Le papier est plié.

Rainage :
Les plis sont marqués, ou « rainés », pour faciliter le pliage des papiers épais et raides.

Reliure/brochure :
La reliure ou la brochure est l'assemblage de plusieurs feuilles imprimées en un volume en utilisant, par exemple, la piqûre métallique, la couture au fil textile ou la brochure collée.

Perforation de trous de classement :
Les produits imprimés sont perforés pour pouvoir être rangés dans des classeurs.

Pelliculage :
La feuille imprimée est recouverte d'une couche plastique de protection.

Dorure et marquage à chaud :
Une forme imprimante (un tampon) est chauffée et pressée à travers une feuille de matériau de couleur. Cela crée une marque en relief, de la même couleur que la feuille. La couleur est généralement or ou argent, bien que d'autres couleurs soient proposées (hormis les couleurs Pantone néanmoins).

Découpe à l'emporte-pièce :
Si vous souhaitez donner à votre produit imprimé une forme autre que rectangulaire, par exemple si vous voulez perforer une fenêtre dans une enveloppe ou découper des intercalaires pour des classeurs, vous pouvez effectuer une découpe à l'emporte-pièce.

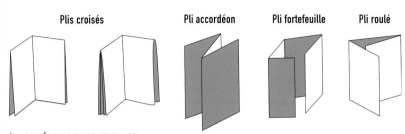

Plis croisés   Pli accordéon   Pli fortefeuille   Pli roulé

▶ **DIFFÉRENTS TYPES DE PLIAGE**
Deux exemples de pliage croisé : cahier de 8 pages et de 16 pages. Trois exemples de pliage parallèle : pliage en Z d'un document de 6 pages, pliage en portefeuille et pliage en 3 volets d'un document de 6 pages.

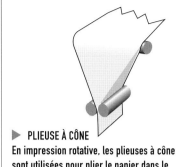

▶ **PLIEUSE À CÔNE**
En impression rotative, les plieuses à cône sont utilisées pour plier le papier dans le sens de la longueur.

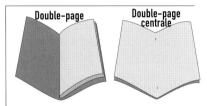

▶ **DOUBLES-PAGES**
La double-page de gauche est composée de deux feuilles imprimées séparément. La double-page de droite est composée de pages de la même feuille (double-page centrale).

▶ **ATTENTION ! FAUSSE DOUBLE-PAGE**
Vous aurez toujours une légère différence de composition des couleurs des feuilles imprimées, et même parfois entre le côté gauche et le côté droit d'une même feuille. C'est la raison pour laquelle il faut éviter de placer des objets ou des images dont les couleurs sont importantes à cheval sur une fausse double-page.

Vous n'obtiendrez jamais un repérage parfait entre deux pages distinctes. C'est la raison pour laquelle il faut éviter de placer des objets ou des images en diagonale sur une double-page.

Vous devez éviter les traits fins à cheval sur une double-page. Les traits assez épais sont moins sensibles au défaut de repérage.

LE PLIAGE 14.2

Le pliage est une technique utilisée pour créer différentes pages plus petites à partir de grandes feuilles d'impression. Il existe deux grandes techniques de pliage : parallèle et croisé. Le pliage parallèle désigne, comme son nom l'indique, le type de pliage où tous les plis sont parallèles les uns aux autres. Le pliage parallèle est utilisé lorsque le produit imprimé traité n'a pas besoin d'être relié. On l'utilise par exemple pour des brochures, avec le pli roulé, où la feuille est pliée en trois, les deux côtés étant rabatus sur le centre, ou le pli accordéon, où la feuille est pliée en trois, mais en Z. Le pli croisé, en revanche, désigne la technique de pliage dans laquelle chaque nouveau pli est effectué à un angle de 90 degrés par rapport au précédent. Cette méthode est utilisée pour les produits devant être reliés. Les pliages parallèles et croisés peuvent également être combinés.

MÉTHODES DE PLIAGE 14.2.1

Le pliage à poches, technique généralement exécutée par des plieuses assez simples, est la méthode de pliage la plus couramment utilisée en impression à feuilles. Pour les techniques de pliage légèrement plus avancées comme le pliage croisé, des plieuses à plis multiples sont généralement combinées. Les plieuses à plis multiples se composent d'une plieuse à poches et de plieuses à un ou plusieurs couteaux. Les machines à imprimer rotatives utilisent, par exemple, des plieuses à cône, des plieuses à cylindres et des plieuses en V.

▶ **PLIEUSE POUR PLI CROISÉ**
Cette plieuse peut plier la feuille dans deux directions : longueur et largeur.

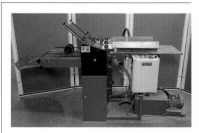

▶ **PLIEUSE À POCHES SIMPLE**
Les plieuses à poches sont utilisées pour réaliser des plis assez simples, par exemple pour plier des lettres.

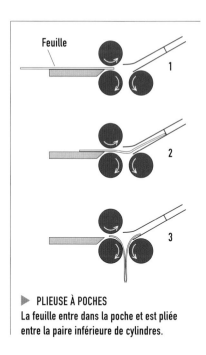

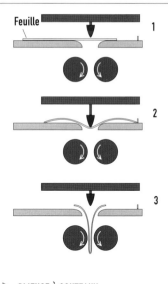

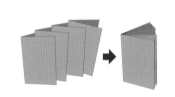

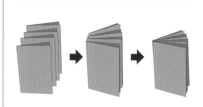

▶ **PLIEUSE À POCHES**
La feuille entre dans la poche et est pliée entre la paire inférieure de cylindres.

▶ **PLIEUSE À COUTEAUX**
Un couteau (une lame) enfonce le papier entre deux cylindres.

▶ **CAHIERS**
Les feuilles pliées sont insérées les unes dans les autres. Cette méthode est utilisée pour la piqûre à cheval, par exemple.

▶ **ORDRE DES FEUILLES**
Les feuilles pliées sont regroupées les unes après les autres pour former une liasse. Cette méthode est utilisée pour la brochure collée, par exemple.

LES PROBLÈMES DE PLIAGE 14.3

Certains problèmes peuvent survenir durant le pliage et nuire à la qualité du produit imprimé. Il est particulièrement important de procéder à des ajustements pour les fausses doubles-pages et pour la chasse lors du pliage.

FAUSSES DOUBLES-PAGES 14.3.1

Un livret de 8 pages est toujours composé de deux parties distinctes pliées d'une grande feuille. Une fois les deux parties pliées de la feuille insérées l'une dans l'autre, le livret présente une seule double-page ininterrompue constituée d'une seul morceau de papier, à savoir la double-page centrale. Les deux autres doubles-pages sont composées de pages des deux parties de la feuille, deux pages distinctes qui doivent faire l'objet d'un repérage méticuleux. Comme le texte, les images, etc., sont à cheval sur les doubles-pages, il y a un risque plus élevé d'obtenir des défauts de repérage sur ces fausses doubles-pages. Lorsque vous planifiez votre production à imprimer, il est préférable d'éviter de placer des textes importants ou des images riches en détails à cheval sur une double-page (sauf s'il s'agit de la double-page centrale) en raison du risque de défaut de repérage. Même si un livre contient plus de huit pages, il n'existe toujours qu'une seule double-page centrale avec une image imprimée en continu.

CAHIERS ET FEUILLES EN ORDRE 14.3.2

Lorsque vous prévoyez de brocher un produit imprimé en piqûre métal, brochure collée ou couture au fil textile, vous utilisez généralement le pliage croisé. Dans le cas de la piqûre métal, les feuilles pliées en pli croisé, appelées cahiers, sont insérées les unes dans

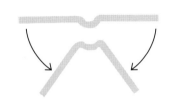

▶ **RAINAGE**
Le papier est rainé pour réduire la résistance du papier au pliage.

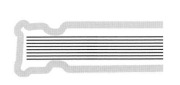

▶ **QUADRUPLE RAINAGE**
Les reliures emboîtées présentent souvent un quadruple rainage afin que le carton ne craque pas lorsqu'on l'ouvre.

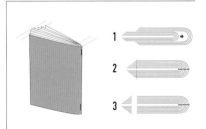

▶ **CHASSE**
Avec le pliage croisé, et en particulier en présence de cahiers, les pages sont légèrement poussées vers l'extérieur ; plus on se rapproche du centre et plus le déplacement est important. Lorsque vous rognez votre produit imprimé au niveau de la tranche, la marge extérieure se réduit au fur et à mesure que l'on se rapproche du centre. Vous pouvez compenser ce problème en réduisant progressivement la taille de la marge intérieure au fur et à mesure que vous avancez vers la double-page centrale.

les autres. Pour la brochure collée et la couture, les feuilles pliées sont placées les unes sur les autres dans l'ordre des feuilles. Lorsque vous utilisez des cahiers, vous n'avez qu'une seule vraie double-page : la double-page centrale. Lorsque les pages sont assemblées dans l'ordre des feuilles, chaque feuille pliée forme une vraie double-page.

CHASSE 14.3.3

Lorsqu'une feuille est pliée en pli croisé, les doubles-pages centrales sont légèrement décalées vers l'extérieur et les pages du milieu du livret sont déplacées. Ce phénomène est appelé chasse. La chasse est encore plus prononcée lorsque vous utilisez des cahiers, car chaque cahier supplémentaire pousse le cahier central un peu plus vers l'extérieur [voir illustration]. Lorsque vous rognez votre produit imprimé une fois plié, la zone de composition des pages « chasse » de plus en plus vers les marges extérieures au fur et à mesure que vous avancez vers la double-page centrale. Vous pouvez compenser ce problème en réduisant progressivement la taille du petit fond au fur et à mesure que vous avancez vers la double-page centrale. Vous êtes ainsi certain que le contenu de chaque page est correctement positionné et que les marges sont uniformes de la première à la dernière page du produit imprimé. Les programmes d'imposition numérique effectuent ces ajustements automatiquement, mais lorsqu'on utilisait des films et qu'on les imposait manuellement, ces modifications devaient être apportées à la main.

LE RAINAGE 14.4

Au-dessus d'un certain grammage, il peut être difficile de plier un papier. Pour éviter des plis disgracieux, les papiers épais sont généralement rainés avant d'être pliés. Le rainage crée une sorte de « charnière » qui facilite un pli net. Le papier est souvent rainé à l'aide d'une fine réglette en acier pressée le long des lignes de pli. La résistance du papier au pliage est réduite le long de la rainure ainsi obtenue. Le rainage est fréquemment utilisé pour le carton.

Les couvertures utilisées en reliure collée, par exemple, sont généralement rainées. Si vous effectuez une reliure collée avec une couverture épaisse, vous obtiendrez de meilleurs résultats avec la technique du rainage quadruple. Il s'agit de quatre rainures dif-

▶ **PIQÛRE AU FIL MÉTALLIQUE**
Dans la machine, les feuilles pliées sont fixées avec des agrafes métalliques.

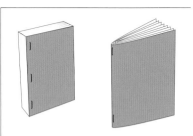

▶ **PIQÛRE À PLAT ET PIQÛRE À CHEVAL**
Avec la piqûre à plat, chaque feuille est distincte, tandis qu'elles sont pliées pour la piqûre à cheval

férentes sur la couverture : une sur chaque côté du dos, une à quelques millimètres du dos sur le plat antérieur et une à une distance correspondante du dos sur le plat postérieur. Les rainures des couvertures empêchent l'endommagement des pliures et permettent d'ouvrir le produit avec aisance.

LA RELIURE ET LA BROCHURE 14.5

La reliure et la brochure consistent à réunir plusieurs feuilles imprimées pour former une entité unique, qu'il s'agisse d'un livre, d'un opuscule, etc. Les méthodes les plus courantes sont la piqûre métal, la reliure collée, la couture au fil textile et la reliure spirale. Avec la piqûre métal et la reliure spirale, la couverture est attachée durant le processus de reliure proprement dit. Avec la couture et la reliure collée, il existe deux façons d'attacher, ou d'accrocher, la couverture. Dans la première version (pour les couvertures souples), la couverture est collée au dos du document broché. Dans la seconde (pour les couvertures rigides), la première et la dernière page du document, appelées les gardes, sont collées à l'intérieur des plats de couverture. Les gardes sont généralement en papier de couleurs ou à motifs.

D'une manière générale, on parle de brochure ou de brochage dans le cas d'une couverture souple et de reliure lorsque l'on utilise une couverture rigide.

LA PIQÛRE MÉTAL 14.6

Quand nous agrafons des feuilles avec une agrafeuse de bureau ordinaire, nous effectuons une sorte de « piqûre métal ». En termes de brochure professionnelle, il existe deux grandes formes de piqûre métal. La première est la piqûre à plat, avec laquelle des fils métalliques (agrafes) sont placés le long d'un bord ou à un coin des pages, un peu comme l'agrafage que nous avons l'habitude d'effectuer à la main. La seconde est appelée piqûre à cheval et consiste à insérer des fils métalliques à travers le dos du document.

PIQÛRE À PLAT 14.6.1

La piqûre à plat est une méthode de brochage de projets simples, comme des publications internes aux entreprises, par exemple. De nombreux copieurs et imprimantes laser prennent également en charge ce type de brochage, qui est généralement constitué de deux agrafes situées le long du bord gauche ou d'une seule dans le coin supérieur gauche du document imprimé.

PIQÛRE À CHEVAL 14.6.2

La piqûre à cheval est utilisée pour les encartages. Le nombre de pages que vous pouvez assembler avec cette méthode est limité par le nombre de feuilles que peut traiter la piqueuse. S'il y en a trop, cependant, la chasse sera importante et vous aurez des difficultés pour fermer le produit.

La piqûre bouclette est un exemple d'agrafe ordinaire modifiée [voir illustration]. Elle est utilisée pour faciliter l'insertion du produit imprimé dans un classeur et permettre de le feuilleter aisément.

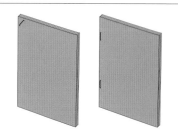

▶ **PIQÛRE À PLAT**
L'illustration ci-dessus montre une piqûre à plat avec une agrafe dans le coin gauche supérieur (image de gauche) et une autre avec deux agrafes le long du dos (image de droite).

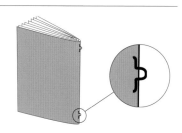

▶ **PIQÛRES BOUCLETTES**
Les piqûres bouclettes permettent de ranger des livrets dans des classeurs.

▶ **INDICES DE COLLATIONNEMENT**
Les indices, en rouge sur l'image, sont notés sur l'imposition. Lorsque les cahiers sont regroupés par ordre, ils vous permettent de vérifier que toutes les feuilles pliées sont incluses et placées dans le bon ordre.

▶ **BROCHURE COLLÉE ET COUTURE**
Le livre du haut est broché selon la méthode de la brochure collée. Comme les cahiers sont regroupés, le dos est légèrement plus large que le volume. Avec la couture, la partie pliée des feuilles n'est pas visible, car le dos a été écrasé.

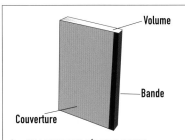

▶ **BROCHURE COLLÉE AVEC BANDE**
En cas de brochure collée avec bande, la bande remplace la colle et deux parties d'une feuille sont utilisées comme couverture.

▶ **COMMANDEZ UNE « MAQUETTE »**

Si vous n'êtes pas certain du type de reliure et de papier que vous souhaitez, vous pouvez commander une maquette du produit à votre fournisseur de papier ou à l'atelier de reliure.

LA RELIURE/BROCHURE COLLÉE 14.7

Lorsqu'un produit imprimé comporte trop de pages pour être piqué avec un fil métallique, on utilise à la place la brochure collée. Cette méthode est relativement peu coûteuse et utilise l'imposition des feuilles en ordre. Pour la brochure collée, le dos du volume, c'est-à-dire de l'ensemble des feuilles, est collé directement à la couverture. Le livre de poche est un exemple de produit broché collé avec une couverture pleine semi-rigide, ainsi que la plupart des magazines. Les livres cartonnés à couverture rigide utilisent également la reliure collée. Dans ce cas, le volume est collé aux gardes, qui, à leur tour, sont collées aux plats de couverture. De nos jours, la plupart des livres à couverture rigide sont reliés selon cette méthode.

Dans la brochure ou la reliure collée, il est important que le sens de fabrication du papier soit parallèle au dos. Si ce n'est pas le cas, la colle peut engendrer du gondolage dans le petit fond. Le produit peut sembler raide et ne pas vouloir rester ouvert lorsque vous essayez de le feuilleter. Un pliage perpendiculaire au sens de fabrication peut également avoir un impact négatif sur la durabilité de la reliure.

Pour la reliure/brochure collée, il est préférable d'utiliser des papiers non couchés de main élevée [voir « Le papier » 12.1.5] plutôt que des papiers brillants couchés ou des feuilles vernisées, car la colle doit pénétrer dans le papier, dans une certaine mesure, pour garantir un lien solide.

Une fois les feuilles pliées ou volantes du produit imprimé reliées ensemble dans l'ordre, le dos est meulé sur un à trois millimètres, créant ainsi une surface irrégulière qui offre une bonne prise pour la colle. Il est important que les images ou le texte qui sont à cheval sur une double-page présentent une marge suffisante pour prendre en compte le meulage du dos. La colle est alors appliquée, et un renfort du dos (dans le cas d'un livre relié) ou une couverture sont attachés.

Il existe également des méthodes de brochure collée dans lesquelles le dos n'est pas meulé, mais perforé. La colle est pressée dans le dos à travers les perforations. Cette technique est assez solide. Dans une autre version similaire, on utilise de la bande adhésive à la place de la colle. Ce type de brochure n'est pas vraiment durable et est plus particulièrement adapté aux projets assez élémentaires, dont la durée de vie n'a pas besoin d'être longue.

LA COUTURE AU FIL TEXTILE 14.8

La couture est la méthode de reliure traditionnelle. Les feuilles pliées sont placées dans l'ordre ou par cahiers, mais au lieu d'être collé, le dos est cousu. Comme dans le cas des livres à couverture souple brochés collés (reliure anglaise), le volume est collé à la couverture. Cependant, le dos n'est pas meulé ; si c'était le cas, le fil de couture serait endommagé ou supprimé. En fait, une fois la couverture en place le long du dos, le livre est rogné le long des trois autres côtés. Comme pour les autres méthodes, il est important que le sens de fabrication du papier soit parallèle au dos pour être certain d'obtenir un produit solide et d'esthétique agréable.

La reliure de livres cousus à couverture rigide peut être réalisé de multiples façons, selon leur degré de préciosité. La reliure pleine, la demi-reliure à coins ou la demi-reliure sont les types de reliure au fil textile les plus courants pour les livres cartonnés à couverture rigide. Les livres à reliure pleine ont une reliure distincte constituée d'une seule pièce de la matière choisie. Les livres à demi-reliure à coins ont un dos et des coins d'un matériau différent du reste de la reliure. Par exemple, les livres à reliure en demi-cuir sont une version de la demi-reliure qui comporte un dos et des coins en cuir. Les livres à demi-reliure se caractérisent par des matériaux différents sur le dos et les plats antérieur et postérieur. Les volumes cousus et cartonnés sont tout d'abord collés au dos, puis rognés le long des trois autres bords.

LE BROCHAGE DOS CARRÉ COLLÉ COUSU 14.9

Le brochage dos carré collé cousu est une technique qui combine la couture au fil textile avec la brochure collée, et qui est utilisée pour les livres à couverture souple ou semi-rigide. En termes de coûts, cette méthode se situe entre la brochure collée et la reliure rigide avec cahiers cousus. La couture est effectuée par une couseuse avec du fil textile. Une fois les feuilles pliées, des aiguilles passent un fil textile dans le dos des feuilles. Chaque cahier est ensuite cousu séparément. Une fois que tous les cahiers sont cousus, ils sont regroupés et collés ensemble dans une thermorelieuse (sans meuler le dos). Lorsque vous feuilletez le produit final, il présente les mêmes caractéristiques qu'un ouvrage relié cousu, mis à part la couverture qui n'est pas rigide.

LES RELIURES SPIRALES 14.10

Les reliures Wire-O et les reliures spirales sont différents types de reliures spirales. Elles sont souvent utilisées pour les manuels et les carnets. Ces types de produits ont souvent besoin d'être conservés ouverts à plat par l'utilisateur, pour écrire dans un carnet ou suivre un manuel d'instructions, par exemple.

▶ **LIVRES RELIÉS**
Les livres peuvent être reliés de plusieurs façons. La reliure collée et la couture sont des méthodes classiques.

▶ **RELIURE WIRE-O**
Type de reliure spirale utile pour les livres nécessitant de rester ouverts à plat.

▶ **ÉCHELLE DE PRIX DES RELIURES**
1. Reliure spirale
2. Reliure avec cahiers cousus
3. Brochage dos carré collé cousu
4 Brochure collée
5. Piqûre métallique

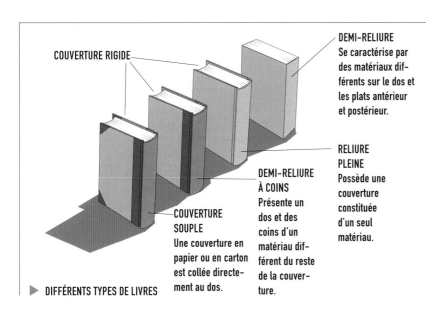

COUVERTURE RIGIDE

DEMI-RELIURE
Se caractérise par des matériaux différents sur le dos et les plats antérieur et postérieur.

RELIURE PLEINE
Possède une couverture constituée d'un seul matériau.

DEMI-RELIURE À COINS
Présente un dos et des coins d'un matériau différent du reste de la couverture.

COUVERTURE SOUPLE
Une couverture en papier ou en carton est collée directement au dos.

▶ **DIFFÉRENTS TYPES DE LIVRES**

Dans ce procédé, les feuilles volantes (il peut s'agir de feuilles pliées dans l'ordre des pages et recoupées en feuilles volantes) sont regroupées et perforées. La reliure spirale est alors mise en place. Il existe pour cela différentes méthodes, en fonction du type de reliure spirale que vous utilisez. Les spirales sont proposées en une grande variété de couleurs et de dimensions. Un inconvénient de la reliure spirale est son instabilité relative. Il est souvent impossible de faire tenir debout un produit à reliure spirale sur une étagère par exemple ou de faire figurer un titre au dos. La méthode est également relativement onéreuse.

LE ROGNAGE 14.11

Le rognage ou « massicotage » est simplement l'opération consistant à couper le papier aux dimensions désirées au moyen d'une lame. Cette opération peut être effectuée manuellement avec un massicot spécial ou simultanément avec une autre étape du cycle de finition.

La plupart des produits imprimés sont rognés. Pour les impressions produites sur machines feuilles, il peut être nécessaire de rogner un produit jusqu'à trois fois durant le cycle de production. Une première opération peut être nécessaire pour adapter le papier au format de la machine à imprimer. Une fois imprimées, les feuilles peuvent à nouveau devoir être rognées pour s'adapter au format de la machine de façonnage. Enfin, le produit doit être rogné une fois plié et relié pour garantir l'uniformité et la régularité de ses bords.

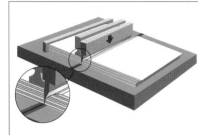

▶ **MASSICOT**
La lame du massicot est appuyée sur la pile de papier avec une pression de plusieurs tonnes.

▶ **MASSICOT TRILATÉRAL**
Dans un massicot trilatéral, le produit imprimé est coupé au niveau de la tranche, de la tranche de tête et de la tranche de pied.

▶ **SCELLÉ**
La fermeture d'une feuille pliée en trois avec un cachet est un exemple de scellé.

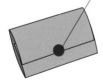

▶ **MISE SOUS ENVELOPPE**
La mise sous enveloppe peut être effectuée mécaniquement ou manuellement en fonction de la taille et de la complexité du tirage. Il est souvent préférable d'effectuer manuellement la mise sous enveloppe des petits tirages.

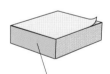

▶ **COLLAGE EN BLOC**
Le collage en bloc est utilisé pour créer un bloc composé d'une liasse épaisse de feuilles de papier. Un des bords du bloc est recouvert d'une colle spéciale.

▶ **BANDEAU**
Un bandeau est une fine bande de papier enroulée autour d'un produit imprimé, par exemple autour d'une pile de produits imprimés ou d'un poster.

Dans la plupart des méthodes de reliure classiques (piqûre métal et brochure collée), le rognage est généralement la dernière étape du processus. En règle générale, un massicot trilatéral rogne le produit imprimé au niveau de la tranche de tête, de la tranche de pied et de la gouttière. Cette rogne finale est nécessaire pour plusieurs raisons. Les différentes pages imposées sur la même feuille d'impression demeurent attachées les unes aux autres une fois pliées, que ce soit par la tranche de tête ou de pied (cela est vrai si vous avez des feuilles pliées en pli croisé avec huit pages ou plus). De plus, la chasse nécessite de couper les cahiers sur le bord de gouttière.

Les lames utilisées dans les massicots sont sensibles et doivent être affûtées régulièrement. Le papier verni et pelliculé peut endommager ou émousser la lame. Une lame endommagée peut créer un aspect de rayures le long de la surface rognée du produit imprimé.

AUTRES OPÉRATIONS DE POSTPRESSE 14.12

Le pelliculage, le vernissage, la perforation de trous de classement et le poinçonnage sont d'autres opérations exécutées durant la finition.

PELLICULAGE 14.12.1

Le pelliculage consiste à appliquer une pellicule plastique de protection sur une page imprimée. Cette technique accroît la protection contre les salissures, l'humidité, la déchirure et l'usure, mais elle est également appliquée pour des raisons esthétiques. Il existe une grande variété de types de pellicules, notamment brillante, mate, gaufrée et texturée. Des pellicules sont fréquemment appliquées sur les couvertures de produits imprimés.

Une pelliculeuse spéciale est nécessaire pour ce procédé, et du papier couché ou glacé donne la meilleure qualité de sortie. Les feuilles pelliculées peuvent être rainées et pliées.

VERNISSAGE 14.12.2

Le vernissage permet d'ajouter une surface brillante à un produit imprimé. Contrairement au pelliculage, cela n'offre pas une protection notable contre la salissure, la déchirure et l'usure, et il s'agit essentiellement d'un procédé esthétique. Le vernis est souvent appliqué dans la machine à imprimer offset via un groupe d'impression normal ou un groupe spécial réservé au vernissage. Les papiers couchés donnent les meilleurs résultats. Le vernis UV est une autre méthode courante qui consiste à appliquer un vernis sur l'imprimé avec une machine spéciale pour vernis UV. Comme le vernis est séché par exposition aux ultraviolets (UV), il peut être appliqué en une couche plus épaisse, et offrir ainsi un fini de qualité supérieure. Les feuilles vernies doivent être rainées avant d'être pliées pour éviter la formation de craquelures sur la surface vernie durcie.

Le vernis peut être appliqué de façon sélective sur certaines parties de l'imprimé, sur des images et des logos, par exemple. Cette méthode, appelée « vernis sélectif », est généralement utilisée pour donner un effet esthétique, mais elle peut aussi servir à empêcher le maculage de surfaces présentant une couverture d'encre dense.

▶ **MASSICOT**
Avant d'être insérée dans le massicot, la pile de feuilles imprimées est taquée. Pour effectuer la coupe, deux boutons doivent être enfoncés simultanément, afin d'éviter qu'un doigt se trouve à proximité de la lame.

▶ **GAUFRAGE**
Vous pouvez créer du relief, modifier la surface du papier, en faisant ressortir une impression ou en l'enfonçant. Le gaufrage est réalisé dans des machines spéciales.

▶ **DORURE OU MARQUAGE À CHAUD**
Vous pouvez également ajouter une surface dorée ou argentée au produit imprimé.

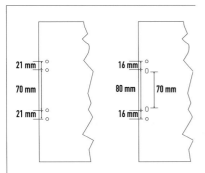

▶ **PERFORATION DE TROUS DE CLASSEMENT**
À gauche : norme américaine (2 3/4" cc pour les perforations 2 trous et 4 1/4" pour les perforations 3 trous). À droite : norme internationale ISO 838 (deux trous, 80 mm de distance).

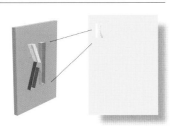

▶ **DÉCOUPE À L'EMPORTE-PIÈCE**
Une matrice découpe le papier. Sur l'image, un K est découpé dans le papier. La découpe à l'emporte-pièce est utilisée pour créer notamment des séparateurs pour les classeurs.

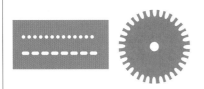

▶ **POINÇONNAGE**
On poinçonne des produits imprimés pour détacher plus facilement une partie donnée de la page, une carte-réponse par exemple. Le poinçonnage est généralement effectué dans une presse typographique équipée d'une lame de perforation spéciale ou, comme illustré ici, par rainage avec une molette.

PERFORATION 14.12.3

Le papier est perforé durant la finition afin de pouvoir être inséré dans un classeur. La norme internationale, appelée ISO 838, est la norme en vigueur, en dehors de l'Amérique du Nord. Elle spécifie une distance de 80 ± 0,5 mm entre les centres des trous et un diamètre de trou de 6 ± 0,5 mm. En Amérique du Nord, les espaces standards entre les centres des trous sont 2,75 pouces cc pour une perforation à 2 trous et 4,25 pouces cc pour une perforation à 3 trous (« cc » signifiant de centre à centre, ce qui indique que l'espace entre les trous est calculé par rapport au centre du trou, quelle que soit sa taille). En règle générale, des forets spéciaux sont utilisés pour perforer le papier lorsque cette opération est effectuée durant la finition, mais l'on peut également acheter du papier pré-perforé auprès des fabricants de papier.

DÉCOUPE À L'EMPORTE-PIÈCE 14.12.4

Si vous souhaitez que votre produit imprimé ait une forme non rectangulaire, vous pouvez le découper à l'emporte-pièce. Cela implique la création d'une matrice de découpe de la forme que vous souhaitez pour votre produit. La matrice est ensuite pressée contre le papier imprimé et le découpe à la forme désirée. Le coût de production d'une matrice de découpe unique est relativement élevé pour des produits imprimés en petits tirages, mais elle peut être utilisée pour des réimpressions.

POINÇONNAGE 14.12.5

Les perforations sont utilisées, en principe, pour créer un repère de détachement. En perforant une ligne pointillée (perforations) sur une page, vous pouvez faciliter le détachement d'une section particulière de cette page, une carte-réponse par exemple. Le poinçonnage est généralement effectué dans une presse typographique avec une lame ou molette de perforation spéciale, qui est pressée contre le papier, créant ainsi une série de petites fentes. Le poinçonnage peut également être réalisé dans une poinçonneuse spéciale.

LA FINITION POUR L'IMPRESSION OFFSET FEUILLES 14.13

Le traitement postpresse de l'impression offset rotative est effectué en ligne, tandis que celui de l'impression offset feuilles requiert un calage distinct. Nous allons passer en revue ci-après certains facteurs importants qui influencent la finition des impressions réalisées sur machines offset feuilles.

SCHÉMA D'IMPOSITION 14.13.1

Il est important de contacter le prestataire de services de finition (le « façonnier ») que vous choisirez dès les premières étapes de la production pour lui demander un schéma d'imposition. Ce schéma vous permettra de voir comment les pages sont organisées sur la feuille imprimée après l'imposition. Il s'agit souvent d'une copie réduite de la feuille imprimée, pliée selon les spécifications de la plieuse utilisée.

Le schéma d'imposition vous permet de :

- voir où vous aurez des fausses double-pages ;
- éviter un effet fantôme mécanique sur la feuille imprimée ;
- voir les compositions de couleurs (c'est-à-dire les pages sur lesquelles plusieurs couleurs peuvent être utilisées, si certaines feuilles ou pages seulement doivent être imprimées en plusieurs couleurs).

PRISE DE PINCES 14.13.2

La prise de pinces est également marquée sur le schéma d'imposition. La prise de pinces est le bord de la feuille imprimée qu'une machine saisit pour faire avancer la feuille dans le mécanisme. La marge entre la prise de pinces et la surface d'impression doit être un peu plus large que les autres marges de la feuille. Par exemple, une prise de pinces de 7 à 15 mm est recommandée pour la piqûre métal. Ce bord est nécessaire pour la reliure, car il permet à la machine d'ouvrir les feuilles pliées. Les plieuses n'ont pas besoin de prise de pinces supplémentaire.

LA GÉOMÉTRIE DU PAPIER 14.13.3

Le papier fourni par le fabricant ou celui rogné par l'imprimeur n'est pas parfaitement rectangulaire. Les dimensions et la forme des feuilles peuvent également varier légèrement d'un bout à l'autre de la pile de papier. Il est important d'en être conscient pour pouvoir coordonner l'impression et la finition en vue d'obtenir les meilleurs résultats possibles.

Lorsqu'une machine à imprimer saisit une feuille de papier, elle la pousse contre un guide qui place le papier, quelles que soient ses dimensions, contre la prise de pinces et le bord de marge. Ce mécanisme garantit la constance de la distance entre la surface à imprimer et le bord durant le tirage, indépendamment des variations de format et de dimensions du papier.

L'imprimeur marque toujours les feuilles d'impression au niveau du coin formé par la prise de pinces et le bord de marge de la machine à imprimer. Si vous continuez d'utiliser ce coin comme guide pour la finition, vous pouvez être certain que l'impression demeurera correctement orientée sur la page, quel que soit le rognage, le pliage, etc.

LE MATÉRIEL DE FINITION 14.14

Les imprimeries qui travaillent avec des machines rotatives, pour les journaux par exemple, disposent d'unités de traitement postpresse « en ligne », c'est-à-dire connectées directement à la machine à imprimer. En revanche, les imprimeurs spécialisés dans l'impression offset feuilles demandent souvent que les feuilles imprimées soient confiées à un atelier de finition distinct qui se chargera du traitement, bien que certains proposent eux-mêmes des services de finition plus ou moins complets. Les ateliers de finition sont souvent spécialisés et vous devrez sans doute vous adresser à différents prestataires pour différents projets selon le type de traitement postpresse recherché.

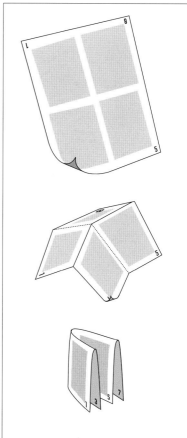

▶ **SCHÉMA D'IMPOSITION**
Un schéma d'imposition est utile, car il permet de voir où l'on rencontrera des fausses doubles-pages, et des problèmes éventuels de couleurs et d'effet fantôme mécanique.

Prise de pinces

▶ **PRISE DE PINCES**
Les feuilles imprimées pliées doivent comporter une prise de pinces, pour permettre à la machine à relier de « saisir » les feuilles.

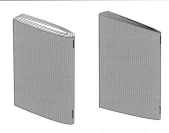

▶ **AGRAFÉ ET PLIÉ OU PLIÉ ET AGRAFÉ ?**
Si vous agrafez les feuilles en un livret avant de les avoir pliées (image de gauche), les pages seront légèrement décalées. Regardez ce que l'on obtient en comparaison en pliant chaque feuille séparément avant de les agrafer ensemble (image de droite).

FINITION INDÉPENDANTE OU EN LIGNE 14.14.1

Il existe deux types fondamentaux de traitement postpresse : indépendant et « en ligne », c'est-à-dire réalisé directement à la suite de la presse. Les machines de traitement en ligne partagent souvent un système de commande avec la presse et l'ensemble du système livre un produit fini en fin du tirage. Les machines de façonnage indépendantes requièrent leur propre calage, avec leurs propres paramètres de démarrage qui doivent être ajustés en fonction du tirage. Cela signifie que vous gâcherez un certain nombre d'impressions avant d'obtenir la qualité désirée, exactement comme avec le calage d'impression.

Avec un système en ligne, ces paramètres sont réglés en tandem avec ceux de l'impression. En cas de traitement indépendant des feuilles, on prévoit en règle générale un nombre de feuilles dédié au réglage des machines, appelé « passe » par les imprimeurs. L'atelier de finition détermine ce nombre au vu des expériences passées avec l'équipement et il faudra vérifier auprès de l'imprimeur choisi qu'il prévoit bien la passe correspondante, c'est-à-dire le nombre d'impressions supplémentaires en plus de la quantité strictement nécessaire pour le produit imprimé.

▶ **CALCULER L'ÉPAISSEUR DE DOS**
Si vous utilisez la technique de la brochure collée ou de la couture pour brocher votre ouvrage, vous devez connaître l'épaisseur du volume pour obtenir la bonne épaisseur de dos.

$$\text{Épaisseur du dos} = \frac{\text{nombre de pages}}{\text{épaisseur du papier}}$$

▶ **NE PAS OUBLIER**

- Il est important que les feuilles imprimées soient suffisamment sèches avant de les soumettre au façonnage. Dans le cas contraire, l'impression risque de maculer : l'encre d'une feuille est transférée sur une autre. Les aplats, les surfaces présentant une couverture d'encre élevée, ainsi que les images contenant beaucoup de couleurs sont particulièrement sensibles. L'encre cyan est généralement plus longue à sécher et donc la plus sensible au maculage.

- Pour obtenir un produit imprimé attrayant et durable, vous devez toujours réaliser un pli dans le sens de fabrication [voir « Le papier » 12.1.3]. Si vous ne pliez pas dans le sens de fabrication, le papier est affaibli, les fibres sont cassées et des craquelures disgracieuses apparaissent sur l'imprimé en travers du pli. Le produit imprimé aura également des difficultés à rester fermé. Lorsqu'on utilise la technique de la brochure collée, une erreur de sens de fabrication peut engendrer le gondolage du papier et diminuer la durabilité de la brochure.

- Lorsque le papier présente un grammage supérieur à 150 g/m², il faut le rainer, sans quoi la surface de la feuille peut se craqueler et le produit aura des difficultés pour rester fermé.

- Avec l'agrafage à cheval, vous devez éviter d'utiliser des feuilles non pliées pour empêcher le produit imprimé de s'ouvrir tout seul. Votre prestataire de finition saura vous conseiller.

- Il est important de disposer d'un schéma d'imposition, car il permet de vérifier les fonds perdus des fausses doubles-pages et les réglages d'encre. Cela permet également éviter des problèmes techniques d'impression comme l'effet fantôme.

- Vérifiez avec le prestataire de finition la passe prévue, c'est-à-dire le nombre de feuilles nécessaires pour le calage des machines de façonnage. Les exemplaires de référence sont généralement inclus dans la passe prévue.

272

LA CHAÎNE GRAPHIQUE FINITION

Il y a seulement quelques années, la finition en ligne était spécifique aux presses rotatives. Cependant, compte tenu de la demande de délais toujours plus courts et de l'impact des méthodes d'impression numérique, la finition en ligne s'est fortement répandue. Pour les tirages courts, il peut être difficile de justifier l'argent et le temps investis dans l'envoi du produit imprimé à un autre prestataire pour le traitement postpresse. Malheureusement, ces unités de finition en ligne assez petites donnent des résultats de qualité inférieure à celles des prestataires spécialisés.

Récemment, des machines combinant le pliage et l'agrafage visant la production rapide et simple de tirages assez faibles ont fait leur apparition sur le marché. Ces machines peuvent être connectées directement à des imprimantes de production ou à des presses numériques, ou fonctionner en toute indépendance. Elles agrafent la liasse complète avant de plier toutes les feuilles ensemble. Cependant, vous n'obtenez pas, sur chaque feuille, les plis fins que vous auriez avec des plieuses et agrafeuses indépendantes, et il est parfois difficile de fermer les produits traités de cette façon. En outre, de nombreuses plieuses et agrafeuses utilisées avec des presses numériques possèdent une seule lame qui coupe le cahier uniquement le long de la gouttière. L'imprimeur doit alors porter une attention extrême au repérage, pour des résultats relativement médiocres.

Un autre problème posé par le traitement postpresse des impressions d'imprimantes de production ou numériques est que l'impression « saute » sur la feuille, c'est-à-dire que l'on n'obtient pas toujours une distance égale entre le bord du papier et la zone d'impression. Ce phénomène compromet la précision de la finition, ce qui ne facilite pas la création d'un pli entre deux zones d'impression, etc.

QUESTIONS ENVIRONNEMENTALES

15

CHAPITRE 15 QUESTIONS ENVIRONNEMENTALES Les entreprises graphiques ne peuvent plus aujourd'hui faire l'impasse sur les questions d'environnement. Il est donc important d'avoir une vue d'ensemble de tous les enjeux et problématiques liés au sujet et de bien avoir conscience des impacts sur l'environnement de toutes les étapes de la chaîne graphique.

Depuis quelques années, l'environnement et les actions en faveur de l'environnement deviennent peu à peu une préoccupation importante de la société. Nous allons montrer dans ce chapitre comment tous les maillons de la chaîne graphique – du donneur d'ordre au responsable de la finition – peuvent coopérer pour réduire les impacts de la chaîne graphique sur l'environnement. Nous avons pris le parti de ne pas mentionner les produits et procédés de fabrication non nocifs pour l'environnement, puisqu'en réalité, tous les produits exercent une influence nocive sur celui-ci. Pour l'instant, il reste utopique d'espérer que l'industrie graphique pollue moins que les autres industries. Et même si comparativement, les entreprises de ce secteur dégagent par exemple moins de composés organiques volatiles (COV), il n'empêche qu'il est important de réduire les émissions polluantes ou autres charges environnementales si les techniques le permettent à un coût raisonnable. Toutefois, l'industrie graphique reste considérée comme dangereuse pour l'environnement, notamment en raison de l'emploi de solvants et de produits à base d'argent.

Nous commencerons par étudier les outils les plus connus utilisés dans les actions en faveur de l'environnement : l'ISO 14001 et l'EMAS. Un système d'éco-gestion est constitué de procédures internes propres à l'entreprise destinées à organiser les actions écologiques. Si le système d'éco-gestion est élaboré de façon à être conforme aux exigences de l'ISO 14001 et/ou aux règlements de l'EMAS, il peut être à la fois certifié ISO 14001 et enregistré EMAS.

ISO 14001 ET EMAS 15.1

Les normes ISO 14001 et EMAS n'indiquent aucun niveau pratique d'actions environnementales, mais il s'agit de deux systèmes de gestion élaborés, comme l'ISO 9000. Ces systèmes régissent la gestion des questions environnementales dans l'entreprise, les objectifs vers lesquels doit tendre l'entreprise, quand et où ceux-ci doivent être atteints et qui en est responsable. Tout le personnel de l'entreprise doit participer au processus. Toutefois, le système ne donne aucune indication sur les niveaux d'émission, par exemple, ni sur l'utilisation des matières premières ou de l'énergie. Les deux systèmes exigent que l'entreprise crée une commission chargée d'identifier les aspects environnementaux, à savoir les parties d'activités, les produits et les services susceptibles d'influer sur l'environnement. Lorsqu'on définit un objectif, il faut partir des aspects environnementaux significatifs, les « indicateurs écologiques ». L'ISO 14001 et l'EMAS exigent chacune un travail d'amélioration constante ; il faut donc définir de nouveaux objectifs plus complexes si l'on veut atteindre les précédents. Il existe peu de différences entre l'ISO 14001 et l'EMAS. La différence la plus importante est que l'EMAS est une directive de l'Union européenne, à savoir une norme européenne, alors que l'ISO 14001 est une norme internationale. L'EMAS stipule en outre que les entreprises doivent publier un rapport environnemental officiel.

ANALYSE DU CYCLE DE VIE 15.2

Il peut être difficile d'évaluer les éléments de la chaîne graphique qui influent plus ou moins sur l'environnement.

Pour évaluer les différentes étapes de production, on peut comparer la consommation de produits chimiques par tonne de produit, les émissions dans l'atmosphère et l'eau, ainsi que l'énergie. Plus on utilise de matières premières, de produits chimiques et d'énergie, plus ceux-ci produisent d'émissions et plus l'étape de production est polluante. Bien entendu, on ne peut dissocier le secteur de l'imprimerie des autres processus industriels, comme la fabrication des encres, des plaques d'impression, des presses à imprimer, des produits chimiques, des composants électroniques et autres produits. C'est pourquoi il faut tenir compte des autres maillons susceptibles d'influer sur la charge environnementale totale.

Le seul moyen d'obtenir des informations détaillées sur la charge environnementale est d'effectuer une analyse du cycle de vie (ACV). Cette démarche nécessite d'importantes ressources de temps et d'argent, et est donc plus courante dans les grands organismes et entreprises. L'analyse du cycle de vie inclut tous les processus et leurs ramifications (jusqu'aux fournisseurs), ainsi que le degré de recyclage. Elle permet ainsi de comparer l'impact du papier recyclé et non recyclé sur l'environnement. Elle identifie également les étapes du processus les plus nocives pour l'environnement.

▶ **PAPIER DE RÉCUPÉRATION**
L'analyse du cycle de vie prend en compte le degré de recyclage, par exemple l'utilisation de papier de récupération.

COMMENT RÉDUIRE LA CHARGE ENVIRONNEMENTALE 15.3

Toutes les étapes de la chaîne graphique ont un impact sur l'environnement. Il est possible de définir des exigences générales lors du choix du fournisseur, mais l'on peut également s'attacher aux conditions de fabrication et les choisir de façon à minimiser la charge environnementale.

FOURNISSEURS 15.3.1

En choisissant des entreprises travaillant activement sur les questions environnementales, on peut réduire les effets nocifs sur l'environnement. Il convient donc de les choisir selon les critères suivants :

• Entreprises ayant introduit l'ISO 14001 ou l'EMAS.
• Entreprises travaillant à l'introduction de l'ISO 14001 ou de l'EMAS.
• Entreprises ayant élaboré et mis en œuvre une politique environnementale et capables de fournir les informations nécessaires à l'évaluation des émissions, de l'utilisation des matières brutes et de l'énergie, des déchets et du tri à la source des produits résiduels, entre autres. Les émissions doivent être faibles et la consommation de matières premières et d'énergie, économique.
• Entreprises remplissant les exigences environnementales stipulées par les autorités.

Comme l'ISO 14001 et l'EMAS requièrent un concept global des activités, produits et services de l'entreprise, peut-être est-il préférable d'accorder la priorité aux entreprises certifiées. Pour évaluer correctement les fournisseurs de l'industrie graphique, vous pouvez par exemple comparer leur implication dans les questions environnementales en leur proposant de répondre à un questionnaire que vous aurez élaboré. Les réponses aux questions pourront être notées par un système de points ; les entreprises devront atteindre un certain score pour pouvoir prétendre devenir fournisseurs.

PAPIER 15.3.2

Une étude estime que la consommation de bois a doublé dans la seconde moitié du XXe siècle et que la consommation de papier a été multipliée par six. Or, fabrication du papier entraîne une pollution relativement importante en raison de la forte consommation d'énergie et de l'emploi de produits chimiques, comme le chlore. En se préoccupant de l'environnement lors du choix du papier, on peut, en tant que créateur/donneur d'ordre/acheteur, réduire la pollution. Certains estiment que le papier représente environ 30 % de la charge environnementale totale d'un imprimé. Le choix du papier est donc capital, d'autant qu'il existe aujourd'hui des solutions moins nocives pour l'environnement, comme les papiers sans chlore ou les fibres sans bois.

OPÉRATIONS PRÉPRESSE 15.3.3

Concernant les opérations prépresse, il faut surtout prendre en considération la manipulation des matériaux à base d'argent et les émissions d'argent. L'argent se dégage lors du développement des films graphiques et des plaques argentiques. Idéalement, l'entreprise doit être équipée d'un système de rinçage à l'eau fermé qui empêche les émissions.

DIVERSITÉ DES MÉTHODES D'IMPRESSION 15.3.4

Le choix de la méthode d'impression influe aussi sur l'environnement ; toutefois, il peut être assez difficile de fixer certaines règles.

• Certaines méthodes d'impression utilisent ou dégagent plus de polluants que d'autres.
• Certaines méthodes d'impression consomment plus d'énergie que d'autres.
• Les méthodes d'impression utilisées diffèrent selon les imprimés et les tirages.

Le seul moyen d'obtenir une bonne image de l'impact environnemental des différentes méthodes d'impression est l'analyse du cycle de vie pour chaque production spécifique. On a généralement tendance à penser que l'impression numérique est plus respectueuse de l'environnement que les méthodes classiques, car les surfaces d'impression sont créées

sans recourir au système traditionnel des plaques. L'impression s'effectue numériquement et directement dans la presse, ce qui évite le film et la plaque de la méthode offset.
Cependant, la presse numérique étant construite différemment des presses traditionnelles, il est difficile de comparer leurs impacts respectifs sur l'environnement. Pour être
en mesure de tirer des conclusions plus précises, il faut donc effectuer une analyse du
cycle de vie, en tenant compte notamment de la durée de vie de la machine à imprimer et
du contenu de l'électronique et des nouveaux composants.

Les tirages limités et la production « d'impression à la demande » réduisent le besoin
en entrepôts et en transports, ce qui représente un avantage d'un point de vue écologique. Un autre avantage souvent avancé est que l'on évite le maculage ; toutefois, ce qui
n'est pas complètement vrai, en particulier si l'on considère les faibles tirages.

FINITION 15.3.5

Il est important que le choix en matière de finition n'affecte pas la possibilité de recyclage
des fibres de cellulose.

DISTRIBUTION 15.3.6

Les distributeurs doivent être évalués sur les mêmes bases que les autres fournisseurs de
marchandises et de services. Dans ce cas, les arguments décisifs sont un véhicule adapté
à l'environnement et un carburant non polluant, ainsi qu'une logistique de transport bien
étudiée.

LE SUIVI DE PRODUCTION GRAPHIQUE

16

- ▶ PHASE STRATÉGIQUE
- ▶ PHASE CRÉATIVE
- ▶ PRODUCTION DES ORIGINAUX
- ▶ PRODUCTION DES IMAGES
- ▶ SORTIE / RASTÉRISATION
- ▶ ÉPREUVES
- ▶ PLAQUES + IMPRESSION
- ▶ FINITION
- ▷ DISTRIBUTION

CHAPITRE 16 LE SUIVI DE PRODUCTION GRAPHIQUE La réalisation d'une production graphique impose en principe de faire appel à de nombreux acteurs différents qui vont devoir coopérer pour que tout se passe au mieux. Le flux des informations au cours du processus de production graphique peut devenir très complexe.

Avant de lancer ce processus, il convient de se poser un certain nombre de questions, qui vont en grande partie influencer la planification du projet. Nous passerons ces questions en revue au cours de ce chapitre et vous donnerons quelques conseils pour évaluer les fournisseurs et les prestataires de service, demander un devis ou encore planifier une production graphique. Nous décrirons également le flux des éléments graphiques et des informations tout au long du processus.

AVANT DE COMMENCER 16.1

Il faut d'abord avoir répondu à certaines questions avant de se lancer dans un processus de production. Il est, par exemple, important de savoir à qui est destiné le produit imprimé, comment il va être distribué et utilisé, quels sont les points à prendre en compte pour l'environnement, etc.

POURQUOI CRÉER UN PRODUIT IMPRIMÉ ? 16.1.1

Pour commencer, il faut se demander quel est l'objectif du produit imprimé, savoir quel résultat vous attendez de ce produit et ce qu'il doit communiquer.

Quelques réponses possibles :

- Informer
- Vendre
- Distraire
- Emballer

La réponse à cette question est souvent une combinaison de différents objectifs. Connaître les raisons qui vous poussent à créer un produit imprimé aide à déterminer quel type de produit vous devez réaliser et comment il atteindra son destinataire.

Par exemple :
- Si vous voulez vendre quelque chose, vous pouvez créer une publicité.
- Si votre but est d'informer, vous élaborerez plutôt une lettre d'information ou une brochure.
- Pour distraire ou éduquer, vous publierez un livre.

DÉFINIR LE DESTINATAIRE 16.1.2

Il est important de définir le public cible de votre produit, c'est-à-dire qui va l'utiliser. Connaître le public cible visé aide à choisir le type de produit imprimé qui doit être élaboré et la manière dont il doit être conçu.

Voici quelques exemples de groupes qui peuvent être considérés comme un public cible pour un produit donné :
• Les adolescents
• Les personnes à revenu moyen
• Les personnes intéressées par l'alimentation
• Les seniors

ATTEINDRE LE DESTINATAIRE 16.1.3

Il faut également définir comment vous allez atteindre le destinataire, en d'autres termes savoir quel moyen est le plus approprié pour atteindre le public que vous visez. Le choix d'un support peut être crucial pour réussir à atteindre le groupe cible.

Exemples de moyens vous permettant d'atteindre votre groupe cible :
• Affiches en ville
• Publicités dans les quotidiens et les hebdomadaires
• Courrier direct

CHOISIR LE TYPE DE PRODUIT 16.1.4

Définir le type de produit imprimé et le nombre d'exemplaires dont vous avez besoin a un impact sur les coûts et détermine la méthode d'impression à utiliser.

Quelques exemples :
• Journal, 20 000 exemplaires
• Livre, 10 000 exemplaires
• Emballage, 100 000 exemplaires
• Affiche, 500 exemplaires
• Catalogue, 100 000 exemplaires
• Dépliant, 5 000 exemplaires
• Publicité, 200 exemplaires

COMMENT LE PRODUIT VA-T-IL ÊTRE UTILISÉ ? 16.1.5

Il est également important de savoir comment le produit sera utilisé. S'il doit durer longtemps, il faut bien entendu fabriquer un produit résistant à l'usure. Voici quelques points à prendre en compte :
• Combien de temps le produit doit-il durer ?
• Sera-t-il archivé ou jeté après utilisation ?
• Sera-t-il fortement manipulé ?
• Doit-il remplir une fonction spécifique, comme l'emballage ?

Les réponses à ces questions aident à définir comment le produit devra être imprimé, traité et quels matériaux devront être mis en œuvre pour le fabriquer.

Quelques exemples :
- Un catalogue destiné à être feuilleté à de nombreuses reprises doit subir un traitement de finition adapté pour résister. Cela peut impliquer un pelliculage de la couverture et l'utilisation de la technique de brochage collé.
- Une affiche conçu pour être placée en plein air doit résister aux intempéries et se comportera mieux si elle est imprimée avec des encres résistantes à l'eau sur un papier durable.
- Un livre qui doit être utilisé sur le long terme requiert une couverture rigide avec un traitement de surface protecteur et une reliure de qualité supérieure.
- Un journal peut être imprimé sur du papier bon marché et assemblé en piqûre métal, car il n'est pas utilisé très longtemps.

EXIGENCES DE QUALITÉ 16.1.6

Les exigences de qualité d'un produit donné ont un impact sur le coût et le délai de livraison d'une production. De plus, les questions de qualité peuvent influencer le choix de vos partenaires pour la production.

La production graphique peut être divisée en trois niveaux de qualité : basse, moyenne et haute. Les produits typiques dont la qualité peut être basse sont les encarts libres, les brochures simples, les publications internes, etc. Les publications de qualité moyenne recouvrent notamment les lettres d'information et les brochures. Les publicités en quadrichromie, les rapports annuels, les livres d'art et les emballages demandant généralement une production de haute qualité.

Quelques exemples :
- Un livre d'art doit offrir une excellente reproduction d'images, avec une grande qualité de papier et de finition.
- Un prospectus pour la pizzeria du quartier n'a pas besoin d'être de haute qualité et, dans ce cas, il est sûrement plus important d'avoir un coût de production le plus bas possible.

LE BUDGET 16.1.7

Quand vous planifiez votre budget, il est important de conserver une marge de sécurité pour les problèmes qui pourraient survenir en cours de production.

EXIGENCES POUR L'ENVIRONNEMENT 16.1.8

Votre produit doit-il répondre à des exigences particulières pour l'environnement ?

Quelques exemples :
- Capacité à être recyclé.
- Utilisation d'encres alimentaires et de papier non issu de l'abattage d'arbres.

LIVRAISON RAPIDE

Une livraison rapide et un prix bas sont synonymes de qualité médiocre.

PRIX BAS

QUALITÉ ÉLEVÉE

▶ **ÉTABLISSEZ DES PRIORITÉS DANS VOTRE PRODUCTION.**
Il est impossible d'avoir en même temps un prix bas, une livraison rapide et une qualité élevée. À vous de décider où vous voulez que votre produit imprimé se trouve dans le triangle en fonction de vos priorités.

SÉLECTIONNER SES PRESTATAIRES DE SERVICES 16.2

La réussite d'une production graphique dépend largement de l'établissement de bonnes relations de travail avec un certain nombre de prestataires de services graphiques. Il est donc important de bien choisir ses prestataires.

Pour comparer plusieurs fournisseurs et prestataires de services, il faut garder à l'esprit les exigences de votre projet. Réfléchissez aux étapes de la production que vous voulez assurer vous-même et à celles pour lesquelles vous pourriez avoir besoin ou envie que l'on vous aide. Prendre soi-même en charge la totalité d'une production peut coûter moins cher, mais l'on endosse alors plus de responsabilités quant au résultat final.

Il faut avoir conscience que certains types de production sont plus adaptés à un prestataire qu'à un autre. Cela s'applique particulièrement aux imprimeurs spécialisés dans certains types de production ou qui utilisent des procédés ou des machines à imprimer spécifiques pour des formats de papier particuliers.

Voici une liste de facteurs qui peuvent vous aider à choisir un prestataire de services.

PRIX 16.2.1

Dans l'industrie graphique, les prix sont loin d'être standardisés. Il existe plusieurs moyens de déterminer des prix. Certains imprimeurs présentent un barème de prix, tandis que d'autres cotent au cas par cas. Il est important de savoir précisément quels services sont compris dans la facture d'un imprimeur. Il est également sage de s'enquérir des frais de traitement en urgence et dans quelles conditions ils sont applicables.

Dans l'industrie de la production graphique, les prix peuvent varier énormément d'un prestataire à l'autre. Pour exemple, faire scanner une image en quadrichromie peut coûter entre 20 et 100 €. Les facteurs qui influencent le plus les prix sont la qualité et le délai de livraison. Si votre projet ne requiert pas la meilleure qualité ou le délai le plus court, vous pouvez obtenir un prix relativement raisonnable. À contrario, si vous avez des exigences sur la qualité et le délai, il faut être prêt à payer en conséquence.

L'implication d'une société bien adaptée à votre production est également un facteur important de maîtrise des coûts. Un vendeur qui travaille régulièrement sur le type de production que vous demandez est plus enclin à vous faire une meilleure offre que celui qui doit faire des arrangements spéciaux pour votre projet. Par exemple, si vous voulez imprimer un catalogue, vous obtiendrez probablement le meilleur prix chez un imprimeur spécialisé dans ce type de production.

QUALITÉ 16.2.2

Pour vous assurer que le prestataire que vous allez choisir vous offre un service compétent et de qualité, demandez des références extérieures, ainsi que des échantillons de ses réalisations qui ressemblent à votre projet.

Demandez si la société dispose d'un savoir-faire particulier. Une société spécialisée en retouche d'image, par exemple, offrira un service haut de gamme en la matière, mais cette qualité supplémentaire peut avoir un coût. Si vous n'avez pas besoin d'une retouche d'image de haute qualité, vous pourrez faire des économies en utilisant un prestataire non spécialisé dans ce domaine.

DÉLAI DE LIVRAISON ET SÉCURITÉ DE LIVRAISON 16.2.3

De combien de temps un prestataire a-t-il besoin pour accomplir certains services ? Plus l'exécution est rapide, plus elle a tendance à coûter cher. Demandez également si la société garantit ses livraisons. Les livraisons garanties peuvent être essentielles dans certains cas, par exemple pour les publicités qui sont tenues à des dates limites.

CAPACITÉ 16.2.4

Si vous devez produire à grande échelle sur une période restreinte, il est important de savoir à l'avance si votre prestataire dispose de ressources suffisantes en main-d'œuvre et en matériel et de l'expérience requise pour traiter ce type de production.

TRAVAILLER AVEC VOTRE PRESTATAIRE DE SERVICES 16.2.5

Comment la société est-elle organisée ? Y a-t-il un interlocuteur particulier avec qui vous communiquerez au sujet de votre projet ? Cette personne sera-t-elle toujours la même ou changera-t-elle en fonction des missions ? Ces questions sont importantes pour déterminer quel type de service vous pouvez attendre et comment vous serez traité en tant que client.

PROXIMITÉ 16.2.6

Le plus gros avantage de travailler avec un prestataire à proximité immédiate est souvent l'économie de temps, particulièrement s'il est important de respecter des délais courts. Si vous avez plus de souplesse au niveau des délais de livraison, il peut être financièrement plus avantageux de faire appel à un prestataire situé en dehors des grandes agglomérations, car ses coûts de fonctionnement seront probablement moindres. Si vous choisissez un prestataire de services loin de chez vous, il faut être conscient qu'il sera peut-être difficile d'être présent pour le calage ou de prendre des décisions rapides si des problèmes surviennent, par exemple.

HEURES D'OUVERTURE ET DISPONIBILITÉ 16.2.7

Quelles sont les heures d'ouverture de la société ? Quand et combien de temps vos interlocuteurs sont-ils disponibles ? Travaillent-ils en équipe ? Si vous avez besoin d'un service en dehors des heures de travail, est-ce une option envisageable ? Les réponses à ces questions peuvent influencer la capacité et les délais de livraison. Par exemple, une société qui travaille en 2 × 8 ou en 3 × 8 peut produire un volume plus conséquent et offrir des délais de livraison plus courts.

RÉFÉRENCES 16.2.8

Demandez des références. Demandez des échantillons de productions réalisées par la société. Correspondent-ils au type de production que vous attendez ? Demandez le nom et le numéro de téléphone d'autres clients qui ont fait appel à cette société et interrogez-les sur leurs relations de travail avec ce prestataire.

La réussite d'une production graphique repose largement sur la coopération et la communication. Faites tout pour bien connaître votre prestataire de services et communiquez fréquemment avec lui pendant votre production. En production graphique, le choix d'un partenaire implique souvent le début d'une relation qui durera plusieurs années. Changer de prestataire de services peut engendrer des coûts non prévus au démarrage et l'établissement d'une nouvelle relation peut prendre du temps.

En plus des facteurs ci-dessus, il y a plusieurs autres points à prendre en considération lors du choix d'un partenaire de production, et notamment les points passés en revue ci-après.

SOCIÉTÉ 16.2.9

La société a-t-elle l'air stable ? A-t-elle une réputation solide dans le secteur ? Quelle est la structure capitalistique de la société ? Envisagez-vous une relation à long terme avec cette société ?

TAILLE ET RESSOURCES 16.2.10

Quelle est la taille de la société ? Les connaissances des différentes étapes du processus de plusieurs employés se recoupent-elles ? Quelle est la vulnérabilité de la société si des salariés sont malades ou en congé ?

POLITIQUES DES SOCIÉTÉS 16.2.11

Quels politiques et accords ont été convenus entre le client et le prestataire de services ? Quelles politiques industrielles la société met-elle en œuvre ? Y a-t-il d'autres accords ou politiques qu'il faut connaître pour travailler avec cette société ? Les politiques d'une société en termes de livraison, d'assurance qualité et de droits d'auteur sont des questions qu'il faut bien connaître.

FACTURATION 16.2.12

Quelles sont les politiques de facturation appliquées par la société ? Quelles sont les conditions de paiement ?

TRAVAIL DE QUALITÉ 16.2.13

Comment la société s'assure-t-elle de la qualité de ses produits ? Que fait-elle pour maintenir et améliorer la qualité de ses produits ?

QUESTIONS ENVIRONNEMENTALES 16.2.14

La société est-elle sensibilisée aux questions d'environnement ? Comment répond-elle aux problèmes liés à l'environnement ?

L'AVENIR 16.2.15

Quelles sont les prévisions de croissance de la société ? Quels services envisage-t-elle de fournir à l'avenir ? Comment la société assure-t-elle sa pérennité ? Ces questions peuvent être très importantes, car l'industrie graphique traverse une période de grands changements.

OBTENIR UN DEVIS 16.3

Lorsque vous demandez un devis à un prestataire de services graphiques, il est important de spécifier toutes les informations concernant le produit souhaité. Sinon, les coûts peuvent être largement dépassés et des retards s'accumuler, avec pour résultat un produit imprimé qui ne ressemble pas à ce que vous attendiez. Voici plusieurs listes de contrôle que vous pouvez utiliser lorsque vous demandez un devis pour différents types de services graphiques. Elles contiennent des exemples des informations nécessaires pour obtenir un devis complet pour chaque service, et peuvent être combinées si vous demandez plusieurs services différents à un même prestataire.

SERVICES DE PRÉPRESSE ^{16.3.1}

Services de prépresse pour lesquels vous pouvez demander un devis :
- production de différents types de documents originaux ;
- scannérisation et retouche d'image, correction des couleurs ;
- fichiers prêts à imprimer (par ex. PDF ou PostScript) ou rastérisation, sortie sur film et épreuve, imposition éventuelle.

Voici une version courte de la liste de contrôle et des points importants :

Informations d'ordre général

• Exigences de qualité

Annoncez comment le produit imprimé est censé être utilisé et exprimez vos exigences de qualité. Il est important d'être clair à ce sujet afin que tout le monde soit d'accord sur le niveau de qualité du produit fini que vous attendez.

• Type d'ordinateur et de programmes (Macintosh/Windows)

Indiquez les logiciels et les versions de programme que vous avez utilisés pour créer vos originaux et si les documents que vous soumettez sont au format Macintosh ou Windows. Le prestataire de services doit avoir des matériels et des logiciels compatibles pour être en mesure d'effectuer les travaux.

• Format et volume du produit imprimé

Le nombre de pages et le format du produit conditionnent directement le nombre de films et/ou de plaques à utiliser. Souvent, le coût de la rastérisation et de la sortie sur film/plaque est défini par film/plaque et le calage de fichiers prêts à flasher en fonction du nombre de pages imposées. Le nombre de pages affecte donc directement le coût du document original. Parfois, les imprimeurs proposent un coût forfaitaire par page, qui inclut la scannérisation des images, la retouche, les épreuves et la sortie sur film/plaque.

• Quelle linéature doit être utilisée pour l'impression ?

La linéature est un élément important qui peut influencer le prix chez certains prestataires de services. Le choix de la linéature est déterminé par la méthode d'impression, le type de machine à imprimer et le choix du papier. Le choix du papier peut être déterminé à son tour par le type de finition choisi.

• Le document numérique doit-il être archivé ?

Certaines sociétés proposent un archivage numérique des documents ou des images en vue d'une réutilisation ultérieure, mais ne croyez pas que ce soit automatique, il faudra peut-être le leur demander expressément. Pensez également à vérifier de votre côté les droits d'auteur relatifs au texte et aux images utilisés dans le cadre de votre projet afin de vous assurer qu'ils peuvent être archivés en toute légalité.

• Livraison (par coursier, par voie postale, par voie électronique) et adresse de livraison

Comment le produit fini doit-il être livré ? Par exemple, vous sera-t-il livré sous forme de jeux d'images numériques, et si oui, quelle en sera la résolution ? Si vous voulez de la haute résolution, vous devrez spécifier si elles doivent être en RVB ou converties en CMJN. Vous voudrez peut-être des documents numériques complets avec des images haute résolution, des fichiers prêts à flasher ou des films. Vous devrez également spécifier le mode physique de livraison du projet, par exemple par coursier, par la poste ou par Internet, et à qui il doit être livré (si plusieurs personnes doivent le recevoir, par exemple).

• *Délai de livraison*
Avec quelle rapidité la société peut-elle exécuter votre projet ? Gardez bien à l'esprit qu'il peut y avoir des frais supplémentaires de traitement en urgence.

INFORMATIONS SUR LE DOCUMENT ORIGINAL

• *Type de document original*
Vous devez spécifier quel document original est requis. Il peut s'agir d'une épreuve d'un document existant, de la typographie d'un document existant ou d'ajustements linguistiques en fonction de gabarits prédéfinis. Il est également possible de réaliser une maquette originale à partir d'un croquis ou de partir de zéro, y compris pour le dessin.

• *Type de manuscrit*
Dans quel format le manuscrit doit-il être livré, numérique ou sur papier ? S'il doit être numérique, spécifiez le format du fichier.

• *Épreuve (quel type ? combien ? diffusée de quelle manière, où et quand ?)*
Dans quel format l'épreuve doit-elle être livrée : impression laser, couleur ou noir et blanc ? Les épreuves doivent-elles être livrées par coursier, par la poste, par Internet, etc. ? Si elles sont livrées par voie électronique, dans quel format ? PDF ou autre ? Le prix comprend-il assez d'exemplaires d'épreuves pour en envoyer à tous ceux qui en ont besoin ?

INFORMATIONS SUR LES IMAGES

• *Types d'images (noir et blanc, couleurs)*
Les images en noir et blanc et les dessins au trait coûtent généralement moins cher à scanner que les images en couleurs (environ moitié moins).

• *Images numériques, quel format ?*
Si vous donnez des images numériques au prestataire, il faut spécifier leur format. La conversion d'images RVB en CMJN entraîne des frais supplémentaires.

• *Taille finale de l'image et nombre d'images devant être scannées*
Il est important de spécifier le nombre des images à scanner. La taille finale des images à scanner influence le prix et, pour certaines sociétés, la résolution de la scannérisation est également un facteur de détermination du prix. Bien que ce soit difficile, il faut essayer d'estimer la taille des images dont vous avez besoin avant la production, pour pouvoir en estimer le coût.

• *Éditions d'image (détourages, retouches ou ombres), combien, quel degré de complexité ?*
Le coût des détourages, des retouches et d'autres interventions sur les images diffère selon la société. Certaines offrent un prix basé sur un coût par masque ou par retouche, alors que d'autres facturent un taux horaire. Il peut être judicieux de décrire les détourages ou les retouches dont vous avez besoin, afin d'aider le prestataire à évaluer la complexité du service demandé. Par exemple, il faut plus de temps pour créer un masque de détourage autour d'une silhouette complexe comme celle d'un sapin que pour un objet simple comme un ballon.

• *Utilisation (recyclage) d'images archivées*
Parmi les images que vous voulez utiliser pour un projet, certaines ont-elles déjà été archivées par ce prestataire de services ? Si oui, spécifiez celles que vous voulez réutiliser, ainsi que le nombre total des images réutilisées.

INFORMATIONS SUR LA RASTÉRISATION, LA SORTIE D'ÉPREUVES, L'IMPOSITION ÉVENTUELLE
• *Nombre de couleurs pour imprimer le produit*
Le nombre de couleurs utilisées pour l'impression a un impact direct sur le nombre de plaques à produire.

• *Pages distinctes ou imposées*
Certaines sociétés de prépresse proposent une imposition numérique en différents formats. Elles peuvent réaliser une imposition sur ordinateur en fonction du format de machine à imprimer prévu. Il faut vérifier avec l'imprimeur si cette solution permet une économie à son niveau.

• *Nombre de jeux de films*
Si vous imprimez un nombre de pages identiques sur une même feuille, pour une imposition en 4 poses par exemple, et que vous comptez utiliser des films pour produire les plaques d'impression, il vous faudra quatre jeux de films identiques.

• *Contrôle ou ajustement de la défonce, du grossi-maigri et/ou surimpressions*
Si vous essayez de faire vous-même le grossi-maigri (trapping), vous courez le risque de ne pas obtenir une impression avec des recouvrements adéquats. Il est donc recommandé de faire appel à un prestataire pour effectuer les opérations requises [voir « Préparation des documents » 6.7]. Si vous ne savez pas si votre projet doit faire l'objet de ce type de traitements, demandez à votre prestataire de services d'examiner les documents avec vous pour définir vos attentes.

• *Types de trames (AM ou FM)*
Vous devrez indiquer au prestataire si vous voulez imprimer avec un tramage classique (AM) ou aléatoire (FM), ou plus évolué. Les prestataires n'offrent pas tous les mêmes possibilités de tramage, selon les matériels dont ils sont équipés. Les tramages FM ou plus évolués sont généralement un peu plus chers que les tramages AM [voir « Sortie » 9.1].

• *Types d'épreuves (numériques ou analogiques)*

Les épreuves sont une autre question importante. La plupart des sociétés fournissent des épreuves numériques (Cromalin, Pictro-proof, Agfa Sherpa, etc.) des fichiers qu'elles livrent. Pour certains travaux haut de gamme, il peut être utile de demander des épreuves analogiques, sachant cependant que l'on reste limité au papier fourni par le fabricant du système d'épreuvage. Il faut également savoir que la qualité des épreuves varie selon le système utilisé et selon la manière dont il est calibré. Il est important de se rapprocher de l'imprimeur afin de vérifier les critères d'épreuvage qu'il pourrait exiger pour assurer la reproductibilité en machine à imprimer des épreuves fournies. Des systèmes de certification d'épreuves, assortis de gammes de contrôle normalisées, permettent d'améliorer la prédictabilité du rendu final à l'impression. Le coût d'épreuves certifiées de qualité professionnelle est supérieur et vous devez donc évaluer si cette solution est adaptée au type de votre projet. Parfois, une épreuve laser ou sur imprimante à jet d'encre simple peut suffire.

Pour certains travaux de qualité, on peut effectuer ce que l'on appelle une épreuve d'annonce. Il s'agit d'une véritable impression offset, réalisée sur une machine à essais, et son coût est considérablement plus élevé que n'importe quel autre type d'épreuve [voir « Contrôle et épreuvage » 10.6].

SERVICES D'IMPRESSION 16.3.2

Les services fournis par l'imprimeur comprennent :
• Production des plaques
• Impression
• Fourniture du papier

Volume, édition, format et nombre d'encres d'impression

Ces informations vous permettent de savoir rapidement si une imprimerie est celle qui convient pour votre production, si la machine à imprimer et le nombre de groupes d'encrage sont adéquats. En principe, le choix de la machine à imprimer est déterminé d'un point de vue financier.

Si votre produit comporte plus d'une, deux ou quatre pages, il est plus sage de choisir un nombre de pages pouvant être divisé par le nombre de pages qui tiennent sur une feuille de papier pour une machine à imprimer donnée, par exemple 8 pages A4 sur une feuille de 52 × 72 cm. Gardez à l'esprit que les coûts de lancement d'un travail d'impression sont souvent élevés. Demandez combien coûte l'impression de 100 ou 1 000 exemplaires supplémentaires, par exemple. Il est parfois plus rentable d'imprimer en plus grande quantité. Quand vous choisissez un format, le fait de rester le plus près possible des tailles standards permises par votre projet vous permettra d'exploiter le papier de la manière la plus optimale possible.

Gardez à l'esprit que la plupart des machines à imprimer possèdent un, deux ou quatre groupes d'encrage et que les productions dont le nombre de couleurs diffère de celui des groupes d'encrage entraînent souvent des coûts supplémentaires. L'utilisation d'encres d'impression autres que cyan, magenta, jaune ou noir, des couleurs Pantone par exemple, peut également augmenter le coût de votre production, car elle requiert le nettoyage de la presse lors du changement d'encres. Une production en quadrichromie assortie d'un ton Pantone et d'un vernis sélectif, par exemple, sera généralement plus économique à réaliser chez un imprimeur équipé d'une machine six groupes (un pour chaque couleur quadri, un pour le Pantone et un groupe vernis en ligne).

Éléments à fournir

L'imprimeur demande-t-il des fichiers numériques, des films ou un film déjà imposé ?

Choix du papier

Le papier est souvent une grosse dépense dans la fabrication d'un produit imprimé et tous les types de papier ne conviennent pas à toutes les machines à imprimer. Il faut donc discuter au préalable du choix du papier avec l'imprimeur, même si vous avez déjà décidé du type de papier. Il peut également être avantageux de demander si l'imprimeur peut proposer un meilleur prix sur un papier similaire. Les imprimeries bénéficient souvent d'accords divers avec les fournisseurs de papier et le prix de papiers similaires peut varier de façon significative entre différentes sociétés. Le papier couché offre une surface de meilleure qualité et peut accepter une linéature plus élevée, mais il est aussi un peu plus cher [voir « Le papier » 12.4.1].

ORGANISATION DE LA LIVRAISON

Spécifiez si vous voulez ou non inclure les coûts de livraison dans le devis. Sinon, vous devrez prendre en charge la livraison. Toutefois, la plupart des imprimeries peuvent vous aider pour la livraison.

DÉLAI DE LIVRAISON

De combien de temps le fabricant a-t-il besoin pour réaliser la production ? Des frais de traitement urgent sont-ils appliqués si vous avez besoin de la livraison avant la date convenue ?

SERVICES DE FINITION 16.3.3

Les services de finition comprennent :
* Le rognage
* Le pliage
* La brochure/reliure

Dans les paragraphes qui suivent, nous allons regarder de plus près la liste de contrôle et l'impact des différents facteurs sur la production.

Volume, édition, format et remise des documents

Le prix des services de finition est basé sur les coûts initiaux de calage, sur les calages ultérieurs et sur le coût par unité traitée. Le nombre de pages et l'imposition des pages déterminent le nombre de calages nécessaires au cours de la finition. Moins les feuilles peuvent contenir de pages et plus le produit imprimé comporte de pages, plus le nombre de calages requis augmente. Le volume, à son tour, influence le coût unitaire.

▶ **LISTE DE CONTRÔLE POUR LA DEMANDE DE DEVIS DE SERVICES D'IMPRESSION**

Les informations suivantes sont-elles incluses ?

☐ **Volume (nombre de pages)**

☐ **Tirage**

☐ **Format**

☐ **Type de services de finition**

☐ **Exigences de format**

☐ **Organisation de la livraison**

☐ **Délai de livraison**

Types de finition

Le volume et le choix du papier déterminent le choix des solutions de brochure/reliure appropriées, dont le coût varie selon le type choisi [voir « Finition », page 245].

Organisation de la livraison

Spécifiez si les coûts de livraison doivent être inclus ou non dans le devis. Sinon, vous devez prendre en charge la livraison.

Délai de livraison

De combien de temps la société a-t-elle besoin pour terminer votre commande ? Des frais de traitement en urgence sont-ils appliqués si vous avez besoin de la livraison avant votre date limite ?

PLANIFIER UNE PRODUCTION GRAPHIQUE 16.4

Une fois les devis reçus et les prestataires de services choisis, il faut planifier la production. Une production graphique peut être très difficile à planifier. Des problèmes inattendus apparaissent constamment et il existe peu de mesures objectives de ce qui est bon ou mauvais. Une grande partie de la production est basée sur des séries de contrôles jusqu'à ce que toutes les parties concernées soient satisfaites. La communication et la compétence professionnelle sont cruciales pour réussir une relation de travail. Il est très avantageux que les parties en présence se connaissent bien et qu'elles connaissent également leurs exigences et leurs attentes mutuelles.

Toutefois, ce n'est pas parce qu'il est difficile de planifier une production graphique que vous pouvez vous en passer ! C'est précisément pour cette raison qu'il faut passer beaucoup de temps à préparer et à planifier. Il y a certaines choses importantes à prendre en considération avant d'établir le planning d'un projet.

ORGANISATION DU PROJET 16.4.1

Avant de commencer, il est important d'avoir une idée claire de qui doit faire quoi. C'est ce que l'on appelle parfois l'organisation d'un projet, ou planning. Le planning du projet répond aux questions suivantes :

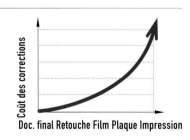

▶ **COÛT DES ERREURS**
Une erreur coûte toujours de l'argent. Plus l'erreur est découverte et corrigée tôt dans la production, moins elle coûte cher.

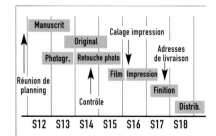

▶ **PLANNING DE PRODUCTION**
Les plannings de production sont des outils utiles à la maîtrise de votre projet.

- Qui est responsable du projet ? Avez-vous suffisamment d'expérience ou quelqu'un d'autre doit-il gérer les choses ?
- Qui sont toutes les personnes qui vont travailler sur le projet ? Qui est responsable de quoi ? Qui doit contrôler les textes, les images, la conception, le contenu et la fonction ?
- Qui d'autre doit rester informé durant le projet ?
- Comment pouvez-vous garantir le respect des normes de qualité et des délais ?
- De quels partenaires avez-vous besoin pour accomplir le projet ?
- Que pouvez-vous faire vous-même et sur quoi avez-vous besoin d'aide ? Qu'attendez-vous de vos partenaires ?
- Avez-vous déjà établi des contacts dans tous les domaines concernés ou devez-vous le faire en premier lieu ?

Les plannings de production sont des outils utiles pour gérer des projets. Le planning doit être réalisé rétrospectivement, en partant de la date limite de réalisation du projet. C'est pour cette raison que l'on parle de rétro-planning. Déterminez combien de temps va prendre chacune des phases du projet. Allouez du temps pour la livraison, pour les livraisons partielles, pour les cycles d'épreuvage/correction et ajoutez un peu de temps comme marge de sécurité. Vous serez sûrement amené à en avoir besoin dans certaines situations.

Il est important de garder une période suffisante pour les révisions et les tirages d'épreuves. Plus vous êtes avancés dans la production quand vous découvrez une erreur, plus il est coûteux de la réparer.

FLUX DES ÉLÉMENTS ET DES INFORMATIONS 16.5

1. Phase stratégique
2. Phase créative
3. Production des originaux
4. Production des images
5. Sortie/rastérisation
6. Épreuves
7. Plaques et impression
8. Finition
9. Distribution

Les phases sont classées selon leur fonction. Elles sont toutes uniques et il est important de planifier chaque phase avant son exécution. Chaque étape est liée à l'exécution des étapes précédentes et des suivantes. En conséquence, un transfert précis des éléments et des informations nécessaires d'une étape à l'autre est essentiel pour parvenir au résultat souhaité. Chaque déviation du flux d'information planifié compromet la qualité. Une bonne maîtrise de la totalité du processus de production est nécessaire, même si vous n'êtes impliqué que dans quelques-unes ou une seule des étapes mentionnées ci-dessus. Aujourd'hui, le flux des informations au cours du processus de production graphique peut être très complexe. Comme chaque phase du processus est affectée par les autres et les influence elle-même, les personnes responsables de chaque phase doivent recevoir et transmettre des informations précises pour que tout fonctionne correctement. Des productions différentes auront des exigences différentes, ce qui explique la grande diversité des plannings de production. Par exemple, les participants ne seront pas toujours impliqués

1	2	3	4	5	6	7	8	9
PHASE STRATÉGIQUE	PHASE CRÉATIVE	PRODUCTION DES ORIGINAUX	PRODUCTION DES IMAGES	SORTIE/ RASTÉRISATION	ÉPREUVES	PLAQUES + IMPRESSION	FINITION	DISTRIBUTION
PHASE CONCEPTUELLE		PRODUCTION CRÉATIVE		PRODUCTION INDUSTRIELLE				

▶ **LES NEUF PHASES DE LA PRODUCTION GRAPHIQUE**
La production graphique peut être divisée en neuf phases. Les deux premières impliquent le développement du concept créatif. Les deux suivantes couvrent la mise en œuvre du concept et ses éventuelles modifications. Les cinq dernières étapes sont de nature plus technique et dépendent donc des décisions prises en amont.

au même endroit dans la chaîne de production. Le lieu où une phase particulière du projet est réalisée peut changer d'un projet à l'autre en fonction du type de produit imprimé souhaité. Du fait de l'implication de différentes personnes et de différentes sociétés, il n'est pas possible de partir du précepte que « le prestataire de prépresse est toujours responsable de ceci ou de cela » ou que « l'imprimerie est toujours responsable de ceci ou de cela ». C'est pourtant cette façon de voir les choses qui prédomine encore dans l'industrie graphique et qui est à l'origine de nombreux malentendus. Une bonne manière de définir l'étendue des différentes responsabilités est de diviser toute la chaîne de production en fonctions et en phases distinctes, comme nous l'avons fait plus haut. Vous pouvez ensuite savoir qui est responsable de quelle(s) fonction(s) dans chaque cas.

Une société peut souvent traiter plusieurs phases de la production. Peu importe quelles fonctions elle peut traiter, cela peut varier d'un travail à l'autre. La chose la plus importante, c'est que vous sachiez quelles responsabilités comporte chaque phase. Les responsabilités associées à chacune des phases de production sont quasiment toujours les mêmes, quelle que soit la personne qui les assume.

Lorsque nous avons divisé la chaîne de production selon ses fonctions, nous avons volontairement omis de spécifier exactement d'où provenaient les informations, car cela peut en effet varier d'un cas à l'autre. Pour que la diffusion de l'information et la coordination entre les différents acteurs impliqués dans une production graphique soient optimales, il faut que quelqu'un gère le processus et ait une vue d'ensemble de toute la production. Un chef de projet doit être compétent dans tous les domaines de la production graphique pour être à même de coordonner le flux des informations et des éléments.

Les informations et les éléments transférés d'une étape à l'autre doivent être précis et organisés. Il est important de prendre le temps de tout mettre par écrit afin que tout le monde sache ce qui se passe et éviter tout malentendu. Outre les informations spécifiques à la phase de production, des informations générales sur le projet doivent être ajoutées. Dans les pages suivantes, nous allons examiner le flux des informations et des éléments tout au long du processus de production graphique, ainsi que les listes de contrôle de tout ce qui doit être inclus dans la transmission d'éléments graphiques d'une phase à la suivante.

▶ PHASE 1 – PHASE STRATÉGIQUE

INFORMATIONS ENTRANTES
Objectif/groupe cible
But

INFORMATIONS SORTANTES
Combien le produit imprimé
peut-il coûter ?
Quel type de produit imprimé
doit être fabriqué ?
Tirage
Type de livraison
Délai de livraison

ÉLÉMENTS ENTRANTS
–

ÉLÉMENTS SORTANTS
Liste d'adresses (si les produits
sont distribués)

▶ PHASE 2 – PHASE CRÉATIVE

INFORMATIONS ENTRANTES
Combien le produit imprimé
peut-il coûter ?
Quel type de produit imprimé
doit être fabriqué ?
Délai de livraison

INFORMATIONS SORTANTES
Papier
Finition
Format
Encres d'impression (CMJN ou
Pantone)
Typographie

ÉLÉMENTS ENTRANTS
–

ÉLÉMENTS SORTANTS
Dessins
Images originales
Textes

▶ PHASE 3 – PRODUCTION DES ORIGINAUX

INFORMATIONS ENTRANTES
Informations d'impression (pro-
cédé d'impression, linéature,
couverture d'encre maximale,
engraissement du point, balance
des gris, UCR/GCR, profil ICC,
etc.)
Encres d'impression (CMJN ou
Pantone)
Papier
Finition
Typographie
Format
Fausses doubles-pages
Réglages d'encre
Valeurs de trapping
Dimension des fonds perdus
Format de fichier souhaité
Délai de livraison

INFORMATIONS SORTANTES
Dimension des images à l'im-
pression
Recadrage d'images
Détourage d'images (avec ou
sans masque)
Informations sur le trapping ou
trapping souhaité pour les
fichiers
Retouches
Corrections des couleurs
Nombre de pages

ÉLÉMENTS ENTRANTS
Textes
Images originales
Dessins
Images basse résolution
Épreuve des images

ÉLÉMENTS SORTANTS
Impression laser
Fichiers (via Internet ou autre
support de stockage)
Documents originaux

PHASE 4 – PRODUCTION DES IMAGES

INFORMATIONS ENTRANTES

Informations d'impression (procédé d'impression, linéature, couverture d'encre maximale, engraissement du point, balance des gris, UCR/GCR, profils ICC, etc.)
Dimension des images à l'impression
Recadrage d'images
Détourage d'images (avec ou sans masques)
Retouches
Corrections des couleurs
Encres d'impression (CMJN ou Pantone)
Papier
Format de fichier souhaité
Procédé d'impression
Exigences de qualité
Délai de livraison

INFORMATIONS SORTANTES

–

ÉLÉMENTS ENTRANTS

Documents originaux (transparents, opaques, etc.)

ÉLÉMENTS SORTANTS

Images basse résolution
Images haute résolution
Épreuve d'images

PHASE 5 – SORTIE/RASTÉRISATION

INFORMATIONS ENTRANTES

Linéature, type et angles de trame
Forme des points de trame
Film néga/posi, émulsion haut/bas
Format et nombre de pages
Encres d'impression (CMJN ou Pantone)
Profils ICC
Nombre de jeux de films
Informations sur le trapping
Valeurs de trapping
Délai de livraison
Format d'impression (imposition)
Type d'imposition, gabarit d'imposition (imposition)
Prises de pinces – pour impression et finition (imposition)
Emplacement de la gamme de contrôle des couleurs
Papier – compensation de la chasse (imposition)

INFORMATIONS SORTANTES

Format de fichier souhaité
Réglages d'encre (imposition)
Fausses doubles-pages (imposition)
En cas de films : nombre de jeux (imposition)

ÉLÉMENTS ENTRANTS

Impression laser
Fichiers (type de transmission)
Films (imposition manuelle) ou fichiers (imposition numérique)
Images haute résolution

ÉLÉMENTS SORTANTS

Fichiers ou films
Fichiers ou films montés (imposition)
Gabarit d'imposition (imposition)

PHASE 6 – ÉPREUVES

INFORMATIONS ENTRANTES

Informations d'impression (procédé d'impression, linéature, couverture d'encre maximale, engraissement du point, balance des gris, UCR/GCR, profils ICC, etc.)
Encres d'impression (CMJN ou Pantone)
Papier
Délai de livraison

INFORMATIONS SORTANTES

–

ÉLÉMENTS ENTRANTS

Fichiers (épreuves numériques)
Films

ÉLÉMENTS SORTANTS

Épreuves
Fichiers (épreuves numériques)
Films

▶ PHASE 7 – PLAQUES D'IMPRESSION ET IMPRESSION

INFORMATIONS ENTRANTES
Papier
Encres d'impression (CMJN ou Pantone)
Tirage (livraison finale)
Passe (de la finition)
Délai de livraison

INFORMATIONS SORTANTES
Informations d'impression (procédé d'impression, linéature, couverture d'encre maximale, engraissement du point, balance des gris, UCR/GCR, profil ICC, etc.)
Linéature, type et angles de trame
Forme des points de trame
Valeurs de trapping
Film néga/posi, émulsion haut/bas
Format d'impression
Prises de pinces (emplacement et taille)
Emplacement de la gamme de contrôle des couleurs

ÉLÉMENTS ENTRANTS
Épreuves
Films
Papier
Gabarit d'imposition

ÉLÉMENTS SORTANTS
Feuilles de l'imprimeur
Feuilles de l'imprimeur pliées selon le gabarit d'imposition

▶ PHASE 8 – FINITION

INFORMATIONS ENTRANTES
Informations entrantes
Format
Nombre de pages
Tirage
Méthode de reliure
Procédé d'impression
Délai de livraison

INFORMATIONS SORTANTES
Dimension des fonds perdus
Type d'imposition (gabarit d'imposition possible)
Prises de pinces (emplacement et taille)
Gâche

ÉLÉMENTS ENTRANTS
Feuilles de l'imprimeur
Feuilles de l'imprimeur pliées selon le gabarit d'imposition

ÉLÉMENTS SORTANTS
Produits imprimés complets

▶ PHASE 9 – DISTRIBUTION

INFORMATIONS ENTRANTES
Organisation de la livraison
Délai de livraison

INFORMATIONS SORTANTES
–

ÉLÉMENTS ENTRANTS
Liste d'adresses (si distribution ou routage)
Produits imprimés complets

ÉLÉMENTS SORTANTS
Produits imprimés emballés et adressés

LISTES DE CONTRÔLE

▶ INFORMATIONS GÉNÉRALES

Informations qui doivent être incluses dans toutes les phases de la production :

- ☐ Quelle entreprise est le client ?
- ☐ Qui a passé la commande ?
- ☐ Autres contacts, le cas échéant
- ☐ Numéro de téléphone
- ☐ Interlocuteur chez le prestataire de services
- ☐ Numéro de commande
- ☐ Intitulé de la production
- ☐ Adresse de facturation (si différente de celle du client
- ☐ Adresse de livraison
- ☐ Délai
- ☐ Liste des éléments à remettre

▶ PHASE CRÉATIVE

Les informations suivantes doivent être incluses dans la commande des documents originaux :

INFORMATIONS SUR LA PRODUCTION

- ☐ Quel type de produit imprimé doit être fabriqué
- ☐ Combien le produit imprimé peut-il coûter ?
- ☐ Quel message le produit imprimé doit-il délivrer ?
- ☐ À qui ce message doit-il être délivré ?
- ☐ Le produit imprimé doit-il s'en tenir à un profil graphique particulier ?
- ☐ Quels canaux de diffusion doivent être utilisés ?

▶ PRODUCTION DES ORIGINAUX

Les informations suivantes doivent être incluses dans la commande des documents originaux :

INFORMATIONS SUR LA PRODUCTION

- ☐ Procédé d'impression
- ☐ Volume
- ☐ Linéature
- ☐ Couverture d'encre maximale
- ☐ Valeurs de trapping
- ☐ Nombre de couleurs dans le produit imprimé
- ☐ Papier
- ☐ Finition
- ☐ Typographie
- ☐ Format
- ☐ Fausses doubles-pages
- ☐ Réglages d'encre
- ☐ Dimension des fonds perdus
- ☐ Format de fichier souhaité

▶ PRODUCTION DES IMAGES

Les informations suivantes doivent être incluses dans la commande des images :

INFORMATIONS SUR LA PRODUCTION

- ☐ Nombre d'images
- ☐ Procédé d'impression
- ☐ Linéature
- ☐ Couverture d'encre maximale
- ☐ Engraissement du point ou profil ICC
- ☐ Balance des gris ou profil ICC
- ☐ UCR/GCR
- ☐ Plus petit point d'impression
- ☐ Dimension des images à l'impression
- ☐ Recadrage d'images
- ☐ Détourage d'images (combien, quel type, avec ou sans masques)
- ☐ Retouches
- ☐ Corrections des couleurs
- ☐ Papier
- ☐ Format de fichier souhaité
- ☐ Exigences de qualité

LISTES DE CONTRÔLE

▶ SORTIE/RASTÉRISATION

Les informations suivantes doivent être incluses dans la commande de la sortie/rastérisation :

INFORMATIONS SUR LA PRODUCTION

- ☐ Linéature
- ☐ Type de trame
- ☐ Angles de trame
- ☐ Forme des points de trame
- ☐ Profil ICC
- ☐ Film (néga/posi, émulsion haut/bas)
- ☐ Format
- ☐ Nombre de pages
- ☐ Nombre de couleurs dans le produit imprimé
- ☐ Nombre de jeux de films
- ☐ Informations sur le trapping ou trapping souhaité pour les fichiers
- ☐ Valeurs de trapping
- ☐ Plate-forme informatique (Windows ou Macintosh)
- ☐ Logiciels

▶ ÉPREUVES

Les informations suivantes doivent être incluses dans la commande des épreuves :

INFORMATIONS SUR LA PRODUCTION

- ☐ Linéature (épreuves numériques)
- ☐ Engraissement du point ou profil ICC
- ☐ Balance des gris ou profil ICC (épreuve numérique)
- ☐ Densité optimale à l'impression (épreuve numérique)
- ☐ Papier

▶ FINITION

Les informations suivantes doivent être incluses dans la commande des services de finition :

INFORMATIONS SUR LA PRODUCTION

- ☐ Format
- ☐ Nombre de pages
- ☐ Tirage
- ☐ Méthode de reliure
- ☐ Procédé d'impression

▶ PLAQUES D'IMPRESSION ET IMPRESSION

Les informations suivantes doivent être incluses dans la commande de l'impression :

INFORMATIONS SUR LA PRODUCTION

- ☐ Papier
- ☐ Nombre de couleurs dans le produit imprimé
- ☐ Tirage (pour la livraison finale)
- ☐ Passe (pour la finition)

▶ DISTRIBUTION

Les informations suivantes doivent être incluses dans la définition de la livraison :

INFORMATIONS SUR LA PRODUCTION

- ☐ Type de livraison
- ☐ Type d'emballage
- ☐ Adressage

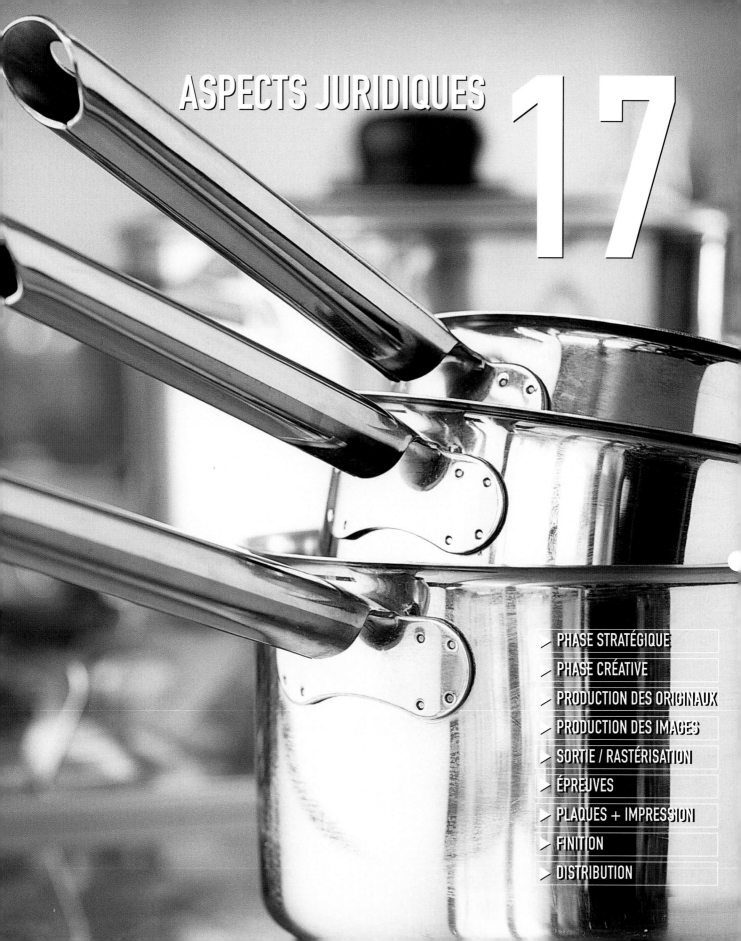

ASPECTS JURIDIQUES

17

CHAPITRE 17 ASPECTS JURIDIQUES

Le Code de la propriété intellectuelle (CPI) couvre des domaines aussi étendus que le droit d'auteur, le droit des marques, les brevets d'invention, les dessins et modèles, etc. Nous allons traiter dans ce chapitre des règles du droit d'auteur, qui constituent le cadre juridique applicable à la création littéraire et artistique.

Manuela Dournes, juriste spécialisée en propriété intellectuelle et édition

Les intervenants de la chaîne graphique ne peuvent aujourd'hui ignorer les règles qui découlent de ce dispositif. Ils doivent aussi suivre l'évolution complexe du droit à l'heure de la mondialisation et de la révolution numérique. Contrairement à ce que certains pensent cette évolution n'est pas génératrice d'un vide juridique. En effet, les bases solides élaborées progressivement depuis plus de deux siècles n'ont pas fondamentalement été remises en cause.

Les traités internationaux, notamment la convention de Berne sur la protection des œuvres littéraires et artistiques ratifiée par environ 150 pays, ainsi que la jurisprudence dont le rôle est prépondérant dans l'application et l'interprétation des textes dans le temps et dans l'espace, confortent cette évolution.

En outre, on relève depuis plusieurs années une convergence entre les systèmes de protection applicables tant en Europe (droit continental) qu'en Amérique du Nord et dans les pays dits de common law (régime du copyright, voir encadré). Ainsi, en France comme aux États-Unis, les tribunaux sanctionnent sévèrement les contrefacteurs…

CRITÈRES DE PROTECTION DES ŒUVRES 17.1

ABSENCE DE FORMALITÉS 17.1.1

L'article L.111-1 du code de la propriété intellectuelle, reprenant le principe posé par la convention de Berne, dispose que « *l'auteur d'une œuvre de l'esprit jouit sur cette œuvre, du seul fait de sa création, d'un droit de propriété incorporelle exclusif et opposable à tous* ».

Aucune formalité n'est donc requise pour assurer la protection des intérêts moraux et pécuniaires des auteurs. En revanche, dans quelques pays, aujourd'hui minoritaires, des formalités sont parfois exigées pour assurer la protection (enregistrement, dépôt).

En France, le dépôt légal obligatoire à la Bibliothèque nationale de France et au ministère de l'Intérieur n'a d'autre raison d'être que l'information et le contrôle et ne constitue aucunement une condition de jouissance des droits d'auteur, ni même une condition d'exercice d'actions en justice (en cas de contrefaçon, par exemple), contrairement aux États-Unis.

> ▶ **MENTIONS OBLIGATOIRES**
>
> 1. Nom de l'auteur (ou des auteurs) : écrivain, traducteur, illustrateur, photographe, auteur d'une introduction ou d'une préface, emprunts et citations…
>
> 2. Nom de l'éditeur
>
> 3. I.S.B.N. (livres) ou/et I.S.S.N. (collections, séries, publications périodiques, presse)
>
> 4. Mois et année du dépôt légal
>
> 5. Achevé d'imprimé - Nom de l'imprimeur
>
> 6. Prix de vente T.T.C. (loi du 10 août 1981 sur le prix du livre)
>
> 7 Pour les publications destinées à la jeunesse : Loi n° 49-956 du 16 juillet 1949 sur les publications destinées à la jeunesse.

LE COPYRIGHT

La protection des œuvres de l'esprit au niveau international est assurée par deux traités multilatéraux : la Convention de Berne sur la protection des œuvres littéraires et artistiques (ou Union de Berne), texte le plus important, car assurant le plus haut niveau de protection, et la Convention Universelle de Genève sur le droit d'auteur.

Les deux traités posent un principe fondamental : les œuvres publiées par un ressortissant de l'un des États contractants jouissent, dans tous les autres États ayant signé la convention, de la protection que cet autre État accorde aux œuvres de ses propres ressortissants. Il s'agit du « traitement national ». En d'autres termes, la Convention reconnaît le principe de l'assimilation de l'auteur étranger à l'auteur national.

Toutefois, dans certains États non signataires de la convention de Berne, la protection est subordonnée à l'accomplissement de certaines formalités. Ainsi le copyright est une formalité destinée à acquérir et à assurer la protection du droit de reproduction. Au contraire, en France et dans les pays adhérents de la convention de Berne, cette formalité n'est pas requise, mais elle est très souvent utilisée, car entrée dans les usages.

L'article 3 de la Convention Universelle précise les modalités d'insertion de la mention. Les exemplaires de l'œuvre, dès la première publication, peuvent porter d'une manière et à une place montrant de façon nette que le droit d'auteur est « réservé » (souvent sur la page de titre du livre ou au verso de celle-ci), le symbole © accompagné du nom du titulaire du droit d'auteur, notamment l'auteur ou l'éditeur, et de l'année de première publication.

Il importe d'utiliser uniquement la formule ci-après :

Symbole	Nom du titulaire du droit d'auteur	Année de 1ère publication
©	Éditions…	2004

Souvent, le nom qui est mentionné est celui de la maison d'édition et non celui de l'auteur, lorsque les droits ont été cédés à l'éditeur par contrat d'édition. L'éditeur est dans ce cas titulaire des droits sur l'œuvre.

Intérêt et utilité du copyright

Toute personne se livrant à une activité éditoriale, de façon habituelle ou occasionnelle, a intérêt à faire figurer la mention du copyright sur l'ouvrage publié ; en effet, bien qu'elle ne soit pas nécessaire pour que les œuvres soient protégées en France ou dans les pays de l'Union de Berne, elle peut l'être ailleurs.

De manière générale, la diffusion de toute œuvre de l'esprit (texte ou image), quel que soit le support ou le procédé de communication au public (livre, presse, Internet, affiche…), peut être utilement accompagné de la mention du copyright : une photographie reproduite dans une revue mentionnera le copyright suivi du nom de l'auteur-photographe, une reproduction d'œuvre d'art celui de l'artiste ou de l'ADAGP, titulaire des droits de reproduction d'un grand nombre d'artistes, une page d'accueil de site Internet celui du propriétaire du site, etc.

Il est indispensable de mentionner le copyright d'un auteur ou d'un éditeur étranger lorsque, dans le cadre d'une cession de droits étrangers ou d'une coédition, cette mention est exigée par le vendeur du droit de traduction en langue française.

En revanche, lorsque l'œuvre est tombée dans le domaine public (70 ans après la mort de l'auteur) aucun copyright ne doit plus être mentionné, l'œuvre n'étant plus protégée et devenue de libre parcours.

LE DÉPÔT LÉGAL

Le dépôt légal institué par François Ier en 1537 est actuellement régi par la loi du 20 juin 1992 et le décret du 31 décembre 1993.

Le dépôt légal permet d'assurer :
– la constitution et la conservation du patrimoine culturel et documentaire, mémoire de la collectivité nationale ;
– la constitution de la *Bibliographie nationale française*, dans laquelle sont signalés les documents déposés ;
– la consultation de ces documents par le public.

Documents soumis à l'obligation de dépôt
Le dépôt légal est obligatoire pour les livres, brochures et périodiques, quels que soit le procédé technique de production, d'édition ou de diffusion, dès lors qu'ils sont mis à la disposition d'un public, à titre gratuit ou onéreux (article 1 de la loi).

Le dépôt imprimeur
Le dépôt incombe à la personne physique ou morale qui imprime le document. Dès l'achèvement du tirage ou de la fabrication, deux exemplaires doivent être envoyés à la Bibliothèque habilitée à recevoir le dépôt légal imprimeur en région.

Le dépôt éditeur
Le dépôt incombe à la personne qui édite ou à celle qui importe le document, au plus tard le jour de la mise en circulation :
– livres et périodiques : quatre exemplaires (un seul si le tirage est inférieur à 300 exemplaires) à la Bibliothèque nationale de France ;
– livres : un exemplaire au ministère de l'Intérieur ;
– périodiques : un exemplaire au ministère de l'Intérieur pour les éditeurs parisiens ou un exemplaire à la préfecture du département pour les éditeurs hors Paris.

Les réimpressions à l'identique d'ouvrages déjà déposés font l'objet d'une déclaration globale annuelle des chiffres de tirages successifs à la Bibliothèque nationale de France.

La déclaration de dépôt
Le dépôt est accompagné d'une déclaration :
– en 3 exemplaires pour chaque titre (livres) ;
– en 3 exemplaires pour le premier numéro d'un périodique déposé. Une déclaration récapitulative est ensuite envoyée pour l'ensemble des numéros déposés durant l'année.

Modalités pratiques du dépôt
Par courrier en franchise postale (indiquer sur l'envoi : « franchise postale – Loi n° 92-546 du 20 juin 1992 – Dépôt légal ») directement à la Bibliothèque nationale de France.

Dépôt concernant toutes les publications pour la jeunesse
La totalité des publications principalement destinées aux enfants et adolescents, périodiques ou non (livres), sont soumises, indépendamment de l'obligation de dépôt légal, à

une obligation de dépôt spécifique de « cinq exemplaires de chaque livraison ou volume » au ministère de la Justice.

Notez bien que le dépôt légal ne confère pas de droit de propriété sur le titre ni sur le contenu des documents déposés. Il peut, en cas de litige, contribuer à établir la preuve de l'antériorité.

ORIGINALITÉ 17.1.2

Les idées ne sont pas protégées : elles sont de libre parcours. Le droit d'auteur ne protège que la forme d'expression, quelle que soit cette forme, mais à la condition qu'elle soit originale.

La notion d'originalité, dans la législation française, est subjective : l'œuvre peut être originale sans être pour autant nouvelle. Cette notion distingue la propriété littéraire et artistique de la propriété industrielle. Une des conditions de validité des brevets, par exemple, est leur nouveauté, au sens objectif du terme.

En conséquence, une œuvre peut prétendre à la protection même si elle s'inspire d'une œuvre antérieure : on parle alors d'œuvre dérivée, c'est-à-dire « relativement originale ». Il en est ainsi par exemple des traductions, des adaptations (théâtrale, audiovisuelle, graphique…), des arrangements musicaux, des anthologies et des bases de données. L'originalité se définit comme la marque de la personnalité de l'auteur. Elle apparaît dans son expression, ses choix, son style. Dans un procès pour plagiat ou contrefaçon, par exemple, les juges apprécient l'originalité en comparant les œuvres et en relevant les ressemblances et les différences au niveau de la composition et de l'expression (rédaction identique, bribes de phrases communes, paraphrase…).

La loi accordant la protection à toute œuvre originale « *quels qu'en soit le genre, la forme d'expression, le mérite et la destination* », un juge n'a pas à apprécier la valeur culturelle, artistique ou esthétique d'une œuvre.

Ces principes généraux permettent de protéger de très nombreuses créations. Le CPI dresse une liste non limitative d'œuvres « protégeables ». Au-delà de ces exemples, la jurisprudence allonge constamment cette liste en appliquant le critère de l'originalité à des œuvres très diverses.

LES ŒUVRES PROTEGÉES 17.2

Tous les domaines de la création sont concernés : écrits, images, arts appliqués, musique, audiovisuel, logiciels et bases de données, multimédias, etc.

LES ŒUVRES LITTÉRAIRES 17.2.1

Les œuvres littéraires comprennent les écrits littéraires, artistiques et scientifiques, tels qu'un roman, un ouvrage médical, un manuel scolaire, un guide touristique, un magazine d'information, un quotidien, une documentation technique, une partition de musique, des correspondances et d'une manière plus générale, tout texte.

Sont également concernées les œuvres orales : une conférence, une allocution, un sermon, une plaidoirie, un cours, etc., même en l'absence de support écrit ou d'enregistrement.

LES IMAGES ET LES ARTS GRAPHIQUES ET PLASTIQUES 17.2.2

La loi cite les œuvres de dessin, de peinture, d'architecture, de sculpture, de gravure, de lithographie, y compris les esquisses et les ébauches.

S'agissant des œuvres d'architecture, certains s'étonnent aujourd'hui des revendications des architectes notamment lorsque leurs œuvres sont reproduites ou diffusées sans leur autorisation. C'est ignorer que l'architecte, comme tout auteur, dispose d'un monopole d'exploitation sur ses œuvres et peut s'opposer tant à la réalisation non autorisée de la construction à partir du plan qu'il a réalisé, qu'à la reproduction non autorisée de son œuvre comme sujet principal d'une carte postale. Le fait que l'œuvre soit située sur la voie publique n'implique pas une renonciation de l'auteur à ses droits. Il n'existe pas, en l'état actuel du droit français, contrairement à certaines dispositions étrangères, d'exception permettant de reproduire librement une œuvre d'architecture ainsi exposée publiquement. En revanche, si l'œuvre apparaît en arrière-plan ou de manière accessoire, il semble que le droit de l'architecte doive être nuancé.

Les œuvres graphiques et typographiques sont reconnues par la loi française et par les textes internationaux (Arrangement de Vienne du 12 juin 1973, ratifié par la France, mais qui n'est pas entré en vigueur faute d'un nombre suffisant de ratifications). On relèvera à titre d'exemple quelques exemples de jurisprudence favorables à la protection : la présentation extérieure d'un ouvrage et même à la mise en page, s'agissant de la une d'un journal ; les maquettes impliquant des travaux de dessin, de mise en page et de maquettage ; des compositions élaborées telles que les calligraphies et les ex-libris, des polices de caractères, des ornements typographiques (culs de lampes, bandeaux, lettrines, bordures, fleurons, vignette…). De même, rien ne s'oppose à ce qu'une page Web soit protégée de cette manière.

La prudence est par ailleurs recommandée lorsqu'on envisage de reproduire tels quels des ouvrages anciens contenant des œuvres tombées dans le domaine public (« reprint »). Une nouvelle composition est en principe requise.

Les photographies et les œuvres réalisées à l'aide de techniques analogues à la photographie ont acquis depuis longtemps le statut d'œuvre à part entière, des plaques de verre au numérique en passant par les techniques argentiques.

Les illustrations, les cartes géographiques, les plans, croquis et ouvrages relatifs à la géographie, à la topographie, à l'architecture et aux sciences, les œuvres des arts appliqués, ainsi que les créations des industries saisonnières de l'habillement et de la parure complètent cette longue liste.

QUEL EST L'IMPACT DES NOUVELLES TECHNOLOGIES ? 17.2.3

L'irruption des créations relevant des nouvelles technologies dans le droit d'auteur n'est pas passée inaperçue. La protection par le droit d'auteur des logiciels (ou programmes d'ordinateurs) et des bases de données est aujourd'hui inscrite dans la plupart des législations.

Le CPI définit la base de données comme « *un recueil d'œuvres, de données ou d'autres éléments indépendants, disposés de manière systématique ou méthodique, et individuellement accessibles par des moyens électroniques ou par tout autre moyen* ». Peu importe donc le procédé technique mis en œuvre. La définition englobe aussi bien les bases de données électroniques, une encyclopédie sur CD-Rom ou un site Web par exemple, que les compilations traditionnelles sur support papier, un annuaire par exemple. Ce dispositif est complété par des dispositions conférant en outre une protection spécifique pour le producteur de base de données.

LES ŒUVRES DÉRIVÉES 17.2.4
Sont également protégées les traductions, les adaptations, les anthologies, auxquelles on peut encore ajouter les dictionnaires et les encyclopédies.

LES TITRES 17.2.5
Le titre d'une œuvre de l'esprit est en principe protégé comme l'œuvre elle-même, dès lors qu'il présente un caractère original. Cette condition est toutefois difficile à mettre en œuvre. Aussi la protection pourra s'acquérir par le droit des marques (enregistrement à l'INPI, Institut National de la Propriété Industrielle) valable dix ans et indéfiniment renouvelable. Les titres de collections, les titres de presse (revues, journaux, magazines) et la raison sociale de l'entreprise peuvent également être protégés par le droit des marques.

LES DROITS DES AUTEURS 17.3
La loi confère à tout auteur deux catégories de droits : le droit moral et les droits patrimoniaux.

LE DROIT MORAL DE L'AUTEUR 17.3.1
Depuis l'origine, la conception française du droit d'auteur est profondément marquée par la personne même du créateur, personne physique. Cette caractéristique apparaît particulièrement dans la notion de droit moral.

Le droit moral est perpétuel, inaliénable, imprescriptible et transmissible aux héritiers. Dans la pratique le droit moral se manifeste par l'exercice des prérogatives suivantes :

- **Le droit de divulgation** – L'auteur a seul le droit de divulguer son œuvre.
- **Le droit à la paternité** – L'auteur a droit *« au respect de son nom et de sa qualité »*. L'auteur a ainsi le droit d'affirmer sa qualité de créateur en exigeant que son nom figure sur son œuvre. Matériellement, le nom de l'auteur doit être imprimé sur chaque exemplaire et accompagner chaque citation. En matière d'édition, la loi oblige l'éditeur, sauf convention contraire, à *« faire figurer sur chacun des exemplaires le nom, le pseudonyme ou la marque de l'auteur »*.

  Cette obligation vaut pour les traducteurs, les photographes et les auteurs d'œuvres graphiques et plastiques ; les usages préconisent d'imprimer la mention du nom, suivie du nom de l'agence ou de la société titulaire des droits (par exemple l'ADAGP), soit à proximité du document reproduit, soit dans une table des illustrations. Pour les auteurs et artistes dont les oeuvres sont tombées dans le domaine public, le nom doit toujours être mentionné, mais sans copyright, l'œuvre étant dans ce cas de libre parcours.

- **Le droit au respect de l'œuvre** – Une œuvre ne peut être modifiée, amputée, défigurée, dénaturée par un tiers simplement autorisé à la reproduire ou à la représenter, sans l'autorisation de son auteur. Ainsi, un texte ne pourra être réécrit ou faire l'objet de coupes ou d'ajouts sans l'accord de son auteur. Une photographie ou un dessin ne

---

DROITS RÉSERVÉS

Les mentions « Droits réservé », « D.R. » ou « Tous droits réservés » parfois utilisées, très peu explicites, sont dépourvues de toute valeur juridique et sont à proscrire. Elles ne sauraient en rien se substituer à une autorisation expresse de reproduction.

Que faire lorsque l'on ne retrouve pas l'auteur ou ses ayants droit ?

Certaines mentions peuvent néanmoins être insérées lorsque, après avoir effectué des recherches dont on aura pris soin de conserver toutes les traces (courriers, copies de courriers électroniques…), l'auteur ou ses ayants droit n'ont pu être contactés. Bien entendu, l'insertion de ces mentions dans un ouvrage ne dégagent pas l'éditeur de sa responsabilité à l'égard des auteurs ou de leurs ayants droit. Elle tend seulement à démontrer la « bonne foi » de l'éditeur.

Il est rappelé que le droit d'auteur implique en effet que toute reproduction d'une oeuvre, intégrale ou partielle, est subordonnée à l'autorisation préalable de l'auteur ou de ses ayants droit.

Point de tolérance, donc, pour ceux qui souhaitent reproduire et diffuser à leur guise des œuvres protégées sans contraintes juridiques et financières.

Enfin, le dispositif est complété dans quelques domaines par des usages codifiés, résultats de négociations interprofessionnelles, auxquels se réfèrent les professionnels et les tribunaux. Citons à titre d'exemple dans l'édition le Code des usages en matière d'illustration photographiques (applicable exclusivement aux livres), le code de pratiques loyales en matière d'édition cartographique, le Code des usages en matière de littérature générale, ainsi que le Code des usages en matière de traduction d'œuvres de littérature générale.

Ces usages ont été élaborés sous la tutelle du Syndicat national de l'Édition (SNE) et d'organismes représentant les auteurs (écrivains, traducteurs, photographes).

---

pourront de la même manière être détourés ou recadrés. Les couleurs d'une œuvre de peinture devront être respectées…

- **Le droit de retrait et de repentir** – Une fois l'œuvre divulguée, publiée, l'auteur peut en faire arrêter la diffusion (droit de retrait) ou y apporter des remaniements (droit de repentir). Ces droits se heurtent bien entendu aux prérogatives du cessionnaire des droits d'exploitation, l'éditeur par exemple. C'est pourquoi la loi a posé des limites à l'exercice de ces droits.

Après la mort de l'auteur, les droits de divulgation, de paternité et de respect de l'œuvre sont transmissibles aux héritiers qui ne doivent cependant en abuser, particulièrement en ce qui concerne le droit de divulgation, en bloquant de manière injustifiée par exemple la diffusion d'une œuvre.

LES DROITS PATRIMONIAUX 17.3.2

On les appelle aussi « droits d'exploitations » ou encore « droits pécuniaires ». La loi confère à l'auteur un véritable monopole en lui permettant d'autoriser ou d'interdire la reproduction et la représentation de ses œuvres.

Ces droits sont cessibles, limités dans le temps et comportent un certains nombre d'exceptions.

a) L'auteur peut en effet transférer la propriété de ses droits à une personne nommée cessionnaire, chargée de les exploiter, dans le cadre d'un contrat de cession, tel que le contrat d'édition par exemple.

Les droits patrimoniaux s'exercent essentiellement de deux manières : par la reproduction et par la représentation de l'œuvre.

- *« la reproduction consiste dans la fixation matérielle de l'œuvre par tous les procédés qui permettent de la communiquer au public d'une manière indirecte »* : l'imprimerie, le dessin, la gravure, la photographie, le moulage, l'enregistrement… sont des procédés traditionnels de reproduction.

  Le développement des procédés de reproduction comme la numérisation ont bien entendu élargi le champ d'application de la loi et l'on peut sans ambiguïté affirmer que « numériser c'est reproduire ». De même la reprographie est entrée dans le champ d'application du droit d'auteur et un système de gestion collective obligatoire a été instauré au profit des auteurs et des éditeurs de presse et de livres.

- *« la représentation consiste dans la communication de l'œuvre au public par un procédé quelconque, et notamment : récitation publique, exécution lyrique, représentation dramatique, présentation publique, projection publique »*… mais aussi *« par télédiffusion (…) qui s'entend de la diffusion par tout procédé de télécommunication de sons, d'images, de documents, de données et de messages de toute nature »*.

  Sont en particulier visées ici toutes les diffusions d'œuvres, textes, images, musiques et données diverses sur les réseaux Internet ou intranet.

En résumé, on peut affirmer que toute communication au public d'une œuvre par quelque procédé que ce soit est soumise au droit d'auteur et ne peut être effectuée sans le consentement de l'auteur ou du titulaire de droits (éditeur, producteur de base de données, société de gestion collective des droits…). Le non respect de cette règle est sanctionné pénalement par la loi. Il s'agit du délit de contrefaçon. Les peines prévues s'élèvent à trois ans d'emprisonnement et 300 000 euros d'amendes.

b) Les droits patrimoniaux sont limités dans le temps. L'auteur bénéficie de la protection de ses œuvres de son vivant. Après son décès, les droits sont transmis aux héritiers de l'auteur pendant une période de 70 ans à compter du 1er janvier qui suit la date du décès. La question du maintien de prorogations dues aux guerres est actuellement pendante devant les tribunaux français.

c) La loi prévoit de rares exceptions permettant d'échapper au droit d'auteur : lorsque l'œuvre a été divulguée, l'auteur ne peut en effet interdire les copies privées strictement réservées à l'usage privé du copiste et non destinées à une utilisation collective.
Pour être licites, ces copies ne doivent pas être réalisées par une personne autre que l'utilisateur final et ne concernent donc pas les copies réalisées en interne par une entreprise, une administration, une école, une université, une officine de reprographie… Un système de gestion collective des droits a été crée dans ce domaine et confié à un organisme de perception et de répartition des droits, le CFC (Centre français d'exploitation du droit de copie).

Peuvent également être reproduites librement les courtes citations, à condition cependant de mentionner le nom de l'auteur et la source, d'être courtes, la longueur de la citation s'appréciant par rapport entre l'œuvre citée et l'œuvre citante, d'être justifiées par la caractère critique, polémique, pédagogique, scientifique ou d'information de l'œuvre à laquelle elle est incorporée.

La reproduction de tout autre extrait ou emprunt à une œuvre préexistante devra donc faire l'objet d'une demande d'autorisation.

L'exception de citation n'est pas applicable aux images, même en cas d'apparitions « accessoires » ou « éphémères » d'œuvres d'art sur des photographies ou dans le cadre de reportages audiovisuels.

CONDITIONS D'EXERCICE DES DROITS 17.4

La loi fixe des règles très précises concernant les conditions d'exploitation des droits patrimoniaux.

Le mécanisme repose sur le transfert des droits de l'auteur à celui qui exploite ses œuvres : c'est ce que l'on appelle une cession. La cession peut être très limitée (simple autorisation ponctuelle de reproduction d'une œuvre) ou très étendue (contrat d'édition d'un livre ou contrat de production audiovisuelle).

Elle peut encore intervenir dans le cadre d'une œuvre collective (presse, encyclopédie, multimédia) ou dans celui d'un contrat de travail. La loi prévoit en effet qu'un auteur salarié conserve son statut et ses prérogatives d'auteur. L'employeur aura donc tout intérêt à aménager la cession dans le cadre du contrat de travail.

Dans tous les cas les règles de fond et de forme doivent être respectées : la cession doit être consignée par écrit (contrat, autorisation, facture, message électronique). Le document doit mentionner les droits cédés, ainsi que l'étendue et la destination (reproduction dans un livre, dans une revue, sur une affiche ou sur un CD-Rom, télédiffusion sur Internet, traduction, etc.). Enfin pour être valable toute cession ou autorisation doit préciser le lieu et la durée de l'exploitation.

PHOTOCOPILLAGE

Depuis quelques années sont également apparues des mentions relatives à la reprographie non autorisée, ainsi que le logo du CFC (Centre français d'exploitation du droit de copie), titulaire des droits de reproduction par reprographie et assurant la gestion collective de ces droits pour le compte des éditeurs de presse et de livres.

« Le logo qui figure sur la couverture de ce livre mérite une explication. Son objet est d'alerter le lecteur sur la menace que représente pour l'avenir de l'écrit, tout particulièrement dans les domaines du droit, de l'économie, de la gestion, de la médecine, etc. le développement massif du photocopillage.

Le Code de la propriété intellectuelle du 1er juillet 1992 interdit en effet expressément la photocopie à usage collectif sans autorisation des ayants droit. Or cette pratique s'est généralisée dans les établissements d'enseignement supérieur, provoquant une baisse brutale des achats de livres au point que la possibilité même pour les auteurs de créer des œuvres nouvelles et de la faire éditer correctement soit aujourd'hui menacée.

Nous vous rappelons donc qu'il est interdit de reproduire intégralement ou partiellement sur quelque support que ce soit le présent ouvrage sans autorisation de l'auteur, de son éditeur ou du Centre français d'exploitation du droit de copie.

(C.F.C. – 20 rue des Grands-Augustins, 75006 Paris

Tel : 01 44 07 47 70, Fax : 01 46 34 67 19). »

Des mentions équivalentes se retrouvent dans les ouvrages scientifiques et techniques et dans les ouvrages scolaires.

En contrepartie le cessionnaire (l'éditeur par exemple) s'engage à publier et à exploiter l'œuvre en la diffusant conformément aux usages de la profession. Il devra de plus rémunérer l'auteur et lui rendre compte. La règle est la rémunération proportionnelle (calcul sur le prix de vente public d'un livre par exemple). La rémunération forfaitaire est possible dans les cas limitativement énumérés par la loi (participation accessoire de l'auteur par exemple ou pour certains ouvrages). Pourcentage ou forfait ont la nature juridique et sociale de « droits d'auteur » et relèvent fiscalement des bénéfices non commerciaux.

Il n'existe pas de barème ou de tarif de droits d'auteurs (à l'exception des agences photographiques ou d'illustration et des sociétés de gestion collective des droits). Les droits d'auteur se négocient de gré à gré. Leur montant est donc extrêmement variable, qu'il s'agisse de droits proportionnels ou de droits forfaitaires.

LIBERTÉ DE PUBLIER ET RESPONSABILITÉ DE L'ÉDITEUR ^{17.5}

LE PRINCIPE DE LA LIBERTÉ DE PUBLIER ^{17.5.1}

Dans le cadre de la législation sur le droit d'auteur, celui qui exploite les œuvres engage sa responsabilité à l'égard de l'auteur (obligation de publier et d'exploiter l'œuvre) et à l'égard de ses concurrents (concurrence déloyale et de contrefaçon). En ce qui concerne le contenu des publications (livres, presse, Internet…), la responsabilité du « publicateur » se trouve également engagée à l'égard des tiers, c'est-à-dire de toute personne physique ou morale, qui estimerait que la publication porte atteinte à ses intérêts personnels ou patrimoniaux.

Le principe de liberté de publier découle de la loi du 29 juillet 1881 dans le prolongement de la liberté d'expression consacrée par la Déclaration des Droits de l'Homme et du Citoyen de 1789 et érigée en principe constitutionnel par la Constitution de 1946 et repris par la Convention Européenne des Droits de l'Homme et s'applique bien entendu à toutes les formes d'édition.

Toutefois, la liberté de publier connaît des limites. La loi comporte en effet un ensemble de dispositions destinées à préserver notamment les droits de la personnalité. Le publicateur doit donc répondre des abus éventuels commis par la voie de l'écrit ou de l'image à l'encontre des personnes. L'article 42 de la loi du 29 juillet 1881 détermine une responsabilité en cascade : le directeur de la publication (presse) ou l'éditeur sont les premiers responsables, les auteurs n'étant considérés que comme complices. Viennent ensuite l'imprimeur, les vendeurs, les distributeurs et afficheurs.

Toute forme d'écrit ou d'image est concernée par les délits dits « de presse » (loi du 29 juillet 1881), notamment l'injure et la diffamation envers une personne ou un groupe de personnes, voire une personne morale, comme une entreprise ou une association.

Par ailleurs, une abondante jurisprudence ayant trait aux atteintes à la vie privée et au droit à l'image s'est développée depuis quelques années, renforçant ainsi les droits de la personnalité. Le principe de base est posé par l'article 9 du Code civil qui dispose que *« chacun a droit au respect de sa vie privée »*. La publication et la diffusion de certains éléments relevant de la vie privée, même s'ils ne sont pas attentatoires ou diffamants, sont constitutifs d'une infraction pénale. Il est donc recommandé de recueillir l'autorisation des personnes concernées en cas de publications de faits ou d'éléments concernant la vie privée.

LE DROIT À L'IMAGE 17.5.2

Le droit à l'image relève incontestablement de la vie privée. Les règles évoquées ci-dessus trouvent donc application dans ce domaine. Cependant, leur manque de précision a conduit les cours et tribunaux à mettre en place un véritable droit à l'image de nature jurisprudentielle. Certains ont même pu parler de dérive face à la multiplication des affaires et aux montants des réparations accordés aux « victimes ».

On peut aujourd'hui distinguer trois axes autour desquels le droit à l'image s'est construit : l'image des personnes, l'image des biens et l'accès au domaine public de l'État.

a) L'image des personnes : « *Toute personne détient sur son image un droit exclusif qui lui permet de s'opposer à sa publication sans son autorisation, laquelle doit être expresse ; la violation de ce droit constitue une faute ouvrant droit à des dommages et intérêts dans les conditions de l'article 1382 du Code civil* ». Cet exemple de décision du Tribunal de grande instance de Paris (30 avril 1997) illustre exactement la position de l'ensemble des cours et tribunaux. Une autorisation expresse (écrite) est donc nécessaire pour publier et diffuser l'image d'une personne. L'autorisation doit préciser les conditions de la prise de vue, son étendue (reproduction dans un livres, un journal…, diffusion audiovisuelle et sur Internet…), le cas échéant la rémunération due à la personne (négociée de gré à gré) et enfin la durée d'exploitation (nécessairement courte, l'image d'une personne subissant les outrages du temps !).

En d'autres termes, une personne ayant autorisé la reproduction de son image dans un ouvrage n'a pas pour autant consenti à la voir publiée et diffusée indéfiniment sur tous types de supports et par tous procédés. De plus, même fondée sur une autorisation de principe, rien n'empêche une personne de s'opposer à la diffusion de son image dès lors que le contexte de la publication, la légende ou l'article accompagnant la photographie, sont susceptibles de lui porter préjudice.

Précisons enfin que le droit à l'image des personnes concerne tant les personnalités et les professionnels (mannequins) que des inconnus.

b) L'existence de certaines exceptions permettant d'échapper aux éventuelles poursuites de personnes photographiées est parfois invoquée. Là encore la prudence est de mise. Une personne photographiée dans une manifestation publique par exemple pourra s'opposer à la diffusion de l'image s'il y a recadrage sur sa personne.

Des personnes photographiées dans l'exercice de leurs fonctions ou de leur profession peuvent s'opposer à l'exploitation commerciale de leur image. Un mannequin peut contrôler la diffusion de son image et exiger paiement ou réparation en l'absence d'autorisation expresse. En revanche il s'avère qu'une personnalité publique photographiée dans le cadre d'une manifestation publique ne puisse s'opposer à la diffusion de son image. Le droit à l'information semble dans ce cas justement l'emporter. Ce droit à l'information peut-il cependant justifier la diffusion d'images de toutes personnes en toutes circonstances ? Force est de répondre par la négative. Les tribunaux apprécient au cas par cas.

En ce qui concerne le droit de critique, il est prudent de faire preuve d'objectivité et de mesure dans l'expression et de ne pas tenir de propos empreints d'animosité.

c) L'image des biens : il importe de distinguer les biens privés des biens publics.

Récemment se sont développées des revendications émanant de propriétaires privés de biens immobiliers. L'image d'un bien peut-elle être considérée comme une extension du droit de propriété privée tel que défini par le Code civil (article 544) ?

Dans un premier temps les tribunaux ont été plutôt favorables aux propriétaires : photographies représentant un volcan, un îlot, la devanture d'un commerce, etc.

La jurisprudence la plus récente semble plus nuancée : pour revendiquer un droit à l'image sur un bien, le propriétaire devrait justifier d'une gêne ou d'une atteinte à sa vie privée.

En ce qui concerne l'État et les collectivités publiques, le droit de propriété (privée) est inopérant. Quelles règles sont donc applicables au domaine public de l'État ?

Du point de vue du droit d'auteur, nous avons vu qu'une œuvre appartient au domaine public, donc devient libre de droits, au-delà des 70 années qui suivent la mort de l'auteur ou de l'artiste. Par conséquent, aucun droit de reproduction ne devrait être exigé s'agissant d'une œuvre d'art conservée dans un musée par exemple. Toutefois, la photographie de ce bien, si elle est originale, peut donner prise au droit d'auteur au bénéfice du photographe. Cela peut-être le cas de la photographie d'une sculpture ou d'un bâtiment historique.

Les textes relatifs au domaine public de l'État comportent des dispositions qui permettent en quelque sorte de déroger aux règles de droit privé rappelées ci-dessus. Toute prise de vue à des fins commerciales, réalisée dans l'enceinte d'un monument propriété de l'État, est facturée sous forme d'une redevance, perçue non pas au titre du droit de propriété, mais à celui de la gêne occasionnée selon les articles L.28 et L.29 du Code du domaine de l'État relatifs à l'occupation temporaire du domaine public. Les prises de vue extérieures ne paraissent pas concernées par ces textes. Il convient aussi de tenir compte des règlements intérieurs particuliers applicables dans de nombreux lieux accessibles au public (musées, monuments historiques).

Dans le prolongement de ce dispositif, il est donc possible que des musées facturent des prises de vue photographiques « à des fins commerciales » ou que des communes adoptent des dispositions similaires par voie d'arrêtés municipaux pour réglementer les prises de vue dans les parcs et jardins.

RELATIONS ÉDITEUR/INDUSTRIEL GRAPHIQUE 17.6

PROPRIÉTÉ DES ÉLÉMENTS SERVANT À LA FABRICATION 17.6.1

La propriété des éléments servant à la fabrication est susceptible de donner lieu à des différends entre professionnels.

La Fédération de l'imprimerie et de la communication graphique diffuse un document intitulé *Usages professionnels et conditions générales de ventes*. Ce texte unilatéral n'est opposable au client, à l'éditeur par exemple, que si celui-ci en a effectivement connaissance et les a acceptés expressément dans les documents contractuels.

Ils constituent néanmoins une référence très utile et met l'accent sur les points importants à ne pas négliger dans le cadre des relations commerciales entre les parties. Dans ce contexte, la question se pose régulièrement de savoir si un imprimeur est en droit de revendiquer la propriété des éléments ayant servi à la fabrication d'un document (livre, revue…). Il convient de distinguer les éléments fournis par le client des éléments de fabrication mis au point par l'imprimeur.

a) Concernant les éléments fournis par le client, les « usages » prévoient que « *l'industriel graphique rend en l'état les éléments fournis par le client, à sa demande. Sauf convention écrite particulière, l'industriel graphique n'est pas tenu de conserver, au-delà d'un mois après la fabrication, les compositions, clichés, films, projets, dessins, photos, disquettes, données numérique, etc, fournis par le client. Passé ce délai, en l'absence de convention écrite, les éléments de fabrication précités sont réputés détruits* ». D'où la nécessité d'une convention particulière.

b) Concernant les éléments mis au point par l'industriel, l'article 15 des « usages » prévoit que « *les éléments de fabrication nécessaires pour mener l'ouvrage à bonne fin demeurent la propriété de l'industriel graphique qui les a créés. Mais (…) la propriété de ces éléments (clichés, films, disquette, CD et tous types de support de transfert de données numérisées) peut, à tout moment, être transférée au client par convention expresse* ».

Ces éléments « créés » par l'imprimeur entrent-ils dans le champ d'application du droit d'auteur ? La réponse semble être négative. L'imprimeur réalise de simples supports photosensibles, la plupart du temps d'après les directives données par le client. Le savoir-faire et la maîtrise des techniques sont bien entendu indispensables. Mais il n'est pas en général démontré que cet apport de l'imprimeur constitue une création originale et personnelle comme l'exige la propriété littéraire et artistique.

Les tribunaux se prononcent dans ce sens : « Le simple fait de transférer et de reporter sur un disque informatique un certain nombre de photographies confiées par un éditeur à un réalisateur de photogravure, après en avoir réduit les proportions et amélioré les couleurs et les ombres, est insuffisant pour conférer à ce réalisateur la qualité d'auteur et lui reconnaître un droit au sens du CPI » (Cour d'appel d'Orléans, 25 mars 1999).

DROIT DE RÉTENTION SUR LES ÉLÉMENTS DE FABRICATION 17.6.2

L'industriel peut refuser de restituer le matériel ayant servi à la fabrication (le prépresse) tant que le client ne s'est pas acquitté du paiement des prestations.

Les « usages » prévoient à cet égard que « *l'industriel graphique bénéficie d'un droit de rétention jusqu'au paiement complet du prix, sur toutes les matières premières, documents, éléments de fabrication, objets, marchandises ou fournitures dont il a été approvisionné par l'un de ses clients pour l'exécution d'un travail ou d'une prestation et sur tous les documents ou objets réalisés à la suite de l'exécution d'une commande* ».

Ces dispositions sont parfaitement légales, mais ne peuvent être mise en œuvre que lorsque le client n'a pas effectué la totalité du paiement dû, ce que l'industriel doit prouver. En cas d'exercice abusif du droit de rétention, l'imprimeur est susceptible d'être poursuivi devant la juridiction pénale (article 314-1 du nouveau code pénal) et l'éditeur injustement lésé peut obtenir des dommages et intérêts.

AUTRES CAS DE RESPONSABILITÉ DE L'INDUSTRIEL 17.6.3

La contrefaçon : toute personne participant de manière directe ou indirecte à la diffusion d'une œuvre contrefaite peut être poursuivie. Il en est ainsi de l'imprimeur qui fabrique un livre pour le compte d'un éditeur ne détenant pas les droits de reproduction et de publication par exemple. Pour échapper aux condamnations l'industriel devra démontrer sa bonne foi.

La responsabilité en cascade prévue par la loi en ce qui concerne les délits de presse (diffamation, injure, provocation aux attroupements…) est applicable à l'imprimerie. Si l'éditeur (ou le directeur de la publication), ainsi que l'auteur d'un écrit litigieux sont introuvables, la responsabilité de l'imprimeur peut être engagée.

RENSEIGNEMENTS PRATIQUES

Organismes publics

- Ministère de la culture et de la communication : www.culture.gouv.fr (accès à tous les sites liés au ministère et traitant du droit d'auteur : organismes professionnels, sociétés de perception et de répartition des droits, actualité législative…)
- Direction du livre et de la lecture – 27, avenue de l'Opéra – 75001 Paris – Tel : 01 40 15 73 00 – www.culture.gouv.fr/culture/dll.htm.
- Centre national du livre (CNL) – 53, rue de Verneuil – 75343 Paris Cedex 07 – Tel : 01 49 54 68 68 – www.centrenationaldulivre.fr.
- Bibliothèque nationale de France (BNF) : Service du dépôt légal – 11, quai François Mauriac – 75706 Paris Cedex 13 – Tel : 01 53 79 43 37 – www.bnf.fr.
- Ministère de l'Intérieur – Régie du dépôt légal – 1bis, place des Saussaies – 75008 Paris – Tel : 01 40 07 24 87 - www.interieur.gouv.fr.
- Ministère de la justice : Direction de la protection judiciaire de la jeunesse – 251, rue Saint-Honoré – 75001 Paris – Tel : 01 44 77 75 83 – www.justice.gouv.fr.
- Institut national de la propriété industrielle (INPI) – 26 bis rue de Saint-Pétersbourg – 75008 Paris – Tel : 01 53 04 53 04
- Légifrance : tous les textes législatifs et réglementaires, la jurisprudence de la cour de cassation – www.legifrance.gouv.fr.

Organismes internationaux

- Organisation mondiale de la propriété intellectuelle : www.wipo.org.
- UNESCO (Direction du droit d'auteur) : www.unesco.org.
- Union européenne : www.europa.eu.int.

Organismes professionnels / Syndicats

- Syndicat national de l'édition (SNE) – 115, bd Saint-germain – 75006 Paris – Tel : 01 44 41 40 50 – www.snedition.fr.
- Fédération nationale de la presse française (FNPF) – 13 rue Lafayette – 75009 Paris – Tel : 01 53 20 90 50.
- Fédération nationale de la presse spécialisée (FNPS) – 37 rue de Rome – 75376 Paris cedex 08 – Tel : 01 44 90 43 60 – www.fnps.fr.
- Fédération de l'imprimerie et de la communication graphique (FICG) – 68, bd Saint-Marcel – 75013 Paris – Tel : 01 44 08 64 46.
- AFNIL (Agence francophone pour la numérotation internationale du livre) : 35, rue Grégoire de Tours – 75006 Paris – Tel : 01 44 41 28 00.
- Société française des traducteurs (SFT) – 22 rue des Martyrs – 75009 Paris – Tel : 01 44 53 01 14.
- Syndicat des écrivains de langue française – 18 rue Théodore Deck – 75015 Paris – Tel : 01 40 60 05 01.
- Union des écrivains – 136 rue Chevaleret – 75013 Paris – Tel : 01 45 70 75 74.
  Syndicat national des journalistes (SNJ) – 33 rue du Louvre – 75002 Paris – Tel : 01 42 36 84 23.

Sociétés de perception et de répartition de droits

- Centre Français d'exploitation du droit de copie (CFC) : www.cfcopies.com.
- Société des Éditeurs de musiques (partitions) (SEAM) – 175 rue Saint-Honoré 75008 Paris – Tel : 01 42 96 89 11.
- Société des Auteurs dans les Arts graphiques et plastiques (ADAGP) – 1 rue Berryer – 75008 Paris – Tel : 01 43 59 09 79 – www.adagp.fr.

- Société des Auteurs, et compositeurs de musique (SACEM)– 225 rue Charles de Gaulle – 92521 Neuilly-sur-seine – Tel : 01 47 15 47 15 – www.sacem.fr.
- Société pour l'administration du droit de reproduction mécanique (SDRM) – 225 avenue Charles de Gaulle – 92200 Neuilly-sur-Seine – Tel : 01 47 15 47 15.
- Société des Auteurs et compositeurs dramatiques (SACD) – 9 rue Ballu – 75009 Paris – Tel : 01 40 23 44 44 – www.sacd.fr.
- Société du droit d'auteur dans l'univers multimédia (SESAM) – B.P. 11593 – 16 place de la fontaine aux Lions – 75019 Paris – Tel : 01 47 15 49 06 – www.Sesam.org.
- Société civile des Auteurs dans l'univers multimédia (SCAM) – 5 avenue Velasquez – 75008 Paris – Tel : 01 56 69 58 58 – www.scam.fr.
- Société de l'Image (SDI) – Hôtel de Massa – 38 rue du Faubourg Saint-Jacques – 75014 Paris – Tel : 01 40 51 33 00.
- Société civile de l'Édition Littéraire Française (SCELF) – 115 bd Saint-germain – 75006 Paris – Tel : 01 46 33 76 12.

Social
- AGESSA (Gestion du régime de sécurité sociale des artistes et auteurs) – 21 bis rue de Bruxelles – 75009 Paris – Tel : 01 48 78 25 00 – www.agessa.org.
- Maison des artistes (Gestion du régime de sécurité sociale des artistes auteurs plasticiens) – 90 rue de Flandre – 75019 Paris – Tel : 01 53 35 83 63.

GLOSSAIRE

18

GLOSSAIRE Ce glossaire sert à la fois de petit dictionnaire des termes graphiques et d'index. Les références de pages ne sont pas indiquées par ordre numérique, mais par ordre d'importance. Certains termes généraux sont simplement définis, sans référence particulière à une page.

A

Auréole   252
En flexographie, phénomène d'impression qui se traduit par l'apparition d'un contour sombre autour des zones imprimées.

Auto-extractible (mode)   122
Pour auto-extraire des fichiers compressés, vous n'avez pas besoin de programme de décompression. Ils se décompressent eux-mêmes quand vous double-cliquez sur le fichier.

B

Balance des gris   94, 85, 244
Décrit l'état où une certaine combinaison des couleurs primaires, CMJ, donne un ton gris neutre, par exemple 40 % de cyan, 30 % de magenta et 30 % de jaune.

Bande d'encrage   239, 241
L'alimentation en encre est contrôlée dans plusieurs zones de la feuille imprimée, ce qui permet d'ajuster la quantité d'encre dans chaque zone, appelée bande d'encrage.

Bande magnétique   130
Support de stockage de données basé sur des techniques de lecture et d'écriture magnétiques, par exemple bande DAT ou DLT.

Bande passante des signaux   144
Longueur sur laquelle l'intensité d'un signal est maintenue. Est fonction du type de câble.

Bandeau   268
Fine bande de papier enroulée autour d'un produit imprimé, par exemple autour d'une pile de produits imprimés ou d'un poster.

Barre de couleurs
Voir Gamme de contrôle.

Bas de casse   29
Lettres minuscules, par opposition au haut de casse.

Bascule in-12   186
Technique d'imposition pour les impressions en retiration avec un seul calage. Une fois un côté imprimé, les feuilles sont tournées,

puis réintroduites dans la machine à imprimer au moyen de la prise de pinces opposée, et imprimées avec la même plaque.

Base de données   136, 17
Logiciel de référencement. Logiciel qui trie et organise des informations numériques, comme des images et d'autres fichiers numériques.

Bavage d'une encre   224, 191
Lorsque deux couleurs déteignent l'une sur l'autre, c'est-à-dire qu'elles se mélangent, on parle de bavage. C'est un problème lié à l'encre dans le cas des imprimantes à jet d'encre. Pour l'éviter, il faut que l'encre sèche rapidement.

Bichromie   67
Image en niveaux de gris imprimée avec deux encres d'impression au lieu d'une seule. Si vous voulez reproduire des détails précis sur une image en noir et blanc, l'adoucir ou la colorer dans une autre couleur que le noir pur, vous pouvez utiliser la bichromie. On imprime généralement le noir plus une couleur d'accompagnement de son choix.

Bit   23
Plus petite unité de mémoire de l'ordinateur ; peut prendre la valeur 0 ou 1.

Bitmap   65–70, 118, 25, 34, 165, 193
Informations numériques représentées par des zéros et des uns et décrivant une image ou une page numérique. Lors du tramage, le code PostScript prend la forme d'un motif en damier composé de 1 et de 0, appelé bitmap.

Blindé   141
Pour protéger un câble contre les interférences, il peut être blindé. Le blindage se compose d'une gaine de protection avec feuillard (tresse métallique) enroulée autour du fil.

Boîte de recherche   137
Boîte de dialogue dans laquelle vous spécifiez une recherche dans le logiciel d'archivage.

Bon à tirer (BAT)
La toute dernière épreuve avant le démarrage de l'impression.

Bord de marge   237, 271
Bord des feuilles servant à bien les positionner (les « repérer ») dans la machine à imprimer.

Bristol
Voir Carton.

Brochage cousu   266
Méthode traditionnelle de reliure. Vous utilisez des feuilles pliées placées par ordre, mais les dos des feuilles ne sont pas collés (comme dans la brochure collée) mais cousus.

Brochage dos carré collé cousu   267
Technique qui combine la couture des cahiers avec la brochure collée pour les livres brochés.

Bureau
Espace de travail à l'écran où sont situées les différentes icônes, comme la poubelle, le disque dur, etc.

Bus de données   17
Le bus de données transporte les informations entre le processeur et la mémoire vive de l'ordinateur.

C

Câble à paire torsadée   141
Type de câble de réseau.

Câble réseau   141
Câble physique qui relie le réseau.

Câble SCSI   19
Câble spécial pour la transmission SCSI entre l'ordinateur et des unités externes.

Cadre de sérigraphie   248
Cadre sur lequel est tendu l'écran.

Calage   240–241, 181, 186
Terme désignant tous les réglages et préparations qui doivent être effectués sur la machine à imprimer avant de pouvoir produire la première feuille imprimée approuvée.

Calage des plaques   240
Montage et ajustement des plaques d'impression dans la machine à imprimer.

Calque   92
Technique utilisée dans les applications de retouche d'image visant à séparer les différentes parties d'une image jusqu'à ce qu'elle soit finie. Très utile pour réaliser des manipulations et des collages ou des images composées de plusieurs parties, par exemple une image et un texte, ou un motif et une ombre.

Capacité de stockage   135
Indique la quantité de mémoire disponible sur un support de stockage donné, mesurée en mégaoctets.

Caractérisation   49
Permet de mesurer les caractéristiques d'un procédé ou d'une machine. Vous pouvez, par exemple, caractériser un procédé d'impression.

Carte de référencement   137
Vous entrez des informations et des descriptions sur l'objet devant être archivé dans des cartes de référencement dans un logiciel d'archivage.

Carte graphique
Carte de circuit imprimé installée dans l'ordinateur qui permet de gérer l'affichage sur le moniteur.

Carte Planet   148
Type de carte de communication RNIS.

Carte réseau   18, 142
Carte de circuit imprimé installée dans l'ordinateur qui lui permet de communiquer sur un réseau spécifique.

Carte vidéo   18
Carte de circuit imprimé installée dans l'ordinateur permettant l'affichage d'images en mouvement à l'écran.

Carton   227
Produit en papier-carton. Les fabricants de papier définissent généralement le carton comme du papier présentant un grammage supérieur à 220 g/m². Aussi appelé bristol.

CD 131–132
Compact Disc. Disque optique permettant de stocker généralement jusqu'à 650 à 700 mégaoctets de données.

CD-DA 131–132
Compact Disc-Digital Audio. CD permettant le stockage du son. CD audio normal.

CD-Rom 131–132
Compact Disc-Read Only Memory. CD permettant le stockage de données.

CD-RW 131–132
Compact Disc-ReWritable. CD enregistrable et réinscriptible.

CD-R 131–132
Compact Disc-Recordable. CD enregistrable.

Cellule CCD 103
Charge Coupled Device (dispositif à couplage de charge). Cellules qui convertissent l'intensité de la lumière en signaux électroniques. Les cellules CCD sont utilisées dans les scanners et les appareils photos numériques.

Cellules de trame 155, 161
Chaque point de trame se compose de points d'insolation dans sa propre cellule de trame. Les points d'insolation sont placés dans la cellule de trame de façon à former le point de trame. La taille de la cellule de trame est, en retour, déterminée par la linéature.

Champ magnétique 133
Zone avec une direction magnétique créée entre un pôle nord et un pôle sud magnétiques.

Charges minérales 224
Différents agents mélangés pour former la pâte à papier. Les charges minérales les plus courantes sont le marbre ou la pierre à chaux (CaCO$_3$) et l'argile. Ces ingrédients améliorent l'opacité et la couleur de l'impression sur le papier. Les charges minérales assurent également au papier soyeux et élasticité. L'ajout de carbonate de calcium protège le papier contre le vieillissement.

Chasse 264, 185
Phénomène de pliage. Du fait du pliage de plusieurs feuilles insérées les unes dans les autres, les pages sont décalées les unes par rapport aux autres. Le problème est plus important lorsqu'on insère des cahiers. Il faut compenser la chasse lors de l'imposition en ajustant les pages les unes par rapport aux autres.

Châssis d'exposition 205
Dispositif nécessaire pour insoler une plaque d'impression. Fonctionne avec un équipement d'aspiration et un compte-pose.

CIE 45–46
La Commission Internationale de l'Éclairage (CIE) a créé ce modèle de couleurs basé sur un observateur standard. La perception humaine des couleurs est décrite par trois courbes de sensitivité appelées valeurs tristimulus.

CIELab 46
Version du modèle CIE.

CIExyz 46
Version du modèle CIE.

Circuits intégrés 18
Les puces de l'ordinateur, par exemple le processeur ou les circuits mémoire.

Claris Emailer 150
Programme de gestion du courrier électronique.

CMJN 44
Cyan, Magenta, Jaune et Noir pur, modèle de couleurs soustractives utilisé pour l'impression en quadrichromie et pour les imprimantes quatre couleurs.

CMS
Color Management System. Voir Système de gestion de couleurs.

Codage séquentiel 73
Méthode de compression sans perte. Utilisée principalement pour le dessin au trait.

Code PostScript 162
Code programme qui décrit un fichier PostScript.

Collage 266
Type de brochure collée pour les blocs-notes.

Color-Art 205
Épreuve analogique de Fuji.

Colorsync 52
Système de gestion des couleurs d'Apple.

Compact Pro 75
Logiciel de compression de fichier.

Composition
Opération consistant à placer et à mettre en forme le texte.

Composition des couleurs 57
Composition des longueurs d'ondes d'une lumière.

Compression de Huffman 73
Méthode de compression sans perte. Utilisée principalement pour le dessin au trait.

Concentrateur 143
Unité de réseau qui connecte différentes parties d'un réseau.

Conformité des couleurs 49
Degré de conformité des couleurs d'une impression par rapport à celles d'une épreuve ou d'un nuancier de couleurs.

Connecteur d'extension
Un ordinateur possède plusieurs connecteurs permettant d'installer différents types de cartes de circuit imprimé, par exemple une carte d'interface réseau ou une carte graphique.

Connexion par câble 148
Connexion directe à Internet en haut débit avec généralement une vitesse de transmission descendante (de l'Internet vers l'ordinateur) de 256 à 2 000 kilobits par seconde.

Contraste 85
Différence de tons. Une image avec un contraste élevé présente une grande différence de tons entre les zones obscures et les zones claires.

Contraste d'impression 245
Le contraste relatif d'impression est défini comme la différence de densité entre un ton à 100 % et un ton à 80 % divisé par la densité du ton à 100 %. La couverture d'encre optimale et le contraste relatif dans un processus d'impres-

sion sont appelés niveau d'intensité couleur normale.

Copieur 187
Machine utilisée pour reproduire des documents originaux par xérographie.

Côté de l'émulsion 211
Côté d'un film graphique sur lequel repose une couche d'émulsion photosensible.

Couche d'émulsion 210, 211, 193
Couche du film composée d'une émulsion photographique qui est insolée dans l'imageuse film.

Couche polymère 210, 213
Couche photosensible de plastique, polymère, appliquée à la surface d'une plaque d'impression offset.

Couché
Voir Papier couché.

Couleur de référence 241
Couleur bien définie avec un ton naturel. Les couleurs de référence courantes sont la peau, l'herbe ou le ciel.

Couleur HiFi 44, 47, 99
Modèle de couleurs soustractives qui permet d'ajouter deux à quatre couleurs en plus du CMJN pour obtenir une palette plus large de couleurs à l'impression.

Couleur 40
Perception humaine de la lumière composée de différentes longueurs d'ondes, par exemple une couleur bleue lorsqu'on regarde une surface bleue à la lumière blanche.

Couleurs d'accompagnement
Voir Tons directs

Couleurs Pantone 45, 115
Système PMS (Pantone Matching System) basé sur les combinaisons de neuf couleurs différentes. Est utilisé principalement pour les tons directs (également appelés couleurs d'accompagnement).

Couleurs primaires 41
Les trois couleurs primaires du spectre : cyan, magenta et jaune en imprimerie et rouge, vert et bleu à l'écran et dans un scanner.

Couleurs quadri 112

Les couleurs utilisées pour imprimer les documents selon le procédé de la synthèse soustractive des couleurs, soit CMJ plus le noir destiné à permettre une restitution adéquate de toutes les couleurs = CMJN.

Couleurs secondaires 43

Si vous mélangez les couleurs primaires soustractives (CMJ) deux à deux, vous obtenez les couleurs secondaires : rouge, vert et bleu-violet (RVB).

Couleurs tertiaires 43

Si vous mélangez des couleurs secondaires dérivées des couleurs primaires, vous obtenez des couleurs tertiaires, c'est-à-dire des couleurs contenant les trois couleurs primaires.

Coup de sèche 241

Se produit lorsqu'il n'y a pas assez de solution de mouillage dans l'équilibre encre/eau. Les surfaces non imprimantes attirent alors l'encre et deviennent imprimantes. Également appelé Graissage.

Courbe de Bézier 62, 63, 30

Description mathématique d'une courbe dénommée d'après un ingénieur français de Renault qui a développé cette technique afin de faciliter le design automobile. Les courbes de Bézier sont utilisées pour représenter graphiquement des objets et pour décrire des polices de caractères.

Courbes d'engraissement du point 242, 148

Courbes qui indiquent l'engraissement du point sur l'ensemble des valeurs d'encrage de 0 à 100 %. On les génère en mesurant les gammes de contrôle des couleurs avec un densitomètre.

Courbes d'impression 242

Différentes courbes relatives aux caractéristiques d'une machine à imprimer sur un papier donné, par exemple les courbes d'engraissement du point et la couverture d'encre optimale

Courrier électronique 150

Lettres électroniques composées de petits fichiers de texte qui sont envoyées par ordinateur.

Couverture d'encre maximale 93, 245

Indique la quantité maximale d'encre des composantes couleurs en pourcentage sur un papier donné avec un procédé d'impression particulier. La valeur est déterminée principalement par la possibilité de maculage et varie généralement entre 240 et 340 % pour une impression en quadrichromie (la valeur théorique est de 400 %, 100 % pour chaque couleur). La valeur est utilisée pour l'ajustement de l'impression lors de la séparation CMJN.

Couverture d'encre 217, 93

Quantité d'encre ajoutée lors du processus d'impression. Décrit également la quantité maximale allouée de chaque composante couleur sur un papier donné lors d'un processus d'impression particulier. Exprimée en pourcentage.

COV

Composés organiques volatils.

CristalRaster 161

Solution de tramage FM (stochastique) d'Agfa.

Croix de repérage 243, 178

Marque particulière permettant de contrôler sur les feuilles imprimées la précision de la superposition des couleurs d'encre afin d'assurer un bon repérage. Aussi appelée marque de repérage ou hirondelle.

Cromalin 204, 200

Épreuve analogique de Dupont.

CT/LW 71

Continuous Tone/Line Work (tons continus/image au trait), format de fichier Scitex pour les images bitmap.

CTF 210, 154

Computer To Film (ordinateur vers film). Acronyme anglais, communément utilisé par les professionnels des arts graphiques, désignant les imageuses films, également appelées « flasheuses ».

CTP 216, 154

Computer To Plate (ordinateur vers plaque). Acronyme anglais, communément utilisé par les professionnels des arts graphiques, désignant les imageuses (aussi appelées « unités d'écriture ») insolant directement les plaques d'impression à partir des données des fichiers informatiques, sans utiliser de film graphique.

Cuivrage 250

En héliogravure, une nouvelle couche de cuivre doit être déposée sur le cylindre d'impression avant chaque gravure chimique ou électromécanique. Le cuivrage est réalisé par électrolyse d'une solution de sulfate de cuivre et d'acide sulfurique.

Cumulus 14

Logiciel de Canto qui permet de stocker et d'archiver des images.

Cylindre d'encrier

Ce rouleau prélève l'encre dans l'encrier afin de la transférer aux autres rouleaux du groupe d'encrage.

Cylindre d'impression

Voir Cylindre de marge.

Cylindre de marge 233, 237

Cylindre de la machine à imprimer qui presse le papier contre le cylindre qui transfère l'encre sur le papier. Aussi appelé cylindre de contre-pression, de pression ou d'impression.

Cylindre porte-plaque 233, 237

Cylindre de machine à imprimer sur lequel on fixe la plaque d'impression. En impression offset, le cylindre porte-plaque transfère l'encre/image sur le cylindre porte-blanchet qui la transfère à son tour sur le papier.

D

DAT 130

Digital Audio Tape (bande audio numérique), bande magnétique de stockage de données, pouvant généralement contenir 2 à 8 gigaoctets.

DCS

Voir EPS- DCS/EPSF.

Décompresser 122

Action d'ouvrir des fichiers compressés.

Découpe à l'emporte-pièce 270

Procédé de finition. Les produits imprimés qui doivent avoir une forme autre que rectangulaire sont découpés à l'emporte-pièce, par exemple les séparateurs utilisées pour les classeurs.

Défaut de repérage 246, 113, 119

Phénomène d'impression : les composantes couleurs ne sont pas imprimées parfaitement les unes sur les autres, c'est-à-dire qu'il n'y a pas de repérage parfait.

Défonce (1) 64

Faire un trou dans une image vectorielle afin que l'objet situé derrière devienne visible.

Défonce (2) 118

Lorsqu'un objet graphique est placé sur un autre, par un exemple un texte sur un aplat de couleur, et que vous ne voulez pas que les couleurs du texte et de l'arrière-plan se mélangent, vous devez « défoncer » l'espace correspondant au texte. Un trou de la même forme que le texte est découpé dans l'aplat et le texte est ainsi imprimé sur une surface blanche non imprimée.

Dégradés

Voir Gradations.

Délai RIP 165, 162

Temps qu'il faut au RIP pour interpréter le code PostScript pour une page, c'est-à-dire pour créer la représentation bitmap avec des points d'insolation.

Densité 243

Mesure de la gamme des tons sur un support donné, par exemple la gamme des tons en quadri sur un type particulier de papier ou la gamme des tons d'une diapositive.

Densité de l'aplat 243

Densité d'une zone d'aplat, utilisée notamment pour mesurer la couverture d'encre dans la machine à imprimer, mesurée avec un densitomètre. Voir également Densité.

Densité de l'écran   249
Mesure de la finesse du tissage de la trame de sérigraphie.

Densitomètre   212, 239, 241, 243, 100
Instrument utilisé pour mesurer différents paramètres d'impression, par exemple l'engraissement du point et la densité des aplats. Différents modèles permettent de mesurer les surfaces d'un film (transparent) et les surfaces réfléchissantes.

Dépliant
Produit imprimé composé uniquement d'une feuille pliée, sans aucune reliure.

Dessin au trait   66
Le dessin au trait consiste en images composées uniquement de surfaces colorées ou non : les pixels de l'image sont noirs ou blancs.

Développement de film   210
À l'issue de l'insolation, l'image sur le film est développée et fixée par des liquides chimiques.

Développement de plaque   213
À l'issue de l'insolation, la plaque d'impression est développée à l'aide de liquides chimiques.

Développeuse   193
Machine qui développe le film ou la plaque insolés, à l'aide de liquides de développement chimiques.

Digiscript
Programme de contrôle de One Vision qui vérifie et améliore les fichiers PostScript.

Direction magnétique   133
Direction dans un champ magnétique entre un pôle nord et un pôle sud magnétiques. Utilisée dans les techniques de lecture et d'écriture magnétiques de supports magnétiques pour le stockage de données.

Disk Doubler   75
Logiciel de compression de fichiers.

Dispositif de mouillage   238, 239
Terme qui désigne l'ensemble du système de rouleaux d'une presse offset qui contrôle l'alimentation en solution de mouillage.

Disque Bernoulli
Type assez ancien de disque de stockage magnétique amovible, disponible en différentes tailles, pouvant contenir entre 44 et 105 mégaoctets.

Disque dur   18, 128
Support magnétique de stockage. Tous les ordinateurs ont un disque dur interne où sont stockés tous les types de fichiers, par exemple des programmes, des documents, des systèmes d'exploitation. Il existe également des disques durs externes qui peuvent être reliés à l'ordinateur.

Disque magnétique   129
Support de stockage de données basé sur des techniques de lecture et d'écriture magnétiques, par exemple disques durs, disque Zip ou disquettes.

Disques durs en miroir
Fonction de copie de sauvegarde reposant sur un jeu de disques durs. Un programme garantit que toutes les modifications apportées à un disque dur sont également enregistrées sur l'autre disque dur. Ainsi vous disposez toujours de deux jeux de fichiers identiques.

Disques MO   133
Disques magnéto-optiques, disques optiques amovibles permettant de stocker des données, disponibles en différentes tailles. Peuvent contenir entre 128 et 1 300 mégaoctets.

Disquette   129
Support magnétique de stockage de données de 3,5 pouces de diamètre. Un lecteur de disquettes était fourni avec tous les ordinateurs jusqu'à ces dernières années. Peut contenir 0,7 ou 1,4 mégaoctets.

DLT   130
Digital Linear Tape (bande linéaire numérique). Bande magnétique qui permet de stocker des données, contenant environ 40 gigaoctets.

Document   110
Les fichiers que vous avez créés dans l'ordinateur sont appelés documents. Par exemple des documents QuarkXPress, Photoshop ou Excel.

Dominante couleur   243, 85
Erreur dans l'équilibre entre les couleurs de l'impression et du document original. Perçue comme une tonalité chromatique globalement inexacte de l'image.

Données variables   258
Technique qui permet de modifier le contenu de chaque page imprimée à pleine vitesse d'impression. Également appelée Impression personnalisée.

Données vidéo   19
Informations numériques sur une image en mouvement.

Dossier Système
Ce dossier contient le système d'exploitation de l'ordinateur sur plate-forme Macintosh. Sans système d'exploitation, l'ordinateur ne peut pas démarrer.

Doublage   247
Phénomène d'impression qui se traduit par une déformation du point, une impression plus sombre et une double empreinte des points de trame, une plus soutenue et une plus légère. Ce défaut peut résulter d'un blanchet en caoutchouc lâche à cause duquel les points de trame sont placés en différents endroits sur le papier à chaque rotation du cylindre.

Double toile   224
Le principal égouttage de la pâte à papier dans la machine à imprimer a lieu sur la double toile où l'eau est absorbée par deux bandes textiles absorbantes.

Durabilité de stockage   127
Décrit dans quelle mesure un support de stockage de données est sûr et combien de temps il conserve les informations.

Durcissement   250
Lors de la gravure chimique de la forme imprimante pour l'héliogravure, on utilise un gel photosensible qui durcit à l'exposition à la lumière.

DVD   132
Digital Versatile Disc (disque universel numérique), disque optique qui permet de stocker des données, pouvant contenir jusqu'à 17 gigaoctets.

DynaStrip   181
Programme d'imposition de Dynagram.

E

Écart de ton
Différence entre deux nuances.

Échantillon couleur   49, 52, 204
Échantillons de combinaisons de couleurs, par exemple petits morceaux de papier détachables tirés de tables de couleurs comme les nuanciers Pantone.

Échantillons de types de caractères   30
Échantillons imprimés de types de caractères.

Échelle des tons   41
Tous les tons de 0 à 100 % d'une couleur donnée.

Écran (sérigraphie)   249
Toile finement tissée qui laisse passer l'encre d'impression en sérigraphie. Cette toile est tendue sur un cadre et revêtue d'une couche photosensible.

Écran cathodique (CRT)   21
Les écrans à tube cathodique sont basés sur la technique du rayon cathodique : un faisceau d'électrons balaye l'écran. C'est le cas notamment des écrans ou téléviseurs classiques.

Édition numérique
Édition d'informations sous un format numérique pouvant être lu à l'écran, par exemple une encyclopédie sur CD ou sur le World Wide Web.

Effet de contraste   58
Phénomène chromatique. Une couleur peut être perçue différemment selon la couleur placée à côté d'elle. Ainsi, il est possible d'obtenir deux impressions chromatiques totalement différentes selon qu'une couleur est placée à côté d'une autre ou encore d'une autre totalement différente.

Électrolyse 250
Traitement électrochimique utilisé pour traiter la surface du cylindre porte-cliché en héliogravure.

Élément d'image
Voir pixel.

Encartage 265
Type d'imposition pour la reliure. Les feuilles pliées sont insérées les unes dans les autres. Technique souvent utilisée dans le cas de la piqûre à cheval.

Encre 234
Substance physique de couleur, par exemple l'encre d'impression. Voir également Couleur.

Encre volatile 251
Encre d'impression qui sèche rapidement, utilisée pour l'héliogravure.

Encrier 238
Bac de la machine à imprimer qui contient l'encre.

Engraissement du point 214, 242, 95
Mesure du changement de taille du point de trame entre le film et l'impression ou entre la plaque et l'impression. Mesuré en pourcentage.

Enregistreur à cabestan 194
Version d'imageuse film dans laquelle le film est successivement alimenté par un rouleau, puis insolé directement. La longueur du film n'est pas limitée par les dimensions du tambour, comme dans un enregistreur avec un tambour externe par exemple.

En-tête de fichier 71, 163
Début d'un fichier numérique sur lequel sont stockées des informations particulières, par exemple des informations sur le programme qui a créé le fichier.

En-tête PostScript 163
Premières informations d'un fichier PostScript, par exemple des informations sur le programme qui a créé le fichier.

Épair 225
Répartition des fibres dans le papier. Si vous tenez un morceau de papier devant une source lumineuse et que ce papier est uni-

forme, c'est-à-dire qu'il ne comporte aucun « nuages », il présente un bon épair.

Épreuvage
Voir Impression d'épreuve.

Épreuve-écran (épreuve à l'écran) 197
Révision et contrôle à l'écran d'un produit destiné à être imprimé, par exemple un fichier au format PDF.

Épreuve machine 200
Épreuve réalisée sur la machine à imprimer avant l'impression définitive. Aussi appelée « tierce ».

Épreuve numérique 206, 199
Les épreuves numériques sont basées sur les fichiers utilisés lors de l'impression. Elles sont réalisées sur des imprimantes de qualité supérieure.

EPS 70, 64, 116, 111
Encapsulated PostScript (PostScript encapsulé). Format de fichier destiné aux images numériques et aux illustrations. Gère les images vectorielles et bitmap.

EPS-DCS/EPSF 70, 64, 116, 111
Encapsulated PostScript-Desktop Color Separation (PostScript encapsulé-Séparation couleur). Format de fichier destiné aux images numériques converties en quadrichromie. Le fichier image se compose de cinq fichiers : une image basse définition pour l'affichage à l'écran et un fichier haute définition pour chacune des quatre couleurs.

Équilibre solution de mouillage/encre 241
Pour obtenir une bonne qualité d'impression en impression offset, il faut respecter un équilibre entre la solution de mouillage et l'encre d'impression.

Espace colorimétrique 43
La gamme de couleurs est l'ensemble des couleurs qui peuvent théoriquement être créées par un certain modèle de couleurs. Plus la gamme de couleurs d'un modèle colorimétrique est large, plus vous pouvez créer de couleurs.

Ethernet 146, 142, 144
Une des solutions réseau les plus communes.

EtherTalk 146, 142
Protocole réseau d'Apple sur les réseaux Ethernet.

Eudora 150
Programme de gestion du courrier électronique.

Eurostandard 203
Échelle de couleurs européenne. Norme européenne qui définit les caractéristiques des couleurs des encres d'imprimerie. Équivalent de la norme américaine SWOP, mais avec les caractéristiques d'encrage européennes.

Exabyte 130
Bande magnétique qui permet de stocker des données. Contient environ 4 à 8 gigaoctets.

Excel 111
Programme de Microsoft utilisé pour les calculs et les statistiques.

Extensions 16
Plug-ins qui étendent les fonctions d'un programme donné.

F

Façonnage
Voir Finition.

Facteur d'échantillonnage 77
Le rapport entre la résolution de l'image et la linéature de l'impression est appelé facteur d'échantillonnage. Des tests ont montré que le facteur d'échantillonnage optimal est 2, c'est-à-dire que la valeur de la résolution de l'image doit être le double de celle de la linéature.

Facteur d'échelle 79, 81
Relation de taille entre l'image originale et l'image imprimée. Si, par exemple, vous imprimez une image trois fois plus grande que l'original, le facteur d'échelle est 3.

« Fausse » bichromie 67
Une image en niveaux de gris imprimée sur un support coloré est appelée « fausse » bichromie. Les parties blanches de l'image en niveaux de gris prennent la couleur du support.

Fausse double-page 263, 121
Double-page d'un produit imprimé qui ne se compose pas d'une feuille complète, mais de pages de deux feuilles différentes. Les fausses doubles compliquent le placement des images et des textes placés à cheval sur deux pages.

Fichier de polices
Voir Police.

Fichiers 24
Les blocs numériques de données sont appelés fichiers. Un fichier peut être un programme, un fichier système, un fichier d'image ou un pilote.

Film à lecture directe 211
Film avec une image imprimée à lecture directe si on le regarde avec le côté de l'émulsion vers le haut, par exemple film utilisé pour la sérigraphie.

Film de montage 212
Large film sur lequel on monte manuellement les différents films de page en une imposition complète.

Film de page
Film graphique contenant une page du produit imprimé. Les films de page sont montés pour former des impositions complètes. Par opposition au film imposé, qui correspond au format de la feuille imprimée et contient plusieurs pages.

Film graphique 210
Le film pour procédés graphiques est utilisé comme document original pour la fabrication de la forme imprimante si l'on n'a pas recours au CTP.

Film imposé 212
Film produit dans le format de la feuille d'impression, contenant plusieurs pages. Forme un assemblage.

Film inversé 211
Film dont l'image imprimée est une image miroir si on la regarde avec le côté de l'émulsion vers le haut. Utilisé dans les productions offset par exemple.

Film monté 212
Film qui est monté en un assemblage d'impression complet et utilisé pour la fabrication de plaques.

Film négatif 211
Film graphique qui présente des surfaces non imprimantes noires et des surfaces imprimantes transparentes.

Film positif 211
Film graphique présentant des surfaces non imprimantes transparentes et des surfaces imprimantes noires.

Filtre coloré 99
Filtre clair qui laisse passer de la lumière d'une certaine couleur, c'est-à-dire certaines longueurs d'ondes.

Finition 260
Toutes les opérations réalisées sur les feuilles de papier imprimées jusqu'à l'obtention du produit imprimé final. Ces opérations incluent le rognage, le pliage et la reliure/brochure.

First Class 150
Programme de gestion du courrier électronique et des transferts de fichiers.

Flexographie 252
Technique d'impression directe. Les zones imprimantes sont en relief par rapport aux zones non imprimantes. Technique utilisée à l'origine dans l'industrie de l'emballage. La forme imprimante est fabriquée en caoutchouc ou en plastique.

Flight Pro 198
Programme de préflashage.

Flightcheck 198
Programme de préflashage.

Fonds perdus 120
Les images ou objets qui sont supposés occuper tout l'espace jusqu'à la tranche du papier rogné doivent être imprimés avec des fonds perdus, c'est-à-dire être placés légèrement en débord du format de page, environ 5 mm.

Format 221
Indique la taille d'une surface, par exemple la taille finale d'un produit imprimé. Un format standard courant est le A4.

Forme imprimante 210, 250
Support physique représentant le motif (texte, images, etc.) à imprimer. Par exemple, plaque pour le procédé offset ou cylindre gravé pour l'héliogravure.

Frais de démarrage
Frais supportés pour démarrer un processus, par exemple les frais de calage d'impression ou d'une machine de façonnage.

Framemaker
Application de mise en page d'Adobe, particulièrement adaptée aux productions de documents volumineux, telles que les productions de catalogues.

Freehand 64, 111, 16
Application d'illustration de Macromedia.

Fréquence
Nombre de fois où quelque chose se produit, par exemple ondes lumineuses par seconde, mesurées en Hz.

Fréquence de balayage 21
Indique le nombre de mises à jour de l'image par seconde à l'écran. Mesuré en Hertz (Hz).

FTP 150
File Transfer Protocol. Protocole de transmission de fichiers sur Internet.

G

Gamme Brunner 213
Gamme de contrôle composée de différentes plages de couleurs ; utilisée pour vérifier la qualité de l'impression et de la plaque d'impression.

Gamme de contrôle des couleurs 108, 213, 241
Barre de couleurs particulière ajoutée lors de l'imposition et de l'impression. Permet de vérifier différents critères de qualité d'impression dans les différentes plages prévues sur la gamme.

Gamme de couleurs
Voir Espace colorimétrique.

Gamme des gris 241
Plages de mesure spécifiques basées sur une combinaison neutre théorique d'encres CMJ. Si l'impression n'est pas gris neutre, vous avez une dominante couleur.

Gamme des tons 75, 47
Aussi appelée gamme de densités. Gamme de nuances pouvant être créée sur certains types de supports, par exemple avec un scanner, sur une image originale ou sur une impression. Voir également Espace colorimétrique.

Gamme UGRA/FOGRA 108, 213, 241
Gamme de contrôle composée de différentes plages de couleurs ; utilisée pour vérifier la qualité de l'impression et de la plaque d'impression.

Gamut
Voir Espace colorimétrique.

Gardes, pages de garde 265, 261
Pages collées à la couverture des livres cartonnés pour fixer le volume. Elles sont parfois en papier coloré ou imprimé, on parle alors de pages de garde détachées.

GCR 93-98
Gray Component Replacement, remplacement de la composante grise. Méthode particulière de séparation ; vous réduisez la quantité d'encre dans les parties de l'image qui contiennent les trois couleurs primaires CMJ en remplaçant en totalité ou en partie la composante commune par du noir.

GIF 72
Graphic Interchange Format, format d'échange graphique. Format de fichier en mode de couleurs indexées utilisé principalement pour le Web. Peut contenir jusqu'à 256 couleurs.

Gigaoctet
1 073 741 824 octets, voir Octet.

Giga
$10^9 = 1\ 000\ 000\ 000$.

Glaçage 226
Traitement ultérieur dans le processus de production de papier qui donne au papier une brillance supérieure. Le glaçage améliore la qualité de l'image, mais réduit l'opacité et la rigidité.

Go
Gigaoctet, c'est-à-dire 1 073 741 824 octets, voir Octet.

Gouttière 261
Tranche extérieure d'une page, par opposition à la tranche intérieure.

Gradations 155, 204
Les gradations consistent en transitions entre plusieurs couleurs sur certaines distances. Les transitions peuvent être linéaires ou circulaires. Aussi appelées dégradés.

Graissage 241, 248
Lorsque les surfaces non imprimantes de la plaque attirent l'encre et deviennent imprimantes. Cela peut se produire, par exemple, lorsque la solution de mouillage est trop dure et que les pigments sont dissous dans l'eau ou lorsqu'il n'y a pas assez de solution de mouillage dans l'équilibre encre/eau.

Grammage 221
Mesure du poids du papier par unité de surface, mesuré en g/m^2.

Gravure à l'eau forte 250
Technique de production de formes d'impression en creux à l'aide d'un traitement chimique.

Gravure directe 251
Technique de production de cylindres d'impression consistant à les graver directement à partir des informations numériques.

Grossi-maigri
Voir Trapping.

Groupe d'encrage 238
Terme désignant l'ensemble du système de la machine à imprimer qui gère l'encrage sur chaque groupe d'impression.

Groupe d'impression 237
Dans une machine à imprimer offset, ensemble de cylindres d'un dispositif d'impression : cylindre porte-plaque, cylindre porte-blanchet et cylindre de marge.

Groupe d'impression satellitaire 238
Groupe d'impression avec un cylindre de marge de grand diamètre entouré de plusieurs sous-groupes d'impression, un pour chaque couleur d'impression.

H

Haut de casse 29
Lettres majuscules, par opposition au bas de casse.

Héliogravure 250
Procédé d'impression dans lequel la forme imprimante est gravée sur un cylindre à l'aide d'une tête diamantée ou d'un faisceau laser pour créer des alvéoles constituant la trame.

Hirondelle
Voir Croix de repérage.

Histogramme 83
Représentation graphique de la composition des tons dans une image numérique.

Hub
Voir Concentrateur.

Humide sur humide 244
Technique utilisée dans l'impression offset consistant à imprimer les encres directement les unes sur les autres avant même qu'elles n'aient eu le temps de sécher.

Hydrophile 233
Qui attire l'eau.

Hydrophobe 233
Qui repousse l'eau.

I

ICC 51
International Color Consortium, groupe de fabricants de logiciels et matériels informatiques spécialisés dans l'industrie graphique qui travaillent à l'établissement de normes communes de gestion des couleurs.

Icône
Symbole utilisé en informatique, par exemple l'icône d'un fichier PDF.

Identification de police 33
Numéro d'identification unique attribué à tous les fichiers de polices.

Illustrator 64, 16
Logiciel d'illustration d'Adobe.

Image basse résolution
Image dont la résolution est basse, généralement 72 ppi. Nécessite peu d'espace de stockage. Est généralement utilisée comme image de placement pour la mise en page, puis remplacée, manuellement ou automatiquement, par une image haute résolution lors de la sortie des épreuves, puis des films ou des plaques.

Image bitmap 65
Image basée sur des pixels, par opposition à une image vectorielle basée sur des objets géométriques et des courbes mathématiques. Une image bitmap ne doit pas être agrandie de plus de 15 à 20 %, pour maintenir une résolution optimale.

Image haute résolution
Image présentant une résolution suffisamment élevée pour l'impression ; nécessite un espace mémoire important.

Image imprimée
Image créée par l'encre. En offset, elle est transférée de la plaque au blanchet en caoutchouc, puis au papier.

Image originale
Par exemple une diapositive, un tirage papier d'une photographie ou l'original d'un dessin.

Image simili en quatre couleurs 67
Image en niveaux de gris imprimée avec quatre encres d'impression au lieu d'une seule. Si vous voulez reproduire des détails précis sur une image en noir et blanc, l'adoucir ou la colorer dans une autre couleur que le noir pur, vous pouvez avoir recours à ce procédé. Vous imprimez généralement le noir plus trois couleurs d'accompagnement de votre choix.

Images réflectives
Images photographiques sur papier.

Imposition 16
Programme d'imposition de Quark.

Imposition en amalgame 185–186
Type d'imposition. Une page est placée plusieurs fois sur la même feuille d'impression, par exemple l'imposition en double pose permet d'obtenir deux exemplaires de la même page à partir de chaque feuille imprimée.

Imposition en double pose
Voir Imposition en amalgame.

Imposition en quatre poses identiques
Voir Imposition en amalgame.

Imposition en trois poses identiques
Voir Imposition en amalgame.

Imposition numérique 181
Imposition de fichiers numériques via un logiciel d'imposition.

Impression d'épreuve 199–200
Une épreuve de ce que sera le produit imprimé fini. Est effectuée numériquement ou à partir des films à la base de l'impression.

Impression en quadrichromie
Impression avec les quatre couleurs primaires, CMJN.

Impression numérique 253
Machine à imprimer qui imprime les informations directement à partir de l'ordinateur de la même façon qu'une imprimante.

Impression offset rotative 232
Méthode d'impression offset qui alimente le papier à partir d'une bobine par opposition aux feuilles de papier utilisées dans l'impression offset feuilles.

Imprimabilité
Mesure de la capacité d'impression du papier.

Imprimante à impression en blanc 189
Une imprimante laser est à impression en blanc si le laser décrit les zones de la feuille qui ne doivent pas être imprimées.

Imprimante à jet d'encre 190
Imprimante basée sur une technique qui « projette » de l'encre liquide sur le papier.

Imprimante à sublimation 191
Imprimante basée sur la technique de la sublimation, c'est-à-dire que les couches de couleurs sont transférées sur le papier en chauffant un « ruban 4 couleurs ».

Imprimante PostScript 162
Imprimante basée sur le langage de description de page PostScript.

Infrarouge 40
Chaleur rayonnante. Lumière invisible, la plus proche des teintes rouges sur le spectre, c'est-à-dire les longueurs d'ondes autour de 705 nm.

Insolation de plaque 193
Processus d'exposition de la plaque d'impression via un faisceau laser ou encore via un film graphique à l'aide de rayons ultraviolets.

Insoler
Exposer une couche photosensible sur un film ou une plaque d'impression à la lumière pour transférer une image.

Intensité lumineuse
Intensité de la lumière, également appelée luminosité ou luminance.

Internet Explorer 149
Navigateur Web de Microsoft.

Internet 148
Réseau d'ordinateurs mondial.

Interpolation bicubique
Voir Interpolation.

Interpolation 82
Technique de recalcul des informations dans une image numérique, par exemple lors du changement de résolution ou de la rotation d'une image.

Interpréteur PostScript 165
Logiciel qui interprète le code PostScript et le convertit en bitmap avec des points d'insolation ou des points de trame.

Intervalle tonal 40, 77
Partie de la gamme de nuances.

Iris 206
Système d'épreuve numérique de Scitex.

J

Jaz 129
Disque magnétique amovible permettant de stocker des données. Peut contenir 1 ou 2 gigaoctets.

Jeu de films 212
Un jeu de films de la même page, un pour chaque encre d'impression, par exemple quatre films pour une page en quadrichromie.

Jeu de plaques 215
Ensemble de plaques servant à imprimer la même feuille, par exemple quatre plaques pour une feuille imprimée en quadrichromie.

Jeu de quatre couleurs 212
Jeu de quatre films, un pour chaque encre d'impression, de la même page qui forme la base d'une page imprimée en quadrichromie.

JPEG 72
Joint Photographic Experts Group, groupe d'experts photographiques associés. Méthode de compression d'images avec perte. Fonctionne également comme format d'image. Compatible avec la plupart des plates-formes informatiques.

L

Lame d'encrier 239
La lame d'encrier est située dans l'encrier et permet de régler le débit d'encre dans la machine à imprimer. Elle est contrôlée par les vis d'encrier de la machine à imprimer, qui sont réglées manuellement ou par commande numérique.

Langage de description de page 162
Langue code qui décrit la conception d'une page. Voir PostScript.

Lecteur 129
Appareil nécessaire pour lire certains types de supports pour le stockage de données, par exemple un lecteur Jaz pour les disques Jaz.

Lien 179
Référence, par exemple, d'une image basse résolution à l'image haute résolution correspondante. Lors de l'impression d'un document, le programme trouve l'image haute résolution en utilisant le lien afin de remplacer l'image basse résolution. Le lien définit le nom et l'emplacement de l'image haute résolution dans la structure des fichiers de l'ordinateur.

Lien sur image
Voir Lien.

Linéaire 41
Relation mathématique dépendant d'un facteur constant.

Linéature 155, 77
Décrit la « finesse » d'une trame en indiquant le nombre de lignes de trame par pouce. Mesurée en lignes par pouce ou lpi (lines per inch).

Linéomètre 212
Outil de mesure de la linéature et des angles d'une trame.

Liquide de développement 210
Liquide chimique nécessaire pour développer un film ou une plaque.

Localtalk 145
Ancienne solution de réseau d'Apple permettant de connecter les ordinateurs Apple Macintosh.

Logarithmique 41
Relation mathématique non linéaire. La perception de la lumière par l'œil est logarithmique. Nous pouvons percevoir des gradations (dégradés) plus facilement dans les zones claires que sombres.

Logiciel d'illustration 111, 16
Utilisé pour faire des illustrations, généralement de type vectoriel.

Logiciel de police de caractères 30
Logiciel qui peut éditer des polices de caractères, Macromedia Fontographer par exemple.

Logiciel de retouche d'images 111, 16
Logiciel nécessaire pour créer, adapter, modifier ou retoucher des images sur ordinateur.

Logiciel de téléchargement FTP 150
Programme de transmission de fichiers via Internet au moyen du protocole FTP.

Logiciel RIP
Voir RIP.

Logiciel 14
Terme désignant tous les types de programmes, du système d'exploitation aux applications.

Longueur d'onde 40
Mesure physique de la longueur des ondes de lumière, mesurée en nanomètre (nm). La lumière visible présente des longueurs d'onde variant entre 385 et 705 nm.

Lumière de visualisation 58
La lumière sous laquelle vous regardez une photographie ou un document imprimé. Affecte la perception des couleurs. Une lumière normale neutre a une température de couleurs de 5 000 K. Cela correspond approximativement à la lumière normale du jour et est donc utilisée comme lumière de référence pour les images, les épreuves et les impressions.

Lumière ultraviolette 40
Pour nous humains, lumière invisible située tout près des couleurs violettes du spectre, inférieure à 385 nm. Possède une telle énergie que la peau s'en protège en bronzant.

Luminance
Voir Luminosité.

Luminosité
Intensité des couleurs, également appelée luminance. Décrit la clarté ou l'obscurité d'une image.

LZW 73
Méthode de compression sans perte. Initiales des noms des chercheurs Lempel, Ziv et Welch qui l'ont développée. LZW peut être

utilisée lorsque les images sont enregistrées au format TIFF.

M

Mac OS 15
Système d'exploitation d'Apple utilisé dans les ordinateurs Macintosh.

Machine à imprimer en retiration 237
Type de machine à imprimer qui peut ne pas posséder de cylindre de marge. Les deux côtés de la feuille sont imprimés simultanément avec deux cylindres porte-blanchet qui font mutuellement pression sur la feuille. D'autres types de machines sont conçus pour imprimer sur les deux côtés des feuilles sans avoir à les y réintroduire, en utilisant une succession de groupes d'impression conventionnels.

Machine CTP
Voir CTP.

Maculage 247, 93
Les feuilles maculent l'encre les unes sur les autres. Phénomène d'impression qui se produit en cas de quantité trop importante d'encre d'impression sur la feuille ou lorsque l'encre n'a pas eu le temps de sécher.

Maigri 119
Quand le fond en défonce est réduit pour éviter tout défaut de repérage. Voir également Grossi.

Main 222
Décrit le volume d'un papier, mesuré en m³/g ou pages par pouce.

Maquette papier
Échantillon test d'une imposition, d'une reliure ou d'un produit imprimé complet. Il est généralement réalisé à la main.

Margeur à nappe 236
Partie de la machine à imprimer qui alimente le papier dans la machine.

Marquage à chaud 261
Application d'une feuille de matière colorée sur un produit imprimé. La feuille est chauffée ; elle gonfle et forme un relief.

Marque de repérage
Voir Croix de repérage.

Masque de découpe 91, 64
Tracé de découpe d'une image dans un programme de retouche d'images.

Matchprint 200, 205
Système d'épreuve analogique de 3M.

Matrice CCD 105–106
Nombreuses cellules CCD organisées en damier ; « matrice de pixels », dans laquelle chaque cellule CCD correspond à un pixel. Généralement utilisée dans les appareils photos numériques.

Matrice de trame
Voir Cellules de trame.

Mémoire cache 22
Les opérations de calcul fréquemment effectuées sont mémorisées dans la mémoire cache de l'ordinateur, afin d'être rapidement accessibles.

Mémoire virtuelle 18
Technique permettant d'agrandir la mémoire vive en utilisant le disque dur de l'ordinateur.

Métamérisme 58
Phénomène par lequel deux couleurs qui semblent identiques sous une lumière particulière semblent complètement différentes sous une autre.

Mise à l'échelle 79
Changement de taille des images et autres objets numériques.

Mo
Mégaoctet, c'est-à-dire 1 048 576 octets, voir Octet.

Mode CMJN 68
Une image enregistrée en mode CMJN se compose techniquement de quatre images pixellisées différentes en niveaux de gris : l'une représente le cyan, une autre le magenta, une autre le jaune et la dernière le noir. Cela signifie également qu'une image CMJN utilise quatre fois plus de mémoire qu'une image de la même taille et de la même résolution en niveaux de gris.

Mode couleur 65
Décrit les informations chromatiques contenues dans une image bitmap, par exemple dessin au trait, niveaux de gris, couleurs indexées, RVB ou CMJN.

Mode couleurs indexées 70
Une image en mode couleurs indexées contient jusqu'à 256 couleurs différentes, définies selon une palette dont chaque case contient une couleur et à laquelle est affectée un nombre. Cela signifie que tous les pixels de l'image ont une valeur comprise entre 1 et 256 selon la couleur de palette attribuée. L'image contient donc uniquement une image en pixels avec la même taille mémoire qu'une image en niveaux de gris, ainsi que la palette définissant les couleurs.

Mode RVB 68
Une image en mode RVB est composée techniquement de trois images bitmap distinctes en niveaux de gris qui représentent chacune le rouge, le vert et le bleu. Cela signifie qu'une image RVB utilise trois fois plus de mémoire qu'une image de la même taille et de la même résolution en niveaux de gris.

Modèle colorimétrique 43
Système qui permet de créer, de définir ou de décrire des couleurs, par exemple RVB, CMJN ou CIE.

Modem 147
Équipement de communication qui permet à un ordinateur d'appeler un autre ordinateur et de transférer des fichiers qui y sont enregistrés via le réseau téléphonique analogique.

Moiré 159, 204
Phénomène lié au tramage qui se traduit par des moirages qui déforment les images et les aplats. Un phénomène identique se produit à la télévision, par exemple lorsque quelqu'un porte une veste à carreaux.

Monotype 29
Fabricant de polices de caractères.

Montage manuel 212, 181
Films montés manuellement en assemblages de films complets.

Montage
Voir Montage manuel.

Multiple Master 34
Type de fichier de polices pouvant prendre en charge différentes chasses et épaisseurs de trait, créant ainsi une grande variété de styles à partir d'une police unique. Version de PostScript Type 1.

Nanomètre (nm)
Mesure de longueur (1 nanomètre = 0,000001 millimètre). Utilisée notamment pour indiquer la longueur d'onde de la lumière.

NCS 47
Natural Color System, système de couleurs suédois basé sur les coordonnées de la luminosité, de la couleur et de la saturation et qui peut être visualisé comme un cône double. Est utilisé principalement dans les industries du textile et de la peinture.

Netscape Navigator 149
Navigateur Web de Netscape.

Netteté 87
Si une image semble « plate », cela est généralement dû à un manque de transitions nettes entre les tonalités sombres et claires au niveau des contours. Au lieu d'une transition nette, le contour consiste en un dégradé progressif. Pour rendre les contours de l'image plus nets, vous devez trouver ces gradations « douces » qui donnent à l'image son aspect fade et les prononcer davantage.

Niveaux d'accès 143
Dans un réseau, vous pouvez définir des niveaux d'accès et attribuer ainsi aux différents utilisateurs différents niveaux d'accès au réseau.

Noir riche ou noir profond 114
Lorsqu'on combine une encre noire à une ou plusieurs autres encres pour obtenir une couleur

noire plus sombre et plus profonde.

Norme de facto
Norme qui s'est imposée parce qu'un produit a atteint une position dominante dans un secteur sans avoir été entérinée par un organisme de normalisation important, par exemple PostScript d'Adobe.

Nuancier de couleurs 45, 49, 112–113
Guide imprimé d'échantillons de couleurs, avec leur composition ou référence, nécessaire pour choisir des couleurs.

Numéris
Voir RNIS.

Octet 23
Mesure de la mémoire binaire. Un octet est composé de 8 bits, l'équivalent de 0 à 255 dans le système décimal.

Offset humide 232
Voir Impression offset.

Offset sans mouillage 235
Également appelé offset sec ou offset sans eau. Version d'impression offset normale dans laquelle on utilise du silicone repoussant l'encre au lieu de l'eau pour les surfaces non imprimantes. Une plaque d'impression spéciale recouverte de silicone est utilisée.

Offset sec
Voir Offset sans mouillage.

OST 148
Type de carte de communication RNIS.

Ouverture 107
Ouverture pour la lumière, souvent dans un système optique. Par exemple, la valeur d'ouverture détermine, dans un appareil photo, la taille de l'ouverture du diaphragme qui laisse passer la lumière lors de prise de vue.

Oxydation 235
Deuxième phase de séchage des encres d'impression offset. L'al-

kyde subit une réaction chimique avec l'oxygène dans l'air, processus appelé oxydation.

Ozalid 200
Nom déposé. Type particulier d'épreuve analogique. Le résultat imprimé s'affiche en une seule couleur, en bleu.

P

PageMaker 111, 16
Logiciel de mise en page d'Adobe largement utilisé.

Pages indépendantes 169
Dans un document enregistré au format PDF, les pages sont enregistrées indépendamment les unes des autres. Toutes les informations relatives à une page sont enregistrées avec une description de la page. Vous pouvez donc choisir d'imprimer la page que vous souhaitez, sans imprimer les autres. Le format est dit « en pages indépendantes ». Si vous avez enregistré le même document au format PostScript, où les pages ne sont pas indépendantes, vous devez imprimer toutes les pages ou aucune, simplement parce que les pages dépendent les unes des autres.

Palette 68
Jeu de couleurs de l'ordinateur. Voir également Mode couleurs indexées.

Papier cellulose 223
Papier composé de plus de 10 % de pâte mécanique et de moins de 90 % de pâte chimique.

Papier couché 226
Papier dont la surface a été traitée avec un couchage spécial pour maintenir une qualité d'impression supérieure. Le couchage est composé de liants (amidon ou latex) et de pigment (fine argile de kaolin ou carbonate de calcium).

Papier de chiffons 226
Papier qui, outre des fibres de bois, contient également des fibres de coton.

Papier double-face
Papier qui présente les mêmes caractéristiques de surface des deux côtés. À comparer au papier à simple face.

Papier recyclé 226
Papier composé de fibres recyclées. Les plus courants contiennent 50, 75 ou 100 % de fibres recyclées.

Papier sans bois 223
Papier composé de moins de 10 % de pâte mécanique et de plus de 90 % de pâte chimique.

Papier simple-face
Papier présentant des caractéristiques de surface différentes sur le recto et le verso, par exemple les cartes postales (face couchée avec l'image et face non couchée pour l'écriture).

Papier supercalandré 226
Papier qui a subi un traitement visant à obtenir une surface très lisse.

Paquet 144
Décrit une quantité de données envoyées sur un réseau. Les informations envoyées sur un réseau sont divisées en plusieurs paquets de données.

Paramètres de séparation 101
Paramètres qui contrôlent l'ajustement de l'impression dans le processus de séparation en quadrichromie, par exemple l'engraissement du point, la couverture d'encre maximale, etc. Voir Séparation CMJN.

Pare-feu 151
Système qui protège un réseau local contre toute intervention externe via une connexion réseau, par exemple via Internet.

Passe 103
Technique de scannérisation des trois couleurs (RVB) d'un document original en un seul balayage.

Pâte à papier 223
La pâte à papier est le mélange de tous les ingrédients nécessaires pour obtenir une qualité de papier particulière.

Pâte mécanique 223
Pâte à papier produite par broyage du bois afin d'en extraire les fibres de cellulose.

pdfInspektor 198, 199
Programme de préflashage de Callas qui vérifie les fichiers PostScript.

PDF 169
Portable Document Format, format de document portable. Format de fichier d'Adobe créé avec le programme Acrobat Distiller.

Peluchage 246
Des fragments de papier sont arrachés du papier par l'encre (arrachage), retombent sur le blanchet ou sur la plaque d'impression et génèrent des points blancs sur l'impression.

Perforation de trous de classement 270
Permet de ranger le produit imprimé dans des classeurs.

Périphérique de sortie
Par exemple une imprimante ou une imageuse.

Phénomènes de tramage 154-161, 203
Différents phénomènes lié au tramage pouvant se produire lors de la rastérisation. On obtient souvent alors des motifs non désirés, comme le moiré.

Photoconducteur 187
Matériau dont la charge électrique peut être modifiée par la lumière, utilisé dans les imprimantes laser. Voir le procédé xérographique.

Photograveur
Prestataire de services prépresse qui offre des services de scannérisation et de retouche d'images, de sortie d'épreuves et de préparation de fichiers d'images ou de mise en page conformes aux normes des métiers de l'imprimerie.

Photomultiplicateur 103
Élément qui convertit l'intensité de la lumière en signaux électroniques.

Pied 262
La partie basse d'une page, ou le pied de la page, par opposition à la tête de la page.

Pilote 15
Programme de commande d'unités externes telles qu'imprimantes, scanners, etc.

Pilote d'imprimante 162
Programme de commande des imprimantes.

Piqûre bouclette 265
Type d'agrafe ordinaire, utilisée pour la piqûre métal. Elle est utilisée pour faciliter l'insertion du produit imprimé dans un classeur et permettre de le feuilleter aisément.

Pitstop 170, 198
Programme de préflashage d'Enfocus qui vérifie les fichiers PostScript.

Pixel 65, 21
Plus petit composant visuel d'une image numérique ou d'un moniteur. Le nombre de pixels par pouce ou centimètre mesure la résolution de l'image ou du moniteur.

Plaque 213
Voir Plaque d'impression.

Plaque CTP 216
Plaque d'impression spécialement conçue pour les équipements CTP.

Plaque d'impression 213
Forme imprimante utilisée en impression offset.

Plate-forme informatique
Décrit le système d'exploitation avec lequel un ordinateur fonctionne, par exemple une plate-forme Macintosh, Windows ou Unix.

Pliage 262
Action de plier des feuilles de papier. Opération généralement réalisée dans des plieuses.

Pliage croisé 262
Type de pliage où les plis sont situés à 90 degrés les uns par rapport aux autres, par opposition au pliage parallèle.

Pliage parallèle 262
Type de pliage où les plis sont parallèles les uns par rapport aux autres, par opposition au pliage croisé.

Plieuse à cône   262
Type spécial de plieuse généralement utilisé dans l'imprimerie offset rotative.

Plieuse à poches   262, 263
Méthode la plus courante et la plus simple pour le pliage de feuilles.

Plieuse en Z   262
Type de plieuse plis parallèles.

Plug-ins   16
Petits programmes qui améliorent les fonctions de l'ordinateur ou d'autres programmes.

Pochoir de sérigraphie   248
Pellicule plastique qui couvre les surfaces non imprimantes sur la toile.

Point blanc   84
Tonalité la plus lumineuse d'une image. Avec le point noir, le point blanc sert de référence pour le contrôle du contraste de l'image.

Point d'insolation   155, 156
Point créé par le faisceau laser dans une imageuse (film ou plaque) ou une imprimante. Constitue le point de trame.

Point de trame   155, 156
La plus petite unité d'une trame. Tous les tons à l'impression, qu'il s'agisse de reproduire des photographies ou des illustrations, reposent sur des points de trame.

Point de trame carré   159
Une trame peut se composer de points carrés au lieu des points ronds traditionnels. La forme du point confère à la trame des caractéristiques différentes.

Point de trame elliptique   159
Point de trame de forme elliptique plutôt que circulaire. La forme du point confère à la trame des caractéristiques différentes.

Point de trame rond   159
Forme classique d'un point de trame. La forme du point de trame détermine les caractéristiques de la trame.

Police   28
Ensemble de caractères d'un type particulier enregistrés dans un

fichier. On peut citer comme types de caractères de polices Truetype et PostScript Type 1.

Police d'affichage   29, 31, 34
Fichier de polices utilisé pour l'affichage à l'écran. Se compose de petites images en mode point.

Police de caractères optimisée   33
Ensemble d'algorithmes d'optimisation enregistrés dans une police de caractères pour optimiser la façon dont l'imprimante doit imprimer la police.

Police de symbole   29
Police composée de différents symboles au lieu de lettres, par exemple Zapf Dingbats.

Police d'impression   29, 31, 34
Fichier de police de caractères utilisé pour la sortie ou pour l'affichage à l'écran. Utilisé pour les polices de caractères de grandes dimensions et fonctionne uniquement si ATM est installé.

Polycarbonate   132
Matériau plastique d'un CD.

Polymère photosensible   210, 253
Couche photosensible appliquée à la surface d'une plaque d'impression.

Pont   144
Équipement réseau qui connecte différentes parties d'un réseau.

Port modem   147
Connexion parallèle de l'ordinateur permettant de connecter un modem.

Port parallèle   19
Connexion dans l'ordinateur permettant de connecter des imprimantes ou des modems, par exemple.

Port SCSI   19
Vous pouvez connecter différentes unités externes telles que disques durs, lecteurs Jaz et scanners via le port SCSI de l'ordinateur.

Port série   19
Permet de connecter par exemple le clavier et la souris au port série.

Portfolio   16
Logiciel d'archivage d'Extensis.

PostScript   162
Langage de description de page d'Adobe, standard pour les sorties graphiques.

PostScript 3   166
Troisième version du langage de description de page PostScript. Le terme « Niveau » a été supprimé du nom. À comparer à PostScript Niveau 1 et 2.

PostScript Extreme   169
Technique de PostScript 3 qui permet de rastériser plusieurs pages d'un document en même temps en utilisant différents processeurs.

PostScript Niveau 1   166
Première version du langage de description de page PostScript. Est à l'origine de PostScript Niveau 2 et de PostScript 3. Le Niveau 1 est, par rapport aux deux autres versions, un langage de description de page relativement simple, c'est-à-dire qu'il ne prend pas en charge, par exemple, la gestion des couleurs.

PostScript Niveau 2   166
Deuxième version du langage de description de page PostScript. Prend en charge notamment la gestion des couleurs (ce que ne fait pas PostScript Niveau 1).

PostScript Type 1   34, 111
Fichier de définition des polices de caractères, basé sur PostScript.

Poudre de séchage   235
Poudre projetée entre les feuilles imprimées dans la réception de la machine à imprimer pour empêcher l'encre d'imprimerie de maculer la feuille placée au-dessus. Également appelée poudre anti-maculante.

Powerpoint   111
Logiciel de présentation de Microsoft. Utilisé pour les présentations graphiques.

PPD   164
PostScript Printer Description, description d'imprimante PostScript. Contient des informations sur un périphérique de sortie donné et est nécessaire pour réaliser des sorties sur ce périphérique.

ppi   65
Pixels per inch (pixels par pouce). Indique la résolution des images, des moniteurs et des scanners.

Préflashage   175, 198
Opération, également appelée « preflight » ou « contrôle en amont », réalisée à l'aide d'un programme spécifique qui permet de vérifier et d'ajuster des fichiers de documents et leurs caractéristiques avant de les sortir sur film ou plaque d'impression.

Pré-imprimés   189
Feuilles pré-imprimées, par exemple papier à lettres avec des logos et en-têtes pré-imprimés, sur lesquelles on peut imprimer un texte ou des images supplémentaires.

Préparation de la pâte à papier   224
Lors de la préparation de la pâte à papier, les fibres de cellulose sont battues, puis on ajoute des charges minérales, de la colle et, le cas échéant, de la couleur. Voir Pâte à papier.

Preps   181, 16
Programme d'imposition de Creo.

Presse à cinq cylindres   237
Type particulier de groupe d'impression composé de deux cylindres portes-plaques, de deux cylindres porte-blanchet et d'un cylindre de marge (cylindre de pression).

Presse à trois cylindres   237
Type de presse le plus courant à l'heure actuelle en machine offset feuilles. Se compose d'un cylindre de marge, d'un cylindre porte-blanchet et d'un cylindre porte-plaque.

Prestataire de services prépresse
Voir Photograveur.

Prévisualisation   65
Une image EPS contient une image de prévisualisation au format de fichier PICT. L'image de prévisualisation peut être en noir et blanc ou en couleurs et présente toujours une résolution de 72 ppi, la résolution standard des moniteurs. Cette image est utilisée pour

placer des images EPS dans des documents.

Principe lithographique 233
Selon ce principe, les surfaces imprimantes attirent les corps gras (encre) et repoussent l'eau, et les surfaces non imprimantes attirent l'eau et en sont couvertes, ce qui repousse l'encre grasse.

Prise de pinces 184, 237
Partie du papier que la machine à imprimer ou de façonnage saisit pour maintenir et entraîner une feuille.

Procédé d'impression 232
Terme désignant une certaine méthode d'impression, telle que l'impression offset, la sérigraphie ou l'héliogravure.

Procédé d'impression directe 211
Procédé d'impression avec lequel la forme imprimante imprime directement sur le support, par exemple la flexographie et l'héliogravure.

Procédé d'impression indirecte 211
Procédé d'impression dans laquelle l'encre de la forme imprimante est transférée jusqu'au papier via un blanchet en caoutchouc placé sur un « cylindre porte-blanchet » ; c'est le procédé offset.

Procédé xérographique 187
Procédé d'impression à sec qui utilise les forces d'attraction des charges électriques pour transférer l'encre en poudre sur le papier. Est utilisé dans les copieurs et les imprimantes laser.

Processeur 17
Le « cerveau » de l'ordinateur. Il effectue tous les calculs. De la vitesse du processeur dépend la capacité de l'ordinateur. Elle est déterminée par sa fréquence d'horloge, qui définit le nombre de calculs possibles par seconde.

Profil 50
Chaque appareil du processus de production présente des forces et des faiblesses. Ces caractéristiques peuvent être mesurées et enregistrées dans des profils à l'aide d'un programme de gestion des couleurs.

Profil ICC 51
Norme de description des caractéristiques couleurs des scanners, moniteurs, imprimantes, systèmes d'épreuvage et d'impression. Est utilisée par la plupart des systèmes de gestion des couleurs. Créée à l'aide d'un spectrophotomètre.

Profondeur de couleur 69
Mesure du nombre de couleurs qu'un pixel peut contenir dans une image numérique ; indique le nombre de bits utilisés pour représenter chaque pixel. Plus le nombre de bits par couleur est élevé, plus la profondeur de couleur est importante, plus les couleurs possibles sont nombreuses. Une image RVB normale comporte 3×8 bits = 24 bits.

Programme d'imposition 181
Programme qui réalise des impositions numériques à partir de fichiers, par exemple Preps de Creo ou DynaStrip de Dynagram.

Programme de scanner
Programme qui contrôle la numérisation des images. Il permet d'ajuster la résolution, les couleurs, le contraste, la séparation CMJN, etc.

Programme de trapping
Programme de gestion du trapping dans un document, par exemple Trapwise de Creo.

Protocole réseau 142
Ensemble de règles régissant la communication sur un réseau donné.

Q

QuarkXPress 111, 16
Programme de mise en page de Quark largement utilisé.

R

Rainage 264
Opération consistant à appliquer une pression sur une feuille avec une fine réglette formant un repère

de pliage, pour faciliter le pliage des papiers raides et épais par exemple.

Rainbow de 3M 200
Système d'épreuve numérique de 3M.

RAM 18
Random Access Memory, mémoire à accès aléatoire appelée « mémoire vive » ; la mémoire de travail temporaire à haute vitesse de l'ordinateur.

Recadrage
Suppression des parties inutiles d'une image afin d'éviter de travailler avec une image plus grande que nécessaire.

Recouvrement (1) 119
Quand, par exemple, un texte est imprimé sur une zone colorée et que les couleurs des deux objets se mélangent. La technique opposée, faisant en sorte que les couleurs des objets ne se mélangent pas, est appelée défonce.

Recouvrement (2) 244
Phénomène du procédé d'impression relatif à la manière dont les encres d'impression adhèrent et se lient les unes aux autres. Les encres d'impression imprimées les unes sur les autres en procédé humide ne se lient pas à 100 %.

Recto
Le côté face de la feuille d'impression, c'est-à-dire le côté imprimé en premier.

Recto verso 186
Type d'imposition pour les impressions double-face. Vous imposez une fois pour le côté recto et une autre fois pour le côté verso.

Réduction du point 214, 242, 95
Mesure du changement de taille du point de trame entre le film et l'impression dans le cadre de l'utilisation de plaques d'impression positives. Mesurée en pourcentage.

Références croisées 137
Dans les bases de données, les références croisées permettent d'attribuer à un fichier plusieurs mots-clés différents, de sorte que vous

pouvez trouver le même fichier à partir de différents mots-clés, sous différentes rubriques. Basilic, par exemple, peut être classé sous épice et herbe.

Réflectivité 41, 43
Mesure dans laquelle la lumière entrante est reflétée sur un matériel donné en fonction de sa texture et du traitement de sa surface.

Réflexion 247
Phénomène d'impression causé par l'incapacité du groupe d'encrage à fournir suffisamment d'encre dans certaines zones de la plaque. Prend la forme de traces d'objets dans des aplats de couleur dans le sens d'impression.

Réglage de l'engraissement du point 93
Ajustement d'une image selon l'engraissement du point qu'elle subira lors du processus d'impression. Est effectué durant la séparation quadri. Voir également Réglage de l'impression.

Réglage de l'impression 95
L'image numérique est ajustée en fonction des prérequis et des caractéristiques de l'impression et du papier. Est réalisé lors de la séparation des couleurs.

Réimpression (retirage) 215
Impression d'exemplaires supplémentaires du même produit imprimé sans modification importante.

Reliure Wire-O 267
Type de reliure spirale généralement utilisé pour les manuels et les blocs-notes.

Remplissage 63
Les courbes et les objets fermés peuvent être remplis de couleurs, de dégradés de couleurs (gradations) et de motifs. Utilisé dans la représentation graphique d'objets.

Repérage (1) 178
Terme générique désignant toutes les marques de repérage et traits de coupe dans la boîte de dialogue d'impression de QuarkXPress.

Repérage (2) 241

Lorsque toutes les encres d'impression sont placées correctement les unes par rapport aux autres, par exemple les composantes couleurs dans une impression en quadrichromie ou les encres sur le recto et le verso.

Repérage (3) 236

Lorsque les feuilles sont positionnées lors de l'alimentation dans une machine à imprimer pour s'assurer qu'elles passent dans la machine de façon synchronisée. Si les feuilles ne sont pas bien repérées, l'impression peut ne pas toujours se trouver au même endroit sur les différentes feuilles.

Repères de pliage

Repères spéciaux qui indiquent où doit être pliée la feuille imprimée.

Répéteur 143

Unité de réseau qui connecte différentes parties d'un réseau et améliore ses signaux.

Réseaux fibre optique/FDDI 146

Fiber Distributed Data Interchange, échange de données distribuées par fibres. Réseaux basés sur une technique de transmission optique via des câbles en fibres.

Réseau 140

Interconnexion permettant des échanges d'information entre des ordinateurs, des imprimantes, des scanners, des serveurs, et d'autres périphériques en réseau.

Résistance à l'arrachage en surface 246

Mesure de la résistance en surface du papier. Cette caractéristique est importante car les encres d'impression peuvent arracher des peluches de la surface du papier lors de l'impression.

Résolution 65

Décrit la densité des informations de l'image numérique. Peut également décrire le plus petit point d'impression ou de lecture des imageuses ou des scanners par exemple. Mesurée en dpi et ppi.

Résolution d'image 65, 92

Densité d'informations d'une image numérique bitmap, mesurée en ppi (pixels per inch, pixels par pouce).

Résolution de numérisation 92, 99, 105

Résolution que vous choisissez pour scanner les images. Déterminée par la linéature, le facteur d'échantillonnage et le facteur d'échelle. Détermine le nombre de points numérisés par pouce. Mesurée en ppi.

Résolution de sortie 156

La résolution d'un périphérique de sortie, comme une imprimante ou une imageuse. Mesurée en dpi (dots per inch, points par pouce).

Restitution des couleurs 43

Façon dont les couleurs sont reproduites, par exemple sur un écran ou en impression.

Retiration

Terme d'imprimerie signifiant impression sur les deux faces du papier.

Retouche d'images 82

Création, adaptation, modification ou retouche des images sur ordinateur.

Rétrécissement conique 239

Avec le phénomène d'impression de « rétrécissement conique », l'image imprimée avec la première couleur devient plus large qu'avec la dernière, ce qui empêche un repérage à 100 %. Ce phénomène se produit parce que le papier est comprimé dans chaque groupe d'impression. Le rétrécissement conique est observé aussi bien dans l'impression offset feuilles que rotative.

RIP 165

Raster Image Processor, processeur d'image tramée. Système informatique matériel ou logiciel qui calcule et rastérise les pages avant leur sortie sur une imageuse ou une imprimante.

RIP PostScript 165

Processeur d'image tramée basé sur le langage de description de page PostScript. Voir RIP.

RNIS 148

Réseau numérique à intégration des services (ISDN en anglais). Matériels informatiques et logiciels pour les transmissions numériques via le réseau téléphonique.

Rognage 268

Découpe du papier à la dimension voulue pour l'ajuster à la machine à imprimer et aux machines de façonnage. Découpe du produit imprimé relié au bon format avec des tranches régulières.

ROM 18

Read Only Memory, mémoire à lecture seule appelée « mémoire morte » ; circuit de mémoire préprogrammé où sont enregistrées la plupart des fonctions de base de l'ordinateur.

Rosettes de trame 159, 204

Phénomène afférent au procédé de tramage. Plusieurs points de trame forment un cercle dans l'impression qui peut parfois être perçu comme gênant.

Rotation

Changement d'angle des objets dans l'ordinateur. Il ne faut pas faire pivoter les images dans le programme de mise en page.

Roulage

Opération consistant à faire passer le papier dans la machine à imprimer pour réaliser l'impression.

Rouleau barboteur 238

Rouleau du dispositif de mouillage qui transfère l'eau du bassin au rouleau barboteur.

Rouleau chargeur 238

Rouleau du groupe d'encrage placé contre un cylindre distributeur, qui absorbe ou fournit de l'encre, en fonction de son emplacement.

Rouleau de mouillage 234

Terme générique qui désigne tous les types de rouleaux d'un dispositif de mouillage.

Rouleau encreur 239

Terme générique qui désigne tous les types de rouleaux d'un groupe d'encrage.

Rouleau oscillateur de mouillage 238

Rouleau du dispositif de mouillage dont la fonction est de distribuer la solution de mouillage en un film fin.

Rouleau preneur 238

Rouleau du groupe d'encrage qui transfère l'encre provenant du cylindre d'encrier à un cylindre distributeur, en « sautant » entre eux.

Rouleau preneur de mouillage 238

Rouleau du dispositif de mouillage qui transfère la solution de mouillage du rouleau barboteur au rouleau oscillateur.

Rouleau toucheur-mouilleur 238

Rouleau du dispositif de mouillage qui transfère la solution de mouillage du rouleau oscillateur à la plaque d'impression.

Routeur 144

Unité de réseau qui connecte différentes parties d'un réseau et le divise en zones. Courant lors de la connexion de plusieurs LAN (réseaux locaux) pour former un WAN (réseau étendu).

RVB 43

Rouge, Vert, Bleu. Système de couleurs additives utilisé pour les affichages à l'écran et les scanners par exemple.

S

Sans serif 33, 105

Famille de types de caractères sans empattements, par exemple DIN et Helvetica.

Scanner 99

Appareil utilisé pour lire « par balayage » le document original afin de le transférer vers un ordinateur.

Scanner à plat 102

Dans ce type de scanner, l'original est placé sur une plaque de verre et scanné à plat.

Scanner à tambour 102

Dans ce type de scanner, aussi appelé scanner rotatif, l'original est fixé sur un tambour de verre rotatif.

Scanner de plaque
Scanner qui scanne les plaques d'impression déjà insolées de façon à pouvoir ajuster les réglages d'encre de base par avance.

SCSI 19
Small Computer Standard Interface, norme de transfert des informations dans l'ordinateur et entre des unités externes telles que disques durs, scanners, imprimantes, etc.

Séchage (1) 234
Processus au cours duquel l'encre d'impression sèche sur le papier.

Séchage (2) 225
Lorsque le papier sèche dans la sécherie, le niveau de séchage du papier est déterminé au préalable. Le niveau de séchage dépend de l'utilisation prévue pour le papier.

Séchage chimique 235
Deuxième phase de séchage de l'encre d'impression offset au cours de laquelle l'alkyde réagit avec l'oxygène dans l'air par oxydation. La première phase de séchage est appelée séchage physique.

Séchage physique 235
Première étape du processus de séchage des encres offset. Le composant gras est absorbé par le papier, tandis que le pigment, l'alkyde et la résine forment un gel sur la surface du papier. Le séchage chimique, également appelé séchage par oxydation, constitue la seconde phase.

Segmentation 145
Un réseau peut être divisé en plusieurs segments de réseau pour réduire le trafic en différentes zones du réseau.

Sélection 91–92
Action de découper une image le long de ses contours à l'ordinateur. Également appelée vignette.

Sens de fabrication 221
Direction dans laquelle sont orientées les fibres de papier. La même direction que celle dans laquelle le papier a été fabriqué.

Sens machine (papier)
Voir Sens de fabrication.

Séparation CMJN 44, 93, 68, 167
Conversion d'une image numérique du système de couleurs additives (RVB) au système de couleurs soustractives (CMJN). Lorsque l'image est séparée en quatre couleurs, elle est ajustée en fonction des caractéristiques d'impression applicables.

Séparation en six couleurs 98
Une version de la séparation de couleurs HiFi en six encres d'imprimerie.

Sérigraphie 248
Méthode d'impression utilisée pour les grands formats, tels que les panneaux d'affichage publicitaire et les supports d'impression durs, par exemple les plaques en métal. La forme imprimante se compose d'une fine toile tissée, l'écran, tendue sur un cadre, qui laisse passer l'encre. Les surfaces non imprimantes sont obturées, empêchant ainsi l'encre de passer à travers la toile.

Serveur 143
Puissant ordinateur pour des applications spéciales, par exemple la gestion de fichiers et les sorties sur un réseau.

Serveur réseau 143
Ordinateur qui gère le réseau, contrôle et supervise son trafic et ses autorisations.

Signe
Lettre, chiffre ou symbole.

Solution de mouillage 233
Utilisée en offset conventionnel pour séparer les surfaces imprimantes des surfaces non imprimantes.

Spectre 40
Partie visible des ondes lumineuses, allant du rouge (705 nm) au bleu-violet (385 nm).

Spectrophotomètre 52
Instrument utilisé pour mesurer la composition spectrale des couleurs. Également utilisé, entre autres, pour générer des profils ICC.

Stabiliser
Garantir qu'une unité ou un système d'unités donne rigoureusement les mêmes résultats. L'instabilité peut être le résultat d'erreurs mécaniques ou environnementales, par exemple si les exigences de température et d'humidité ne sont pas satisfaites.

Stabilité dimensionnelle 222
Mesure de la résistance d'un papier aux changements de dimensions.

Stockage par secteur
Technique de stockage des données basée sur les informations enregistrées dans différents secteurs. Est souvent utilisée comme technique de stockage sur des disques magnétiques.

Stockage séquentiel 130
Technique de stockage de données basée sur les informations enregistrées de façon consécutive. Est souvent utilisée comme technique de stockage sur bande magnétique.

Strata Studio 16
Programme d'illustration 3D de Strata.

Structure de fichier 126
Une représentation prédéterminée à partir de laquelle vous organisez et triez vos fichiers.

Structure hiérarchique 126
Méthode de stockage et de tri des fichiers selon un modèle « d'entête » ; les fichiers sont classés en rubriques et sous-rubriques.

StuffIt 75
Programme de compression de fichiers d'Aladdin Systems.

Style de caractères 28
Graisse ou style romain ou italique d'une police, à distinguer de la forme du type de caractère et de sa taille.

Suitcase 36
Utilitaire courant de gestion de polices de caractères. Il permet de désactiver des polices dont vous n'avez pas besoin pour travailler sans avoir à redémarrer des programmes ou à les conserver dans le dossier Système. Vous pouvez grouper des polices, ce qui vous permet d'activer et de désactiver, d'un seul coup, toutes les polices relatives à une production donnée ou à un client particulier.

Support
Généralement papier ou matériau équivalent utilisé pour les épreuves ou comme base pour les tirages photographiques.

Support d'impression
Matériel sur lequel vous imprimez, généralement du papier.

Support de stockage 127
Utilisé pour stocker des fichiers numériques, le support de stockage inclut les disques durs, les disquettes, les CD, etc.

Support réinscriptible 135
Support réinscriptible pour le stockage de données, c'est-à-dire que les informations enregistrées sur le disque peuvent être effacées et réécrites.

Surface composée 261
Espace entre les marges d'une page où vous devez normalement placer le contenu.

SWOP 202
Specifications for Web Offset Publications, spécifications pour publications en offset rotative. Norme de définition des encres d'impression aux États-Unis. À comparer à la norme européenne, Eurostandard (European Color Scale).

Syquest 129
Disque magnétique amovible de stockage de données qui était utilisé très fréquemment dans l'industrie graphique, mais qui n'est plus fabriqué.

Système d'épreuve 199
Système analogique ou numérique qui permet de produire des épreuves. Voir Impression d'épreuve.

Système de couleurs soustractives 42
Système de couleurs qui mélange les couleurs en utilisant plusieurs

couleurs primaires. Ces couleurs primaires filtrent les longueurs d'onde de la lumière blanche : certaines sont absorbées et d'autres non. Le système CMJN est un système de couleurs soustractives.

Système de gestion des couleurs 59
Programme qui prend en compte les caractéristiques chromatiques des scanners, des écrans, des imprimantes, des épreuves et de l'impression.

Système numérique binaire 23
Système numérique utilisé par l'ordinateur, basé sur les chiffres 0 et 1. À rapprocher du système décimal que nous utilisons qui prend comme base 0 à 9.

Système numérique décimal 23
Système régulier normal que nous utilisons tous les jours, basé sur les chiffres 0 à 9.

Table de marge 236
Le margeur à nappe d'une machine à imprimer feuilles place les feuilles sur la table de marge qui les transporte jusqu'au rectificateur. La table de marge garantit une alimentation feuille à feuille par le margeur à nappe.

Taille de police
Taille de la police, indiquée en points.

Tambour externe 194
Version d'imageuse film dans laquelle le film est insolé sur l'extérieur d'un tambour rotatif.

Tambour interne 194
Type d'imageuse film. L'exposition du film a lieu dans un tambour fixe.

TCP/IP 142
Transmission Control Protocol/Internet Protocol, protocole réseau utilisé sur Internet et les réseaux locaux. Protocole réseau le plus normalisé et le plus communément utilisé.

Télécommunication 148
Communication de données via le réseau analogique de télécommunications.

Téraoctet
1 099 511 627 776 octets.

Temps de pose 213
Temps nécessaire pour insoler une plaque d'impression ou un film graphique, et obtenir le résultat correct.

Tête d'écriture 128
Organe d'un lecteur/d'une imprimante qui permet l'écriture de données sur un support de stockage, par exemple des graveurs de CD.

Tête de gravure 251
Utilisée en héliogravure pour graver les formes d'impression : comprend une tête diamantée ou un faisceau laser.

Tête de lecture 103, 128
Partie d'un scanner ou d'un lecteur de support de stockage de données, par exemple un lecteur de CD, qui lit les informations de l'image ou du disque.

Tétonnage 215
Action de faire un trou. On perfore un trou dans un film et une plaque pour les monter correctement à l'aide des tétons.

Tétons 215, 240
Système de repérage composé de petits picots. Sont utilisés lors du montage des films et des plaques d'impression, mais aussi pour le calage d'impression afin d'obtenir le meilleur repérage possible entre les composantes couleurs.

Tierce 201
Épreuve réalisée sur la machine à imprimer avant l'impression définitive.

TIFF 71
Tagged Image File Format, format de fichier d'image balisé. Format de fichier courant pour les images numériques.

Tirage d'essai 254
Petit tirage d'un produit imprimé réalisé avant le tirage complet.

Tons continus 155
Tons avec des gradations (dégradés) peu marquées et régulières qui ne présentent pas de ruptures de tons franches, comme dans la photographie.

Tons directs 65, 115
Encres d'impression de couleurs particulières, par exemple du système Pantone. Elles sont utilisées généralement en complément du noir ou pour obtenir une couleur exacte que les encres de quadrichromie ne permettent pas de créer. Ces encres sont prémélangées selon une formule spécifique.

Toucheur-encreur 238
Rouleau situé dans le groupe d'encrage qui transfère l'encre des derniers cylindres distributeurs à la plaque d'impression.

Traitement final 224
Lorsque le papier est post-traité de différentes façons selon la qualité et les caractéristiques de surface qu'il doit avoir.

Traits de coupe 243, 178
Repères spéciaux qui indiquent où doit être coupée la feuille imprimée. Voir également Marque de repérage.

Tramage 154
Utilisé en imprimerie pour simuler les tons gris, généralement avec des points de différentes tailles.

Trame Diamond 161
Tramage FM (stochastique) de Linotype Hell.

Trame FM 160
Trame à modulation de fréquence (Frequency Modulation). Méthode de tramage selon laquelle les distances entre les points de trame sont variables, et non les tailles des points. Également appelée trame stochastique ou aléatoire.

Trame lignée 161
Trame basée sur des lignes fines d'épaisseurs diverses, par opposition à des points de trame.

Trame stochastique 160
Voir Trame FM.

Trapping 119
Technique de grossi-maigri pour éviter les blancs dans les défonces.

Trapwise 119
Programme de Creo de gestion du trapping sur les documents.

TrueType 34, 111
Type de fichier de définition des polices de caractères, non basé sur PostScript.

Type de caractères 28
Forme distinctive d'un ensemble de caractères qui se distinguent par leur graisse, leur style et leur taille.

Type Reunion 38
Utilitaire d'Adobe. Regroupe toutes les polices de caractères par famille.

Typebook 30
Programme qui imprime des échantillons de polices de caractères.

UCA 94
Under Color Addition, ajout de sous-couleurs. Méthode particulière de séparation. Le noir est ajouté dans des zones des images qui doivent être vraiment foncées.

UCR (Under Color Removal) 94
Retrait de sous-couleurs. Technique consistant à remplacer une partie des composantes couleurs CMJ par du noir.

Unité de réseau 143
Unité utilisée pour former un réseau, par exemple des switches (commutateurs), des ponts et des hubs (concentrateurs).

Unix 15
Système d'exploitation utilisé principalement sur de puissants ordinateurs pour des applications particulières, par exemple les applications de conception assistée par ordinateur et les serveurs.

V

Valeur de trame
Valeur tonale entre 0 et 100 %.

Valeur gamma   77
Valeur décrivant une courbe utilisée pour compresser les tons ou régler les écrans.

Valeur tonale
Décrit la quantité d'une couleur primaire, donnée en pourcentage.

Valeur tristimulus
Voir CIE.

Valeurs de référence   100
Valeurs standards pour différents paramètres d'impression, par exemple l'engraissement du point, la densité de l'aplat, etc.

Valise de polices de caractères   31
Dossier spécial dans lequel sont enregistrées toutes les polices de caractères de différentes versions et tailles.

Variables booléennes   137
Méthode utilisée pour créer des combinaisons logiques à l'aide de variables booléennes, telles que « et », « ou » et « non. » Cette méthode est souvent appliquée pour combiner des mots de recherche dans des moteurs de recherche.

Véhicule   234
Constituant de l'encre d'impression qui encapsule et véhicule les pigments.

Vernissage   269, 116
Technique utilisée pour ajouter une surface brillante à un produit imprimé. Cela n'offre pas une protection notable contre la salissure et l'usure, il s'agit essentiellement d'une procédure esthétique. Le vernis est appliqué par un groupe d'encrage normal ou par un groupe de vernissage spécial dans une machine à imprimer offset.

Verso
Arrière d'une feuille imprimée. Comparer au Recto.

Vignette   137
Petites images de faible résolution créées pour faciliter l'identification d'une image.

Vis d'encrier   239, 240
Contrôle la racle et donc le débit d'encre dans les différentes zones de l'encrier de la machine à imprimer. Peut être réglée manuellement ou par commande numérique selon la machine à imprimer.

Viscosité   234
Mesure de l'état visqueux d'un liquide.

Vitesse d'écriture   127
Vitesse à laquelle les données sont transférées et écrites sur un support de stockage de données.

Vitesse de l'obturateur   106
Temps pendant lequel l'obturateur de l'appareil photo est ouvert et expose le film à la lumière.

Vitesse de lecture   127
Vitesse à laquelle des données peuvent être lues et transférées à partir d'un support de stockage de données. Indiquée en kilo-octets par seconde.

Vitesse de transmission   142
Vitesse à laquelle les données sont transmises, par exemple vers ou depuis un support de stockage ou via un réseau.

Vitesse de transmission théorique   146
La vitesse de transmission théorique est une mesure de la vitesse à laquelle vous pouvez (théoriquement) transporter les données sur un réseau.

Volume
Corps relié d'un livre qui est attaché (fixé) à la couverture, par exemple dans le cas d'une brochure collée ou cousue.

Volume du trafic réseau   145
Indique le niveau du trafic, c'est-à-dire la quantité d'informations envoyées sur un réseau à un moment donné.

VRAM   22
Pour travailler avec des images en mouvement ou d'un grand format, l'écran doit avoir beaucoup de RAM vidéo, également appelée VRAM.

W

WAN   141
Wide Area Network, réseau étendu. Vaste réseau qui relie divers réseaux locaux.

Word   16, 110
Programme de traitement de texte de Microsoft fréquemment utilisé.

WWW   149
World Wide Web. Mode de publication de pages en utilisant des liens multimédias et hypertextes sur Internet.

Z

Zip (1)   129
Disque magnétique amovible permettant de stocker des données, contient 100 ou 250 mégaoctets.

Zip (2)   75
Programme de compression de fichiers.

Zones/Réseaux divisés en zones   145
Un réseau peut être divisé en plusieurs segments de réseau pour réduire le trafic du réseau en différentes parties.

LISTE DES EXTENSIONS

▶ **EXTENSIONS**

Vous trouverez ci-dessous les extensions de fichier les plus utilisées.
Une extension indique le type de fichier auquel vous avez à faire ; vous les trouverez sur tous les fichiers Windows et sur certains fichiers Macintosh.

Nomdefichier.ai	Format d'Adobe Illustrator
Nomdefichier.art	Fichier Bezier d'Adobe Streamline (format d'Illustrator)
Nomdefichier.att	Fichier joint à un e-mail (a perdu son véritable suffixe de fichier)
Nomdefichier.bmp	Image Windows standard
Nomdefichier.c	Fichier cyan dans un EPS à cinq fichiers
Nomdefichier.cdm	Métafichier de Corel
Nomdefichier.cdr	Fichier Corel Draw
Nomdefichier.cgm	Métafichier Computer Graphics (Unix)
Nomdefichier.dcs	EPS à cinq fichiers (fichier DCS)
Nomdefichier.doc	Fichier Microsoft Word
Nomdefichier.eps	Fichier EPS en environnement PC
Nomdefichier.exe	Fichier exécutable en environnement PC
Nomdefichier.fh7	Fichier Freehand 7.X
Nomdefichier.fon	Fichier de polices
Nomdefichier.gif	Image au format Graphic Interchange Format
Nomdefichier.htm	Fichier HTML
Nomdefichier.html	Fichier HTML (environnement Mac)
Nomdefichier.hqx	Fichier compressé BinHex
Nomdefichier.jpe	Image JPEG en environnement PC
Nomdefichier.jpg	Image JPEG en environnement PC
Nomdefichier.jpeg	Image JPEG en environnement Mac
Nomdefichier.k	Fichier noir dans un EPS à cinq fichiers
Nomdefichier.lay	Image OPI basse résolution
Nomdefichier.lzw	Image compressée LZW
Nomdefichier.m	Fichier magenta dans un EPS à cinq fichiers
Nomdefichier.pdf	Fichier PDF
Nomdefichier.pcd	CD Photo Kodak
Nomdefichier.pct	Image Pict (format PC)
Nomdefichier.pcx	Fichier Paint Brush
Nomdefichier.pfm	Police PostScript Type 1 (environnement PC)

Nomdefichier.pict	Image Pict (format Mac)
Nomdefichier.ppd	Fichier de description d'imprimante PostScript.
Nomdefichier.pm6	Fichier Adobe Pagemaker 6.X en environnement PC
Nomdefichier.prn	Fichier PostScript en environnement PC
Nomdefichier.ps	Fichier PostScript
Nomdefichier.psd	Format Photoshop
Nomdefichier.pub	Fichier Ventura
Nomdefichier.qxp	Fichier QuarkXPress en environnement PC
Nomdefichier.rtf	Rich Text Format—fichier texte formaté en format standard
Nomdefichier.sct	Scitex CT
Nomdefichier.sea	Fichier compressé auto-extractible du programme de compression Stuffit.
Nomdefichier.sgm	Fichier texte codé en SGML
Nomdefichier.sgml	Fichier texte codé en SGML (format Mac)
Nomdefichier.sit	Fichier compressé non auto-extractible du programme de compression Stuffit.
Nomdefichier.skv	Fichier texte délimité par point-virgule
Nomdefichier.smp	Image OPI basse résolution
Nomdefichier.tga	Truevision Targa, format image 24 bits
Nomdefichier.tif	Image TIFF en environnement PC
Nomdefichier.ttf	Police TrueType en environnement PC
Nomdefichier.txt	Fichier texte brut en environnement PC
Nomdefichier.wmf	Image Windows Meta File
Nomdefichier.wp	Fichier Word Perfect
Nomdefichier.wpg	Fichier image de Word Perfect
Nomdefichier.xls	Fichier Microsoft Excel en environnement PC
Nomdefichier.y	Fichier jaune dans un EPS à cinq fichiers
Nomdefichier.z	Fichier Unix compressé
Nomdefichier.zip	Fichier compressé du programme de compression ZIP

MERCI

Milou Allerholm
Magnus Almgren
Ida Andersson
Mats Andersson
Mattias Andersson
Lotta Bjurman
Staffan Boije af Gennäs
Mr Björn Carlsson
Ragnar Dybeck
Tomas Ek
Maroa Gunnarsson
Eva Henriksson
Joanna Hornatowska
Albert Håkansson
Erik Jarl
Morten Johansson
Roger « Ro-Jah » Johansson
Clas-Göran Jönsson
Andreas Karperyd
Petter Kolseth
Jaromir Korostenski
Göran Lindholm
Åza Löfstedt
Helena Modéer
Johan Möller
Josef Obiols
Sandra Praun
Lennart Stenius
Ulf Sunnberg
Erling Torfasson
Helena Wahlman

aux étudiants de KTH Grafisk Teknik -98

IGP AB
Bromma-Tryck AB
Colorcraft AB
Crossmedia AB
Magazine AB
Fälth & Hässler
Ciao Ciao

Cet ouvrage a été élaboré en collaboration avec de nombreux professionnels : professeurs d'université, imprimeurs, agences de publicité et de communication, papetiers et éditeurs.

Björn Blanck
Sven Dolling
Nils Enlund
Patrick Geuder
Lotta Gill
Leif Handberg
Rebecka Lindberg
Fredrik Sjögren
Marika Taillefer

Dépôt légal : novembre 2004
N° d'éditeur : 7061
Imprimé en Suède